le Guide du **routard**

Directeur de collection et auteur
Philippe GLOAGUEN

Cofondateurs
Philippe GLOAGUEN et Michel DUVAL

Rédacteur en chef
Pierre JOSSE

Rédacteurs en chef adjoints
Amanda KERAVEL et Benoît LUCCHINI

Directrice de la coordination
Florence CHARMETANT

Directeur de routard.com
Yves COUPRIE

Rédaction
Olivier PAGE, Véronique de CHARDON,
Isabelle AL SUBAIHI, Anne-Caroline DUMAS,
Carole BORDES, Bénédicte BAZAILLE,
André PONCELET, Marie BURIN des ROZIERS,
Thierry BROUARD, Géraldine LEMAUF-BEAUVOIS,
Anne POINSOT, Mathilde de BOISGROLLIER,
Gavin's CLEMENTE-RUÏZ, Alain PALLIER
et Fiona DEBRABANDER

CANADA OUEST ET ONTARIO

2005

H

Avis aux hôteliers et aux restaurateurs

Les enquêteurs du *Guide du routard* travaillent dans le plus strict anonymat, afin de préserver leur indépendance et l'objectivité des guides. Aucune réduction, aucun avantage quelconque, aucune rétribution ne sont jamais demandés en contrepartie. Face aux aigrefins, la loi autorise les hôteliers et restaurateurs à porter plainte.

Hors-d'œuvre

Le *GDR,* ce n'est pas comme le bon vin, il vieillit mal. On ne veut pas pousser à la consommation, mais évitez de partir avec une édition ancienne. D'une année sur l'autre, les modifications atteignent et dépassent souvent les 30 %.

Spécial copinage

Le Bistrot d'André : 232, rue Saint-Charles, 75015 Paris. ☎ 01-45-57-89-14. Ⓜ Balard. À l'angle de la rue Leblanc. Fermé le dimanche. Menu à 12,50 € servi le midi en semaine uniquement. Menu-enfants à 7 €. À la carte, compter autour de 22 €. L'un des seuls bistrots de l'époque Citroën encore debout, dans ce quartier en pleine évolution. Ici, les recettes d'autrefois sont remises à l'honneur. Une cuisine familiale, telle qu'on l'aime. Des prix d'avant-guerre pour un magret de canard poêlé sauce au miel, des rognons de veau aux champignons, un poisson du jour... Kir offert à tous les amis du *Guide du routard.*

ON EN EST FIER : www.routard.com

Tout pour préparer votre voyage en ligne, de A comme argent à Z comme Zanzibar : des fiches pratiques sur 125 destinations (y compris les régions françaises), nos tuyaux perso pour voyager, des cartes et des photos sur chaque pays, des infos météo et santé, la possibilité de réserver en ligne son visa, son vol sec, son séjour, son hébergement ou sa voiture. En prime, *routard mag,* véritable magazine en ligne, propose interviews de voyageurs, reportages, carnets de route, événements culturels, dossiers pratiques, produits nomades, fêtes et infos du monde. Et bien sûr : des concours, des *chats,* des petites annonces, une boutique de produits de voyage...

Mille excuses, on ne peut plus répondre individuellement aux centaines de CV reçus chaque année.

© **HACHETTE LIVRE (Hachette Tourisme), 2005**
Tous droits de traduction, de reproduction
et d'adaptation réservés pour tous pays.

© **Cartographie** Hachette Tourisme.

TABLE DES MATIÈRES

Pour la carte générale du Canada, voir le cahier couleur.

COMMENT Y ALLER?

GÉNÉRALITÉS

L'ONTARIO

LES GRANDES PRAIRIES

LE MANITOBA

LA SASKATCHEWAN

L'ALBERTA

LA COLOMBIE-BRITANNIQUE

L'ÎLE DE VANCOUVER

LES PARCS DE COLOMBIE-BRITANNIQUE

NOS NOUVEAUTÉS

BORDEAUX (mars 2005)

Ouf ! ça y est... Bordeaux a son tramway. Grande nouvelle pour les voyageurs qui retrouvent la ville débarrassée d'un chantier qui la défigurait, et aussi pour les Bordelais qui peuvent enfin profiter d'un superbe centre piéton. Car Bordeaux est une aristocrate du XVIIIe siècle que la voiture dérangeait. Elle offre au piéton des ruelles que parcourait déjà Montaigne, quand il en était le maire.

Passé la surprise des superbes façades des Chartrons, des allées de Tourny et du Grand Théâtre, vous irez à la recherche du Bordeaux populaire et mélangé. Vous irez faire la fête dans les zones industrielles portuaires réhabilitées, vous irez parler rugby place de la Victoire avec des étudiants à l'accent rugueux qui font de Bordeaux la vraie capitale du Sud-Ouest (pardon, d'Aquitaine).

Bordeaux est une aristocrate qui aime aussi s'encanailler. Elle aime ses aises, sa liberté, et ne cesse de regretter la victoire des Jacobins sur les Girondins.

Et le vin ? Il est partout et pas seulement le bordeaux, car ces gens sont chauvins, certes, mais aussi curieux, et puis ils considèrent, à juste titre, que tout vin du monde est fils de Bordeaux.

POLOGNE ET CAPITALES BALTES (avril 2005)

Depuis leur entrée au sein de la grande famille européenne, les anciens pays de l'Est suscitent beaucoup de curiosité. On connaissait déjà ce grand pays qu'est la Pologne, avec Cracovie, une vraie perle de culture ; Varsovie ; le massif des Tatras ; les rivages de la Baltique où s'échoue l'ambre fossilisé ; et les plaines encore sauvages de Mazurie où broutent les derniers bisons d'Europe. Mais que dire alors des pays que l'on nomme baltes ? Lituanie, Estonie, Lettonie... On les mélange encore un peu mais, très vite, on distingue leurs différences : Vilnius, la baroque au milieu de collines boisées, Tallinn et son lacis de rues dominées par les flèches des églises, Riga, sa forteresse face à la mer et ses édifices Art nouveau. Malgré les 50 ans de présence soviétique, vous serez surpris par la modernité de ces villes et par le dynamisme qui anime leurs habitants.

LES GUIDES DU ROUTARD
2005-2006

(dates de parution sur **www.routard.com**)

France

- Alpes
- Alsace, Vosges
- Aquitaine
- Ardèche, Drôme
- Auvergne, Limousin
- **Bordeaux (mars 2005)**
- Bourgogne
- Bretagne Nord
- Bretagne Sud
- Chambres d'hôtes en France
- Châteaux de la Loire
- Corse
- Côte d'Azur
- **Fermes-auberges en France (fév. 2005)**
- Franche-Comté
- Hôtels et restos en France
- Ile-de-France
- Junior à Paris et ses environs
- Languedoc-Roussillon
- **Lille (mai 2005)**
- **Lot, Aveyron, Tarn (février 2005)**
- Lyon
- Marseille
- Montpellier
- Nice
- Nord-Pas-de-Calais
- Normandie
- Paris
- Paris balades
- Paris exotique
- Paris la nuit
- Paris sportif
- Paris à vélo
- Pays basque (France, Espagne)
- Pays de la Loire
- Petits restos des grands chefs
- Poitou-Charentes
- Provence
- **Pyrénées, Gascogne et pays toulousain (février 2005)**
- Restos et bistrots de Paris
- Le Routard des amoureux à Paris
- Toulouse
- Week-ends autour de Paris

Amériques

- Argentine
- Brésil
- Californie
- Canada Ouest et Ontario
- Chili et île de Pâques
- Cuba
- Equateur
- Etats-Unis, côte Est
- Floride, Louisiane
- Guadeloupe, Saint-Martin, Saint-Barth
- Martinique, Dominique, Sainte-Lucie
- Mexique, Belize, Guatemala
- New York
- Parcs nationaux de l'Ouest américain et Las Vegas
- Pérou, Bolivie
- Québec et Provinces maritimes
- Rép. dominicaine (Saint-Domingue)

Asie

- Birmanie
- Cambodge, Laos
- Chine (Sud, Pékin, Yunnan)
- Inde du Nord
- Inde du Sud
- Indonésie
- Israël
- Istanbul
- Jordanie, Syrie
- Malaisie, Singapour
- Népal, Tibet
- Sri Lanka (Ceylan)
- Thaïlande
- Turquie
- Vietnam

Europe

- Allemagne
- Amsterdam
- Andalousie
- Andorre, Catalogne
- Angleterre, pays de Galles
- Athènes et les îles grecques
- Autriche
- Baléares
- Barcelone
- Belgique
- Crète
- Croatie
- Ecosse
- Espagne du Centre (Madrid)
- Espagne du Nord-Ouest (Galice, Asturies, Cantabrie)
- **Finlande (avril 2005)**
- **Florence (mars 2005)**
- Grèce continentale
- **Hongrie, République tchèque, Slovaquie (avril 2005)**
- Irlande
- **Islande (mars 2005)**
- Italie du Nord
- Italie du Sud
- Londres
- Malte
- Moscou, Saint-Pétersbourg
- Norvège, Suède, Danemark
- Piémont
- **Pologne et capitales baltes (avril 2005)**
- Portugal
- Prague
- Rome
- **Roumanie, Bulgarie (mars 2005)**
- Sicile
- Suisse
- Toscane, Ombrie
- Venise

Afrique

- Afrique noire
- **Afrique du Sud (nouveauté)**
- Egypte
- Ile Maurice, Rodrigues
- Kenya, Tanzanie et Zanzibar
- Madagascar
- Maroc
- Marrakech et ses environs
- Réunion
- Sénégal, Gambie
- Tunisie

et bien sûr...

- Le Guide de l'expatrié
- Humanitaire

NOS MEILLEURES FERMES-AUBERGES EN FRANCE (février 2005)

En ces périodes de doute alimentaire, quoi de plus rassurant que d'aller déguster des produits fabriqués sur place ? La ferme-auberge, c'est la garantie de retrouver sur la table les bons produits de la ferme. Ce guide propose une sélection des meilleures tables sur toute la France, ainsi qu'une sélection d'adresses où sont vendus des produits du terroir. Ici, pas d'intermédiaire, et on passe directement du producteur au consommateur. Pas d'étoile, pas de chefs renommés, mais une qualité de produits irréprochable. Des recettes traditionnelles, issues de la culture de nos grands-mères, vous feront découvrir la cuisine des régions de France. Au programme ? Pintade au chou, lapin au cidre, coq au vin, confit de canard, potée, aligot, ficelle picarde, canard aux navets... Bref, un véritable tour de France culinaire de notre bonne vieille campagne.

FINLANDE (avril 2005)

Des forêts, des lacs, des marais, des rivières, des forêts, des marais, des lacs, des forêts, des rennes, des lacs... et quelques villes perdues au milieu des lacs, des forêts, des rivières... Voici un pays guère comme les autres, farouchement indépendant, qui cultive sa différence et sa tranquillité. Coincée pendant des siècles entre deux États expansionnistes, la Finlande a longtemps eu du mal à asseoir sa souveraineté et à faire valoir sa culture. Or, depuis plus d'un demi-siècle, le pays accumule les succès. Il a construit une industrie flambant neuve, qui l'a hissé parmi les nations les plus développées. Tous ces progrès sont équilibrés par une qualité de vie exceptionnelle. La Finlande a bâti ses villes au milieu des forêts, au bord des lacs, dans des sites paisibles et aérés. Il faut visiter les villes bien sûr, elles vous aideront à comprendre ce mode de vie tranquille et c'est là que vous ferez des rencontres. Mais les vraies merveilles se trouvent dans la nature. Alors empruntez les chemins de traverse, créez votre itinéraire, explorez, laissez-vous fasciner par cette nature gigantesque, sauvage et sereine. Vous ne le regretterez pas.

Nous tenons à remercier tout particulièrement Loup-Maëlle Besançon, Thierry Bessou, Gérard Bouchu, François Chauvin, Grégory Dalex, Cédric Fischer, Carole Fouque, Michelle Georget, David Giason, Jean-Sébastien Petitdemange, Laurence Pinsard et Thomas Rivallain pour leur collaboration régulière.

Et pour cette chouette collection, plein d'amis nous ont aidés :

David Alon
Didier Angelo
Cédric Bodet
Philippe Bourget
Nathalie Boyer
Ellenore Bush
Florence Cavé
Raymond Chabaud
Alain Chaplais
Bénédicte Charmetant
Geneviève Clastres
Nathalie Coppis
Sandrine Couprie
Agnès Debiage
Célia Descarpentrie
Tovi et Ahmet Diler
Claire Diot
Émilie Droit
Sophie Duval
Pierre Fahys
Alain Fisch
Cécile Gauneau
Stéphanie Genin
Adrien Gloaguen
Clément Gloaguen
Stéphane Gourmelen
Isabelle Grégoire
Claudine de Gubernatis
Xavier Haudiquet
Lionel Husson
Catherine Jarrige
Lucien Jedwab
François et Sylvie Jouffa
Emmanuel Juste
Olga Krokhina
Florent Lamontagne

Vincent Launstorfer
Francis Lecompte
Benoît Legault
Jean-Claude et Florence Lemoine
Valérie Loth
Dorica Lucaci
Stéphanie Lucas
Philippe Melul
Kristell Menez
Xavier de Moulins
Jacques Muller
Alain Nierga et Cécile Fischer
Patrick de Panthou
Martine Partrat
Jean-Valéry Patin
Odile Paugam et Didier Jehanno
Xavier Ramon
Patrick Rémy
Céline Reuilly
Dominique Roland
Déborah Rudetzki et Philippe Martineau
Corinne Russo
Caroline Sabljak
Jean-Luc et Antigone Schilling
Brindha Seethanen
Abel Ségretin
Alexandra Sémon
Guillaume Soubrié
Régis Tettamanzi
Claudio Tombari
Christophe Trognon
Julien Vitry
Solange Vivier
Iris Yessad-Piorski

Direction : Cécile Boyer-Runge
Contrôle de gestion : Joséphine Veyres et Céline Déléris
Responsable de collection : Catherine Julhe
Édition : Matthieu Devaux, Stéphane Renard, Magali Vidal, Marine Barbier-Blin, Dorica Lucaci, Sophie de Maillard, Laure Méry, Amélie Renaut et Éric Marbeau
Secrétariat : Catherine Maîtrepierre
Préparation-lecture : Élisabeth Bernard
Cartographie : Cyrille Suss et Aurélie Huot
Fabrication : Nathalie Lautout et Audrey Detournay
Couverture : conçue et réalisée par Thibault Reumaux
Direction marketing : Dominique Nouvel, Lydie Firmin et Juliette Caillaud
Direction partenariats : Jérôme Denoix et Dana Lichiardopol
Informatique éditoriale : Lionel Barth
Relations presse : Danielle Magne, Martine Levens et Maureen Browne
Régie publicitaire : Florence Brunel

NOS NOUVEAUTÉS

AFRIQUE DU SUD (paru)

Qui aurait dit que ce pays, longtemps mis à l'index des nations civilisées, parviendrait à chasser ses vieux démons et retrouverait les voies de la paix civile et la respectabilité ? Le régime de ségrégation raciale (l'apartheid), en vigueur depuis 1948, a été aboli le 30 juin 1991. En 1994 – c'était il y a 10 ans – les Sud-Africains participaient aux premières élections démocratiques et multiraciales jamais organisées dans leur pays. Après 26 années de détention, le prisonnier politique le plus célèbre du monde, Nelson Mandela, devenait le chef d'État le plus admiré de la planète. La mythique « Nation Arc-en-Ciel » connaissait un véritable état de grâce. Pendant un temps, le destin de l'Afrique du Sud fut entre les mains de trois prix Nobel. Le pays se rangea dans la voie de la réconciliation. Même si ce processus va encore demander du temps, une décennie après, l'Afrique du Sud, devenue une société multiraciale, continue d'étonner le monde.

L'Afrique du Sud n'a jamais été aussi captivante. Voilà un pays exceptionnel baigné par deux océans (Atlantique et Indien), avec d'époustouflants paysages africains.

Des quartiers branchés de Cape Town aux immenses avenues de Johannesburg, des musées de Pretoria à la route des Jardins, du macadam urbain à la brousse tropicale, ce voyage est un périple aventureux où tout est variété, vitalité, énergie ; où rien ne laisse indifférent. Des huttes du Zoulouland aux *lodges* des grands parcs, que de contrastes ! N'oubliez pas les bons vins de ce pays gourmand qui aime aussi la cuisine élaborée. Les plus aventureux exploreront la Namibie, plus vraie que nature, où un incroyable désert de sable se termine dans l'océan. Et ne négligez pas les petits royaumes hors du temps : le Swaziland et le Lesotho.

ISLANDE (mars 2005)

Terre des extrêmes et des contrastes, à la limite du cercle polaire, l'Islande est avant tout l'illustration d'une fabuleuse leçon de géologie. Volcans, glaciers, champs de lave, geysers composent des paysages sauvages qui, selon le temps et l'éclairage, évoquent le début ou la fin du monde. À l'image de son relief et de ses couleurs tranchées et crues, l'Islande ne peut inspirer que des sentiments entiers. Près de 300 000 habitants y vivent, dans de paisibles villages côtiers, fiers d'être ancrés à une île dont la découverte ne peut laisser indifférent. Fiers de descendre des Vikings, en ligne directe. Une destination unique donc (et on pèse nos mots) pour le routard amoureux de nature et de solitude, dans des paysages grandioses dont la mémoire conservera longtemps la trace après le retour.

Remerciements

Pour ce guide, nous tenons à remercier tout particulièrement la Commission canadienne du Tourisme pour son aide et son efficacité, notamment Bernard Couet, Thierry Journé et Anne Zobenbuhler.

Et aussi :

– Bruno Lavoie et Louis Grenier, de la Chambre de commerce économique de l'Alberta.
– Kristine George, de Tourism Victoria.
– François Bergeron, du journal *L'Express de Toronto.*
– Pierre Jury, du journal *Le Droit d'Ottawa.*
– José Lafleur, de Tourisme Outaouais.
– Pam Challoner, du Banff-Lake Louise Tourism Bureau.
– Debra Cummings et Nolwenn Ménez, de Travel Alberta.

LES QUESTIONS QU'ON SE POSE LE PLUS SOUVENT

> *Quels sont les papiers à avoir ?*

Passeport obligatoire valide jusqu'à 6 mois après le retour.

> *Quelle est la meilleure saison pour aller dans le pays ?*

L'été et l'automne pour apprécier lacs, forêts et voir pointer quelques museaux... en mai, les parcs sont souvent encore enneigés et les lacs pas complètement dégelés.

> *Quel est le décalage horaire ?*

Entre 4, 5 et 9 h de moins, en fonction de là où vous allez.

> *La vie est-elle chère ?*

La montée de l'euro fait fondre les prix canadiens. Il demeure néanmoins que les prix des hébergements s'envolent dans les parcs nationaux, mais on trouve plus abordable en s'éloignant un peu des grands « spots » touristiques... la location d'une voiture, quasi indispensable, grève un peu le budget, mais on compense vite par quelques nuits sous la tente !

> *Peut-on y aller avec des enfants ?*

Plutôt deux fois qu'une ! Quel enfant refuserait de chevaucher avec de vrais cow-boys, dormir sous un tipi ou jouer les trappeurs dans une petite cabane en bois ? Attention toutefois aux *B & B* et aux hôtels qui refusent les enfants, c'est hélas assez fréquent au Canada.

> *Quel est le meilleur moyen pour se déplacer dans le pays ?*

Les Canadiens ne jurent que par l'avion et la voiture, et on les comprend quand on voit les distances... C'est vrai qu'il vaut mieux avoir son propre véhicule pour apprécier les parcs en toute quiétude, mais pour les inconditionnels, bus et trains couvrent les trajets principaux, il suffit de prendre le temps...

> *Comment se loger au meilleur prix ?*

Le camping, sans hésiter : pas chers, très bien équipés, on en trouve partout, notamment dans les parcs nationaux. On y trouve souvent aussi des bungalows en rondins de bois, tout aussi sympas.

> *Quels sports peut-on pratiquer ?*

À part la plongée en eaux chaudes, on ne voit pas vraiment quel sport n'est PAS pratiqué au Canada... La rando, le VTT, le canoë-kayak, le rafting arrivent en tête. Et vous pensiez vous reposer ?

> *Aperçoit-on facilement des animaux dans les parcs ?*

Oui, inutile d'être un grand aventurier pour approcher les wapitis, coyotes, orignaux et ours qui peuplent les grandes forêts canadiennes... Un bon coup d'œil et un peu de chance suffisent... Admirez-les de loin, mais ne descendez pas de voiture, les ours ne sont pas de gentilles peluches...

> *Où rencontrer des cow-boys ?...*

Au Stampede de Calgary, le must du rodéo, mais aussi tout simplement chez eux, puisque certains ranchs s'ouvrent aux touristes... Prévoir stetson et santiags pour une vraie balade à cheval dans les règles.

> *... et des Indiens ?*

La majorité des Indiens vivent dans les provinces de l'Ouest, et un quart dans l'Ontario. Aujourd'hui, tout est fait pour réhabiliter l'image des « Premières Nations », beaucoup de sites leur sont consacrés, comme le superbe musée Glenbow à Calgary, ou le musée d'Anthropologie de Vancouver. Une reconnaissance tardive mais salutaire.

LES LIGNES RÉGULIÈRES

▲ AIR FRANCE

Renseignements et réservations : ☎ 0820-820-820 (de 6 h 30 à 22 h).
● www.airfrance.fr ●, dans les agences Air France et dans toutes les agences de voyages.
– *Montréal* : 2000 rue Mansfield, 10ᵉ étage, H3A-3A3. ☎ 514-847-1106. Ouvert du lundi au vendredi de 9 h à 17 h, fermé le week-end.
– *Toronto* : 151 Bloor Street West, Suite 810. ☎ 800-667-2747. Ouvert du lundi au vendredi de 9 h 30 à 13 h et de 14 h à 17 h.
➤ Air France dessert Montréal avec 3 vols directs par jour et Toronto une fois par semaine (sans escale) au départ de Roissy-Charles-de-Gaulle.
Air France propose une gamme de tarifs attractifs accessibles à tous : du *Tempo 1* (le plus souple) au *Tempo 5* (le moins cher) selon les destinations. Pour les moins de 25 ans, Air France propose des tarifs très attractifs *Tempo Jeunes,* ainsi qu'une carte de fidélité, « Fréquence Jeune », gratuite et valable sur l'ensemble des lignes d'Air France et des autres compagnies membres de Skyteam. Cette carte permet de cumuler des *miles* et de bénéficier d'avantages chez de nombreux partenaires.
Tous les mercredis dès 0 h, sur ● www.airfrance.fr ●, Air France propose les tarifs « Coups de cœur », une sélection de destinations en France pour des départs de dernière minute.
Sur Internet, possibilité de consulter les meilleurs tarifs du moment, rubrique « offres spéciales », « promotions ».

▲ AIR CANADA

– *Roissy-Charles-de-Gaulle* : Terminal 2A, porte 5. ☎ 0825-880-881. Ⓜ Saint-Augustin. Ouvert du lundi au vendredi de 9 h à 18 h.
– *Lyon* : 57, bd Vivier-Merle, 69003. ☎ 0825-880-881.
– *Toulouse* : 81, bd Carnot, 31000. ☎ 0825-880-881.
➤ Air Canada dessert quotidiennement Montréal et Toronto au départ de Paris, et propose des correspondances sur tout le Canada. Au départ de province, les correspondances sont assurées grâce à leur partenaire Lufthansa via Francfort et Munich.

▲ AIR TRANSAT

Représenté en France par *Vacances Air Transat.* Air Transat est devenu le plus important transporteur aérien du Canada dans le secteur des vols charters internationaux avec 35 vols par semaine de la France vers le Canada. L'été, Vacances Air Transat propose des vols sur sa propre compagnie aérienne, à destination de Montréal, Québec, Toronto, Vancouver, Calgary (au départ de Paris) et à destination de Montréal (au départ de Bâle-Mulhouse, Bordeaux, Lyon, Marseille, Nantes, Nice, Toulouse). ● www.air transat.com ●

▲ BRITISH AIRWAYS

Informations et réservations : ☎ 0825-825-400 (0,15 €/mn) du lundi au vendredi de 9 h à 18 h, le samedi de 9 h à 13 h ou auprès de votre agence de voyages. Vous pouvez également faire vos réservations sur le ● www.ba. com ●
➤ British Airways propose 1 vol quotidien pour Montréal et Vancouver et 2 vols par jour pour Toronto via Londres-Heathrow. Pour rejoindre Londres,

vols fréquents depuis Paris, Lyon, Nice, Marseille, Toulouse, Bordeaux, Montpellier, Nantes, Toulon et Bastia.

▲ KLM
– *Paris Nord 2* : BP 60190 Villepinte, 95974 Roissy CDG Cedex. ☎ 0890-710-710 (0,15 €/mn). Fax : 0890-712-714. ● www.klm.fr ● Réservation ouverte du lundi au vendredi de 8 h à 20 h, le samedi de 8 h 30 à 18 h et le dimanche de 9 h à 18 h.
➤ Depuis Paris, 1 vol quotidien pour Vancouver et 2 à 3 vols quotidiens pour Montréal, via Amsterdam.
KLM et son partenaire Northwest Airlines desservent de nombreuses destinations au Canada via Amsterdam-Schiphol, au départ de Paris, Lyon, Toulouse et Nice, ou via l'aéroport de Detroit (au départ de Paris uniquement). Renseignez-vous !

LES ORGANISMES DE VOYAGES

– Ne pas croire que les vols à tarif réduit sont tous au même prix pour une même destination à une même époque : loin de là. On a déjà vu, dans un même avion partagé par deux organismes, des passagers qui avaient payé 40 % plus cher que les autres. De plus, une agence bon marché ne l'est pas forcément toute l'année (elle peut n'être compétitive qu'à certaines dates bien précises). Donc, contactez tous les organismes et jugez vous-même.
– Les organismes cités sont classés par ordre alphabétique, pour éviter les jalousies et les grincements de dents.

EN FRANCE

▲ ANYWAY.COM
Renseignements : ☎ 0892-892-612 (0,34 €/mn). Fax : 01-53-19-67-10. ● www.anyway.com ● Du lundi au vendredi de 8 h à 20 h et le samedi de 9 h à 19 h.
Depuis 15 ans, Anyway.com se spécialise dans le vol sec et s'adresse à tous les routards en négociant des tarifs auprès de 500 compagnies aériennes et l'ensemble des vols charters pour garantir des prix toujours plus compétitifs.
Anyway.com, c'est aussi la possibilité de comparer les prix de quatre grands loueurs de voitures. On accède également à plus de 12 000 hôtels du 2 au 5 étoiles, à des tarifs négociés pour toutes les destinations dans le monde. Ceux qui préfèrent repos et farniente retrouveront plus de 500 séjours et de week-ends tout inclus à des tarifs très compétitifs.

▲ AVENTURIA
– *Lyon – Objectif USA* : 11, quai Jules-Courmont, 69002. ☎ 04-72-77-98-98.
– *Paris* : 213, bd Raspail, 75014. ☎ 01-44-10-50-50.
– *Marseille* : 2, rue Edmond-Rostand, 13006. ☎ 04-96-10-24-70.
– *Lille* : 21, rue des Ponts-de-Comines, 59800. ☎ 03-20-06-33-77.
– *Nantes* : 2, allée de l'Erdre, cours des 50-Otages, 44000. ☎ 02-40-35-10-12.
– *Bordeaux* : 9, rue Ravez, 33000. ☎ 05-56-90-90-22.
– *Bruxelles* : 15, rue Royale, 1000. ☎ 02-526-92-90.
Spécialiste des États-Unis et du Canada, ce tour-opérateur fabrique ses propres programmes, édite ses propres brochures et les distribue exclusivement dans ses propres agences de Lyon, Paris, Marseille, Lille, Nantes, Bordeaux et Bruxelles. Avec l'aide de nos équipes de vente, vous pourrez construire votre itinéraire et personnaliser votre voyage à l'aide de notre sélection d'étapes de charme et de nos modules d'escapades. Tout à la carte ! Brochure sur demande par téléphone ou sur le Web.

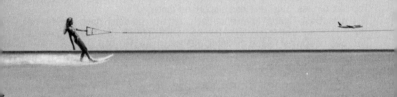

Envolez-vous vers la destination de vos rêves.
www.airfrance.fr

faire du ciel le plus bel endroit de la terre  **AIR FRANCE**

▲ **BACK ROADS**

– *Paris :* 14, pl. Denfert-Rochereau, 75014. ☎ 01-43-22-65-65. Fax : 01-43-20-04-88. ● contact@backroads.fr ● Ⓜ ou RER : Denfert-Rochereau. Ouvert du lundi au vendredi de 10 h à 19 h et le samedi de 10 h à 18 h.

Depuis 1975, Jacques Klein et son équipe sillonnent chaque année les routes américaines et canadiennes, ce qui fait de ces fous d'Amérique des grands connaisseurs de l'Ouest canadien. Pour cette raison, ils ne vendent leurs produits qu'en direct. Dans leur club du Grand Voyageur, ils vous feront partager leurs expériences et vous conseilleront sur les circuits les plus adaptés à vos centres d'intérêt. Ils ont l'avantage de disposer de contingents de chambres dans les parcs nationaux ou à proximité immédiate. Ils peuvent également réserver les ferries ou des croisières le long du Passage intérieur, des expéditions en raft, des croisières d'observation des baleines ou des orques, ainsi que des séjours en ranch.

De plus, Back Roads représente deux centrales de réservation américaines lui permettant d'offrir des tarifs très compétitifs pour la réservation d'*Amerotel,* des hôtels sur tout le territoire, des *Hilton* aux *YMCA*.

– *Car Discount :* un courtier en location de voitures, motos (Harley notamment), pour la location de véhicules.

▲ **BOURSE DES VOLS – BOURSE DES VOYAGES**

Les services de la Bourse des Vols présentent en permanence plus de 2 millions de tarifs aériens : vols réguliers, charters et vols dégriffés. Mis à jour en permanence, la Bourse des Vols couvre 500 destinations dans le monde au départ de 50 villes françaises et recense l'essentiel des tarifs aériens vers l'étranger. Ses services web et Minitel offrent la possibilité de commander à distance, de régler en ligne et de se faire livrer le billet à domicile.

La Bourse des Voyages, accessible par le site ● www.bdv.fr ● et le Minitel 36-17, code BDV, centralise également les offres de voyages d'une cinquantaine de tours-opérateurs. La recherche peut s'effectuer par type de produit (séjour, croisière, circuit...) ou encore par destination. Le site offre par ailleurs, des informations pratiques sur 180 pays pour préparer et réussir son voyage.

Par téléphone, pour connaître les derniers « Bons Plans » de la Bourse des Vols – Bourse des Voyages : ☎ 0892-888-949 (0,34 €/mn). Ce voyagiste est ouvert de 8 h 30 à 20 h 00 du lundi au vendredi et de 9 h 30 à 18 h 30 le samedi.

▲ **CANADA CONSEIL**

Devis et brochures sur demande, réception sur rendez-vous, renseignements : ☎ 01-45-46-51-75. Fax : 01-45-47-55-53. ● usacanadaconseil.free.fr ● usatour@club-internet.fr ●

Spécialiste des voyages en Amérique du Nord, Canada Conseil s'adresse particulièrement aux familles ainsi qu'à toutes les personnes désireuses de visiter et de découvrir le Canada, en maintenant un bon rapport qualité-prix. Canada Conseil propose une gamme complète de prestations adaptées à votre demande et en rapport avec votre budget : vols, voitures, hôtels, motels, bungalows, circuits individuels et accompagnés, excursions, camping-car, motos, roadbook, bureau d'assistance téléphonique tout l'été avec numéro vert Canada. Sur demande par téléphone, mail ou fax, Canada Conseil vous adressera un devis gratuit et détaillé pour votre projet de voyage.

▲ **COMPAGNIE DES ÉTATS-UNIS ET DU CANADA**

– *Paris :* 3, av. de l'Opéra, 75001. ☎ 01-55-35-33-50. Ⓜ Palais-Royal.

– *Paris :* 82, bd Raspail (angle rue de Vaugirard), 75006. ☎ 01-53-63-29-29 (pour les États-Unis) et ☎ 01-53-63-29-28 (pour le Canada). Fax : 01-42-22-20-15. Ⓜ Rennes ou Saint-Placide. Ouvert de 9 h à 19 h du lundi au

BACK ROADS

**Le Club des
Grands Voyageurs**
présente
Le guide gratuit du voyage
au CANADA

BACK ROADS
---

c'est d'abord une équipe de grands voyageurs, de véritables artisans du voyage
qui aiment faire partager leur passion.

Notre Amérique : de l'Alaska au Guatemala en passant par le Canada,
nous la parcourons depuis 30 ans.

Notre guide du voyage :

- Tout pour monter un voyage sur mesure
- Vols à prix réduits
- Location de voitures et de camping-cars
- Des centaines d'hôtels, motels et hôtels de villégiature
- Logement chez l'habitant (*Gîtes du Passant*)
- Autotours : des dizaines de modèles d'itinéraires
- Circuits en autocar
- Rencontre avec les Amérindiens

Nos produits « aventures » :

- De l'aventure pour débutants ou baroudeurs, en solo ou en famille, en été ou en hiver.
- Des randonnées pédestres de tous niveaux
- Des séjours en ranch ou des randonnées équestres
- Rafting, canoë ou kayak de mer
- Observation de la nature
- Circuits camping
- Motoneige et traîneau à chiens
- Ski de fond, raquette et ski alpin

BACK ROADS
---

14 place Denfert-Rochereau - 75014 Paris
Tél : 01 43 22 65 65 – Fax : 01 43 20 04 88
E-mail : contact@backroads.fr
Licence : 075 96 0068

vendredi, et le samedi de 10 h à 19 h. ● www.compagniesdumonde.com ● etats.unis@compagniesdumonde.com ●

Après 20 ans d'expérience, Jean-Alexis Pougatch, passionné de l'Amérique du Nord, a ouvert à Paris le centre des voyages à la carte et de l'information sur les États-Unis et le Canada.

D'un côté, la compagnie propose 1 500 vols négociés sur les États-Unis et le Canada. De l'autre, une brochure très complète sur les États-Unis et sur le Canada offre toutes sortes de formules de voyages : des circuits thématiques (en Harley-Davidson, en avion privé, en camping, en trekking, etc.), des circuits en groupes et de nombreux circuits individuels en voiture.

Les séjours à la carte représentent la spécificité de ce voyagiste. La Compagnie est aussi spécialisée dans les séjours tournés vers l'art, les grands musées, les expositions. Elle propose de nombreux week-ends à New York, Philadelphie, Boston, Chicago, Las Vegas... Compagnie des États-Unis et du Canada fait partie du groupe Compagnies du Monde, comme Compagnie Amérique latine et Caraïbes et Compagnie des Indes et de l'Extrême-Orient.

▲ COMPTOIR DU CANADA, COMPTOIR DES TERRES EXTRÊMES

– *Paris* : 344, rue Saint-Jacques, 75005. ☎ 0892-238-438 et 0892-236-836 (0,34 €/mn). Fax : 01-53-10-21-71 et 51. ● www.comptoir.fr ● Ⓜ Port-Royal. Ouvert du lundi au samedi de 10 h à 18 h 30.

Les voyages « cousus main ».

L'équipe de passionnés de Comptoir du Canada propose une brochure très complète qui regroupe toutes les provinces canadiennes. Voyages à la carte, itinéraires individuels, hébergements, location de voitures : leur offre complète permet de composer des voyages à la mesure de chacun.

Comptoir des Terres Extrêmes repousse les frontières du Grand Nord. En toute sécurité, cette équipe de spécialistes permet de découvrir ces vastes contrées sauvages quasi inexplorées.

Leur maîtrise du terrain et leurs partenaires sur place garantissent des voyages exceptionnels et des émotions intenses.

Comptoir du Canada et Comptoir des Terres Extrêmes s'intègrent à d'autres Comptoirs : Déserts, Islande, États-Unis, Afrique, Maroc, Pays celtes, Pays scandinaves et Italie.

▲ EXPEDIA.FR

Expedia.fr lance le voyage à votre image. Choix important et grande souplesse pour composer son voyage selon ses envies. Sur ● www.expedia.fr ●, on peut créer son voyage sur mesure en choisissant ses billets d'avion, hôtels et location de voitures à des prix très intéressants. Également la possibilité de réserver à l'avance et en même temps que son voyage des billets pour des spectacles ou musées aux dates souhaitées.

▲ FRANCE-ONTARIO

– *Vienne* : montée du Coupe-Jarret, 38200. ☎ 04-74-78-28-12. Fax : 04-74-78-28-13. ● france.ontario@wanadoo.fr ●

Cette association spécialisée sur le Canada Est et Ouest élabore elle-même ses voyages, dans un juste équilibre entre sites célèbres et régions méconnues mais surprenantes pour leur histoire et/ou leur nature. Quelques exemples de séjours à thème : carnaval d'hiver, été indien, ski, pêche, route des pionniers, séjours linguistiques, échanges scolaires. Pour une découverte hors des sentiers battus et une rencontre avec des francophones.

▲ FUAJ

– *Paris* : antenne nationale, 9, rue de Brantôme, 75003. ☎ 01-48-04-70-40. Fax : 01-42-77-03-29. ● www.fuaj.org ● Ⓜ Châtelet-Les Halles, Hôtel-de-Ville ou Rambuteau. Renseignements dans toutes les auberges de jeunesse et les points d'information et de réservation en France.

La FUAJ (Fédération unie des auberges de jeunesse) accueille ses adhérents dans 160 auberges de jeunesse en France. Seule association française membre de l'IYHF *(International Youth Hostel Federation),* elle est le maillon d'un réseau de 6 000 auberges de jeunesse dans le monde. La FUAJ organise, pour ses adhérents, des activités sportives, culturelles et éducatives. Les adhérents de la FUAJ peuvent obtenir gratuitement les brochures *Go as you please, Activités été* et *Activités hiver, chantiers de volontaires, rencontres interculturelles,* le *Guide français* pour les hébergements. Les guides internationaux regroupent la liste de toutes les auberges de jeunesse dans le monde. Ils sont disponibles à la vente ou en consultation sur place.

▲ JETSET

Renseignements : ☎ 01-53-67-13-00. Fax : 01-53-67-13-29. ● www.jetset-voyages.fr ● Et dans les agences de voyages.

Jetset édite une brochure annuelle exclusivement consacrée au Canada. Choix important de circuits individuels en voiture, dans l'Ouest canadien, au départ de Vancouver ou Calgary. Ces circuits sont modulables (on peut ajouter des nuits aux étapes proposées) selon le choix des voyageurs. Les Rocheuses canadiennes sont aussi proposées en hiver. Circuits en train (avec Via Rail) et séjours à la carte complètent cette production.

L'Ontario est proposé en circuit, au volant ou accompagné, et au travers de mini-séjours « tendance » à Toronto avec option culture, gastronomie, sport ou gay.

Vols à prix négociés sur la plupart des compagnies desservant le Canada.

▲ JET TOURS

Les voyages à la carte de Jet Tours s'adressent à tous ceux qui ont envie de se concocter un voyage personnalisé, en couple, entre amis, ou en famille, mais surtout pas en groupe. Tout est proposé à la carte : il suffit de choisir sa destination et d'ajouter aux vols internationaux les prestations de son choix, autotours, itinéraires à imaginer soi-même, randonnée, hôtels de différentes catégories (de 2 à 5 étoiles), adresses de charme, maisons d'hôtes, appartements..., location de voitures, escapades, sorties en ville. Nature, découverte et dépaysement sont au rendez-vous.

Avec les autotours et les voyages à la carte Jet Tours, vous pourrez découvrir de nombreuses destinations comme Chypre (nouveauté), l'Andalousie, Madère, le Portugal (été), l'Italie, la Sicile (été), la Grèce, la Crète (en été), le Maroc, Cuba, l'île Maurice, la Réunion, la Thaïlande, l'Inde, le Canada, les États-Unis.

La brochure « Autotours et voyages à la carte » est disponible dans toutes les agences de voyages. Vous pouvez aussi joindre Jet Tours sur internet ● www.jettours.com ●

▲ LASTMINUTE.COM

Pour satisfaire une envie soudaine d'évasion, le groupe lastminute.com propose des mois à l'avance ou au dernier moment des offres de séjours, des hôtels, des restaurants, des spectacles... dans le monde entier. L'ensemble de ces services est aussi bien accessible par Internet ● www.lastminute. com ● www.degriftour.com ● www.travelprice.com ● que par Minitel (36-15, code DT) et téléphone : ☎ 0892-705-000 (0,34 €/mn).

▲ MAISON DES ÉTATS-UNIS

– *Paris :* 3, rue Cassette, 75006. ☎ 01-53-63-13-40. ● www.maisondesetats unis.com ●

La Maison des États-Unis est un espace dédié aux voyages et à la culture. Une large collection d'itinéraires individuels en voiture, de courts séjours urbains ou de loisirs, des circuits accompagnés pour visiter les grands musées américains ou découvrir la culture amérindienne sont proposés.

Pour mieux vérifier les informations et réduire les coûts, la Maison des États-Unis travaille sans intermédiaire.

Les « Rendez-vous culturels » de la Maison des États-Unis proposent toute l'année un calendrier de conférences et de journées forums données par des experts reconnus pour approfondir ses connaissances et préparer son séjour.

▲ NOUVELLES FRONTIÈRES

– *Paris* : 87, bd de Grenelle, 75015. Ⓜ La Motte-Picquet-Grenelle.
Renseignements et réservations dans toute la France : ☎ 0825-000-825 (0,15 €/mn). • www.nouvelles-frontieres.fr •

Plus de 30 ans d'existence, 1 800 000 clients par an, 250 destinations, une chaîne d'hôtels-clubs et de résidences *Paladien* et une compagnie aérienne, *Corsair*. Pas étonnant que Nouvelles Frontières soit devenu une référence incontournable, notamment en matière de tarifs. Le fait de réduire au maximum les intermédiaires permet d'offrir des prix « super-serrés ». Un choix illimité de formules vous est proposé : des vols sur la compagnie aérienne de Nouvelles Frontières au départ de Paris et de province, en classe Horizon ou Grand Large, et sur toutes les compagnies aériennes régulières, avec une gamme de tarifs selon confort et budget. Sont également proposés toutes sortes de circuits, aventure ou organisés ; des séjours en hôtels, en hôtels-clubs et en résidences, notamment dans les *Paladien*, les hôtels de Nouvelles Frontières avec « vue sur le monde » ; des week-ends, des formules à la carte (vol, nuits d'hôtel, excursions, location de voitures...), des séjours neige.

Avant le départ, des réunions d'information sont organisées. Les 12 brochures Nouvelles Frontières sont disponibles gratuitement dans les 200 agences du réseau, par téléphone et sur Internet. Intéressant : des brochures thématiques (plongée, rando, trek, thalasso).

▲ VACANCES CANADA

– *Paris* : 4, rue Gomboust (angle 31, av. de l'Opéra), 75001. ☎ 01-40-15-15-15. Fax : 01-42-61-68-81. • www.vacancescanada.com • Et dans toutes les agences de voyages. Vacances Canada est une marque de la société « le Cercle des Vacances ».

Voyagiste spécialiste du Canada, Vacances Canada propose des voyages à la carte à travers tout le pays, des plus simples (vols secs) aux plus élaborés, pour tous les types de budgets, pour les individuels comme pour les groupes. Découverte ou aventure, plusieurs formules sont proposées dans leurs brochures (hiver et été). Au programme : vols sur toutes les compagnies (régulières et charters), circuits accompagnés, séjours multiactivités, voyages à la carte, circuits aventure, hébergements variés, locations de voitures et de motor-homes, week-ends thématiques à prix très attractifs...

▲ VACANCES TRANSAT

Les catalogues Vacances Air Transat sont disponibles dans toutes les agences de voyages ou au ☎ 0825-325-825 (0,15 €/mn) ou sur • www.vacancesairtransat.fr •

Vacances Transat possède sa propre compagnie aérienne *(Air Transat)* et propose de découvrir le Canada au départ de Paris, Lyon, Marseille, Nantes, Nice et Toulouse. En hiver, départs de Paris uniquement.

▲ VACANCES FABULEUSES

– *Paris* : 95, rue d'Amsterdam, 75008. ☎ 01-42-85-65-00. Fax : 01-42-85-65-03. Ⓜ Place de Clichy.
Et dans toutes les agences de voyages.

Vacances Fabuleuses, c'est « l'Amérique à la carte ». Ce spécialiste de l'Amérique du Nord (États-Unis, Canada, Mexique et Caraïbes) propose de découvrir le Canada de l'intérieur, avec un large choix de formules allant de la location de voitures aux circuits individuels ou accompagnés au Canada,

ou combinés États-Unis et Canada. Grande nouveauté : hôtels de villégiature, ranchs, gîtes et la possibilité de traverser les Rocheuses par le train *Rocky Mountaineer*. Le transport est assuré à des prix charters, sur compagnies régulières. Le tout proposé par une équipe de spécialistes.

▲ VOYAGEURS AUX ÉTATS-UNIS ET AU CANADA

Spécialiste du voyage en individuel sur mesure. ● www.vdm.com ●
Nouveau « Voyageurs du Monde Express » : des séjours « prêts à partir » sur des destinations mythiques. ☎ 0892-688-363 (0,34 €/mn).
– *Voyageurs aux États-Unis et au Canada* (Alaska, Bahamas, Canada, Hawaii, USA) : ☎ 0892-236-363 (0,34 €/mn). Fax : 01-42-86-17-89.
– *Paris :* La Cité des Voyageurs, 55, rue Sainte-Anne, 75002. ☎ 0892-235-656 (0,34 €/mn). Fax : 01-42-86-17-88. ⓜ Opéra ou Pyramides. Bureaux ouverts du lundi au samedi de 9 h 30 à 19 h.
– *Lyon :* 5, quai Jules-Courmont, 69002. ☎ 0892-231-261 (0,34 €/mn). Fax : 04-72-56-94-55.
– *Marseille :* 25, rue Fort-Notre-Dame (angle cours d'Estienne-d'Orves), 13001. ☎ 0892-233-633 (0,34 €/mn). Fax : 04-96-17-89-18.
– *Nice :* 4, rue du Maréchal-Joffre, angle rue de Longchamp, 06000. ☎ 0892-232-732 (0,34 €/mn). Fax : 04-97-03-64-60.
– *Rennes :* 2, rue Jules-Simon, BP 10206, 35102. ☎ 0892-230-530 (0,34 €/mn). Fax : 02-99-79-10-00.
– *Toulouse :* 26, rue des Marchands, 31000. ☎ 0892-232-632 (0,34 €/mn). Fax : 05-34-31-72-73. ⓜ Esquirol.
En 2005, ouverture à :
– *Lille :* ☎ 0892-234-634 (0,34 €/mn).
– *Grenoble :* ☎ 0892-233-533 (0,34 €/mn).
– *Bordeaux :* ☎ 0892-234-834 (0,34 €/mn).
Sur les conseils d'un spécialiste de chaque pays, chacun peut construire un voyage à sa mesure...
Pour partir à la découverte de plus de 120 pays, 92 conseillers-voyageurs de près de 30 nationalités et grands spécialistes des destinations donnent des conseils, étape par étape et à travers une collection de 25 brochures, pour élaborer son propre voyage en individuel. Des suggestions originales et adaptables, des prestations de qualité et des hébergements exclusifs.
Voyageurs du Monde propose également une large gamme de circuits accompagnés (Famille, Aventure, Routard...).
À la fois tour-opérateur et agence de voyages, Voyageurs du Monde a développé une politique de « vente directe » à ses clients, sans intermédiaire.
Dans chacune des *Cités des Voyageurs,* tout rappelle le voyage : librairies spécialisées, boutiques d'accessoires de voyages, restaurant des cuisines du monde, lounge-bar, expositions-ventes d'artisanat ou encore dîners et cocktails-conférences. Toute l'actualité de VDM à consulter sur leur site Internet.

EN BELGIQUE

▲ CONTINENTS INSOLITES

– *Bruxelles :* rue César-Franck, 44, 1050. ☎ 02-218-24-84. Fax : 02-218-24-88. Ouvert du lundi au vendredi de 10 h à 18 h et le samedi de 10 h à 13 h.
– *En France :* ☎ 03-24-54-63-68 (renvoi automatique et gratuit sur le bureau de Bruxelles). ● www.continentsinsolites.com ● info@insolites.be ●
Continents Insolites, organisateur de voyages lointains sans intermédiaire, propose une gamme complète de formules de voyages détaillés dans leur brochure gratuite sur demande.
➣ *Circuits taillés sur mesure :* à partir de 2 personnes. Une grande gamme d'hébergements soigneusement sélectionnés : du petit hôtel simple à l'établissement luxueux et de charme.

➤ *Voyages lointains :* de la grande expédition au circuit accessible à tous. Des circuits à dates fixes dans plus de 60 pays, et ce, en petits groupes francophones de 7 à 12 personnes. Avant chaque départ, une réunion est organisée. Voyages encadrés par des guides francophones, spécialistes des régions visitées.

De plus, Continents Insolites propose un cycle de diaporamas-conférences à Bruxelles. Ces conférences se déroulent à l'Espace Senghor, place Jourdan, 1040 Etterbeek (dates dans leur brochure).

▲ GLOBE-TROTTERS

– *Bruxelles :* rue Victor-Hugo, 179 (à l'angle de l'av. E.-Plasky), 1030. ☎ 02-732-90-70. Fax : 02-736-44-34. ● globetrotterstours@hotmail.com ● Ouvert du lundi au vendredi de 9 h 30 à 13 h 30 et de 15 h à 18 h ainsi que quelques samedis de 10 h à 13 h.

Une large gamme de voyages pour tous au départ de Bruxelles. Spécialisé dans les voyages à la carte (au Canada) et « soft aventure » en Afrique australe, Australie, Nouvelle-Zélande, Guyane française. Assurances voyages. Cartes d'étudiant ISIC, d'auberges de jeunesse, IYHF, *hostels of Europe*, VIP & Nomads Backpackers et Nomads Backpackers. Globe-Trotters est le représentant de *Kilroy Travels* et *Voyages Campus* pour la Belgique et le grand-duché de Luxembourg.

▲ JOKER

– *Bruxelles :* quai du Commerce, 27, 1000. ☎ 02-502-19-37. Fax : 02-502-29-23. ● brussel@joker.be ●
– *Bruxelles :* av. Verdi, 23, 1083. ☎ 02-426-00-03. Fax : 02-426-03-60. ● ganshoren@joker.be ●
– Adresses également à *Anvers, Bruges, Courtrai/Harelbeke, Gand, Hasselt, Louvain, Malines, Schoten* et *Wilrijk.* ● www.joker.be ●

Joker est spécialiste des voyages d'aventure et des billets d'avion à des prix très concurrentiels. Vols aller-retour au départ de Bruxelles, Paris, Francfort et Amsterdam. Voyages en petits groupes avec accompagnateur compétent. Circuits souples à la recherche de contacts humains authentiques, utilisant l'infrastructure locale et explorant le vrai pays.

▲ NOUVELLES FRONTIÈRES

– *Bruxelles* (siège) *:* bd Lemonnier, 2, 1000. ☎ 02-547-44-22. Fax : 02-547-44-99. ● www.nouvelles-frontieres.be ● mailbe@nouvelles-frontieres.be ●
– Également d'autres agences à *Bruxelles, Charleroi, Liège, Mons, Namur, Waterloo, Wavre* et au *Luxembourg.*

30 ans d'existence, 250 destinations, une chaîne d'hôtels-clubs et de résidences *Paladien.* Pas étonnant que Nouvelles Frontières soit devenu une référence incontournable, notamment en matière de prix. Le fait de réduire au maximum les intermédiaires permet d'offrir des prix « super-serrés ».

▲ ODYSSÉE SNOW AND SEA

– *Liège :* rue Saint-Gilles, 45, 4000. ☎ 04-222-22-60. Fax : 04-221-28-48.
– *Bruxelles :* av. Brugmann, 250, 1180. ☎ 02-340-08-02. Fax : 02-343-70-24. ● www.odyc.be ● info@odyc.be ● Ouvert de 10 h à 18 h du lundi au vendredi.

Odyssée vous propose des séjours aux sports d'hiver dans les plus belles stations, au cœur des domaines skiables les plus vastes, mais aussi des trekkings, des week-ends sport-aventure ou des formules spéciales pour les fans de sports nautiques.

Des pistes enneigées des Alpes françaises aux forêts tropicales d'Amérique du Sud, l'équipe passionnée d'Odyssée saura vous séduire en vous proposant le voyage de vos rêves à un prix compétitif.

▲ **PAMPA EXPLOR**
– *Bruxelles* : av. Brugmann, 250, 1180. ☎ 02-340-09-09. Fax : 02-346-27-66. ● info@pampa.be ● Ouvert de 9 h à 19 h en semaine et de 10 h à 17 h le samedi. Également sur rendez-vous, dans leurs locaux, ou à votre domicile.
Spécialiste des vrais voyages « à la carte », Pampa Explor propose plus de 70 % de la « planète bleue », selon les goûts, attentes, centres d'intérêt et budgets de chacun. Du Costa Rica à l'Indonésie, de l'Afrique australe à l'Afrique du Nord, de l'Amérique du Sud aux plus belles croisières, Pampa Explor tourne le dos au tourisme de masse pour privilégier des découvertes authentiques et originales, pleines d'air pur et de chaleur humaine. Pour ceux qui apprécient la jungle et les pataugas ou ceux qui préfèrent les cocktails en bord de piscine et les fastes des voyages de luxe. En individuel ou en petits groupes, mais toujours « sur mesure ».
Possibilité de régler par carte de paiement. Sur demande, envoi gratuit de documents de voyages.

EN SUISSE

▲ **NOUVELLES FRONTIÈRES**
– *Genève* : 10, rue Chantepoulet, 1201. ☎ 022-906-80-80. Fax : 022-906-80-90.
– *Lausanne* : 19, bd de Grancy, 1006. ☎ 021-616-88-91. Fax : 021-616-88-01.
(Voir texte dans la partie « En France ».)

▲ **STA TRAVEL**
– *Bienne* : 4, General-Dufour-Strasse, 2502. ☎ 032-328-11-11. Fax : 032-328-11-10.
– *Fribourg* : 24, rue de Lausanne, 1701. ☎ 026-322-06-55. Fax : 026-322-06-61.
– *Genève* : 3, rue Vignier, 1205. ☎ 022-329-97-34. Fax : 022-329-50-62.
– *Lausanne* : 20, bd de Grancy, 1006. ☎ 021-617-56-27. Fax : 021-616-50-77.
– *Lausanne* : à l'université, bâtiment BFSH2, 1015. ☎ 021-691-60-53. Fax : 021-691-60-59.
– *Montreux* : 25, av. des Alpes, 1820. ☎ 021-965-10-15. Fax : 021-965-10-19.
– *Neuchâtel* : 2, Grand-Rue, 2000. ☎ 032-724-64-08. Fax : 032-721-28-25.
– *Nyon* : 17, rue de la Gare, 1260. ☎ 022-990-92-00. Fax : 022-361-68-27.
Agences spécialisées dans les voyages pour jeunes et étudiants. Gros avantage en cas de problème : 150 bureaux STA Travel et plus de 700 agents du même groupe répartis dans le monde entier sont là pour donner un coup de main *(Travel Help)*.
STA Travel propose des voyages très avantageux : vols secs *(Skybreaker)*, billets Euro Train, hôtels, écoles de langues, voitures de location, etc. Délivre les cartes internationales d'étudiants et les cartes Jeunes Go 25.
STA Travel est membre du fonds de garantie de la branche suisse du voyage ; les montants versés par les clients pour les voyages forfaitaires sont assurés.

AU QUÉBEC

▲ **KILOMÈTRE VOYAGES-AMERICANADA**
Filiale de DMC Transat, le tour-opérateur « réceptif » du groupe Transat, Kilomètre Voyages-Americanada offre essentiellement le Canada (Ouest, Ontario, Québec, Provinces maritimes) et les États-Unis (côte est et côte ouest). Sa brochure principale (printemps-été-automne) présente des circuits accompagnés, de courts forfaits individuels (pour la plupart au

Québec), des autotours avec hôtels réservés, des hôtels à la carte, des locations de voitures ou de maisons motorisées et des vols secs nolisés (Toronto, Vancouver et Calgary, avec Air Transat bien sûr). Le voyagiste offre aussi des forfaits individuels à destination de New York, avec transport en autocar de luxe et choix d'hôtels. L'hiver, le choix se limite aux forfaits de 3 jours/2 nuits dans les régions touristiques du Québec.

▲ SPORTVAC TOURS

Spécialiste des séjours de ski (Québec, Ouest canadien et Ouest américain, Alpes françaises) et golf (Québec, États-Unis, Mexique, République dominicaine, France, Portugal), Sportvac est l'un des chefs de file dans son domaine au Canada. Racheté début 2004, Randonnées Plein Air propose une sélection de voyages de groupes au Québec (Gaspésie notamment), dans les Rocheuses canadiennes, aux États-Unis (Grand Canyon), en Bretagne, en Corse, à Madère... Et l'hiver, des expéditions à ski de fond ou raquettes. ● www.sportvac.com ●

▲ TOURSMAISON

Spécialiste des vacances sur mesure, ce voyagiste sélectionne plusieurs « Évasions soleil » (plus de 600 hôtels ou appartements dans quelque 45 destinations), offre l'Europe à la carte toute l'année (plus de 17 pays) et une vaste sélection de compagnies de croisières (11 compagnies au choix). Toursmaison concocte par ailleurs des forfaits escapades à la carte aux États-Unis et au Canada. Au choix : transport aérien, hébergement (variété d'hôtels de toutes catégories), locations de voitures pratiquement partout dans le monde. Des billets pour le train, les attractions, les excursions et les spectacles peuvent également être achetés avant le départ.

▲ VOYAGES CAMPUS – TRAVEL CUTS

Campus – Travel Cuts est un réseau national d'agences de voyages qui s'adresse tout particulièrement aux étudiants et négocie de bons tarifs auprès des transporteurs aériens comme des opérateurs de circuits terrestres, et diffuse la carte d'étudiant internationale (ISIC), la carte de jeune de moins de 26 ans (IYTC) et la carte d'enseignant ou professeur à plein temps (ITIC). Voyages Campus publie deux fois par an le magazine *L'Étudiant voyageur*, qui présente ses différents produits et notamment ses séjours linguistiques (Canada anglophone, Amérique du Sud, États-Unis), de même que son Programme Vacances Travail (PVT) disponible dans dix pays (États-Unis, France, Nouvelle-Zélande, Japon, Afrique du Sud...). Le réseau compte quelque 70 agences au Canada, dont neuf au Québec (cinq à Montréal, une à Québec, une à Trois-Rivières et deux à Sherbrooke), le plus souvent installées près ou sur les campus universitaires ou collégiaux, sans oublier six bureaux aux États-Unis. ● www.voyagescampus. com ●

> **Pour la carte générale du Canada, voir le cahier couleur.**

La mythologie du Grand Nord a encore de beaux jours devant elle. Forêts, chiens de traîneau, lacs, igloos, saumons, baleines et ours. Érables, queues de castors, bûcherons et hydravions... Cette imagerie fantasmagorique (mais vraie), aussi étroite que la terre canadienne est immense, n'a jamais été autant ancrée qu'aujourd'hui dans les esprits européens...

Les routards accourent au Canada depuis des années. Et depuis peu, vers le « Far West », moins fréquenté que son homologue américain. Ici, l'homme s'incline devant la nature. Même s'il a eu à en combattre l'ardeur, il l'a toujours aimée, indien comme blanc. Parce que l'immensité force au respect. C'est ce respect – perdu chez nous – qui nous en impose, aussitôt débarqué au Canada. Au point qu'on l'aime en toute saison. En hiver (destination de plus en plus courue), quand la nature revêt tout le pays de blanc ; en automne, quand les érables trouent les collines de leur palette incandescente ; au printemps, quand la douceur du ciel réanime les forêts et fait couler les érables ; ou en été, quand les plages se découvrent et que de fantasmagoriques baleines montrent la puissance de leur souffle...

Sur les traces des pionniers dans les ranchs de l'Alberta ou dans les parcs nationaux des Rocheuses, la rencontre avec le Grand Ouest sera à la hauteur de vos espérances. Quant aux Canadiens, anglophones ou francophones, ils restent toujours aussi chaleureux, aussi simples et sans prétention.

CARTE D'IDENTITÉ

- **Superficie :** 9 970 160 km^2 (soit près de 20 fois la France).
- **Population :** 32,4 millions d'habitants.
- **Densité :** 3,3 hab./km^2.
- **Capitale :** Ottawa (Ontario).
- **Langues officielles :** l'anglais et le français.
- **Monnaie :** le dollar canadien (1 dollar canadien = 0,61 €).
- **Régime politique :** démocratie parlementaire.
- **Chef du gouvernement :** Paul Martin, le Premier ministre.
- **Nature de l'État :** fédération (10 provinces et 3 territoires).
- **Chef d'État :** la reine Elizabeth II, représentée par un gouverneur général, Adrienne Clarkson.

AVANT LE DÉPART

Adresses utiles

En France

❚ **Commission canadienne du tourisme :** ☎ 01-44-43-25-07 | (répondeur 24 h/24). ● www.voyage canada.ca ●

Tout pour partir*

*bons plans, concours, forums,
magazine et des voyages à prix routard.

> www.routard.com

routard *com*

Chacun
sa route

■ *Ambassade du Canada :* 35, av. Montaigne, 75008 Paris. ☎ 01-44-43-29-00. • www.amb-canada.fr • Ⓜ Franklin-Roosevelt ou Alma-Marceau. Ouvert du lundi au vendredi de 9 h à 12 h et de 14 h à 17 h.

■ *Centre culturel canadien :* 5, rue de Constantine, 75007 Paris. ☎ 01-44-43-21-90. Ⓜ Invalides. • www.canada-culture.org • Ouvert du mardi au vendredi de 10 h à 18 h, 21 h le jeudi, et de 14 h à 18 h le samedi. Galerie d'art et centre de documentation.

■ *France Canada* (association) : 5, rue de Constantine, 75007 Paris. Ⓜ Invalides. ☎ et fax : 01-45-55-83-65. • www.france-canada.org • ou • www.france-canada.info • Ouvert du lundi au vendredi de 14 h à 18 h (fermé en août).

■ *France-Ontario* (association) : montée du Coupe-Jarret, 38200 Vienne. ☎ 04-74-78-28-12. Fax : 04-74-78-28-13. • france.ontario@wanadoo.fr • Cette association organise elle-même ses voyages et séjours à thème (voir le chapitre « Comment y aller ? »).

En Belgique

■ *Ambassade du Canada :* av. de Tervuren, 2, Bruxelles 1040. ☎ 02-741-06-11. • www.ambassade-canada.be •

En Suisse

■ *Ambassade du Canada :* Kirchenfeldstrasse, 88, 3005 Berne. ☎ 031-357-32-00. Fax : 031-357-32-10. • bern@dfait-maeci.gc.ca • Ouvert de 8 h à 12 h et de 13 h 30 à 17 h.

Formalités

Passeport valide. Pas de visa nécessaire pour les ressortissants de l'Union européenne (ou Suisses). Autres nationalités, se renseigner. Pas de vaccination obligatoire. Pour se rendre ensuite aux États-Unis du Canada, pas besoin d'un visa si le séjour est inférieur à 3 mois. Demander tout de même à l'ambassade américaine si c'est toujours vrai avant de partir... Quand on passe la frontière en voiture, en général, aucun problème.

Carte internationale d'étudiant (carte ISIC)

Elle prouve le statut d'étudiant dans le monde entier et permet de bénéficier de tous les avantages, services, réductions étudiants du monde, soit plus de 30 000 avantages concernant les transports, dont plus de 7 000 en France, concernant les hébergements, la culture, les loisirs... c'est la clé de la mobilité étudiante !

La carte ISIC donne aussi accès à des avantages exclusifs sur le voyage (billets d'avion spéciaux, assurances de voyage, carte de téléphone internationale, location de voitures, navette aéroport...).

Pour plus d'informations sur la carte ISIC • www.carteisic.com • ou ☎ 01-49-96-96-49.

Au Canada, elle donne droit à 35 % de réduction sur les tarifs des trains du réseau national de VIA, et ce, sans condition et sans réservation préalable. Elle permet aussi de prendre l'avion à prix très réduits dans les nombreuses agences *Voyages Campus – Travel Cuts*.

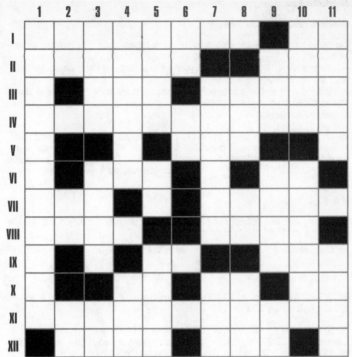

HORIZONTALEMENT

I. Préliminaire d'ados. Très Bien. **II.** Âpres. Jour ibère. **III.** Direction Générale de la Santé. Mayonnaise à l'ail. **IV.** Provoquent souvent des effets indésirables. **V.** Les notres **VI.** Infection Sexuellement Transmissible. "Assez" en texto. **VII.** Dans le noyau. Se porte rouge contre le sida. **VIII.** Élément de bord de mer. Fin de phrase télégraphique. **IX.** Que l'on sait. Positif ou négatif. **X.** Participe passé de rire. Avant. La tienne. **XI.** Entraides. **XII.** Patrie du Ché. Un des virus de l'hépatite.

VERTICALEMENT

1. À Protéger. **2.** Avant certains verbes. Note. Langue du sud. **3.** Castor et Pollux sont ses fils. La vache y est sacrée. Déchiffré. **4.** Parties de débauche. Pour prélèvement. **5.** Dépistage. Toi. Les séropositifs en souffrent. **6.** Excelle. Dans. **7.** Avec ou sans lendemains. Antirétroviraux. **8.** Fin de maladies. Do courant. Responsable du sida. **9.** De soi ou d'argent. Aboiement. Symbole du technétium. **10.** On comprend quand on le fait. Anglaise en France. **11.** Affluent de la Garonne. En mauvais état.

Pour l'obtenir en France

Se présenter dans l'une des agences des organismes mentionnés ci-dessous avec :
– une preuve du statut d'étudiant (carte d'étudiant, certificat de scolarité...) ;
– une photo d'identité ;
– 12 €, ou 13 € par correspondance incluant les frais d'envoi des documents d'information sur la carte.
Émission immédiate.

■ *OTU Voyages :* ☎ 0820-817-817. ● www.otu.fr ● pour connaître l'agence la plus proche de chez vous.

■ *Voyages Wasteels :* ☎ 0825-887-070 (0,12 €/mn) pour être mis en relation avec l'agence la plus proche de chez vous, ou ● www.wasteels.fr ●

En Belgique

Elle coûte 9 € et s'obtient sur présentation de la carte d'identité, de la carte d'étudiant et d'une photo d'identité auprès de :

■ *Connections :* renseignements au ☎ 02-550-01-00.

En Suisse

Dans toutes les agences STA Travel, sur présentation de la carte d'étudiant, d'une photo et de 20 Fs.

■ *STA Travel :* 3, rue Vignier, 1205 Genève. ☎ 022-329-97-34.
■ *STA Travel :* 20, bd de Grancy, 1006 Lausanne. ☎ 021-617-56-27.

Il est également possible de la commander en ligne sur le site ● www.carteisic.com ●

Carte FUAJ internationale des auberges de jeunesse

Cette carte, valable dans 60 pays, permet de bénéficier des 4 200 auberges de jeunesse du réseau *Hostelling International* réparties dans le monde entier. Les périodes d'ouverture varient selon les pays et les AJ. À noter, la carte AJ est surtout intéressante en Europe, aux États-Unis, Canada, Moyen-Orient et en Extrême-Orient (Japon...).

Pour adhérer et s'inscrire à la FUAJ en France

Par correspondance

■ *La Fédération unie des auberges de jeunesse (FUAJ) :* 27, rue Pajol, 75018 Paris. ☎ 01-44-89-87-27. Fax : 01-44-89-87-10. ● www.fuaj.org ● Bureaux fermés au public. Envoyer une photocopie recto verso d'une pièce

d'identité et un chèque correspondant au montant de l'adhésion (ajouter 1,20 € pour les frais d'envoi de la FUAJ). Une autorisation des parents est nécessaire pour les moins de 18 ans.

Sur place

■ *FUAJ :* antenne nationale, 9, rue Brantôme, 75003. ☎ 01-48-04-70-

40. Fax : 01-42-77-03-29. Ⓜ Rambuteau, Les Halles (RER A). Présenter

une pièce d'identité et 10,70 € pour la carte moins de 26 ans ou 15,25 € pour les plus de 26 ans.
Inscriptions possibles également dans toutes les AJ, points d'information et de réservation FUAJ en France.
● www.fuaj.org ●

On conseille de l'acheter en France car elle est moins chère qu'à l'étranger.
– La FUAJ propose aussi une *carte d'adhésion « Famille »* valable pour les familles de 2 adultes ayant un ou plusieurs enfants âgés de moins de 14 ans. Prix : 22,90 €. Fournir une copie du livret de famille.
La carte donne également droit à des réductions sur les transports, les musées et les attractions touristiques de plus de 60 pays mais ces avantages varient d'un pays à l'autre, ce qui n'empêche pas de la présenter à chaque occasion, cela peut toujours marcher.

En Belgique

Son prix varie selon l'âge : entre 3 et 15 ans, 3 € ; entre 16 et 25 ans, 9 € ; après 25 ans, 15 €.

Renseignements et inscriptions

■ *LAJ :* rue de la Sablonnière, 28, Bruxelles 1000. ☎ 02-219-56-76. Fax : 02-219-14-51. ● www.laj.be ● info@laj.be ●

■ *Vlaamse Jeugdherbergcentrale (VJH) :* Van Stralenstraat 40, B 2060 Antwerpen. ☎ 03-232-72-18. Fax : 03-231-81-26. ● www.vjh.be ● info@vjh.be ●

Les résidents flamands qui achètent une carte en Flandre obtiennent 8 € de réduction dans les auberges flamandes et 4 € en Wallonie. Le même principe existe pour les habitants wallons.

En Suisse

Le prix de la carte dépend de l'âge : 22 Fs pour les moins de 18 ans ; 33 Fs pour les adultes et 44 Fs pour une famille avec des enfants de moins de 18 ans.

Renseignements et inscriptions

■ *Schweizer Jugendherbergen (SJH) :* service des membres des AJ suisses, Schaffhauserstrasse, 14, Postfach 161, 8042 Zurich. ☎ 01- 360-14-14. Fax : 01-360-14-60. ● www.youthhostel.ch ● bookingoffice@youthhostel.ch ●

Au Canada

Elle coûte 35 $Ca pour une durée de 16 à 26 mois et 175 $Ca à vie. Gratuit pour les enfants de moins de 18 ans, qui accompagnent leurs parents. Pour les mineurs voyageant seuls, compter 12 $Ca. Ajouter systématiquement les taxes.

Renseignements et inscriptions

■ *Tourisme Jeunesse :* 205, av. du Mont-Royal Est, Montréal (Québec) H2T-1P4. ☎ (514) 844-02-87. Fax : (514) 844-52-46.

■ *Tourisme Jeunesse :* 94, bd René-Lévesque Ouest, Québec (Québec) G1R-2A4. ☎ (418) 522-25-52. Fax : (418) 522-24-55.

■ *Canadian Hostelling Association* : 205, rue Catherine (c'est à deux pas de la gare d'autobus interurbains), bureau 400, Ottawa, Ontario, Canada K2P-1C3. ☎ (613) 237-78-84. Fax : (613) 237-78-68. • www.hihosels.ca • info@hihostels.ca •

ARGENT, BANQUES, CHANGE

Le *dollar canadien* est différent du dollar américain : d'abord il n'est pas vert, ensuite il vaut moins. Il est divisé en 100 *cents* et valait, au printemps 2004, environ 0,61 €.

Financièrement, les routards français ne seront pas trop dépaysés dans l'ouest du Canada et en Ontario : avec le taux de change favorable, les prix sont en général abordables. Prévoyez toutefois un budget un peu plus élevé que pour un voyage au Québec : les restos et, surtout, les hôtels, sont généralement un peu plus chers dans les provinces anglophones.

– *Pour les dépenses courantes* (hôtels, restos, etc.), le moyen le plus économique de payer reste la carte de paiement. L'opération se fait en effet à un meilleur taux que si vous changez des dollars, et il n'y a, en principe, pas de commission sur la transaction.

– *Pour disposer d'argent liquide,* le plus simple est également d'en retirer sur place avec une carte de paiement (*Visa* ou *EuroCard*) aux distributeurs automatiques de billets (appelés *ATM*) qu'on trouve un peu partout. Au bout du compte, ce n'est pas moins avantageux que le change et cela évite de devoir partir avec une liasse de billets en poche ou d'acheter des *travellers cheques* avant le départ.

– Pour ceux qui ne disposeraient pas d'une carte bancaire, avoir presque tout son argent sous forme de chèques de voyage est évidemment plus sécurisant car on peut se les faire rembourser en cas de perte ou de vol. Si c'est la solution que vous envisagez, veillez alors à acheter vos chèques en dollars canadiens (acceptés par la majorité des commerçants).

– Enfin si vous devez changer au comptoir, il y a évidemment des banques et des bureaux de change un peu partout. On trouve même, dans certaines villes, des machines qui changent les billets étrangers ! Aucun problème donc pour faire le plein de dollars. À noter toutefois que la (petite) commission perçue et le taux de change peuvent varier d'un endroit à l'autre. Ne pas hésiter, donc, à comparer.

– IMPORTANT : les prix affichés ne correspondent pas aux prix réels. Cela varie selon les provinces, mais il faudra y **ajouter 7 à 15 % de taxe** ainsi que, dans les restos, le **service** (environ 15 %, selon la satisfaction). Voir, plus loin, le chapitre « Taxes et *tips* ». Si vous faites un voyage dans les provinces de l'Ouest, tâchez de faire vos achats plutôt en Alberta, la seule province du Canada à ne pas appliquer de taxe provinciale.

Cartes de paiement

– On vous rappelle que c'est le moyen le plus économique de payer. En outre, la carte *Eurocard-MasterCard* permet à son détenteur et à sa famille (si elle l'accompagne) de bénéficier de l'assistance médicale rapatriement. En cas de problème, contacter immédiatement à Paris le : ☎ 00-33-1-45-16-65-65. En cas de perte ou de vol, appeler (24 h/24) à Paris le : ☎ 00-33-1-45-67-84-84 (PCV accepté) pour faire opposition. À noter que ce numéro est aussi valable pour les cartes *Visa* émises par le Crédit Agricole et le Crédit Mutuel. • www.mastercardfrance.com •

– Pour la carte *American Express,* téléphoner en cas de pépin au ☎ 00-33-1-47-77-72-00 pour faire opposition, 24 h/24. PCV accepté en cas de perte ou de vol.

– Pour toutes les cartes émises par *La Poste :* ☎ 0825-809-803 (pour les DOM : ☎ 05-55-42-51-97).
– Serveur vocal valable pour toutes les cartes de paiement : ☎ 0892-705-705 (0,34 €/mn).

Dépannage d'urgence

– **Western Union Money Transfer :** en cas de besoin urgent d'argent liquide (perte ou vol de billets, chèques de voyage, cartes de paiement), vous pouvez être dépanné en quelques minutes grâce au système *Western Union Money Transfer.* En cas de nécessité, appeler le : ☎ 01-40-51-28-46 (à Paris).

ACHATS

– La fameuse couverture 100 % laine de la *Compagnie de la baie d'Hudson,* en vente dans les magasins de la chaîne *Hudson's Bay Company* (héritiers de la grande société coloniale). Le motif à bandes vertes, rouges, jaunes et noires, sur fond blanc, n'a jamais changé ; on le retrouve aussi sur de bien chaudes « canadiennes » (nous parlons ici des vestes).
Autre chaîne de magasins typiquement canadienne : *Roots,* que l'on retrouve à travers le pays. Fournisseur et designer officiel des équipes olympiques canadiennes, *Roots* fait aussi maintenant dans les gadgets de voyage vraiment sympas.
– Pour les amateurs, les fameux whiskies *Crown Royal* et *Canadian Club,* spécialités canadiennes.
– Pensez aussi au matériel de sport : du casque de vélo jusqu'à l'équipement de golf, les prix sont nettement inférieurs à ceux pratiqués en France. Les équipements de vélo du Québécois Louis Garneau sont extrêmement populaires au Canada. La chaîne *Mountain Equipment Co-Op* est un véritable paradis du campeur.
– *L'artisanat indien :* il est assez cher quand il est beau et fait main. On déniche aussi des fanfreluches bon marché. C'est dans l'Ouest que se trouvent les artistes amérindiens les plus réputés, tel *Bill Reid,* dont on peut admirer les impressionnantes sculptures au musée d'Anthropologie de Vancouver. La boutique du musée vend de fort belles reproductions. D'autres artistes moins connus réalisent aussi de beaux objets, cadeaux toujours appréciés : calumets finement sculptés, bijoux en argent originaux, statuettes en bois... Petits cadeaux géniaux et pas chers : les *dream catchers,* de petits filets en forme de toiles d'araignées qui, dans la mythologie amérindienne, saisissent les rêves au vol...
– *L'art inuit :* de nombreuses boutiques et galeries réservent une place importante aux sculptures inuit, réalisées en *soapstone* (stéatite). Pour authentifier le travail de l'artiste, le gouvernement canadien appose une étiquette montrant un igloo.
– D'Alberta, vous rapporterez des bottes et chapeaux de cow-boy, mais aussi des ceintures de cuir « western » et la fameuse « cravate » de l'Ouest. Pour compléter la panoplie, offrez-vous un bon disque « country » ; le choix est immense.
– *Bonnes affaires :* les CD sont moins chers, de même que les vêtements (notamment les jeans) ou l'électronique (fax, ordinateurs, téléphones portables, appareils photo...). Assurez-vous qu'ils fassent l'objet d'une *garantie internationale.* Et pensez à vous faire rembourser la taxe (voir plus loin). Surveillez les soldes et promotions (largement annoncés dans les journaux), fréquentes dans de très nombreux magasins et souvent hyper-intéressantes.

BOISSONS

– L'Ontario et la Colombie-Britannique produisent des vins de qualité, en vente dans différents endroits selon les provinces. Leur qualité est plus aléatoire que celle des vins français. L'expérience vinicole ne date ici que de quelques décennies. Néanmoins, un esprit d'aventure ouvrira la voie à de délectables surprises, surtout du côté du vin blanc, même si les rouges canadiens sont en nette progression. Le miracle – et le succès commercial majeur – du vin canadien demeure le *ice wine* produit dans la région du Niagara à partir de raisins qui ont gelé sur pied au début de l'hiver. Ce vin liquoreux est vendu pour environ 50 \$Ca (30,5 €) dans de belles bouteilles de 375 ml. C'est un cadeau remarquable et étonnant.

– La bière est beaucoup moins chère que le vin et les Canadiens en font une consommation gourmande, même s'il est vrai qu'elle diminue depuis les règlements draconiens contre la conduite en état d'ivresse. Ils apprécient en général la *Molson Canadian* ou la *Labatt's Blue,* les plus vendues des grandes marques commerciales, servies à la bouteille ou à la pression. Intéressant : la *Canadian* est introuvable au Québec, pour des raisons de « marketing politique » !

Les *microbrasseries* artisanales, qui produisent des bières localement (qu'on nomme *craft beers* au Canada anglais), connaissent aussi un vif succès à travers le pays. À Vancouver, par exemple, essayez la *Grandville Pale Ale.* En Ontario, les bières de la microbrasserie *Sleeman's* ont tant de succès qu'il faudrait peut-être enlever le « micro » de son nom.

– À l'ère des *raves,* de la forme parfaite et des contrôles impitoyables de l'alcool au volant, les jeunes Canadiens boivent de plus en plus de boissons énergisantes sans alcool contenant du ginseng, du gingembre et d'autres éléments toniques.

– Dans la plupart des restos, on vous sert d'emblée un grand verre d'eau rempli de glaçons, hiver comme été. Pratique pour les fauchés à qui l'eau suffit ! Autre attention sympa : le petit panier de pains (souvent tout chauds), toujours accompagnés de miniportions de beurre (vous pouvez toujours demander d'autres pains gratuitement).

– Quant au café, la plupart des bons restaurants et *coffee-shops* sont désormais dotés de machines à *espresso* et cappuccino. Les *coffee-shops* sont la version nord-américaine de nos cafés. Souvent pourvus d'une terrasse, on s'y arrête pour prendre un café au perco ou, mieux (mais plus cher), un cappuccino ou un *caffè latte,* éventuellement assorti d'un muffin au chocolat ou d'un morceau de cake aux fruits des bois. Pratique, car on en trouve partout, mais cadre souvent moderne et sans charme, genre fast-food. Les plus connus sont bien sûr ceux de la chaîne américaine *Starbucks,* d'ailleurs implantée dans certaines villes d'Europe.

– *Last but not least* le *Clamato,* cet étrange mélange de jus de tomate et de jus de palourde peut, au premier abord, paraître plutôt repoussant, et pourtant ! Cette boisson originale est surtout utilisée pour le *Ceasar,* cousin canadien du *Bloody Mary.* Souvent servi avec une branche de céleri ou un haricot vert au vinaigre, il peut être consommé alcoolisé (avec de la vodka) ou *Virgin,* seulement avec de la sauce Worcester et du tabasco. Une potion magique délicieuse !

BUDGET

Pour le voyageur, le coût de la vie au Canada est globalement comparable à celui de la France. Souvenez-vous tout de même que les prix indiqués s'entendent sans taxes. À noter aussi que l'essence y est presque deux fois moins chère que chez nous. Si vous voyagez en voiture, cela peut faire une jolie différence. Pour vous aider à préparer votre budget, voici une échelle de prix pour l'hébergement et la nourriture.

Hébergement

Important : les fourchettes de prix indiquées ci-dessous sont celles de la haute saison touristique, puisque, par définition, c'est plutôt à ce moment-là de l'année qu'on voyage. Celle-ci correspond à l'été, sauf dans les stations de ski où, bien sûr, c'est l'hiver que les prix grimpent. Au printemps et en automne (et évidemment aussi l'hiver là où on ne skie pas), les tarifs sont donc plus bas.
– *Bon marché :* jusqu'à 30 $Ca (18,3 €) la nuit par personne (en dortoirs ou en chambre double dans les auberges).
– *Prix moyens :* de 60 à 125 $Ca (36,6 à 76,3 €) la nuit pour 2 en chambre privée (hôtels, motels ou *B & B*).
– *Plus chic :* de 125 à 200 $Ca (76,3 à 122 €) pour 2.
– *Très chic :* plus de 200 $Ca (122 €) pour 2.

Repas

Ici, outre les taxes (un peu plus de 10 % dans la restauration), il faut ajouter le pourboire, obligatoire, d'environ 15 %. Au bout du compte, c'est 25 % en plus des prix affichés aux menus qu'il faut prévoir ! Nous vous indiquons les prix d'un simple plat, celui-ci étant généralement assez copieux pour pouvoir se passer d'autre chose.
– *Bon marché :* moins de 10 $Ca (6,1 €).
– *Prix moyens :* de 10 à 20 $Ca (6,1 à 12,2 €).
– *Plus chic :* plus de 20 $Ca (12,2 €).

CLIMAT

– Évidemment, vu l'étendue du territoire, il est difficile de généraliser. L'office de tourisme fournit des brochures d'informations avec des moyennes de températures par ville et les vêtements à emporter en fonction des saisons.
– En gros, plus on va vers le sud, et donc plus on se rapproche de la frontière avec les États-Unis, plus il fait chaud. Pas fous, la plupart des Canadiens vivent d'ailleurs dans cette zone. Voici quelques indications valables pour la partie sud de tout le pays : en mai et septembre, jours chauds mais nuits fraîches. En juin, chaud. En juillet et en août, très chaud et plutôt sec. En octobre, de frais à très frais. En novembre, assez froid et début de gel. En décembre, janvier et février, très très froid avec de superbes journées ensoleillées. En mars et avril, timide redoux.
– Au sud de l'Ontario, dans la région des chutes du Niagara, le temps est clément pour les vignobles. L'hiver, on en profite pour créer le fameux *ice wine*, un délice à base de suc extrait au compte-gouttes des raisins gelés. Autre monument à ne pas manquer si vous allez au Canada en hiver et jusqu'au début du printemps : le spectacle unique des chutes du Niagara en partie pétrifiées dans la glace.
– À l'ouest du pays, le climat change encore énormément. On y compte même 3 zones climatiques différentes. La côte Pacifique jouit d'un microclimat, doux et humide. Il y pleut beaucoup en hiver, mais l'été est très agréable. Il y a rarement de grandes chaleurs à Vancouver. L'intérieur de la Colombie-Britannique (Kamloops, vallée de l'Okanagan) est, en revanche, quasiment désertique. On peut même y souffrir de la canicule, reste à se rafraîchir en se baignant dans les lacs. Dans la région des Rocheuses, enfin, le climat est alpin, et donc frais et sec. L'Alberta est l'une des provinces canadiennes les plus ensoleillées. Il en va de même pour la Saskatchewan et le Manitoba qui présentent un climat continental sec, caractérisé par des ciels magnifiques et des variations de températures incroyables de l'été à l'hiver (des extrêmes de + 35 °C à - 40 °C, un peu comme en Sibérie).

– Sachez enfin qu'en été, la clim' fonctionne à plein, partout. Mieux vaut donc prévoir un pull quand on va dans un centre commercial ou au restaurant ! L'hiver, c'est carrément l'excès inverse, les appartements comme tous les lieux publics sont souvent surchauffés.

COURANT ÉLECTRIQUE

La tension électrique étant de 110 volts alternatifs et les prises de type américain, munissez-vous d'un adaptateur-transformateur international si besoin est.

CUISINE

Avant tout, évitez de mettre toute l'Amérique du Nord dans une même casserole. D'accord, la partie anglophone est, à première vue, plus américanisée du point de vue culinaire que le Québec, francophone et amateur de bonne chère. Dans les petites villes et villages, comme au bord des routes, ne vous attendez donc pas à faire des agapes gastronomiques. Et régalez-vous plutôt sans remords d'épais club-sandwichs, d'énormes pizzas et autres tartes au chocolat glacé. C'est nourrissant et souvent goûteux, quoi qu'on en dise ! Il n'empêche que les Canadiens aiment manger – et se nourrissent généralement mieux que les Américains ; ils sont d'ailleurs nettement moins gras. Depuis quelques années, les efforts en matière culinaire sont visibles, et l'alimentation « santé » est plus que jamais d'actualité. De Toronto à Vancouver, et même (mais dans une moindre mesure) à Calgary, Edmonton et Winnipeg, il existe une foule de bons restaurants, où des chefs inventifs s'efforcent de tirer la cuisine vers le haut. Mais attention, c'est évidemment beaucoup plus cher !

– En Alberta, vous ne serez jamais déçu si vous commandez de la viande. Au pays des cow-boys, le bœuf est tendre, savoureux et... abordable.

– En Colombie-Britannique, le saumon (frais ou fumé) et les fruits de mer sont rois. Nature ou accommodés à toutes les sauces, ils sont frais et plutôt bon marché. Un régal !

– Dans les grandes villes comme Toronto et Vancouver, les restaurants exotiques se sont multipliés, donnant une touche de fantaisie à un milieu urbain autrefois bien *straight.* Toronto se présente même aujourd'hui comme l'une des cités les plus cosmopolites du globe, avec pour corollaire la prolifération de restaurants, cafés et marchés chinois, italiens, grecs, juifs, portugais...

– Le décor des restaurants laisse souvent place à l'imagination et au délire. La vue et l'ouïe sont parfois plus sollicitées que le goût... Quel que soit le thème choisi – cow-boy, cirque ou hockey sur glace –, les *Canadians* ne reculent devant rien pour transformer un resto en lieu de fête permanente, ce que les anglophones appellent un « *theme restaurant* ». N'hésitez pas à pousser la porte, l'ambiance est toujours joyeuse et bon enfant.

Quelques infos en vrac

– Inutile de vous charger de nourriture : il existe, un peu partout en ville, des boutiques d'alimentation *(convenience stores)* ouvertes tard le soir et tôt le matin, et même les dimanches et jours fériés. Ces magasins sont toutefois beaucoup plus chers que les supermarchés. En bordure des agglomérations, de nombreuses grandes surfaces ont également des horaires d'ouverture très pratiques (de 8 h à 23 h) et proposent un choix immense (c'est presque trop !) de produits. Les cartes de paiement y sont acceptées.

– Un peu partout dans le pays, la mode est aux aliments « bio », c'est-à-dire aux fruits et légumes qui ont poussé sans engrais chimiques. Si vous en êtes amateur, vous en trouverez facilement sur tous les marchés et même dans certains restaurants (plus chers). Paradoxalement, les produits « bio » sont souvent plus populaires dans les villes qu'à la campagne.

DANGERS ET ENQUIQUINEMENTS

En ville

Taux de criminalité faible, délinquance quasi inexistante, le Canada n'est pas une destination dangereuse. Les villes sont sûres et la société canadienne, peu violente. Bien entendu, comme partout, ne pas tenter le diable et prendre les précautions de base contre le vol. Le soir, ne pas avoir peur de se promener en ville, mais éviter toutefois les quartiers moins bien famés, spécialement à Vancouver...

Le problème urbain majeur du Canada, ce sont les sans-abri, phénomène aggravé par des facteurs politiques et sociaux en constante augmentation depuis le milieu des années 1990. Aucun danger à craindre ici, mais la misère saute aux yeux.

Dans la nature

De nombreux ours (notamment ours bruns et noirs) vivent en liberté. Même s'ils ne représentent que rarement un danger, il convient de faire attention. Des recommandations sont faites aux visiteurs à l'entrée de sites susceptibles d'abriter des ours. Si vous campez, la précaution majeure à prendre est de ne jamais laisser de nourriture à l'intérieur ou à côté de votre tente. Il est conseillé d'emballer les provisions dans un sac en nylon et de les pendre à la branche d'un arbre, éloignées de votre tente et du tronc (sur lequel l'ours peut grimper). Enfin, il faut que ce sac soit à une hauteur suffisante pour qu'un ours debout ne puisse pas l'atteindre (à 3 m du sol environ). Les règles de base si vous vous retrouvez à proximité d'un ours en forêt : jeter par terre toute nourriture qu'on tient dans la main, se mettre au vent pour qu'il puisse vous sentir ; ne le nourrir en aucun cas et ne pas trop s'en approcher. Enfin, quand vous marchez, faites un peu de bruit pour les prévenir de votre présence et, surtout, si vous tombez sur des empreintes, n'essayez pas de les suivre... Un sifflet permet de faire peur à un ours agressif.

Au Canada, plus particulièrement dans le Nord, les forêts sont infestées de moustiques et de « *black flies* », petites mouches noires qui piquent férocement. Ces insectes sont parfois tellement nombreux que ça peut devenir très pénible, voire vous faire rebrousser chemin. Quelques conseils : munissez-vous de crèmes (voir la rubrique « Santé »), évitez de vous parfumer et de porter des vêtements aux couleurs foncées. Juin est le pire mois de l'année ; ça commence à se calmer en juillet, mais...

En voiture, l'entrée dans une zone protégée des élans ou autres animaux est fréquemment indiquée par des panneaux. Respectez ces zones et roulez doucement, surtout la nuit.

DÉCALAGE HORAIRE

Il y a 6 fuseaux horaires sur le territoire canadien. Quand il est 18 h en France, il est 12 h au Québec et en Ontario (donc - 6 h) ; 13 h au Nouveau-Brunswick et en Nouvelle-Écosse ; 11 h au Manitoba ; 10 h en Alberta, dans la Saskatchewan et dans les Territoires du Nord-Ouest ; 9 h au Yukon et en Colombie-Britannique. Petite subtilité : il est 13 h 30 à Terre-Neuve ! Attention, certains parcs de la Colombie-Britannique (Revelstoke, Glacier, Yoho et Kootenay) s'alignent sur l'heure des « Rocheuses » (donc de l'Alberta), soit 1 h de moins que le reste de la province (dont Wells Gray et Vancouver).

DROITS DE L'HOMME

Le vieil antagonisme entre les États-Unis et le Canada n'a fait que se renforcer ces dernières années. Depuis le 11 septembre 2001, surtout, les premiers ne cessent d'accuser le second d'avoir une politique trop laxiste en matière de lutte antiterroriste. Une position naturellement contredite par la Ligue des droits et libertés du Québec (LDL affiliée à la FIDH) qui a lancé en février 2004 une campagne intitulée « Nos libertés sont notre sécurité » contre « l'érosion des libertés civiles » liée à l'entrée en vigueur de la Loi C-36. Selon l'organisation, ces nouvelles mesures « donnent en effet lieu à un renforcement très important des pouvoirs répressifs de l'État et de la police qui jouissent maintenant d'une marge de manœuvre considérable sans véritable contrôle judiciaire ou parlementaire ». L'organisation dénonce également les atteintes aux droits des immigrés (contrôles au faciès...) et le flou qui entoure la notion d'« activités terroristes » permet désormais de réprimer tout mouvement de protestation, qu'il soit autochtone, environnementaliste ou syndical. Amnesty International signale également, dans son rapport annuel 2004, des cas de brutalités policières en garde à vue ou à l'égard de manifestants. Rappelons néanmoins que le Canada demeure l'un des pays les plus avancés en matière de promotion et d'application des droits de la personne, et dispose pour cela d'organes exerçant de réels pouvoirs, tant au niveau provincial que fédéral. Le Canada est également un pays où les débats sur les choix de société sont les plus avancés. Ainsi en Ontario, on ne s'interroge plus sur la validité ou non du mariage homosexuel (près de 3 000 mariages y ont déjà été célébrés), mais plutôt sur la possibilité pour un couple homosexuel de pouvoir divorcer. Le nouveau Premier ministre, Paul Martin, s'est par ailleurs clairement prononcé pour un assouplissement de la législation sur le cannabis, et un projet de loi en ce sens devrait passer devant le Parlement en octobre 2004. Enfin, en matière de droits des autochtones, le Canada semble également plus avancé que son voisin du sud. En 1982, le « rapatriement » de la Constitution a permis aux Premières Nations de se voir reconnaître leurs droits ancestraux. La création de territoires autonomes, pour les Nisga'a, ainsi que pour les Inuits (le Nunavut) ou la signature de traités de dédommagements ont ainsi permis aux autochtones de reconquérir une partie de leurs droits. Cependant, les sources de conflit demeurent nombreuses. Les droits obtenus par les autochtones sont parfois trop favorables et des tensions peuvent alors surgir. Mais la discrimination à l'égard des Premières Nations, mais aussi à l'égard des populations immigrées demeurent toujours sensible au sein de la société canadienne (éducation, discrimination à l'embauche ou au logement). Enfin, l'incendie criminel qui a touché la bibliothèque de l'école primaire United Talmud Torah, à Montréal, le 6 avril 2004, montre que le Canada n'est pas à l'abri d'actes antisémites. Pour en savoir plus, n'hésitez pas à contacter :

■ *Fédération internationale des Droits de l'homme (FIDH) :* 17, passage de la Main-d'Or, 75011 Paris. ☎ 01-43-55-25-18. Fax : 01-43-55-18-80. ● www.fidh.org ● fidh@fidh.org ● Ⓜ Ledru-Rollin.

■ *Amnesty International* (section française) : 76, bd de la Villette, 75940 Paris Cedex 19. ☎ 01-53-38-65-65. Fax : 01-53-38-55-00. ● www.amnesty.asso.fr ● info@amnesty.asso.fr ● Ⓜ Belleville ou Colonel-Fabien.

N'oublions pas qu'en France aussi, les organisations de défense des Droits de l'homme continuent de se battre contre les discriminations, le racisme et en faveur des plus démunis.

ÉCONOMIE

Voir plus loin le chapitre « Histoire ».

ENVIRONNEMENT

On est bien d'accord, les Canadiens sont exemplaires en matière de recyclage, leurs parcs sont un modèle du genre dans la protection de l'environnement, et l'Europe est mal placée pour donner des leçons. Mais quand on sait que les parcs nationaux ne protègent que 3 % du territoire canadien, et qu'il en faudrait 12 % minimum pour sauvegarder l'environnement, on est en droit de se poser des questions... N'est-ce pas l'arbre qui cache la forêt ? Car sur les 15 pays les plus boisés au monde, le Canada n'arrive qu'en 12e position pour la protection de la forêt avec 7,4 % de superficie protégée. Riche en matière première (10 % des forêts mondiales), le Canada réalise logiquement et sans beaucoup de scrupules 20 % des exportations mondiales de bois. Mais la sonnette d'alarme a été tirée dans les années 1990 : en Colombie-Britannique, de la forêt initiale, ne restait que 40 à 60 % ! Or, cette forêt humide tempérée de la côte ouest du Canada est très rare et très ancienne. Elle abrite une faune et une flore endémiques et menacées, depuis des cèdres millénaires à certaines familles de grizzlis. Les compagnies forestières privées pratiquent des abattages de grande envergure sur des exploitations immenses de plusieurs milliers d'hectares : c'est ce qu'on appelle la « coupe à blanc », très décriée pour les dommages irréversibles qu'elle entraîne pour tout l'écosystème. Pour lutter contre ces « saignées » (le mot est éloquent...), un code de bonne conduite forestière a été établi pour la Colombie-Britannique, il protège désormais 12 % de la province.

En décembre 2002, le Canada a signé le protocole de Kyoto visant à réduire les gaz à effets de serre. Ce n'était pas un luxe étant donné que le pays est un des plus grands pollueurs, pas très loin derrière les États-Unis.

Les pluies acides

Les oxydes de soufre et les oxydes d'azote : voilà les principaux ennemis des lacs canadiens. Rejetées dans l'atmosphère par les usines des zones industrielles notamment, ces émissions se transforment en particules de sulfate ou de nitrate puis, en se combinant avec l'eau, en acides sulfuriques ou nitriques faibles. Les vents dominants leur font parcourir des centaines de kilomètres avant de les laisser retomber, mine de rien, sur les sols et les lacs innocents. Le pH des lacs (voir cours de chimie de 1re) descend ainsi au-dessous de 4,6 ; alors que les poissons, grenouilles et autres créatures ont besoin d'un pH supérieur à 5 pour survivre et féconder. En Ontario, une étude réalisée en 1984 sur plus de 4 000 lacs montrait que 4 % d'entre eux avaient une acidité ne permettant plus d'héberger une vie aquatique. Une étude récente réalisée sur 152 lacs du sud de l'Ontario et du Québec révèle que seulement 41 % de ces lacs sont moins acides aujourd'hui qu'ils ne l'étaient il y a 20 ans, même si les émanations acides ont beaucoup diminué depuis les années 1980. Mère Nature pardonne souvent les erreurs passées, mais pas toujours.

FÊTES ET JOURS FÉRIÉS

- Congé du Nouvel An (1er janvier).
- Vendredi saint.
- Lundi de Pâques.
- Fête de la Reine, *Victoria Day* (le lundi précédant le 25 mai).
- Fête nationale du Québec (24 juin).
- Fête du Canada, *Canada Day* (1er juillet).
- Fête civique en Ontario (1er lundi d'août).
- Fête du Travail (1er lundi de septembre) : date charnière puisque, au-delà de la fête, de nombreux musées et attractions du pays adoptent des horaires

restreints ou sont carrément fermés. Si vous voyagez après cette date, il est bon de vérifier les horaires auprès des offices de tourisme.
– *Thanksgiving Day* (2e lundi d'octobre).
– Jour du Souvenir, *Remembrance Day* (11 novembre).
– Congés de Noël (25 et 26 décembre).

GÉOGRAPHIE

Le Canada, avec ses 9,9 millions de km², est le pays des grands espaces vierges. Il s'étend sur environ 5 000 km d'un océan à l'autre, des îles de Vancouver, à l'ouest, jusqu'à Terre-Neuve, à l'est. La frontière avec les États-Unis, purement arbitraire, suit plus ou moins le tracé du 49e parallèle jusqu'aux Grands Lacs, traverse les lacs Supérieur, Huron, Saint-Clair, Érié et Ontario, coupant en deux les chutes du Niagara. Elle se poursuit vers l'est le long du Saint-Laurent et s'écarte du fleuve vers les Appalaches et le Nouveau-Brunswick. Au nord, le Canada s'étend très au-delà du cercle polaire, jusqu'à la terre de Grant, séparée du Groenland par le canal de Robson.

Le territoire canadien peut se diviser en 4 grandes zones, la région appalachienne au sud-est (Provinces maritimes), une très vieille cordillère, « le bouclier canadien » au centre et à l'est du pays (région du Saint-Laurent, sud de l'Ontario et du Québec), les Prairies (le Manitoba, la Saskatchewan et une partie de l'Alberta) et les Rocheuses, à l'ouest, qui culminent avec le mont Logan (6 050 m). Les territoires du Nord-Ouest, des Rocheuses à la baie d'Hudson, ainsi que les îles arctiques et le nord du Labrador sont le domaine des « terres nues » ou *barren grounds*.

Mais seulement 13 à 14 % du territoire étant exploités, on parle plus volontiers du Canada en terme de « géographie humaine ». L'ouest du pays, proche de l'aire pacifique, est une région très active, tandis que l'est est moins dynamique, dès qu'on s'éloigne de la vallée du Saint-Laurent et des Grands Lacs ; les régions de Toronto et Montréal dominent l'activité économique et culturelle.

On distingue l'**espace atlantique** (la Nouvelle-Écosse, le Nouveau-Brunswick, Terre-Neuve et l'île du Prince-Édouard), logiquement tourné vers l'océan (pêcheries de Terre-Neuve), même si l'agriculture garde une place importante. L'urbanisation et le développement industriel y sont faibles.

Au centre, le **Québec** et l'**Ontario** forment l'axe dynamique du Canada. Montréal a longtemps tenu le premier rôle dans le développement du pays, mais semble distancé à présent par Toronto. L'Ontario s'impose comme la province la plus riche du Canada, sur le plan agricole et industriel, grâce à de riches ressources naturelles (fer, potasse, soufre, charbon). Toronto est ainsi devenue la vraie capitale économique du Canada, suivie par Ottawa, capitale fédérale et ville administrative influente.

Les **Prairies** regroupent le sud de l'Alberta, de la Saskatchewan et du Manitoba, vaste plaine vouée à l'élevage du bétail et à l'agriculture, du blé notamment. L'arrivée du chemin de fer a permis le développement de Winnipeg, Regina et Saskatoon et la découverte de pétrole a propulsé Calgary, maintenant plus connue pour ses pistes enneigées... Edmonton, capitale de l'Alberta, commence à faire parler d'elle.

Enfin, la **façade pacifique** est dominée par Vancouver, en Colombie-Britannique, troisième ville du Canada. Industrielle et commerciale, elle exporte essentiellement vers l'Asie. La côte offre des paysages somptueux, avec ses grandes forêts de conifères et les Rocheuses en arrière-plan.

Quant au Grand Nord canadien, vaste et peu exploité, il s'y développe de petits centres urbains à vocation administrative et commerciale (Yellowknife, Whitehorse). Refuges de la civilisation amérindienne, ces territoires peu peuplés font parler d'eux, comme en témoigne, en 1999, la création du Nunavut (voir « Les Inuit »).

HÉBERGEMENT

Comme partout, ce qui pèse le plus sur les tarifs hôteliers, c'est la loi de l'offre et de la demande et donc, surtout, la saison touristique. Celle-ci culmine de juin à septembre. Sauf, bien sûr, dans les stations de ski, où c'est pendant les vacances de Noël que les prix s'envolent. Partout ailleurs, cela dit, l'hiver est la saison la plus creuse.

Il peut également arriver qu'en fin de journée un hôtelier vous fasse un prix pour une chambre qu'il ne croit plus pouvoir louer. Tant mieux si vous pouvez en profiter, mais ne perdez pas de vue qu'en été, il vaut vraiment mieux *réser-ver,* sous peine de devoir dormir dans votre voiture... ou dehors. En effet, si les Rocheuses et l'île de Vancouver sont encore peu connues des Français, cela fait belle lurette qu'Allemands, Américains et Japonais y viennent en masse. Or, les hôtels ne sont pas toujours assez nombreux, car la saison touristique est courte. Soyez donc prudent si vous prévoyez de séjourner à Banff et dans les Rocheuses en général, ainsi qu'au parc national Pacific Rim et même à Vancouver. À Toronto et Ottawa, le taux d'occupation des chambres fluctue plutôt au gré des congrès et des événements politiques.

Auberges de jeunesse

Les AJ canadiennes sont souvent formidables (chaleureuses, mixtes et sans corvées). De plus, elles ne sont pas trop chères : compter 20 à 25 $Ca la nuit (environ 13 €), draps et serviette de toilette inclus. La plupart acceptent les cartes de paiement. Dans toutes, vous trouverez une cuisine équipée et une borne Internet. Nombreuses également sont celles qui proposent des chambres privées, sommaires mais à peine plus chères (par personne) que les dortoirs. En dehors des villes, il n'est pas rare qu'on puisse aussi y planter sa petite « canadienne ».

Dans les auberges dites « officielles », attendez-vous à payez 4 $Ca (2,4 €) de plus si vous n'êtes pas en possession de la carte *Hostelling International.* Toutefois, sachez que ces 4 $Ca valent un timbre et qu'au bout de 6 timbres (24 $Ca + taxes), on vous remettra une carte de membre. Inutile donc, finalement, d'acheter celle-ci d'une traite.

Possibilité de réserver avec une carte de paiement sur le site Internet d'Hostelling Canada • www.hihostels.ca • Voir aussi la rubrique « Avant le départ ».

– Il n'y a pas de limite d'âge pour séjourner en AJ.

La FUAJ propose 3 guides répertoriant toutes les adresses des AJ du monde : un pour la France, un pour l'Europe et un pour le reste du monde (les 2 derniers sont payants).

Hôtels et motels

La plupart des hôtels ressemblent à ceux qu'on trouve aux États-Unis : confortables, fonctionnels mais ne dégageant aucune chaleur. Une hôtellerie de charme se développe néanmoins un peu partout au Canada, mais, bien sûr, ce charme a un coût.

En général, les chambres sont équipées de TV et de salle de bains privée. Les prix sont donnés pour 2 personnes, mais il arrive souvent qu'une chambre possède 2 lits doubles (de taille variable), et puisse, ainsi, loger jusqu'à 4 personnes. Compter alors 10 à 20 $Ca (6,1 à 12,2 €) par personne additionnelle. Le petit déjeuner, quand il y a un restaurant dans l'hôtel, est rarement inclus dans le prix de la chambre.

Pour les motels, c'est pareil, à part qu'ils ont tendance à se situer en périphérie des villes et qu'ils disposent toujours d'un parking gratuit.

Dans les aéroports et certaines gares routières, vous trouverez des panneaux avec téléphone directement relié à des hôtels dont la présentation est faite sous forme d'affichettes. Certains d'entre eux offrent même le transport depuis l'aéroport ou la gare routière.

Résidences étudiantes

Attention, l'hébergement dans les universités l'été n'est pas forcément une bonne solution. Les facs sont souvent éloignées du centre (nous l'indiquons quand c'est le cas) et les piaules ne sont pas vraiment bon marché. Leurs prix se situent entre ceux des hôtels et des AJ. L'intérêt, c'est qu'elles possèdent souvent une cuisine collective et que l'on y trouve des chambres propres et assez confortables, souvent avec salle de bains.

Gîtes, *B & B* et chambres d'hôtes

Comme en Europe, les *B & B* ont la cote au Canada ! Il faut dire que, à prix égal, c'est nettement plus chouette que l'hôtel. D'abord parce que vous serez le plus souvent dans une famille sympa et contente d'accueillir des étrangers, ensuite parce que tout y est évidemment plus personnalisé que dans un hôtel, et enfin parce que le petit déjeuner, généralement très copieux, est inclus dans le prix. Juste un bémol : étant donné le soin que certains propriétaires apportent à leur maison, et le charme qui souvent en résulte, nombreuses sont les adresses se situant dans la catégorie « Plus chic ». En général, c'est totalement justifié mais, du coup, tous ces *B & B* ne sont pas à la portée de toutes les bourses...

À noter qu'il existe un tas d'associations à travers le pays s'occupant de loger les voyageurs en *B & B,* et que l'office de tourisme peut, lui aussi, se charger de vous en trouver un. Chaque province canadienne a également son guide pour ce type d'hébergement.

Échange de maisons ou d'appartements

■ *Intervac :* 230, bd Voltaire, 75011 Paris. ☎ 01-43-70-21-22. Fax : 01-43-70-73-35. ● www.inter vac.com ● info@intervac.fr ● Ⓜ Boulets-Montreuil. Ouvert du lundi au vendredi de 10 h à 12 h et de 14 h à 17 h (16 h 30 le vendredi). Cet organisme international propose une formule originale de vacances : l'échange de maisons ou d'appartements. Pour un prix raisonnable, il intégrera votre annonce avec une photo de votre maison dans un catalogue diffusé internationalement et sur son site Internet, tout ça pendant 365 jours. Ensuite, à vous de choisir parmi les 12 000 offres le(s) logement(s) de vos rêves dans plus de 50 pays. Une solution pratique, sympathique et généralement assez économique.

Campings

L'un des pays les mieux organisés pour le camping, un grand nombre d'entre eux étant néanmoins fermés à partir du *Thanksgiving Day* (mi-octobre), quand ce n'est pas septembre. Mais les campings les plus sauvages et intéressants demeurent ouverts plus tard, parfois toute l'année. Grands espaces préservés et isolés, tables en bois, propreté du site... la liste peut continuer. Assez souvent, chaque emplacement dispose d'un foyer pour faire des feux de bois, celui-ci étant vendu à l'accueil des campings (pour environ 5 $Ca, soit 3,1 €). Les parcs nationaux possèdent plusieurs campings régis selon les mêmes règles. Les prix, de 20 à 25 $Ca (12,2 à 15,3 €), varient selon l'emplacement, la présence de douches, de l'électricité, de l'eau courante... Il est conseillé de réserver en été, surtout près des grandes villes... même si certains n'hésitent pas à prélever 6 $Ca (3,7 €) de frais de réservation. Dans certains campings très retirés, on paie grâce à un système d'enveloppe à déposer dans une boîte. Un ranger vient plus tard faire les comptes. Bien pensé.

Attention, en mai-juin, il fait parfois encore froid pour camper. Pour ceux qui veulent être en pleine nature sans forcément dormir sous la tente, plusieurs campings louent des « minichalets » (qui portent toutes sortes de noms), avec ou sans sanitaires, mais généralement équipés de vaisselle, plaques chauffantes et barbecue extérieur.

Enfin, dernier détail : se munir de produits à base de « Deet », miraculeux pour lutter contre mouches et moustiques. Ne sous-estimez pas la voracité du moustique, parfois surnommé « l'oiseau national du Canada » !

La liste des campings, avec localisation sur des cartes, est disponible (par province) dans les offices de tourisme.

Ranchs

Hébergement typique de l'Ouest, les ranchs d'Alberta et de Colombie-Britannique accueillent de plus en plus souvent les visiteurs, pour moins cher que les ranchs américains. On y partage la vie des cow-boys, comme dans un vrai western. Tous les ranchs sont installés sur d'immenses terres, soit dans la région aride du plateau intérieur de la Colombie-Britannique, soit dans les Grandes Plaines de l'Alberta, de la Saskatchewan et du Manitoba, soit en bordure des régions montagneuses, notamment des Rocheuses. Les ranchs n'étant jamais très loin d'un lac ou d'une rivière, on y fait donc non seulement de l'équitation, de la randonnée et de l'escalade, mais aussi, suivant les endroits, du canoë, de la baignade, du rafting, de la pêche... Certains ranchs sont même ouverts en hiver.

Au choix, on peut dormir en dortoir, dans des chalets individuels en rondins, dans le bâtiment principal ou encore en camping (la formule la moins chère). Possibilité de *B & B* ou pension complète, et de forfaits spéciaux incluant les balades à cheval (plus les leçons si vous en avez besoin) et autres activités sportives. Les enfants ne sont pas toujours acceptés.

Il y a 2 grandes catégories de ranchs :

– Les **working ranchs** sont toujours en activité. On y élève du bétail et des chevaux. Pour augmenter leurs sources de revenus, ces ranchs accueillent quelques visiteurs (8 à 30 personnes au grand maximum), qui participent parfois aux menus travaux (rassembler les troupeaux avec les cow-boys, nourrir et soigner les bêtes...). Authentiques, les *working ranchs* ne sont pas forcément moins chers pour autant. Confort rustique très sympa.

– Les **guest ranchs** sont spécialisés dans l'accueil des visiteurs, même si certains pratiquent encore parfois un peu d'élevage. Les cow-boys sont surtout là pour vous emmener vous balader à cheval. Plus grands (jusqu'à 100 personnes) et plus confortables, les *guest ranchs* sont parfois hyper-luxueux, avec piscine et courts de tennis – ils s'appellent alors des *ranch resorts*. Les repas sont copieux, souvent sous forme de barbecue en plein air.

Il existe une douzaine de *guest ranchs* en Colombie-Britannique et une petite vingtaine en Alberta – inspectés chaque année par les offices de tourisme provinciaux. Attention : les familles canadiennes réservent souvent longtemps à l'avance pour y séjourner. La liste des ranchs dûment sélectionnés est publiée par les offices de tourisme d'Alberta et de Colombie-Britannique, les réservations peuvent se faire directement.

Renseignements auprès de la Commission canadienne du tourisme à Paris ou auprès des offices de tourisme provinciaux.

Lodges, chalets et *resorts*

Cette autre formule d'hébergement « nature » se retrouve dans tout le Canada. Si certains sont réservés aux chasseurs et aux pêcheurs, les *lodges* sont surtout des havres de paix, souvent installés près des parcs nationaux ou provinciaux, au bord de rivières et de lacs cristallins. Les *lodges* sont composés de chalets ou *cabins* en rondins (parfois en très petit nombre) et toutes sortes d'activités sportives y sont proposées. Air pur et calme garantis. Le bonheur ! Pour dénicher leurs adresses, demandez les guides *Accommodation* (hébergement) et parfois plus précisément *Lodges,* fournis gratuitement par tous les offices de tourisme des provinces canadiennes (Alberta, Colombie-Britannique, Ontario, Manitoba, Saskatchewan...).

Renseignements auprès de la Commission canadienne du tourisme à Paris, ou auprès des offices de tourisme provinciaux.

HISTOIRE

Pour les Français, le Canada c'est d'abord le Québec, francophonie oblige. Le reste de ce vaste pays est encore bien flou dans nos esprits, alors qu'il compte 9 autres provinces, de l'Atlantique au Pacifique, plus 3 immenses territoires, traversés par le cercle polaire, et un million de « francophones hors Québec ». Le Far West américain, passé à la moulinette hollywoodienne, évoque immédiatement un décor de canyons et de prairies, peuplé de cow-boys et d'Indiens. L'Ouest canadien, lui, se contente de quelques vagues clichés, comme sa « police montée », qui doivent beaucoup à Jack London.

Mais les choses changent. À force d'arpenter le Québec, les Français sont de plus en plus nombreux à s'aventurer vers l'Ouest sur les traces des anciens coureurs des bois, bien au-delà de Montréal et des chutes du Niagara. Cet « autre Canada » est un pays différent, bien plus jeune que le Québec. Les provinces de l'Alberta et de la Colombie-Britannique ont été foulées par les premiers Européens voici à peine 2 siècles ! Né officiellement en 1867, le Canada s'est forgé au rythme des vagues d'immigrations successives. Les explorateurs ont d'abord fait reculer ses frontières pour le compte des grandes compagnies de fourrures. Les pionniers ont suivi, enthousiastes à l'idée de s'installer dans un pays neuf et plein de promesses, loin de la Vieille Europe où plus rien ne les retenait.

Jouant sur le multiculturalisme plutôt que de tenter une intégration à l'américaine, le Canada s'enorgueillit de sa réussite. Toronto, par exemple, se vante d'être une des villes les plus cosmopolites du globe, en harmonie et sans ghettos. Le Canada tout entier a par ailleurs bien du mal à se bâtir une identité. Aujourd'hui plus que jamais. Le référendum sur l'indépendance du Québec, fin octobre 1995, l'avait montré. Si le « non » l'avait emporté de justesse, les fédéralistes canadiens n'avaient jamais eu aussi peur de leur vie. Que deviendrait en effet un Canada coupé en deux avec, au beau milieu, un Québec souverain ? Quoiqu'il en advienne de l'éternel dilemme, la population s'est lassée sérieusement et les sondages indiquent que les Québécois ne veulent tout simplement plus de référendum...

La nuit des temps

L'état actuel des connaissances laisse supposer que les Indiens d'Amérique, les Amérindiens, sont d'origine asiatique et auraient pris pied sur le continent au départ de l'Asie du Nord via l'Alaska. La première vague remonterait à environ 40 000 ans. C'est en suivant les troupeaux de cervidés en migration que se serait naturellement effectuée la traversée du détroit de Béring asséché par ces chasseurs-cueilleurs nomades, sans cesse à la recherche de gibier. L'essaimage sur l'ensemble du territoire des Amériques s'est ensuite effectué graduellement et a donné lieu à de nombreuses civilisations autochtones originales et, parfois, remarquablement brillantes. Sur le territoire canadien, le nomadisme a perduré dans de nombreux cas et même bien après l'arrivée des colons européens. Dans d'autres cas, la sédentarisation et l'agriculture ont dominé. Avant l'arrivée de l'Européen, toutes ces civilisations avaient en commun de pratiquer des religions animistes, de perpétuer la culture ancestrale au moyen d'une tradition essentiellement orale et de croire au respect d'un équilibre constant entre l'homme et la nature qui l'entoure et le nourrit. Elles ne croyaient pas à l'appropriation de la terre et ne reconnaissaient que le droit d'usage d'un territoire.

L'arrivée des premiers colons

Vers la fin du IX\ :sup: siècle, des Irlandais chassés d'Islande s'implantent sur la rive nord du golfe de Saint-Laurent. Deux siècles plus tard, c'est au tour d'Islandais, venus cette fois-ci du Groenland, de s'installer sur le littoral de Terre-Neuve et du Labrador. Certains ethnologues pensent que les Vikings ont occupé la côte est des États-Unis jusqu'en Virginie.

Ces premières migrations ont vraisemblablement donné naissance à un certain métissage, mais leur influence était trop faible pour ne pas être assimilée par les peuples indiens.

La redécouverte

Découvert « officiellement » par *Jean Cabot* en 1497, le Canada va connaître par la suite un tas de découvreurs : *Verrazano* qui ne fit qu'une courte visite en 1524, mais réussit à magouiller pour donner son nom à un pont de New York. *Jacques Cartier*, le Malouin, y vint 3 fois. C'est lui qui prendra possession du Canada au nom du roi de France, François I\ :sup:er\ , en 1534. Quand il pénètre dans l'estuaire du Saint-Laurent, il croit qu'enfin la Chine est à portée de voile !

D'autres rêveurs français, anglais, espagnols vont, à leur suite, connaître les mêmes espoirs déçus... Mais où est donc cette hypothétique « mer de l'Ouest », naïvement tracée sur les premières cartes du continent ? Le navigateur anglais *Henry Hudson* est lui aussi persuadé d'avoir découvert le fameux « passage » vers l'Orient. En extase devant une baie immense, il s'arrête, regarde à droite, puis à gauche, constate qu'il est seul et lui donne son nom. C'est une manie, quoi ! Mais la vie d'aventurier se paie parfois très cher. L'année 1611 lui est fatale : son équipage se révolte et, sans grande cérémonie, le largue dans un canoë au milieu des glaces du Grand Nord ! Hudson laissa ainsi sa vie (et son nom) dans cette baie, qui deviendra bientôt l'un des hauts lieux de l'histoire du Canada.

L'appât du gain

À défaut de trouver la Chine et ses fabuleux trésors, les Européens décident de rester au Canada. La petite colonie baptisée Nouvelle-France s'acharne courageusement sur ses « quelques arpents de neige » (plus tard dédaignés par Voltaire) tandis que les missionnaires jésuites et récollets débarquent bible et chapelet en main, et s'efforcent d'évangéliser les Indiens. L'ambiance est plutôt tendue. Les Français ne sont pas les seuls à s'intéresser au Nouveau Monde : l'ennemi héréditaire est sur les rangs. Quant aux Amérindiens, ils n'ont pas l'intention de se laisser déposséder comme ça de leurs territoires. Des alliances se tissent : les Anglais copinent avec les Iroquois, les Français avec les Hurons. Résultat : les conflits sont fréquents et sanglants. Tout ça n'altère pas l'esprit de conquête des uns et des autres. Bien au contraire. Faute d'or et de diamants, le commerce des fourrures s'impose vite comme une source de revenus exceptionnelle. L'appât du gain est un stimulant extraordinaire, qui va pousser les aventuriers à pénétrer plus avant vers l'ouest. Un mouvement qui durera plus de 2 siècles !

Tout ça pour un chapeau de feutre !

Ce que ces hommes vont chercher, c'est le castor. Le poil de cette charmante bestiole sert à fabriquer le feutre dont on fait les chapeaux. Civils ou militaires, tricornes ou hauts-de-forme, ces couvre-chefs sont très à la mode en Angleterre comme en France, et cela durera jusqu'à leur remplacement par le chapeau de soie... au XIXe siècle. Seulement voilà, à force de le chasser, le castor commence à se faire rare sur le Vieux Continent. Et cela, dès le milieu du XVIe siècle. Qu'à cela ne tienne ! Des petits malins se sont vite aperçus que le rongeur à la peau d'or pullule en Amérique du Nord, où l'on peut se le procurer à bas prix. S'ensuit une lutte acharnée entre les marchands européens pour monopoliser ce commerce juteux. Entre les Amérindiens aussi : ceux de l'intérieur du pays trappent, chassent et fournissent les peaux, d'autres jouent les intermédiaires et revendent la marchandise aux postes de traite. Chacun souhaite s'enrichir au maximum. Mais cela ne suffit pas encore. Épris de liberté et d'aventure, de nombreux jeunes Français ont envie d'aller traiter directement avec les Indiens, jusque dans leurs lointains campements. Ils deviennent coureurs des bois, au grand désespoir des autorités qui veulent garder tout leur petit monde dans la colonie, y développer l'agriculture et, si possible, la natalité (mais les femmes sont encore trop peu nombreuses) tout en conservant le centre des affaires à Montréal. Hors-la-loi, les coureurs des bois sont mis à l'amende lorsqu'ils se font pincer avec leur marchandise de contrebande. Les administrateurs de la colonie comme les curés ne peuvent souffrir ces hommes trop libres, qui délaissent leurs terres pour la couche des belles Indiennes... donnant naissance à d'innombrables Métis. Les connaissances des Indiennes permettront aux premiers Européens de survivre dans un monde sans merci où pratiquement tout leur est inconnu.

Étienne Brûlé, un coureur qui n'était pas que de bois

Il n'empêche que certains coureurs des bois rendront de sacrés services à la colonie. *Étienne Brûlé,* par exemple. Débarqué de France à 17 ans, dans la ville de Québec à peine fondée par Samuel de Champlain (1608), il est échangé contre un jeune Indien que Champlain emmènera en France. Étienne vit avec les Hurons, et apprend leur langue, tout en acquérant de précieux renseignements sur la géographie et les peuples de l'intérieur. Tout cela sera drôlement utile à Champlain, qui l'embauchera plus tard comme interprète. Explorateur dans l'âme, Brûlé sera même l'un des « découvreurs » de l'Ontario : il fut le premier Européen sur la baie Géorgienne, puis sur les rives des Grands Lacs. Il planta même son campement sur le site de l'actuelle Toronto (où un parc porte son nom), au bord du lac Ontario. On ne sait pas très bien pourquoi Étienne fut tué et dévoré à 41 ans par ses amis Hurons. Les mauvaises langues disent que ce grand coureur s'intéressa de trop près à une Indienne à laquelle il n'aurait pas dû toucher. On estime aussi qu'il agit en traître en voulant se passer des intermédiaires hurons pour créer une nouvelle entente commerciale entre les Français et certaines autres tribus.

Des Groseilliers et Radisson : fondateurs de la Compagnie anglaise de la baie d'Hudson

Deux autres coureurs des bois français ont joué un rôle primordial dans l'histoire du Canada... même si ce fut pour le compte des Anglais. En 1659, *Médard Chouart, sieur des Groseilliers et Pierre-Esprit Radisson,* son jeune beau-frère, entreprennent un long voyage de traite qui les conduit jusqu'aux Grands Lacs puis vers la baie d'Hudson. Là, merveille : les castors abondent et la qualité de leur poil est extraordinaire. Les deux hommes achètent quantité de fourrures aux Indiens Cree, qu'ils rapportent en déjouant les attaques iroquoises. Leur courage n'est guère récompensé : leur entreprise est illégale et la plupart des peaux sont confisquées par le gouverneur de la Nouvelle-France. Pour ne rien arranger, leur ambitieux projet d'ouvrir une base commerciale dans la région de la baie d'Hudson est boudé par les Français. Colbert en tête, ils refusent l'expansion vers l'ouest et veulent d'abord et avant tout fixer les colons sur les terres. Pas découragés pour autant, Radisson et des Groseilliers se tournent vers l'Angleterre qui, une fois n'est pas coutume, n'est pas en guerre contre la France à ce moment-là. Le roi Charles II est enthousiaste et signe, en 1670, la charte qui accorde à la « Compagnie des Marchands aventuriers de la baie d'Hudson » et au gouverneur le monopole du commerce et le droit de coloniser la « Terre de Rupert » (baptisée ainsi en l'honneur du prince, cousin du roi), l'une des plus riches réserves de peaux du monde. Sans se soucier le moins du monde des peuples autochtones qui y sont installés depuis longtemps ! C'est ainsi que la France se fait souffler par les Anglais l'initiative de l'une des plus fructueuses entreprises coloniales du Canada : la *Compagnie anglaise de la baie d'Hudson*. Par 2 coureurs des bois français, qui plus est ! En ne faisant pas confiance à Radisson et à des Groseilliers, la France a perdu tous droits sur ce domaine immense (5 fois plus grand que la France !), qui s'étire de l'actuel nord du Québec jusqu'aux Territoires du Nord-Ouest, en passant par le territoire du Nunavut, le nord de l'Ontario, tout le Manitoba, la Saskatchewan et le sud de l'Alberta. Et qui dessine déjà, bien avant la Confédération de 1867, une bonne partie du futur Canada.

La rivalité des « voyageurs »

Ce camouflet préfigure une autre défaite, plus grave. En 1759, l'armée française est battue à Québec. Au traité de Paris, en 1763, la France perd toutes ses possessions, mais garde Saint-Pierre-et-Miquelon pour se consoler auprès des poissons du golfe du Saint-Laurent. Après 150 ans d'occupation d'un territoire inhospitalier, la Nouvelle-France est abandonnée. Militaires, notables et commerçants rentrent en France, ne laissant derrière eux que les plus démunis. Après la conquête anglaise, les Français vont pourtant continuer à jouer un rôle essentiel dans l'exploration du territoire. Succédant à leurs ancêtres coureurs des bois, plusieurs d'entre eux deviennent des « voyageurs » pour le compte des grandes compagnies de fourrures. Les temps ont changé : à la différence des coureurs des bois, les voyageurs exercent une activité tout à fait légale et reconnue. La *Compagnie de la baie d'Hudson* n'est plus la seule sur le marché. En 1787, des marchands indépendants de Montréal se regroupent pour créer la puissante *Compagnie du Nord-Ouest*. La rivalité entre les 2 compagnies est d'une férocité qui est proche de la guerre. Les postes de traite se multiplient. C'est à qui contrôlera en premier les territoires de chasse, obtenus par traité avec les Indiens.

D'où une formidable course d'exploration à travers le pays qui n'en est pas encore un, repoussant chaque fois un peu plus loin les frontières vers l'ouest. La *Compagnie du Nord-Ouest* est forte d'une bonne trentaine de guides-interprètes amérindiens et de 1 200 « voyageurs », dont pas mal de Canadiens français. Courageux aventuriers, ces hommes sillonnent le pays en canot en écorce de bouleau, transportent des tonnes de marchandises (fourrures et biens d'échange) et sont forcés de faire du portage durant de longues et périlleuses expéditions. Se déplaçant en brigades (plusieurs canots d'une dizaine d'hommes chacun), les hommes pagaient sans relâche. Pour survivre, ils mangent du *pemmican,* un mets indien très calorique, fait de viande de bison ou d'orignal séchée. L'« unité castor » sert de base pour l'échange de marchandises avec les Indiens. Un castor vaut ainsi, au choix : 6 grands couteaux, 1 livre de grains de collier ou 4 livres de plomb à tirer. Pour se procurer un habit galonné, les marchands indiens devaient cependant débourser 6 castors et, pour un fusil, 4 de plus.

Employés des compagnies de fourrures et grands explorateurs

Pour étendre leur territoire et découvrir enfin une voie navigable jusqu'au Pacifique, les grandes compagnies de fourrures recrutent des jeunes gens ambitieux et hardis, qui n'ont pas peur de l'inconnu. Si la plupart sont restés anonymes, d'autres sont immortalisés par de grands fleuves auxquels ils ont donné leur nom.

Parmi ceux-là : *Alexander Mackenzie,* l'un des initiateurs de la *Compagnie du Nord-Ouest.* Parti du lac Athabasca (en Alberta), il voyage à pied et en canot, traverse les Rocheuses et débouche enfin sur la côte ouest (1793). Il est le premier Visage pâle à se rendre en Colombie-Britannique. Un peu plus tard, *Simon Fraser,* employé de la même compagnie, cherche lui aussi une voie navigable pour l'océan Pacifique. Il descend le fleuve Fraser et franchit le vertigineux « Hell's Gate Canyon », canyon de la Porte de l'Enfer, surplombant de dangereux torrents. *David Thomson,* lui, est cartographe avant tout. D'abord au service de la *Compagnie de la baie d'Hudson,* il travaille ensuite pour la *Compagnie du Nord-Ouest* en espérant que ses talents y seront mieux utilisés. En 1807, il s'embarque avec sa vigoureuse épouse métisse et ses enfants (il en a 13 !) pour un grand voyage. Quatre ans plus tard, il découvre enfin le fleuve Columbia qu'il suit jusqu'à l'océan. Infatigable, il voyagera pendant 28 ans, et dressera la première carte de l'Ouest canadien qu'il sillonna sur des milliers de kilomètres.

La naissance du Canada

Après des années de concurrence acharnée, les 2 grandes compagnies finissent par fusionner en 1821, en conservant le nom de la *Compagnie de la baie d'Hudson.* Il lui reste encore quelques belles années jusqu'à la signature de l'Acte de l'Amérique du Nord britannique (1867). Le Canada devient alors un « dominion britannique » (confédération de provinces) regroupant le Québec, l'Ontario, la Nouvelle-Écosse et le Nouveau-Brunswick. Afin d'asseoir sa puissance et de s'affirmer vis-à-vis des États-Unis, le jeune Canada veut acquérir la Terre de Rupert, toujours propriété de la *Compagnie de la baie d'Hudson.* De longues négociations vont aboutir à la plus grosse transaction immobilière de l'histoire du Canada : pour 1,5 million de livres sterling, le Canada rachète la Terre de Rupert en 1869. Aujourd'hui, *The Bay* (*La Baie,* au Québec) est devenue une importante chaîne de magasins à travers le Canada.

Political correctness oblige, *The Bay* ne vend cependant plus de fourrures depuis 1991... En revanche, on y trouve toujours la célèbre couverture blanche de laine à rayures vertes, rouges, jaunes et noires, autrefois très appréciée des Amérindiens, en échange de fourrures.

La révolte des Métis

Aveuglé par sa bonne affaire, le gouvernement canadien a pris à la légère un problème qui allait devenir crucial : celui des Métis de la rivière Rouge, un ancien comptoir de la *Compagnie de la baie d'Hudson,* le Manitoba aujourd'hui. Descendants des aventuriers français (et, dans une moindre mesure, écossais) et des Indiennes, les Métis sont les premiers défricheurs de la région. Lors du rachat de la Terre de Rupert, ils sont plusieurs milliers à partager leur existence entre les champs de blé et la chasse aux bisons. Sans leur demander leur avis, le gouvernement canadien envoie des arpenteurs qui repartagent sans vergogne leurs terres au profit des futurs colons anglophones de l'Ontario. En 1869, la résistance s'organise derrière *Louis Riel,* un bouillant Métis de 25 ans qui a été éduqué au Québec. Grâce à lui, le Manitoba deviendra une province du Canada en 1870, avec des droits particuliers pour les Métis et les colons francophones qui composent alors 50 % de la population. Accusé du meurtre d'un Ontarien opposé à la rébellion, Riel s'exile aux États-Unis. En 1884, il revient cependant au Canada pour soutenir de nouveau les siens : en Saskatchewan cette fois, où plusieurs Métis se sont réfugiés après la dernière révolte. À bout de munitions, les Métis sont finalement matés à Batoche et, à la suite du procès le plus controversé de l'histoire canadienne, Riel est pendu à Regina en 1885. Une décision qui suscite un vif émoi au Québec et porte un dur coup à l'unité canadienne. Très récemment encore, Louis Riel était considéré comme un traître par les anglophones, qui l'ont enfin réhabilité sur le tard. Il a cependant toujours été un héros aux yeux des Canadiens français. À sa mort, *La Marseillaise rielliste* a été composée, qui commence par « Enfants de la Nouvelle-France, Douter de nous n'est plus permis ! ». À 7 000 km de la France, y'a quand même de quoi étonner !

Le chemin de fer ou le Canada « d'un océan à l'autre »

Ces soubresauts tragiques seront cependant vite oubliés par les anglophones de l'Ouest. Le Canada se prépare à devenir un grand pays multiethnique. Tant pis pour les francophones, les Métis, et pour les Indiens qui seront submergés par des vagues d'immigrants hostiles à tous ceux qui veulent un statut spécial. Une fois la frontière avec les États-Unis bien établie à l'ouest par le 49e parallèle, *John A. MacDonald,* le tout premier Premier ministre du Canada, fait le pari fou de tracer une ligne de chemin de fer dans ce pays immense et quasiment vide, peuplé d'à peine 3 millions d'habitants. Son ambition : bâtir le Canada « d'un océan à l'autre », devise qui est restée celle du pays. C'est d'ailleurs sur la promesse d'une ligne de chemin de fer que la lointaine Colombie-Britannique acceptera d'entrer dans la Confédération canadienne, en 1871, la belle était aussi courtisée par les États-Unis. Après avoir franchi les Rocheuses, la double voie d'acier rejoindra finalement la côte pacifique en 1885 : au total, 4 600 km ! Pour accomplir cette tâche titanesque, la compagnie privée *Canadian Pacific Railways* obtient d'importantes subventions, et bien sûr des terres, autrefois propriétés de la *Compagnie de la baie d'Hudson* (toujours elle !). En échange de quoi, elle doit se charger du peuplement et inciter les colons à venir s'installer le long de son itinéraire.

On fait venir des milliers de Chinois de San Francisco pour travailler sur les voies ferrées. Ces ouvriers sous-payés ne sont pas très bien traités, en dépit de leurs bons services : on leur interdit en effet de se marier au Canada, et on les prie fermement de repartir une fois leur pénible labeur accompli ! (Les temps ont bien changé puisque, depuis quelques années, le Canada accueille plus d'Asiatiques que d'Européens.) D'autres colons sont en revanche bienvenus : les Américains, du moins ceux qui savent cultiver des terres arides. Et bien sûr les Britanniques. Les autres Européens sont également accueillis à bras ouverts par les colons britanniques, à des degrés divers toutefois – par exemple, les Français étaient mieux perçus que les Européens de l'Est –, à condition qu'ils soient agriculteurs. Parmi ceux-ci, de nombreux Allemands, Tchèques, Hongrois, Ukrainiens... dont les descendants sont aujourd'hui bien implantés partout dans l'Ouest. Au bout de 10 ans, le gouvernement canadien leur offre leurs terres, s'ils ont réussi à les faire fructifier. Entre la fin du XIXe siècle et la Première Guerre mondiale, plus de 2 millions de pionniers débarqueront ainsi au Canada. Le chemin de fer Canadien Pacifique *(Canadian Pacific Railway)* aura été le facteur déterminant de la colonisation de la région des Prairies. « Le cheval de feu », comme le surnommaient les Indiens, aura aussi fait surgir de nombreuses villes dans son sillage.

Les ruées vers l'or

Alors que l'intérêt pour les fourrures commence à se dissiper, un autre aimant va attirer les aventuriers vers l'ouest du Canada : l'or ! Car en Colombie-Britannique, il n'y a pas un, mais 2 filons : dans le fleuve Fraser (1858), puis plus au nord, dans les monts Cariboo (1862). Venus de Californie (où il n'y a plus la moindre pépite), les chercheurs affluent par milliers. Les gisements aurifères s'épuisent vite. Mais on va bientôt entendre parler d'un autre eldorado : le Klondike, une rivière qui coule au Yukon, région encore inexploitée du Canada, à la limite de l'Alaska (que les États-Unis viennent d'acheter aux Russes). Ce sera la plus grande ruée vers l'or de l'histoire. Là encore, les Américains reprennent en masse la route du Nord pour profiter du filon. Décidément, il devient urgent de faire comprendre à ces messieurs qu'ils ne peuvent pas débarquer ici en pays conquis. La police montée (ces fiers *Mounties* en tunique rouge) va donc mettre de l'ordre là-dedans et surveiller l'entrée du Yukon. Ils laisseront tout de même passer le romancier Jack London, qui en a rapporté de bien jolies pages. La ruée et l'intense activité qu'elle déclenche, notamment à Dawson City, la capitale (remplacée depuis par Whitehorse), retomberont comme un soufflé au début du XXe siècle.

La conquête par la mer

Pendant que les explorateurs écumaient le pays pour le compte des compagnies de fourrures, les navigateurs n'ont pas perdu de temps. Durant la seconde moitié du XVIIIe siècle, les vaisseaux espagnols, venant du Mexique, remontent vers les côtes de la Colombie-Britannique. Les commerçants russes, eux, multiplient les expéditions le long de la côte ouest, en quête de peaux d'otarie qu'ils revendent en Chine.

Après avoir participé à la prise de Québec (1759) comme engagé de la Marine royale britannique, le cher capitaine *James Cook* revient au Canada, mais dans sa partie ouest, en 1778. Il en profite pour traiter avec les Indiens nootkas, en leur achetant quelques belles peaux de loutre. Cook les revendra ensuite aux Chinois, peu regardants sur les prix. Vient ensuite *George Vancouver* (1792), qui donne son nom à la grande ville de Colombie-Britannique. Après avoir suivi son ami Cook dans les eaux bleues du Pacifique, Vancouver longe la côte nord-ouest de l'Amérique du Nord, où il fait nettement plus frais. Mais il n'est pas là pour se faire bronzer. Il peut même se vanter d'avoir été le premier à dresser une carte précise du littoral.

Le Canada et le XXe siècle

Le Canada est aujourd'hui une monarchie constitutionnelle au sein du Commonwealth britannique. La reine est représentée par un gouverneur général, mais à titre purement honorifique. Chaque province jouit d'une grande autonomie en matière d'éducation, de logement et de ressources. La première guerre à laquelle les Canadiens participèrent, en dehors de leur territoire, fut la guerre des Boers, en Afrique du Sud, contre les Afrikaners. Elle fut suivie par la Première Guerre mondiale. À cette occasion, Henri Bourassa, un chef politique québécois, déclara que « les vrais ennemis des Canadiens français ne sont pas les Allemands, mais les Canadiens anglais angliciseurs, les Ontariens intrigants et les prêtres irlandais » (les Irlandais étant certes catholiques, mais anglophones...). Et il est vrai que, par la suite, beaucoup de Québécois sont allés à la guerre à reculons. Pendant la Seconde Guerre mondiale, la menace nazie paraissait bien loin pour le Nouveau Monde, mais les Canadiens anglais voulaient tout de même y participer pleinement, car leurs racines britanniques étaient assez récentes en général. C'était moins évident pour les Canadiens français dont les liens avec la

mère patrie étaient rompus depuis des siècles. La question de la conscription obligatoire déchira le Canada. Les Canadiens français partirent malgré tout en grand nombre à la guerre. Pour la première fois, l'accent québécois se faisait entendre massivement en France. Apparemment, les villageois libérés n'en croyaient par leurs oreilles.
En fin de compte, le Canada paya le prix fort durant les 2 guerres mondiales : 60 000 morts pour la première et 43 000 pour la seconde.

L'influence des États-Unis

Le « grand voisin du Sud », après avoir longtemps lorgné sur le jeune Canada dans l'espoir de l'absorber, ne serait-ce qu'en partie, reste omniprésent dans l'histoire économique du pays. Le Canada subira la Grande Dépression ainsi que tous les flux, reflux et autres avatars financiers des États-Unis. Si chaque communauté a gardé une identité spécifique, l'influence américaine est néanmoins considérable. Les fast-foods, le *Coca Cola* et les aspirations de l'*American way of life* sont partout, à chaque coin de rue. Dans la communauté francophone, l'impact de l'*American dream* était tel que déjà, dans les années 1920, on avait interdit le cinéma aux adolescents !

Les nouveaux enjeux

La « question du Québec » demeure d'actualité à la Chambre des communes d'Ottawa. Le Bloc québécois a obtenu 54 des 75 sièges du Québec aux élections canadiennes du 28 juin 2004. Le Bloc est un parti qui souhaite la séparation du Québec. Sa grande popularité récente est redevable à son acharnement à défendre les intérêts québécois, et aussi à la perte de popularité du Parti libéral (fédéraliste) qui a apparemment trempé dans des affaires de corruption pour financer la lutte contre le séparatisme québécois. Le dernier référendum sur l'indépendance du Québec (octobre 1995) avait donné une faible avance aux partisans du fédéralisme (50,6 %). La force nouvelle du Bloc québécois à la Chambre des communes va rehausser la voix du mouvement séparatiste, adoucie au Québec depuis l'élection d'un gouvernement provincial libéral (fédéraliste) en 2003.

INFOS EN FRANÇAIS SUR TV5

TV5 est disponible en Amérique du Nord par câble ou par réception directe via la compagnie *DishNetwork.*
Les principaux rendez-vous Infos sont toujours à heures rondes où que vous soyez dans le monde, mais vous pouvez surfer sur leur site ● www.tv5.org ● pour les programmes détaillés ou l'actu en direct, des rubriques voyages, découvertes...

INSTITUTIONS

Les citoyens canadiens élisent un Parlement fédéral et, dans chaque province, un Parlement provincial qui s'occupe de ce qui n'implique pas de grands choix nationaux. Jusqu'en 1993, aux élections fédérales, 2 grands partis politiques dominaient : le Parti libéral (modéré et réformiste) et le Parti progressiste conservateur (vous noterez le paradoxe). Le scrutin fédéral de novembre 2000 a bouleversé le jeu du bipartisme de façon spectaculaire : le parti conservateur a été laminé et l'on a assisté à la poursuite de l'émergence de 2 partis « régionalistes » : le Parti de l'Alliance canadienne (issu du Reform Party), originaire de l'Ouest, populiste et ultra-conservateur, et le Bloc québécois (parti « souverainiste » qui prône l'indépendance du Québec). Le Parti libéral au pouvoir se retrouvait sans opposition de taille, ce qui sert mal une démocratie parlementaire à la britannique où l'opposition est le « chien de garde de la démocratie ». L'échiquier politique canadien se rééquilibre à l'élection du 28 juin 2004. Le Parti libéral, mené par Paul Martin, dirige désormais un gouvernement « minoritaire » (avec 135 des 308 députés des Communes). Le nouveau Parti conservateur (issu d'une fusion avec l'Alliance canadienne) devient une opposition puissante avec 98 députés et le Bloc québécois prend du muscle avec 54 députés. Vingt sièges vont au Nouveau Parti démocratique (la gauche canadienne) et un siège est occupé par un député indépendant.

LES INUIT (LES « HOMMES » EN LANGUE INUKTITUT)

Des autochtones différents

Les Inuit sont les autochtones du nord du Canada. Ils vivent au-delà du 60e parallèle, ainsi que dans le nord du Québec et du Labrador. Les Inuit ne sont pas visés par la loi sur les Indiens. Le ministère des Affaires indiennes et du nord du Canada ne dresse pas de registre de la population inuit ; ils seraient environ 40 000, soit le quart des Inuit du monde.

S'ils méritent à eux seuls une division particulière, c'est en raison de leur distinction culturelle. En effet, les Inuit ne sont apparus dans le nord-est du Canada qu'il y a 4 500 ans, ce qui est relativement récent, comparé aux quelques dizaines de milliers d'années des Amérindiens. Jusqu'à la seconde moitié du XXe siècle, les Inuit du Nord québécois n'ont connu du Blanc que les apparitions occasionnelles de pêcheurs basques et des baleiniers anglais et américains. En plus de l'armée canadienne qui y effectua des séjours de repérages, des ethnologues et un bon nombre d'explorateurs y passèrent, quelques missionnaires chrétiens s'y incrustèrent. Le véritable choc des cultures ne s'effectua qu'avec l'implantation permanente de bases militaires et de services gouvernementaux comme l'éducation et la santé, vers les années 1950.

Aujourd'hui, la plupart des Inuit sont encore nomades. Ils vivent de la chasse et de la pêche, leur lieu de résidence varie selon les saisons, leur maison est de neige l'hiver et de peaux l'été. Toutes les nécessités de la subsistance sont patiemment trouvées dans un environnement avare et un climat extrême, interdisant l'agriculture. Les plus forts seulement survivent, les famines sont fréquentes, la mortalité élevée. Ce qui n'empêche pas l'Inuit d'être foncièrement joyeux et d'une générosité peu commune.

Des effets indésirables de la modernité

En même temps que la vie matérielle s'est considérablement adoucie, les effets désastreux de la sédentarisation rapide sont massifs. L'Inuit est doté d'un patrimoine génétique qui l'a pourvu d'un métabolisme extrêmement efficace, il lui faut peu pour survivre. Dans les maisons que lui a données l'État et qui favorisent sa sédentarisation, il a trop chaud, il mange trop, il ne bouge pas assez. Résultat de l'inactivité et de la soudaine abondance, l'espérance de vie s'est accrue dans un sens, mais la santé de l'Inuit s'est aussi considérablement détériorée. Sa culture, fondée sur la migration et le rapport intime à la nature, s'est effritée sous la poussée conjuguée de l'évangélisation et du modernisme promu, entre autres, par le système éducatif des premières années et la TV.

Prise en main et renouveau culturel

C'est avec les acquis de la convention de la Baie James et du Nord québécois, signée en 1975, que l'Inuit a amorcé la reprise en main de sa destinée. Les apports financiers de l'entente lui permirent un développement autogéré ciblé sur ses besoins, dont l'achat de bateaux de pêche modernes, la mise en marche d'une station radio et d'un périodique, la mise sur pied d'une compagnie aérienne régionale, *Air Inuit,* et même l'achat, en 1990, d'une autre compagnie régionale, celle-là desservant les Territoires du Nord-Ouest. Dans ces régions qu'aucune route ne relie au reste du monde, c'est un fait d'arme majeur. Travaillant de façon autonome ou en collaboration avec divers ministères du gouvernement québécois, des institutions totalement inuit veillent à l'administration et au développement de la région dans tous les secteurs d'activité. Les acquis administratifs et politiques lui permettent maintenant de prendre en charge l'éducation en langue inuktitut ainsi que le contrôle du développement et de la mise en valeur de tout le territoire québécois au nord du 55e parallèle – le tiers du Québec.

La culture inuit regagne une partie du terrain perdu. Les anciens sont sollicités par les plus jeunes pour enseigner le savoir ancestral. On écrit soi-même ses livres d'histoire et ses dictionnaires, on rapatrie les objets traditionnels qui avaient été emportés vers le sud, on revalorise l'art traditionnel de la sculpture sur os, sur ivoire, sur andouillers de caribou et sur stéatite, et on prend en main sa commercialisation. Dans certaines régions comme Cape Dorset, cette activité peut représenter une part non négligeable de l'économie locale. Pour s'en rendre compte, il suffit d'observer les prix de certaines œuvres dans les galeries spécialisées de Montréal ou de New York. Mais la fierté et le dynamisme sont les premiers moteurs du renouveau au pays du morse, du narval et de l'ours blanc.

En mai 2001, le premier film inuit, *Atanarjuat, la légende de l'homme rapide,* de Zacharias Kunuk, a fait sensation et reçu la Caméra d'Or du festival de Cannes.

Nunavut (« Notre Terre », en langue inuktitut)

Le 1er avril 1999, le Nunavut est officiellement devenu un territoire inuit. Le Nunavut est en fait une portion des anciens Territoires du Nord-Ouest, couvrant au total 350 000 km^2, et réclamée par les Inuit depuis... 1976. Ce nouveau territoire possède désormais son propre gouvernement, dans la nouvelle capitale Iqaluit, en lien avec le gouvernement fédéral. Son premier objectif a été la mise en place d'institutions à 100 % inuit, pour veiller à l'administration et au développement de la région, dans tous les secteurs d'activité. Tout ne sera pas facile pour autant, en raison du taux de chômage, du manque de scolarisation et de la faiblesse du revenu moyen des Inuit. Mais le gouvernement canadien, qui lui apporte son soutien, estime que la création du nouveau gouvernement « stimulera l'économie de la région ». Une autre revendication territoriale est, elle, toujours en attente : celle des Inuit du Labrador.

LANGUE

L'anglais et le français sont les 2 langues officielles du Canada. Sur le papier, tout au moins. Car le grand rêve de l'ex-Premier ministre Pierre Eliott Trudeau, farouche partisan du bilinguisme et soucieux de maintenir le Québec francophone dans la fédération, ne s'est réellement matérialisé que dans les administrations relevant du gouvernement fédéral. À savoir, pour ce qui vous concerne : les douanes, les aéroports, les parcs nationaux, les postes... Et encore, les traductions sont souvent farfelues. Au quotidien, il ne faut donc pas vous attendre à vous faire comprendre partout en français. Sauf peut-être à Ottawa (Ontario) : la capitale du pays a accompli des efforts exemplaires, et la majeure partie de ses habitants est bilingue. Il existe une minorité francophone en Ontario évaluée à un demi-million de personnes (5 % de la population ontarienne). Par ailleurs, une communauté francophone – descendant des pionniers canadiens français du XIXe siècle – a survécu un peu partout dans l'Ouest, notamment au Manitoba, dans l'ancienne ville autonome devenue le quartier Saint-Boniface, à Winnipeg (environ 12 000 personnes). Ailleurs, il vous faudra vous débrouiller en anglais, sans oublier que l'accent d'ici ressemble évidemment plus à celui des Américains voisins qu'à celui des Britanniques. Dans l'Ouest, vous rencontrerez cependant souvent des étudiants québécois dans les centres touristiques. Ils profitent de leurs vacances estivales pour travailler dans les somptueux parcs nationaux, ainsi que dans l'hôtellerie et la restauration. Ils seront ravis de « placoter » en français avec vous.

LIVRES DE ROUTE

– *Voyages au Canada* (1565 et 1612), de Jacques Cartier ; récit de voyage (La Découverte Poche n° 35). Cartier s'est rendu plusieurs fois au Canada sur ordre du roi ; les voyages relatés ici furent effectués entre 1502 et 1543, et concernent essentiellement Terre-Neuve, l'embouchure du Saint-Laurent et l'actuel Québec. Cartier n'est pas un écrivain, c'est un aventurier ; son témoignage est brut, sans fioritures.

– *Les Derniers Rois de Thulé* (1955, réédité en poche en 2001, Presses-Pocket n° 3001), de Jean Malaurie ; ethnographie. À mi-chemin entre le récit de voyages et l'essai ethnographique, cet ouvrage témoigne des civilisations en mouvement. Au cours de plusieurs missions et hivernages, Jean Malaurie a partagé la vie des derniers Esquimaux, au moment crucial où leur société archaïque était soumise au choc de la modernité.

– *Ultima Thulé,* de Jean Malaurie (éditions du Chêne, 2000). Un beau livre de 400 pages, un peu cher mais unique. Cap au nord ! Convoquant dieux, mythes et grands explorateurs, Jean Malaurie nous parle d'un peuple méconnu, celui des Inuit. Extraits de journaux de bord et pages de récits de voyages se recoupent pour découvrir Thulé. Comme dans une vieille demeure familiale, on avance dans ce riche livre d'images en découvrant un à un ses moindres recoins, avec la sensation de dialoguer avec ses membres lointains. Ouvrage en forme d'hommage, Jean Malaurie s'arrête sur les visages burinés par les vents glacés de Thulé tout en exhortant son peuple à s'affirmer, heureux déjà de l'indépendance du Nunavut.

– *Aventures dans le commerce des peaux en Alaska* (1986), de John Hawkes ; roman (Le Seuil). Le roman de John Hawkes est une version satirique des grands récits historiques et initiatiques sur l'aventure du Grand Nord. La narratrice, une prostituée, raconte l'épopée de son père, Oncle Jack, émigré de souche française parti en quête d'un Alaska fantasmatique.

– *L'Appel de la forêt* (1903), de Jack London ; roman (Presses de la Cité : 10/18 n° 827). C'est l'histoire d'un chien, dans l'Alaska de la fin du XIXe siècle, vendu à des chercheurs d'or du Klondike. Il éprouvera, après la mort de ceux-ci, l'appel de la forêt et partira rejoindre les loups, ses frères sauvages, dans les montagnes.

– La passionnante trilogie de Peter C. Newman (éditions de l'Homme), raconte l'histoire de la *Compagnie de la baie d'Hudson,* plus importante entreprise coloniale britannique du pays avec, dans le dernier volume, plusieurs portraits des différents protagonistes et explorateurs. *La Baie d'Hudson, La Compagnie des Aventuriers* (1985) ; *Les Conquérants des grands espaces* (1988) ; *Les Princes marchands* (1992).

– *L'Indien généreux* (1992), de Louise Côté, Louis Tardivel et Denis Vaugeois (coédition Boréal/Septentrion). Un beau livre illustré qui dévoile tout ce que la civilisation nord-américaine doit aux Amérindiens.

– *La Voie des masques,* de Claude Lévi-Strauss (Plon, 1979). Traite des Indiens de la côte ouest du Canada.

– *Bonheur d'occasion* (Boréal, 1945, réédité en 1994), de Gabrielle Roy. Cet ouvrage, le plus connu de la célèbre romancière franco-manitobaine, se déroule dans un quartier ouvrier de Montréal. *La Petite Poule d'eau* (1950) raconte la vie modeste des pionniers dans l'Ouest canadien.

– **Le Cantique des plaines**, de Nancy Huston (Poche, J'ai lu, 1993) : Nancy Huston replonge ici dans ses souvenirs d'enfance pour retracer la vie d'un grand-père pris au piège dans l'immensité des Grandes Prairies. Les ambitions brisées d'un homme et, avec lui, celles de toute une génération de pionniers confrontés à la rigueur du climat et à la dure solitude des plaines. Sans oublier la réalité du mal-être indien, évoqué sans détours à travers le destin tragique d'une amante métisse. Un cantique superbe, beau et douloureux.

Deux bonnes adresses à Paris

■ **Librairie canadienne :** *Abbey Bookshop*, 29, rue de la Parcheminerie, 75005. ☎ 01-46-33-16-24. ● www.abbeybookshop.com ● Ⓜ Saint-Michel. Ouvert du lundi au samedi de 10 h à 19 h. Cartes routières, cartes de rando également disponibles.
■ **Librairie du Québec :** 30, rue Gay-Lussac, 75005. ☎ 01-43-54-49- 02. RER B : Luxembourg. Ⓜ Cluny-La Sorbonne. Ouvert du lundi au vendredi de 10 h à 19 h et le samedi de 11 h à 19 h. Fermé le dimanche. Plus de 10 000 ouvrages représentant l'édition québécoise, qui inclut des traductions d'ouvrages canadiens anglais ; toutes commandes possibles. Accueil très sympa.

MÉDIAS

Télévision

Presque tous les hôtels canadiens sont câblés ou proposent une réception via satellite. On peut donc y regarder des dizaines de canaux, dont plusieurs sont américains (les 4 grandes chaînes, la TV publique *Public Broadcasting System,* le *Cable News Network* et parfois des canaux spécialisés). *CBC (Canadian Broadcasting Corporation)* est la chaîne nationale publique de TV et de radio bilingue. C'est la plus rigoureuse dans le traitement de l'information. À Vancouver, par exemple, on retrouve la version francophone québécoise de *CBC* sur la chaîne 07. *CTV Newsnet (Canadian Television)* est une grande chaîne canadienne d'informations en boucle. En fait, c'est un peu l'équivalent national de CNN.

Si vous avez le mal du pays, *TV5* est distribué partout au Canada. En revanche, les émissions sont la plupart du temps diffusées avec plusieurs jours de retard, voire plusieurs semaines... seuls les journaux télévisés (français, suisses et belges) sont à jour. À cause du décalage horaire, les nouvelles du soir sont diffusées l'après-midi, ce qui est plutôt rigolo. Attention, les programmes sont annoncés à l'heure de la côte est (celle de Montréal). On peut aussi trouver *RDI*, la chaîne d'informations en boucle de *Radio Canada,* qui propose débats d'actualités, émissions politiques, informations et reportages, en plus des journaux télévisés.

Enfin, il existe aussi des chaînes provinciales, comme *BCCTV* et *Globaltv* en Colombie-Britannique. À part les infos provinciales, les programmes ne sont pas très différents des autres : sitcoms, talk-shows, *real TV* souvent américains (pas vraiment haut de gamme !) ainsi que des films. À Toronto, *City TV* est une chaîne très urbaine et branchée où les nouvelles sont traitées à la manière de clips. Les animateurs sont sympas et l'attitude est plutôt rebelle.

Radio

Les stations de radio commerciales diffusent essentiellement les genres musicaux en vogue (*dance,* classique, rock, country, etc.). Plus la ville est grande, plus les genres musicaux sont spécialisés. Si vous allez assez loin dans le Nord, préparez-vous à ne capter aucun signal de radio hormis les ondes courtes (heureusement, les CD ne sont pas chers au Canada...). Vous retrouverez aussi la formule *talk radio,* ça ne vole pas très haut, mais ça permet de prendre le pouls d'un pays.

Même la prestigieuse *Société Radio-Canada* joue parfois avec brio ce jeu des tribunes radiophoniques. Elle diffuse toute une gamme d'émissions d'informations (politiques, économiques, culturelles, sportives, etc.) dans tout le Canada. Il y a donc presque toujours une voix francophone au bout des ondes.

Et si vous êtes « alternatif », vous serez curieux d'écouter les radios universitaires et communautaires. Elles diffusent des choses qui ne passent pas ailleurs...

Vancouver et Victoria étant situés près de la frontière américaine, on y capte évidemment beaucoup de stations provenant de Seattle.

Presse

Le Canada édite plus d'une centaine de journaux quotidiens. Le plus influent, en anglais, est *The Globe and Mail*. Néanmoins, *The Toronto Star* est aujourd'hui le plus vendu du pays.

À Vancouver, *The Vancouver Sun* est un journal de référence, comme l'est le *Victoria Times Colonist* pour toute l'île de Vancouver. *The Province* est, dans un tout autre style, un journal très populaire, mélangeant infos locales, provinciales, faits divers, ragots de stars, marché de la bourse.

Comme aux États-Unis, les hebdomadaires culturels gratuits (les *alternative weeklies*) sont maintenant des journaux importants dans toutes les villes du Canada. Ainsi le *Georgia Straight,* particulièrement bien fait, est distribué partout à Vancouver, dans la rue, les cafés, les centres commerciaux. Le programme des boîtes, les expos, les spectacles, toute la vie culturelle de la ville y est annoncée pour la semaine. Il présente aussi régulièrement des classements des meilleurs endroits de la ville à fréquenter selon leurs atouts et selon la saison. Les Vancouverois ne jurent que par lui pour trouver le bon plan de la semaine !

LES PARCS NATIONAUX ET PROVINCIAUX

L'histoire des parcs nationaux est liée, comme celle de l'Ouest canadien, à l'arrivée du chemin de fer à la fin du XIXe siècle. Des ouvriers de la Canadian Pacific Railway découvrirent des sources d'eaux chaudes sulfureuses. Les querelles qu'entraînèrent les droits de propriété attirèrent l'attention du gouvernement fédéral. Il les acheta et en fit le premier parc national.

Le parc fut donc créé, non par souci écologique, mais pour préserver un site économiquement exploitable par l'État, sérieusement affaibli par la construction du chemin de fer. La préservation du milieu sauvage n'était pas encore à l'ordre du jour, bien que quelques visionnaires aient émis certaines inquiétudes sur une possible surexploitation des lieux. Les premiers gardes, sans formation spécifique, étaient seulement chargés de prévenir les feux de forêts et de faire respecter les lois sur la chasse... on mesure le trajet parcouru quand on voit l'organisation de *Parcs Canada* aujourd'hui ! Jusqu'à 1930, on autorisait l'exploitation minière, forestière et le tourisme.

Actuellement, il y a plus de 30 parcs nationaux sur le territoire canadien ainsi que de nombreux parcs provinciaux dépendant des gouvernements provinciaux. La plupart des parcs ont pour objectif d'assurer la protection des ressources naturelles (faune et flore), tout en permettant au visiteur de découvrir les richesses de la nature. Mission accomplie lorsque l'on voit la qualité des services mis en place dans chaque parc. Dans les centres d'accueil, des naturalistes vous fourniront toutes les indications nécessaires pour choisir vos promenades en fonction de vos goûts et de votre temps. N'hésitez pas à discuter avec eux, ils sont passionnés par leur métier. Vous trouverez également dans les parcs de superbes installations de camping (douches, laveries...), des aires de pique-nique, etc. Ici, la protection de l'environnement n'est pas un vain mot...

Près des villes, il y a aussi des parcs, essentiellement récréatifs, qui sont agréables en famille ou pour faire du camping mais dont la valeur est faible, parfois nulle, en tant que patrimoine environnemental.

Faites comme la plupart des Canadiens, respectez la nature : dans les parcs, ne coupez rien (il est interdit de cueillir des fleurs) et ramassez vos détritus. Ne vous laissez pas non plus aller à nourrir les mignons oursons noirs ou les placides mouflons : les autorités des parcs l'interdisent, pour éviter que les animaux ne deviennent dépendants de l'homme. De toute façon, nourrir un ourson tiendrait du suicide, car les mamans ours n'aiment pas ceux qui essaient de leur piquer leur rôle.

Sur les panneaux routiers, les parcs nationaux sont signalés par un castor blanc sur fond brun. Ils sont ouverts toute l'année, mais les services sont réduits hors saison, surtout après la fête du Travail (premier lundi de septembre). Des droits d'entrée sont demandés. Des cartes et des dépliants sont offerts gratuitement, et même en français, si vous le souhaitez, car les parcs nationaux sont administrés par le gouvernement fédéral qui est officiellement bilingue.

PERSONNAGES

Emily Carr (Victoria, 1871-1945)

Considérée comme l'une des plus grandes artistes femmes du Canada, elle ne connut pourtant le succès qu'à l'âge de... 57 ans ! Après des études d'art à San Francisco, Londres et Paris, elle expose ses premières peintures à Vancouver, sans grand succès. Entre 1912 et 1928, elle se consacre alors à l'enseignement à Vancouver et Victoria. En 1927, elle rencontre le Groupe des 7 à Ottawa, un groupe d'artistes canadiens anglais très influent qui révolutionne l'art paysager au lendemain de la Première Guerre mondiale. Fortement impressionnée, elle se met à peindre de nouveau et c'est de cette période que datent ses meilleures œuvres. Surnommée « Celle qui vit » par les Indiens, pour sa façon de faire revivre leur art à travers ses peintures, elle trouve son inspiration dans les bords de mer, les forêts de Colombie-Britannique et les scènes de vie indigène. En reproduisant fidèlement les totems des Premières Nations, elle fournit un vrai travail anthropologique, la plupart de ces sculptures étant vouées à disparaître, pillées ou abîmées par le temps. Excentrique et rebelle, desservie par un caractère difficile, Emily Carr s'est finalement imposée comme une grande artiste, bien au-delà des paysages de Colombie-Britannique qu'elle peignait. Expositions permanentes de ses œuvres à l'Art Gallery de Vancouver et à l'Art Gallery of Greater Victoria.

Bill Reid (1920-1998)

Un des artistes contemporains majeurs de l'Ouest canadien, révolutionnant l'art indien par l'utilisation de techniques européennes de fonte de l'or et de l'argent et le mariage des métaux et du bois.

De mère haïda mais de père germano-écossais, Reid n'est pas élevé dans la tradition indienne. Il vit en Alaska et en Colombie-Britannique, à Victoria, avant de travailler pour la CBC à Toronto, pendant une dizaine d'années. C'est pendant cette période qu'il s'intéresse à la joaillerie, dans l'intention de créer des bijoux contemporains. Mais, lors d'une visite au Musée royal d'Ontario, il découvre l'art de la côte nord-ouest canadienne et s'intéresse alors aux origines haidas de sa mère. Il rencontre Charles Edenshaw, un artiste indien reconnu, qui le forme au travail de l'argent et de l'argillite dans la tradition de leurs ancêtres. Dès lors, il cherche à faire connaître l'art haida sous toutes ses formes.

Dans les années 1950, Reid s'installe en Colombie-Britannique où il participe à de nombreux projets pour la promotion de la culture et de l'art de Haida. En 1985, il conçoit *L'Esprit de Haida,* une sculpture monumentale en bronze représentant un canoë transportant des voyageurs, ours, hommes et autres créatures, basée sur la mythologie indienne. Exposée à l'entrée de l'ambassade canadienne à Washington, cette œuvre est reproduite en 1996, et présentée dans l'aéroport international de Vancouver.

À sa mort, Reid lègue une œuvre considérable. Il a influencé toute une génération de jeunes artistes indigènes. Le *Museum of Anthropology* de Vancouver expose bon nombre de ses œuvres, dont la célèbre *The Raven and the first men (La Légende du corbeau et des premiers hommes),* mais ses œuvres totémiques sont exposées un peu partout dans l'Ouest canadien.

Nancy Huston

Grande romancière contemporaine, Nancy Huston est la plus française des « auteures » canadiennes (comme on dit en québécois), ou le contraire, on ne sait plus bien. Née en 1953 à Calgary, elle reste en Alberta jusqu'à ses 15 ans, puis suit sa famille à Boston. Elle étudie à New York, puis à Paris, où elle suit l'enseignement de Roland Barthes à l'École des hautes études en sciences sociales.

Son premier roman, *Les Variations Goldberg* (1981), a été très bien accueilli, succès qui ne s'est pas démenti depuis. Auteur et traductrice de ses propres œuvres, elle crée la polémique au Québec en 1993, en remportant le prix du Gouverneur général pour *Le Cantique des plaines,* dans la catégorie nouvelles et romans français (alors qu'elle n'est ni québécoise, ni francophone d'origine). Un succès pourtant bien mérité, ses romans suivants de *La Virevolte* (1994) à *Une adoration* (2003), recevant le même accueil enthousiaste. Le Goncourt des lycéens en 1996, le Prix du Livre Inter en 1997 consacrent la romancière.

Douglas Coupland

D'une famille originaire de Winnipeg, Douglas Coupland est né en 1961. Il a vécu à Vancouver la majeure partie de sa vie. Diplômé des Beaux-Arts, il voyage beaucoup et ses sculptures connaissent un certain succès. Un article pour le *Magazine de Vancouver* l'amène à sortir son premier roman, *Génération X.* Succès immédiat, qui va en faire le porte-parole réticent de toute cette génération, née dans les années 1950-1960. Depuis, il a écrit une dizaine de romans traduits dans plus de 30 pays, dont *Microserfs,* en 1995.

Côté People...

Sans le savoir, on peut tous citer au moins une star canadienne. Il y a celles que l'on croit américaines parce qu'elles vivent à Hollywood : l'acteur *Mike Myers* alias Austin Powers (Toronto), l'acteur *Michael J. Fox* (Burnaby, quartier est de Vancouver), le comédien fou *Tom Green* (Ottawa), le comédien omniprésent *Eugene Levy* (Hamilton) ou le grimaçant *Jim Carey* (Barrie, Ontario). Apparemment, les Canadiens anglais excellent en humour à Hollywood : baignant dans l'humour britannique, ce sont de vrais Nord-Américains. Il y a d'autres vedettes canadiennes moins show-biz, plus internationales :

Avril Lavigne (Napanee, Ontario), *Shania Twain* (Timmins, Ontario), *Brian Adams* (West Vancouver), *Neil Young* (Toronto), *Alanis Morissette* (Ottawa), *David Cronenberg* (Toronto) ou *Glenn Gould* (Toronto). Et puis il y a les transfuges, ceux que les Canadiens revendiquent même s'ils ne sont que de passage... l'été ! Comme l'inventeur du téléphone, *Alexander Graham Bell,* qui avait une résidence aux États-Unis et une au Canada, et dont les 2 pays se disputent depuis la paternité !

PERSONNES HANDICAPÉES

Pays très bien équipé en général. La France pourrait prendre exemple... Dans les parcs nationaux, on indique les chemins accessibles aux personnes handicapées. Et si certains restaurants ou *B & B,* dans les maisons anciennes notamment, ne sont pas vraiment adaptés, l'office de tourisme vous le signalera.

POPULATION : LES PEUPLES AUTOCHTONES DANS L'HISTOIRE CANADIENNE

Sauvages, Indiens ou autochtones ?

Après des siècles de cohabitation, les rapports entre les Canadiens et les autochtones demeurent chargés d'incompréhension, d'ignorance (souvent assortie de préjugés) et de ressentiment mutuel... Symbolique, même l'utilisation des termes pour définir les uns et les autres est problématique ! Durant les premières décennies du XXe siècle, on employait (notamment dans les manuels d'histoire) le mot « Sauvages » pour parler des « Peaux-Rouges » ou des « Indiens » (ainsi baptisés par les premiers navigateurs qui croyaient avoir trouvé la route des Indes). Puis on les a nommés « Amérindiens », pour traduire le concept d'Indien américain. Aujourd'hui, on dit aussi « autochtones », ou peuples des Premières Nations *(First Nations),* terme qui présente l'avantage d'englober les Inuit (car ceux-ci ne sont pas des Amérindiens). Vous y perdez votre latin ? Ne vous en faites pas, beaucoup de Canadiens aussi. Même les Amérindiens sautent d'une appellation « correcte » à une autre. Le plus souvent, ils se nomment *Indians.*

Une classification difficile

Sur le territoire du Canada moderne, on dénombre une dizaine de familles linguistiques autochtones subdivisées en une multitude de sous-familles (représentant souvent chacune un groupe ethnique distinct). En dresser le portrait complet serait long et téméraire. Un exemple de la complexité ? La famille wakaskenne, sur la côte pacifique, regroupe les langues haisla, heiltsuk, kwakiutl, nuuchalnulth, nootka et nitinat ! Encore ? La famille athapaskane, autour des montagnes Rocheuses, groupe les langues castor, porteur, chilcotin, tcippewayan, flan-de-chien, han, lièvre, kaska, kutchin, sarsi, sakani, esclave, tagish, tahitan et tutchoni. Il y a vraiment de quoi y perdre son nassgitksan... Ce qu'il faut retenir, c'est que les Indiens de différentes tribus se sentent aussi différents culturellement que des Européens entre eux...

L'arrivée des colons... et des problèmes

L'arrivée des colons français puis anglais en ce qui allait devenir la Nouvelle-France, puis le dominion du Canada, a irrémédiablement bouleversé le régime de vie indigène. L'importance de cette prise de possession, cependant, doit être mise en de justes proportions. Le Canada a toujours été et demeure très peu densément peuplé. Aujourd'hui, quelque 32 millions d'individus se partagent l'équivalent territorial de 20 fois la France. Dans la mesure où les conflits entre populations autochtones et colonisateurs furent largement déterminés par le désir des seconds d'accéder à la terre et aux ressources naturelles et d'implanter des colons, c'est un fait historique que les populations autochtones du Canada subirent diverses formes de sévices. Plus personne ne conteste cette réalité. Déportations, relocalisation, dépossessions et persécutions diverses firent partie du lot, à mesure que s'amplifiait l'appétit de possession du Blanc et la mise en exploitation de la nature. Les maladies nouvelles venues d'Europe ont lourdement sévi. Dans l'ensemble des Amériques, on va jusqu'à estimer qu'entre 1520 et 1700, la décimation indigène liée à la maladie a atteint un taux frisant les 90 %.

Les affrontements directs entre coloniaux et peuples indigènes au Canada eurent surtout lieu dans les grands bassins fertiles où le contrôle de la terre devenait un enjeu, comme la plaine du Saint-Laurent ou la périphérie des Grands Lacs. À l'écart du littoral, les contacts furent plus rares, se confinant souvent à l'échange marchand sans autre désir d'occupation. D'ailleurs, les autochtones d'Amérique du Nord ne demandaient pas mieux au début que d'échanger des fourrures pour des chaudrons de métal qui amélioraient et facilitaient leur vie.

Prise de conscience et mea-culpa

Les Canadiens savent qu'ils ont eu des torts et ne peuvent se défendre d'un certain sentiment de culpabilité « historique », tout en estimant souvent que les autochtones bénéficient d'énormes privilèges (fiscaux notamment). Les autochtones, eux, cherchent à sauvegarder leur différence, leur culture (malmenée, on le sait, par la modernité), se sentent exploités et réclament des territoires auxquels ils estiment toujours avoir droit, tout en faisant valoir que leurs revendications sont aussi légitimes que celles des Québécois vis-à-vis du pouvoir fédéral canadien. On le voit, le problème est loin d'être simple !

Les dernières décennies ont provoqué des changements sociaux particulièrement rapides et profonds. Par exemple, il y a 50 ans à peine, les Inuit et une grande partie des Amérindiens menaient une vie nomade.

Les autochtones ont en effet durement ressenti le choc de la modernité, perdant leurs repères, leurs territoires traditionnels de chasse, leur identité vis-à-vis des Canadiens. Un écart important demeure encore entre leurs conditions de vie et celles de la population du Canada en général.

Combien sont-ils ?

Selon le ministère canadien des Affaires indiennes, il y avait 676 000 Indiens inscrits, donc reconnus officiellement, au 31 décembre 2000. Mais ils seraient environ un million à pouvoir réclamer ce statut, donc un tiers des Indiens ne sont pas encore officiellement enregistrés. La majorité (60 %) vit dans les provinces de l'Ouest (Manitoba, Saskatchewan, Alberta, Colombie-Britannique) et le quart en Ontario. Rappelons qu'au moment de l'arrivée du Blanc il y avait environ un demi-million d'autochtones, soit une croissance démographique nulle sur 4 siècles. Aujourd'hui, plus de la moitié d'entre eux ont moins de 25 ans, et plusieurs sont très métissés.

Ce taux de croissance démographique élevé s'explique notamment par la modification, en 1985, de la loi sur les Indiens, qui a permis la réintégration, ou l'inscription pour la première fois, de 85 000 d'entre eux. Les autochtones du Canada ont également un taux de natalité très élevé.

Qu'est-ce que la « loi sur les Indiens »?

Au terme de la Constitution canadienne, le gouvernement fédéral est habilité à légiférer en ce qui concerne les « Indiens et les terres réservées pour les Indiens ». La première « loi sur les Indiens » a été adoptée en 1876. Celle-ci a été modifiée de nombreuses fois.

Ainsi, avant 1960, les « Indiens inscrits » (c'est-à-dire enregistrés comme tels en vertu de cette loi) et vivant dans les réserves n'avaient pas le droit de vote aux élections fédérales. Par ailleurs, ce n'est qu'en 1969 que les Amérindiens ont obtenu le droit de vote aux élections provinciales.

Ce n'est qu'en 1985 que cette loi est (enfin) devenue conforme aux dispositions contenues dans la Charte canadienne des droits et libertés ! Auparavant, les « Indiens » pouvaient perdre leur statut d'« Indiens inscrits ». Cela s'appelait l'« émancipation ». Elle leur enlevait leurs droits en tant qu'Indiens, mais leur accordait tous les droits des Canadiens. Vous avez compris ? Non ? Alors reprenez lentement en mâchant bien tous les mots.

... et les négociations continuent

Malgré tous ces pas en avant, le gouvernement fédéral reconnaît explicitement qu'aujourd'hui encore, la loi sur les Indiens « continue d'entraver le développement social, économique et politique » et « qu'elle ne peut satisfaire les aspirations contemporaines des Indiens ». Voilà pourquoi les dirigeants autochtones, le ministère de la Justice et celui des Affaires indiennes et du Nord canadien tentent actuellement de modifier profondément la loi afin de trouver des solutions, notamment sur les questions de la gestion des terres, de l'imposition et des pouvoirs administratifs.

La question autochtone aujourd'hui

La question autochtone au Canada d'aujourd'hui est complexe et commande une réflexion plus appuyée qu'une indignation bruyante.

La reconnaissance des autochtones comme étant des citoyens à part entière s'est faite tardivement : on les a d'abord gardés à distance en traitant avec eux de façon impérialiste, en les considérant cependant comme des sujets de « Sa Majesté ». Il faut dire que les Indiens ont été plutôt du côté de la Grande-Bretagne que des États-Unis au temps des grands conflits entre ces 2 pays. Les Anglais ont donc un peu récompensé les Indiens, alors que les Américains les ont beaucoup exterminés... Au Canada, quand le besoin en territoire se faisait sentir, on convoquait les chefs, auxquels on reconnaissait une existence politique, et on « proposait » de céder des droits par traité. Le système des réserves encadrait les populations elles-mêmes et les sédentarisait, et restreignait les droits d'usage de territoires de chasse ancestraux (dans certains cas, grands comme la France).

Aujourd'hui, on fait tout pour réhabiliter l'image des « Premières Nations », d'un bout à l'autre du pays. Depuis des expositions thématiques jusqu'aux livres d'histoire, les autochtones sont enfin respectés, du moins officiellement. Leurs revendications, très médiatisées, ne sont certes pas toujours bien comprises par la population, mais un pas essentiel a été franchi : celui de la reconnaissance.

Droits constitutionnels et avantages

Les autochtones bénéficient de tous les droits et avantages des autres Canadiens. Voici en quelques lignes les avantages auxquels donne droit le fait d'être un « Indien inscrit » : en tant qu'« inscrit », on a le droit de vivre dans une réserve. On compte 2 300 réserves à travers le Canada, où vivent environ 60 % des « Indiens inscrits » ; les autres vivent surtout dans les gran-

des villes. Le fait de vivre en réserve permet de bénéficier de l'exemption fiscale sur les revenus gagnés dans les réserves, l'exemption de certaines taxes provinciales, la gratuité des soins médicaux, des subventions au logement dans les réserves, des subventions aux études post-secondaires ainsi que d'autres allocations. Ces avantages attisent le ressentiment des autres Canadiens, même si la plupart des réserves du Canada présentent une pauvreté noire et misérable, digne de celle des pays les plus pauvres de la planète.
(Voir aussi les rubriques « Les Inuit » et « Histoire ».)

POSTE

La plupart des bureaux sont ouverts du lundi au vendredi de 9 h à 17 h. Compter 1 semaine pour que bonne-maman reçoive votre carte. Tout envoi fait à la poste restante *(general delivery)* doit être réclamé par le destinataire lui-même dans les 2 semaines, sinon il est retourné à l'expéditeur.

RELIGIONS ET CROYANCES

Les religions chrétiennes sont fortement majoritaires, mais toutes les autres grandes religions du monde sont présentes et pratiquées au Canada. Comme un peu partout en Occident, il y a une séparation très nette entre religion et vie politique. Les dirigeants évitent de parler de leur propre croyance. Liberté de pratique et respect des différents cultes sont des maîtres mots. Les Canadiens savent donc éviter, dans une large mesure, les heurts entre communautés religieuses.
Quant aux Amérindiens, ils pratiquent les religions animistes de leurs ancêtres auxquelles ils ajoutent souvent des éléments de foi chrétienne.

SANTÉ

Assurances

Au Canada, les frais de santé sont très élevés pour les étrangers. Le système de santé de chaque province canadienne ne profite pas aux Français, même au Québec, car il ne concerne que les salariés expatriés. Les hôpitaux et cliniques sont plus formalistes que ceux des États-Unis et exigent la présentation d'une carte personnelle d'assurance pour accepter une admission. Il est donc indispensable de prendre avant votre départ une ASSURANCE VOYAGE INTÉGRALE pour la durée de votre séjour au Canada ! L'assurance maladie et frais d'hôpital doit couvrir au moins 76 220 € SANS FRANCHISE.

■ *AVA :* 24, rue Pierre-Sémard, 75009 Paris. ☎ 01-53-20-44-20. Fax : 01-42-85-33-69. ● www.ava.fr ● ⓜ Cadet ou Poissonnière. Ouvert de 9 h à 19 h. Et dans toutes les agences de voyages. Souscription à effet immédiat, par téléphone et sur Internet, règlement par carte de paiement au ☎ 01-48-78-11-88 et sur Internet. Propose des services adaptés aux exigences de l'Amérique du Nord, avec des contrats comme *Carte santé* ou *AVAssist*, un package assistance et assurance. L'admission dans l'hôpital de votre choix est immédiate, et la prise en charge au premier euro est automatique sur présentation de votre carte.
■ *Routard Assistance :* 28, rue de Mogador, 75009 Paris. ☎ 01-44-63-51-01. ⓜ Chaussée-d'Antin. Propose des garanties complètes avec une assurance maladie et hôpital de 304 878 € sans franchise (un record). La carte personnelle d'assurance « ROUTARD ASSISTANCE »,

avec un texte en anglais, comprend une prise en charge des frais d'hôpital ; c'est la formule : « Hospitalisé ! Rien à payer. »

■ *Catalogue Santé Voyages, matériels et produits pour les voyageurs internationaux :* 83-87, av. d'Italie, 75013 Paris. ☎ 01-45-86-41-91. Fax : 01-45-86-40-59. ● www.sante-voyages.com ● Envoi gratuit du catalogue sur simple demande (infos santé voyages et commande en ligne sécurisée). Livraison *Colissimo suivi* : 24 h en Île-de-France, 48 h en province. Expéditions DOM-TOM.

Antimoustiques

Le Canada n'est pas du tout une destination à risque : l'hygiène, la surveillance épidémiologique, le système de santé publique le classe parmi les pays les plus sûrs du monde. Cela dit, pour la sécurité et le confort optimaux du voyageur, quelques points méritent d'être précisés.

Les insectes posent de sérieux problèmes, en particulier aux touristes qui se rendent au Canada au printemps ou en été. Dès la fin de l'hiver, les moustiques et simulies prolifèrent et attaquent les animaux à sang chaud – l'homme en l'occurrence – avec une agressivité que l'on voit rarement, même sous les tropiques. Cela a gâché le voyage de plus d'un touriste à la recherche des grands espaces, de trips écolos dans la vallée des Laurentides, de la pêche sauvage, etc. Les voyageurs ne pouvaient que déplorer des vacances sinistrées.

Mais aujourd'hui, certains de ces moustiques peuvent transmettre une maladie potentiellement mortelle : l'encéphalite à virus *West Nile* : 860 cas en 2003 ont provoqué une dizaine de décès. Pas de vaccin disponible : seule protection, les mesures mécaniques et chimiques : moustiquaires imprégnées d'insecticide, imprégnation des vêtements, répulsifs cutanés réellement efficaces (comme ceux de la gamme *Repel Insect*). Par ailleurs, les tiques sont très nombreuses dans toutes les zones forestières et arbustives, autant dire la quasi-totalité du sud du Canada. Mais il faut être particulièrement prudent dans la région du parc Long Point, au sud de l'Ontario. Les tiques peuvent transmettre une autre redoutable infection : la maladie de Lyme. Pour l'éviter, lors de tout séjour rural :

– porter des vêtements foncés (les vêtements clairs attirent les tiques) recouvrant le maximum de la surface cutanée, si possible imprégnés d'insecticides ;

– inspection systématique, chaque soir, de l'ensemble de la surface cutanée et extraction immédiate de toute tique incrustée ;

– il existe un vaccin (qui ne dispense pas des mesures sus-citées) mais qui n'est disponible que sur place (Lymerix®) et qui commence à être efficace 15 jours après la première injection... De plus, il n'est pas toujours disponible. Autant dire qu'il faut tout miser sur les mesures « antivectorielles ».

Les matériels et produits utiles sont difficiles à trouver : ils sont disponibles sur le *Catalogue Santé Voyages* (voir plus haut).

SAVOIR-VIVRE ET COUTUMES

Musique, danse

Les Canadiens anglais ont toujours été réputés pour être plus « *straight* » (stricts) que les Québécois. En général, dans la partie anglophone du pays, les bars comme les boîtes de nuit ne sont ouverts qu'aux plus de 19 ans. Et surtout, l'extinction des feux sonne beaucoup plus tôt : 1 h ou 2 h (au lieu de 3 h au Québec) pour les bars et 2 h pour les boîtes de nuit.

Dans l'Ouest, pour siroter une bière dans une ambiance vraiment sympa, allez dans un country bar. Ils sont très nombreux en Alberta, situés en ville (Edmonton, Calgary) ou juste à la périphérie. N'oubliez pas votre stetson ni vos santiags, car tous les soirs on y danse au son de groupes *western* déchaînés. C'est l'occasion rêvée de vous mettre au *two step* (pas de deux) et au *line dancing* (les danseurs sont l'un à côté de l'autre, sur la même ligne et au même pas), qui revient vraiment à la mode avec la musique country. Yahoo ! L'ambiance est à son comble durant le *Stampede*, le plus grand rodéo du monde, chaque été en juillet à Calgary.

« Spécial fumeurs »

Les accros doivent savoir que pratiquement tous les *B & B* et gîtes sont « non-fumeurs ». Ceux qui ne peuvent pas se retenir d'en griller une le soir ont donc intérêt à aimer le faire au grand air. Le Canada anglais est un des endroits les plus férocement antitabac au monde. Les anglophones disent avec humour que « le Québec est la section fumeurs du Canada »...
La loi interdit de fumer dans tous les édifices publics et les établissements commerciaux ainsi que sur tous les vols des compagnies canadiennes, de même que dans les aéroports, les trains et les bus. Et ils ne blaguent pas. Dans les restos, il existe une section « fumeurs » et une section « non-fumeurs ». Mais de plus en plus souvent, à Ottawa, Toronto et à Vancouver surtout, il est, la plupart du temps, tout simplement interdit de fumer, même dans les bars, même à l'extérieur d'édifices publics.

SITES INTERNET

En général, vous n'aurez pas de difficultés à trouver un endroit où surfer sur le Web. Les cybercafés sont nombreux et, de toute façon, toutes les AJ disposent d'une borne Internet. Compter en moyenne 1 $Ca (0,6 €) pour 10 mn dans les zones touristiques, moins ailleurs. À signaler aussi, les bibliothèques publiques, où l'on peut souvent surfer pour moins cher que dans les centres Internet et les AJ.
Voici quelques sites qui pourront vous aider à préparer votre voyage :
● *www.routard.com* ● Tout pour préparer votre périple, des fiches pratiques, des cartes, des infos météo et santé, la possibilité de réserver vos prestations en ligne. Sans oublier *routard mag*, véritable magazine avec, entre autres, ses carnets de route et ses infos du monde pour mieux vous informer avant votre départ.
● *www.voyagecanada.com* ● Site officiel de la Commission canadienne du tourisme.
● *www.pch.gc.ca* ● Infos officielles sur les parcs nationaux et le patrimoine canadien. (● *www.ontarioparks.com* ● pour les parcs provinciaux de l'Ontario).
● *www.tourisme-canada.com* ● Site commercial élaboré en Europe qui donne accès à plusieurs liens, ou encore les sites officiels des offices de tourisme des provinces à l'ouest du Québec :
● *www.ontariotravel.net* ●
● *www.travelmanitoba.com* ●
● *www.sasktourism.com* ●
● *www.travelalberta.com* ●
● *www.hellobc.com* ●
● *www.tourisme-cb.com* ● Premier site d'infos sur la Colombie-Britannique en français. Géographie, histoire, circuits, cartes, etc. Infos également sur les entreprises de langue française installées en Colombie-Britannique.

SPORTS ET LOISIRS

Le sport national par excellence est le hockey sur glace. La saison se déroule d'octobre à fin mai et tout le monde prend part aux festivités. Six villes canadiennes abritent les plus grandes équipes (les *Canucks* à Vancouver, les *Canadiens* à Montréal, les *Maple Leafs* à Toronto, les *Oilers* à Edmonton, les *Flames* à Calgary et les *Senators* à Ottawa), mais jusqu'au village de 500 habitants, chaque communauté possède sa propre petite équipe. Malheureusement, le hockey souffre de trop de professionnalisme et est en train de perdre son côté bon enfant qui le rendait si sympathique. Si vous passez au Canada en hiver, essayez toutefois d'assister à un match, ne serait-ce que pour l'ambiance.

GÉNÉRALITÉS

TAXES ET *TIPS*

Les prix affichés ne sont pas ceux que vous paierez réellement. Dans les hôtels et les commerces, le client doit payer en plus 2 taxes : une *taxe de vente provinciale*, de 7 à 8 % suivant les provinces (l'Alberta est la seule province à ne pas l'appliquer, sauf sur les hôtels : 5 % non remboursables), plus la *TPS* (taxe sur les produits et services) qui s'élève à 7 % (*Goods & Services Tax, GST* en anglais). En tout, compter donc 15 % de plus que les prix indiqués. Dans les restos, les taxes en vigueur sont la *TPS* et la *Liquor Tax* (taxe sur les alcools). Ensemble, elles représentent un peu plus de 10 % de la note... à laquelle il faudra encore ajouter le service, environ 15 % du prix hors taxes. 10 + 15 = 25 %. Ami lecteur, quand vous entrez dans un resto, pensez-y ! Une addition de 20 \$Ca (12,2 €) vous coûtera en fait 25 \$Ca (15,3 €). Mais bon, le gouvernement a eu la bonne idée de ne pas tuer dans l'œuf (d'or) la poule que représente la manne touristique : sous certaines conditions et si l'on ne réside pas dans le pays, on peut se faire rembourser la TPS (mais pas la taxe de vente provinciale) sur l'hébergement et les marchandises exportées. Sans entrer dans trop de détails, voici quelques indications : la TPS est remboursée sur les logements provisoires (hôtels, *B & B,* etc., à l'exception du camping et à condition de ne pas avoir payé depuis l'étranger, via une agence) et sur la plupart des produits de consommation courante que l'on rapporte chez soi. Ne sont donc pas pris en compte, entre autres : les repas, l'alcool, les tabacs, la location de voitures, l'essence, les produits alimentaires et les objets usagés de valeur. Sur 3 semaines de voyage, on peut tout de même récupérer, par exemple, environ 75 €...
Pour se faire rembourser, ne jamais oublier de demander à chaque fois une facture aux commerçants et hôteliers (être spécialement vigilant dans les *B & B,* plusieurs préfèrent ne pas laisser de trace écrite de leurs recettes), en leur faisant préciser le montant de la TPS et le nombre de nuits. Il faut aussi que le montant de vos achats sur les biens, avant les taxes, atteigne 50 \$Ca (30,5 €) minimum pour chacun des reçus (on a donc intérêt à grouper ses achats dans un même magasin) et que le montant total de vos achats avant les taxes totalise au moins 200 \$Ca (122 €). Il faut ensuite remplir le petit formulaire encarté dans la brochure TPS (remise à la douane ou dans les offices de tourisme) et l'expédier avec l'original des factures. Le chèque met ensuite plusieurs semaines à vous parvenir et il vous faudra payer des frais d'encaissement dans les banques : jusqu'ici entre 18,3 et 23 € environ, ces frais sont baissés à 7,6 € dans certaines banques. Renseignez-vous. À Paris, 4 bureaux de change *(Multi change)* ne prennent pas ces commissions : 7, rue de Castiglione, 75001 ; 161, rue de Rennes, 75006 ; 8, bd de la Madeleine, 75009 ; et 7, rue Marbeuf, 75008. Ils sont ouverts du lundi au samedi de 9 h 30 à 19 h.
Plus rapide : se faire directement rembourser dans les boutiques hors taxes du pays, notamment dans les aéroports internationaux, mais elles ne participent pas toutes à l'opération et ne remboursent qu'une somme inférieure à 500 \$Ca (305 €).

Plus d'infos : à Vancouver, ☎ 604-893-8478 ou ailleurs 1-800-993-4313. ● www.canadataxrefunds.com ● (anglais seulement) à Toronto : ☎ 416-599-2274. ● www.nationaltaxrefund.com ●

Les *tips*

Ce sont les pourboires... et la suite logique de la taxe dans les restos et les bars... Les serveurs ont un salaire fixe ridicule (environ 6 $Ca de l'heure, soit 3,7 €), et la majeure partie de leurs revenus provient de leurs pourboires. C'est une institution à laquelle vous ne devez pas déroger. Un oubli vous fera passer pour le plouc intégral. Les Français possèdent la réputation d'être particulièrement radins et de laisser plutôt moins de 10 % que les 15 % traditionnels, parfois même rien du tout (à leur décharge, chez nous, le service est compris, ce qui explique leur retenue). Dans certains restos, le service *(gratuity)* est parfois ajouté d'office sur la note, après la taxe. C'est rare, mais dans ce cas, évidemment, ne payez pas le *tip*. De plus, ce n'est pas très correct car si la prestation n'a pas été à la hauteur, on ne peut pas marquer son désaccord ! Si vous réglez une note de resto avec une carte de paiement, n'oubliez pas de remplir vous-même la case « Tip ». Idem pour les taxis : il est de coutume de laisser 10 à 15 % en plus de la somme au compteur. Là, gare aux insultes d'un chauffeur mécontent. Il ne se gênera pas pour vous faire remarquer ouvertement votre oubli. Les chauffeurs de taxi canadiens ont aussi des salaires dérisoires, si l'on retire les pourboires. Un truc : sur votre facture, faites la somme des 2 taxes (TPS/GST + *Liquor Tax*) et ajoutez-y la moitié... ça équivaut environ à 15 % du prix du repas... soit le montant de votre pourboire. Pour l'Alberta (qui ne facture pas de taxe provinciale), allez Sherlock, le pourboire est égal à un peu plus du double de la TPS/GST...

TÉLÉPHONE

– **Les numéros de téléphone gratuits à l'intérieur du pays commencent par 1-800, 1-855, 1-866, 1-877 et 1-888.** Ce service gratuit peut être limité dans une zone spécifique du Canada ou des États-Unis, mais il peut aussi couvrir les 2 pays. La plupart des établissements touristiques en ont un et nous les indiquons aussi souvent que possible.

– La télécarte prépayée « La Puce » (*Quick Change,* en anglais), est proposée par *Bell,* la grande compagnie de téléphone du Québec et de l'Ontario. Vendue 5, 10 ou 20 $Ca (3,1, 6,1 ou 12,2 €), en fonction du nombre d'unités désiré, cette carte est disponible dans de nombreux points de vente (*dépanneurs,* stations de métro, offices de tourisme, AJ...) ou distributeurs automatiques (notamment dans les gares et aéroports). Existant en 5 langues, notamment en français, elle permet d'appeler de n'importe quelle cabine en Amérique du Nord vers l'intérieur du Canada et partout dans le monde. À chaque appel, vous composez un numéro gratuit (☎ 1-800), puis votre numéro de carte personnelle. L'ordinateur vous indique chaque fois le temps d'appel qu'il vous reste sur votre carte.

– Depuis que la vanne des *calling cards/cartes d'appel* a été ouverte, on assiste à un véritable déluge de cartes spécialisées – certaines sont plus avantageuses pour appeler au Canada (sans frais de connexion), d'autres pour appeler à l'étranger. Demandez au marchand de cartes de vous préciser celle qu'il vous faut.

– Dans beaucoup d'appareils, on peut utiliser également sa carte bancaire (*Visa, MasterCard* ou *American Express*), mais ça coûte beaucoup plus cher. À utiliser seulement si on est absolument coincé.

– Pour les appels en PCV, composer le ☎ 1-800-363-4033. Mais sachez que c'est encore plus cher que de téléphoner avec une carte bancaire.

– **Canada → France :** 011 + 33 + numéro du correspondant (sans le 0 initial).

– *France* → *Canada :* 00 (tonalité) + 1 + indicatif de la région (l'« indicatif régional ») + numéro du correspondant à 7 chiffres.

Indicatifs des villes

Barrie (Ont.)	705	Niagara Falls	905	Sault-Ste-Marie	705
Calgary	403	Ottawa	613	Stratford	519
Chatham	519	Peterborough	705	Toronto	416
Edmonton	780	Québec	418	Victoria	250
Halifax	902	Regina	306	Winnipeg	204
Montréal	514	Saskatoon	306		

Attention, l'ancien indicatif de Vancouver est maintenant inclus dans le numéro : 604 + 7 chiffres.

Cartes téléphoniques

– *Carte du Routard :* pour téléphoner sans souci depuis l'étranger, vous pouvez vous procurer cette carte téléphonique avant votre départ. Développée en partenariat avec TISCALI, elle est utilisable depuis 30 pays (entre autres États-Unis, Canada, Allemagne, Belgique, Espagne, Irlande, Italie, Pays-Bas, Portugal, Royaume-Uni). D'une valeur de 20 €, elle vous permet de joindre vos correspondants en France et dans le monde entier. Simple d'utilisation, sans abonnement, et rechargeable par simple carte bancaire, elle permet d'appeler depuis un poste à touches (cabine téléphonique, hôtel, aéroport...) en bénéficiant de tarifs très avantageux. Elle offre l'avantage de pouvoir utiliser les unités non consommées au retour en France. Comment vous la procurer ? Une seule adresse : ● www.routard.com ● Votre carte sera envoyée directement à votre domicile (frais de port offerts).

– *Calling Card AT & T :* pratique et proposée gratuitement à tous les détenteurs de comptes *American Express, MasterCard* et *Visa,* cette carte permet d'appeler plus de 200 pays. Elle peut aussi être utilisée dans les 72 pays qui proposent le service *AT & T World Connect.* Le montant de la communication est débité directement sur le compte de l'utilisateur en France. Enfin, celui-ci a accès aux services internationaux *AT & T : Language Line* (interprète), *Message Service* (laisser un message), renseignements, numéro Vert, multitélécopie et téléconférence. Pour l'obtenir, numéro Vert : ☎ 0800-361-4470 de 8 h à 19 h. ● www.att.com ● Ou par Minitel : 36-15, code USA + AT & T (3 semaines de délai).

TRANSPORTS

Le train (Via Rail)

Les trains canadiens sont lents, très lents, mais plutôt confortables (sandwichs et boissons proposés pendant le trajet à des prix corrects). La liaison la moins lente est celle qui relie Montréal à Toronto – 550 km – en 4 h 30 ; ce n'est pas le TGV, mais c'est plus rapide que l'autocar qui fait des arrêts exaspérants. La classe économique se dit *economy* ou *comfort class.* Attention : au Canada, tous les trains sont non-fumeurs. Quant à la 1re classe, son nom varie d'un train à l'autre. On n'a pas plus de place mais le service est plus attentionné. Intéressant donc, seulement pour les routards fortunés qui aiment se faire bichonner !

– Horaires et renseignements : ● www.viarail.com ●
– La carte *ISIC* accorde 35 % de réduction en *classe économique* mais seulement 10 % en 1re classe.

– Un nouveau train de nuit fait le populaire trajet Montréal-Toronto. Le trajet est trop court pour permettre une vraie nuit de sommeil alors le train s'arrête tout bonnement, pendant 2 h, au milieu de nulle part ! On peut prendre le train de nuit en place assise (au tarif régulier, pour les fauchés) ou prendre une couchette qui coûte à peu près le prix d'une place assise en 1re classe. Réservez 7 jours à l'avance pour une réduction de 25 % sur les couchettes, plus 10 % de réduction avec la carte ISIC.

– Le **CanRailPass** est une carte permettant des trajets illimités pendant 12 jours dans une période de 1 mois sur tout le réseau *Via Rail*, à l'est comme à l'ouest du pays. À noter qu'il n'est valable que pour les places assises (supplément à payer pour les voitures-lits). On peut acheter un *CanRailPass* par courrier ou par fax, en contactant *Express Conseil* (5 bis, rue du Louvre, 75001 Paris. ☎ 01-44-77-87-94. Fax : 01-42-60-05-45), ou bien dans les agences *Jet Set*, *Vacances Air Canada*, *Tour Canada* et *Vacances Air Transat*. Réduction supplémentaire pour les jeunes de 24 ans et moins. Inutile si vous restez dans la partie est du pays. Horaires peu pratiques.

– Pour les routards fortunés : un voyage dans l'Ouest à bord du *Rocky Mountaineer*. Ce train roule de Vancouver à Kamloops (Colombie-Britannique), puis vers les parcs nationaux de Jasper ou Banff, avec continuation possible sur Calgary (Alberta). Il est également possible de faire le trajet en sens inverse. Le voyage dure 2 jours, car le train ne circule que pendant la journée (et c'est tant mieux, car on ne verrait rien la nuit ; le forfait inclut une nuit d'hôtel à Kamloops). La vue est époustouflante : Rocheuses enneigées, canyons des rivières Fraser et Thomson, glaciers, grands parcs... Info pour les routards vraiment très riches : le *Rocky Mountaineer* vient d'ajouter une nouvelle voiture hyper-luxe, le *Dome Coach* à 2 étages, vitré et panoramique. Il compte 74 places et une salle à manger de 36 couverts. Essayez d'y jeter un œil ! Le *Rocky Mountaineer* circule de mai à octobre. En vente en France chez *Vacances Air Transat*.

L'auto-stop

Se dit *hitch-hiking* en anglais. Les conditions sont sensiblement les mêmes qu'aux États-Unis. Beaucoup de concurrence en été sur la route transcanadienne. Compter une bonne semaine pour aller de Montréal à Vancouver (nombreuses AJ tout au long du chemin). Pour la sortie des villes, on conseille de prendre un bus urbain. Attention toutefois : le stop est en général toléré sur les autoroutes au Québec, mais interdit sur celles des provinces anglophones. C'est plutôt près des villages et des petites agglomérations que vous rencontrerez des auto-stoppeurs. Les relais routiers *(truck stops)* sont aussi de bons points de rencontre. Demander directement aux chauffeurs leur destination.

Location de voitures

Contrairement à ce que l'on croit, les grosses agences de location de voitures *(Hertz, Avis)* ne sont pas toujours les plus chères et garantissent un parc automobile en excellent état avec une flotte toute neuve. Toujours téléphoner avant et demander si la compagnie propose un « spécial ». Les meilleurs tarifs sont invariablement le week-end (du vendredi au lundi). Ne pas hésiter à comparer les offres de plusieurs agences.

Dans tous les cas de figure, pour louer une voiture au Canada, il faut avoir au moins 21 ans (parfois même 25) et pouvoir montrer une carte de paiement. Le permis de conduire français rose à 3 volets est valable au Canada, mais mieux vaut avoir un permis international, c'est toujours prudent, surtout dans les petits bleds où on ne fait pas la différence entre le français et le portugais.

Distances en km entre les principales villes canadiennes

	CALGARY	CHICOUTIMI	EDMONTON	GASPÉ	HALIFAX	JASPER	MONCTON	MONTRÉAL	OTTAWA	QUÉBEC	REGINA	SAINT JOHN'S	TORONTO	VANCOUVER	VICTORIA	WHITEHORSE	WINNIPEG
CALGARY		4220	299	4694	4973	415	4756	3743	3553	4014	764	6334	3434	1057	1162	2385	1336
CHICOUTIMI	4220		3294	679	977	4609	760	476	666	206	3455	2338	1015	5277	5382	6326	2884
EDMONTON	299	3294		4715	5013	369	4788	3764	3547	4035	785	6367	3455	1244	1349	2086	1357
GASPÉ	4694	679	4715		945	5084	669	951	1141	703	3930	2248	1490	5752	5856	6801	3359
HALIFAX	4973	977	5013	945		5382	275	1249	1439	982	4228	1503	1788	6050	6154	7099	3656
JASPER	415	4609	369	5084	5382		5156	4133	3943	4403	1154	6735	3824	875	980	2247	1725
MONCTON	4756	760	4788	669	275	5156		1024	1213	784	4002	1579	1563	5824	5929	6874	3431
MONTRÉAL	3743	476	3764	951	1249	4133	1024		190	270	2979	2602	539	4801	4905	5850	2408
OTTAWA	3553	666	3547	1141	1439	3943	1213	190		460	2789	2792	399	4611	5126	5660	2218
QUÉBEC	4014	206	4035	703	982	4403	784	270	460		3249	2363	809	5071	5176	6120	2678
REGINA	764	3455	785	3930	4228	1154	4002	2979	2789	3249		5581	2670	1822	1926	2871	571
SAINT JOHN'S	6334	2338	6367	2248	1503	6735	1579	2602	2792	2363	5581		3141	7403	7775	8452	5010
TORONTO	3434	1015	3455	1490	1788	3824	1563	539	399	809	2670	3141		4492	4596	5528	2099
VANCOUVER	1057	5277	1244	5752	6050	875	5824	4801	4611	5071	1822	7403	4492		105	2697	2232
VICTORIA	1162	5382	1349	5856	6154	980	5929	4905	5126	5176	1926	7775	4596	105		2802	2337
WHITEHORSE	2385	6326	2086	6801	7099	2247	6874	5850	5660	6120	2871	8452	5528	2697	2802		3524
WINNIPEG	1336	2884	1357	3359	3656	1725	3431	2408	2218	2678	571	5010	2099	2232	2337	3524	

Attention : vitesse limitée à 50 km/h en ville et 100 km/h (parfois 110) sur autoroute. La police tolère généralement 10 km/h au-dessus de la limite. Au-delà, vous vous exposez à une sérieuse amende. Côté anglophone, les autoroutes du pays sont généralement excellentes, surtout en Colombie-Britannique où le cycle de gel-dégel est moins prononcé qu'ailleurs. Elles sont également gratuites, à l'exception de l'un ou l'autre tronçon.

À retenir : quand un bus scolaire jaune s'arrête pour faire descendre ou monter des élèves, des clignotants s'allument et un petit panneau « STOP » s'affiche sur la portière du conducteur. Faites gaffe ! Toutes les voitures doivent s'arrêter (celles qui suivent ou celles qui viennent d'en face), jusqu'à ce que les clignotants s'éteignent (même s'il n'y a pas d'enfants... *the law is the law !*), sinon, l'addition est particulièrement salée ! C'est une des pires infractions au code de la route canadien.

La plupart des parkings sont payants et assez chers, surtout dans les grandes villes. Il faut obligatoirement (quand c'est indiqué) enlever sa voiture entre 7 h et 9 h et entre 16 h et 18 h, notamment dans les grandes villes. Les mises en fourrière sont hyper-rapides.

Bon à savoir : si vous achetez un « autotour » chez un voyagiste français pour un séjour dans les provinces de l'Ouest, vérifiez si des frais d'abandon sont imputés. Ils sont plus fréquents dans le sens Vancouver-Calgary que pour l'itinéraire inverse. Pour économiser des kilomètres, prévoyez une arrivée à Vancouver et un départ de Calgary (ou vice versa).

■ **Auto Escape :** l'agence *Auto Escape* réserve auprès des loueurs de gros volumes de location, ce qui garantit des tarifs très compétitifs. N° gratuit : ☎ 0800-920-940. ☎ 04-90-09-28-28. Fax : 04-90-09-51-87. ● www.autoescape.com ● info@autoescape.com ● Réduction de 5 % supplémentaire aux lecteurs du *Guide du routard* sur l'ensemble des destinations. Il est recommandé de réserver à l'avance. Vous trouverez également les services d'Auto Escape sur ● www.routard.com ● Important : une solution spécialement négociée pour les conducteurs de moins de 25 ans.

■ **Hertz :** meilleur tarif en réservant à partir de la France, ☎ 01-39-38-38-38, ou sur Internet ● www.hertz.fr ● Propose un grand choix de véhicules au départ de toutes les grandes villes et des principaux aéroports. Service assistance *Hertz* 24 h/24 et en français.

Achat d'une voiture d'occasion

Il faut compter *grosso modo* entre 25 et 30 % de plus que l'achat simple pour avoir les plaques d'immatriculation, l'assurance, etc. Le procédé le plus courant est de passer par les annonces de journaux. C'est tout simple : on voit le vendeur et la voiture, on décide de l'achat (un contrat écrit est établi), on paie une avance (en liquide), puis on va ensemble enregistrer le véhicule (chaque province a sa propre juridiction en la matière) pour obtenir le certificat d'immatriculation et les nouvelles plaques. Reste ensuite à payer le solde au vendeur.

Location de motor-homes

Bonne idée pour partir en famille ou à plusieurs. Le réseau est étendu, avec des départs de Québec, Montréal, Toronto, Calgary, Vancouver, Whitehorse, Edmonton, ainsi que des États-Unis. Nombreuses formules (aller simple ou circuit en boucle, kilométrage illimité ou pas). Idéal pour vivre au rythme de la nature canadienne. Attention, permis de conduire 3 volets et permis international exigés le plus souvent.

■ Location possible en saison chez **Vacances Air Transat** (renseignements sur • www.airtransatholidays. com •) et dans toutes les agences de voyages. Réservez tôt !

Le bus

Ce moyen de transport est souvent plus pratique – meilleures fréquences – que le train. Les bus canadiens sont en général d'une propreté impeccable. Les relais de bus ne sont pas des palaces, mais ils sont relativement sûrs (souvent mal famés aux États-Unis).

En autocar, on peut parcourir de longues distances au Canada et jusqu'aux États-Unis... à condition de supporter les conditions de confort et, surtout, de pouvoir dormir ! Il y a toujours des w.-c. à bord, et sur certains véhicules, des télés avec vidéo.

Seul hic, il n'y a pas une compagnie de bus qui couvre tout le territoire. *Greyhound* a son bout de territoire, *Trentway-Wager* et *Grey Coach* aussi. Au Québec, il y a *Voyageur*, *Orléans Express* et *InterCar*. Et peu d'ententes entre les diverses compagnies. Vivement le bus, donc, au Canada ? Euh... pas spécialement. En fait, à 2 ou plusieurs, la location de voitures se révèle vite plus avantageuse, car les réseaux d'autobus canadiens n'ont pas la densité et les fréquences auxquelles on est habitué en Europe. En revanche, pour le routard solitaire, c'est relax et on fait plein de chouettes rencontres. En général, les étudiants obtiennent 15 à 25 % de rabais sur des prix déjà assez bas (exemple de tarif régulier : Montréal-Toronto 80 $Ca, soit environ 50 €, taxes incluses).

Les non-étudiants peuvent bénéficier de réductions intéressantes s'ils font un aller-retour dans la même journée (Ottawa-Montréal-Ottawa par exemple) ou s'ils prennent un billet aller-retour dit « excursion 10 jours » ; si on part le 15 juin, il faut revenir le 24 au plus tard. Important : ces rabais ne sont en général pas possibles si l'aller a lieu un vendredi, le jour J des compagnies de bus. Il est parfois possible de payer moins cher en achetant le billet 1 jour ou 1 semaine à l'avance.

Les compagnies de bus proposent aussi des promotions qui feront rêver les émules de Jack Kerouac. Ainsi, pour 200 $Ca (122 €), on peut faire un aller-retour Toronto-Vancouver avec *Greyhound* et ses nombreux partenaires ; c'est le tarif aller-retour *Go Anywhere*.

Renseignements

■ **Greyhound Canada :** ☎ 1-800-661-8747 ou • www.greyhound.ca •

■ **Voyageur :** ☎ 1-800-668-4438 ou • www.voyageur.com •

Si le sac à dos s'alourdit de souvenirs en cours de route, les services d'expédition des bus sont un moyen économique pour en envoyer assez rapidement une partie quelque part chez un copain au Canada. Exemple : 20 $Ca (12,2 €) pour un paquet de 5 kg de Winnipeg à Montréal. Ledit copain dispose de 2 semaines environ pour récupérer le colis.

L'avion

Air Canada ne possède guère de tarifs intéressants sur ses lignes intérieures, sauf lors de ses nombreuses promotions spéciales (surveiller les journaux). Toutefois, pour un billet aller-retour acheté en Europe, toutes les compagnies proposent des *passes* intérieurs avec 30 % de réduction.

Encore une fois, il faut surveiller les *spéciaux*. Et il faut noter les tarifs des nouveaux transporteurs comme *JetsGo* (• www.jetsgo.net •), *WestJet* (• www.westjet.com •) et *CanJet* (• www.canjet.com •) qui concurrencent *Air Canada* en cassant certains prix.

GÉNÉRALITÉS

Transport de véhicules (camping-cars, motos, autos et bagages lourds)

■ **Allship :** 93, rue Lolive, 93100 Montreuil. ☎ et fax : 01-48-70-04-45. Demander Charlie. Si vous y restez moins de 2 mois, mieux vaut louer sur place, mais pour un plus long séjour, le transport de véhicule se révèle avantageux. Pour l'ouest du Canada, Allship débarque votre véhicule dans le port le plus proche de Vancouver, c'est-à-dire Seattle-Tacoma. Retour par la côte est. Les véhicules seront transportés en rouliers réguliers (pas de passagers !) vers la côte est du Canada. Aucune taxe douanière à l'arrivée. Les motos sont prises telles quelles, sans emballage coûteux, sur toutes les destinations Allship. Dans tous les cas, indiquer à Charlie les dimensions du véhicule ! Les voitures achetées là-bas peuvent revenir sur l'Europe du Nord dans les mêmes conditions, depuis l'est du Canada, même si les droits et taxes et les Mines alourdissent l'ardoise, ça reste très supportable. Transporter votre équipement ? *Allship* dessert tous les ports ou aéroports du Canada. Consultez-les si vous avez plus que les 2 valises acceptées gratuitement par les compagnies aériennes non charters.

TRAVAIL AU CANADA

Organismes susceptibles de procurer un stage ou un job

Stages agricoles (Ontario, Manitoba et Québec)

■ **Sésame :** 9, sq. Gabriel-Fauré, 75017 Paris. ☎ 01-40-54-07-08. Fax : 01-40-54-06-39. • www.agriplanete.com • sesame@agriplanete.com • Ⓜ Villiers. Pour les jeunes professionnels de l'agriculture entre 18 et 30 ans, qui souhaitent vivre une expérience de travail et de vie en milieu agricole à l'étranger. Stages de 3 mois à 1 an. Formation agricole et expériences (stages ou emplois) requises.

Récolte des fruits

Dans la vallée de l'Okanagan, à 300 bornes à l'est de Vancouver (Colombie-Britannique). Travail dans un cadre magnifique. Y aller fin juin (cueillette des pêches et cerises) ; pas plus tard, car c'est la cohue. Mais ce n'est pas bien payé. Voir la *Commission canadienne du tourisme* (voir, plus haut, la rubrique « Avant le départ »), qui édite une brochure entièrement consacrée à ce secteur.

Stages et jobs

Si vous êtes étudiant(e) de 18 ans au moins, le *CIEE (Council of International Education Exchange)* peut vous aider à trouver un travail sur le territoire canadien. Outre l'autorisation légale de travailler au Canada pour une durée de 4 mois, le CIEE vous fournit une assurance, l'assistance si nécessaire et bien sûr des conseils dans le cadre de réunions d'information.
Le CIEE propose 2 nuits d'hébergement et une réunion d'orientation à l'arrivée. Coût du programme : 584 €. Excellente solution pour un séjour de plusieurs mois car le fait de travailler sur place rembourse tous vos frais. Les secteurs qui embauchent le plus restent l'hôtellerie, la restauration, la vente, les parcs nationaux, les parcs d'attractions. Ce programme permet donc de partir soit « job en poche », soit de trouver l'emploi sur place. En fait, cette dernière solution compte de plus en plus d'adeptes chaque année, qui profitent ainsi des multiples offres d'emplois saisonniers existant au Canada. Et surtout, travailler au Canada est une expérience vraiment intéressante, très

appréciée sur un CV, mais qui demande, bien sûr, un maximum de mobilité et de souplesse. Le CIEE propose également des stages en entreprises, contactez-les pour plus de renseignements.

■ *CIEE (Council of International Education Exchange) :* 112 ter, rue Cardinet, 75017 Paris. ☎ 01-58-57-20-50. Fax : 01-48-88-96-45. ● www.councilexchanges-fr.org ● Ⓜ Malesherbes. Réunions d'information à Paris et en province, consulter le site Internet pour connaître les dates. Brochures sur demande ou téléchargeables sur leur site Internet.

Formalités pour ceux qui ont un job temporaire

– Vous aurez normalement besoin d'un permis de travail, délivré par le service d'immigration de l'ambassade du Canada, une fois votre offre d'emploi approuvée par un centre d'emploi du Canada. Délai minimum : 3 semaines. Bon à savoir : si une visite médicale est obligatoire, le délai minimum passe à 6 semaines. Il faut obtenir ce permis avant d'arriver au Canada. Renseignements auprès de l'ambassade du Canada : 35, av. Montaigne, 75008 Paris. ☎ 01-44-43-29-00.
– Attention : le traitement de la demande de permis de travail coûte 125 $Ca (81,3 €)... et vous ne serez pas remboursé si le permis vous est refusé. Le permis de travail précise que vous pouvez occuper un poste donné, pendant une période bien déterminée. À votre arrivée au Canada, vous devez présenter ce permis de travail, de même que votre passeport et vos billets d'avion.
– À l'arrivée au Canada, vous présentez votre confirmation d'offre d'emploi, votre permis de travail et les autres documents à un agent de l'immigration. Celui-ci vous remet des formulaires à remplir pour obtenir un « numéro d'assurance sociale », le numéro d'identification personnelle au Canada. Il faut ensuite présenter ces formulaires à un centre d'emploi du Canada.
– Sachez enfin qu'il est de plus en plus difficile d'obtenir un job au Canada si vous n'êtes pas spécialiste dans un domaine particulier. En revanche, les petits emplois ne manquent pas à la saison des récoltes, surtout dans le sud de l'Ontario. Si vous ne parlez pas l'anglais, cherchez du côté de l'Est ontarien (entre Ottawa et Montréal) où plus de la moitié de la population est francophone.

Séjours au pair (1 an maximum)

Plusieurs organismes proposent des places d'aide familiale (jeune fille ou jeune homme au pair). En voici quelques-uns :

■ *Association France Canada :* 5, rue de Constantine, 75007 Paris. ☎ 01-45-55-83-65. Ⓜ Invalides.

■ *Inter Séjours :* 179, rue de Courcelles, 75017 Paris. ☎ 01-47-63-06-81. Ⓜ Pereire. ● www.asso.intersejours.free.fr ●

Séjours linguistiques

L'ambassade du Canada diffuse une liste des organismes organisant des séjours linguistiques.

■ *ASL :* 199, av. Louis-Barthou, 33200 Bordeaux. ☎ 05-56-08-33-23. Fax : 05-56-08-32-74. ● www.aslbx.com ● aslbx@aol.com ● Ouvert en semaine de 9 h à 13 h et de 14 h à 18 h. Séjours linguistiques à Toronto (Ontario).
■ *France Ontario* (association) :

montée du Coupe-Jarret, 38200 Vienne. ☎ 04-74-78-28-12. Fax : 04-74-78-28-13. • france.ontario@wanadoo.fr • Séjours toute l'année à Toronto (Ontario), mais aussi à Vancouver (Colombie-Britannique). Pour les 17 ans et plus.

■ *Inter Séjours :* 179, rue de Courcelles, 75017 Paris. ☎ 01-47-63-06-81. • www.asso.intersejours.free.fr • Ⓜ Pereire.

■ *Nacel :* 92, rue de la Tombe-Issoire, 75014 Paris. ☎ 01-43-20-45-45. Fax : 01-43-20-45-80. • www.nacel.com • Ⓜ Alésia. Ouvert en saison du lundi au vendredi de 9 h à 18 h 30 (17 h 30 le vendredi) et le samedi matin. Séjours linguistiques partout au Canada. Dès 14 ans.

■ *Option Vacances :* 13, rue Sainte-Cécile, 75009 Paris. ☎ 01-53-24-90-90. Fax : 01-53-24-90-91. • www.option-vacances.fr • Ⓜ Grands-Boulevards. Ouvert en semaine de 9 h à 18 h. Séjours linguistiques et itinérants.

L'ONTARIO

L'Ontario, c'est tout le Canada en résumé : cités modernes et villages préservés, bars de jazz à la chaleureuse atmosphère, grands espaces qui s'étirent à l'infini, gentillesse et sourire des habitants, omniprésents.

Vaste territoire bordé au sud par les Grands Lacs et au nord par la baie d'Hudson. C'est la province la plus active du pays, tant sur le plan industriel qu'agricole. Le climat du Sud ontarien est très agréable grâce à l'effet modérateur des Grands Lacs. On fait même pousser de la vigne près du lac Érié. La population ontarienne (11 des 32 millions de Canadiens) se regroupe principalement dans les villes du Sud, surtout Toronto, Hamilton, London et Windsor, où le climat est plus favorable. Ottawa, la capitale canadienne, connaît une expansion considérable, grâce aux technologies de pointe. Quand on dit Ontario, on pense bien sûr aux chutes du Niagara, mais la province est avant tout composée de milliers de lacs, reliés par de nombreuses rivières ou cours d'eau qu'il est facile d'explorer en canoë. Dans le nord de l'Ontario, il n'est jamais besoin d'aller bien loin pour trouver une nature sauvage et exubérante, peu touchée par le passage de l'homme. Les villes aussi ont quelque chose à dire : la passive Toronto des années 1960 est devenue la grande métropole canadienne, et les points d'intérêt y sont nombreux. De même, toutes les bourgades de la baie Georgienne où s'est forgée, bien souvent dans le sang, une partie de l'histoire du pays, sont dignes de susciter la curiosité. Pour bien réussir son voyage dans la province, on conseille de combiner la visite des villes à des explorations plus audacieuses, par le biais de randonnées ou de circuits de canotage, notamment dans le parc Algonquin. C'est le meilleur moyen pour comprendre l'immensité du pays et saisir les difficultés qu'ont pu rencontrer les pionniers, alors que tout était à faire !

À noter que l'Ontario se révélera un calvaire pour les fumeurs. Les habitants sont vraiment draconiens sur le sujet. Et les rares « espaces fumeurs » des restos, sortes de fumoirs sinistres, sont plus efficaces qu'un patch ! Et il est désormais interdit de fumer dans tous les restaurants de Toronto et dans tous les espaces publics d'Ottawa – même les bars !

Il est très facile de voyager en Ontario. Les hébergements sont toujours propres, les villages bien préservés historiquement et les gens gentils. Notre expédition ontarienne commence à Toronto et se poursuit, dans le sens des aiguilles d'une montre, dans les régions de Niagara, de la baie Georgienne, d'Ottawa et des Mille-Îles. Les routes ontariennes sont belles, les conducteurs sont courtois, alors venez, on va bien s'amuser...

TORONTO 4,6 millions d'hab. IND. TÉL. : 416 et 450 dans les banlieues

> **Pour les plans de Toronto, voir le cahier couleur.**

La petite cité industrielle des années 1960 a bien changé. Toronto s'est développée et a pris très rapidement des allures de grande métropole avec ses défauts et ses qualités, damant le pion à sa rivale Montréal sur le plan économique dans les années 1970. La ville n'en finit pas de s'étendre vers d'infinies banlieues industrielles, entaillées par de longues artères. Toronto et ses banlieues totalisent 4,6 millions d'habitants ; c'est la 5e ville d'Amé-

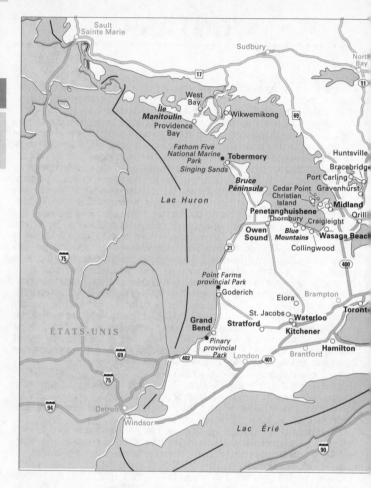

rique du Nord après Mexico, New York, Los Angeles et Chicago ; 25 % des Canadiens vivent à moins de 160 km de Toronto. En outre, comme si ce n'était pas assez, Toronto est la capitale politique de l'Ontario.

Le centre, où il vous faudra séjourner, comporte de nombreux quartiers ethniques très marqués. Toronto se veut la ville la plus cosmopolite du globe. Ce titre est d'ailleurs reconnu par un organisme des Nations unies ; il est devenu le caractère identitaire des Torontois. Toronto, c'est une ville du XIXe siècle, complètement ouverte sur le monde, un antidote au racisme.

Ce qui étonne d'abord, c'est l'absence relative de stress, compte tenu des masses de gens et de voitures. Même aux heures de sortie des bureaux, les Torontois sont très disciplinés et respectueux des autres. Bien sûr, les grands buildings du *Downtown* ont peut-être fleuri un peu vite, écrasant ainsi les quartiers aux riches maisons victoriennes, mais, heureusement, la présence de nombreuses communautés d'origine étrangère, fortement implantées depuis quelques décennies, a véritablement donné un coup de fouet à

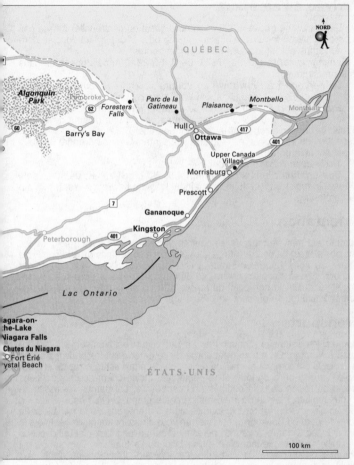

L'ONTARIO

la culture, à la cuisine et au rythme de la ville : *Chinatown,* toujours animé ; quartiers de *Queen Street West* et de *West Queen West,* branchés comme il faut ; *Cabbagetown,* rénové et réoccupé par les yuppies ; *Kensington Market,* où se retrouvent les « alternatifs » de tout poil ; quartiers italiens des rues *Saint-Clair* et *College,* grec de l'avenue *Danforth...*

Bref, derrière une ville froide au premier abord, on découvre des rues fleuries, des petits parcs, des quartiers accueillants et chaleureux, riches en couleurs de peau, des petits restos... et surtout, en juin pendant le festival de Jazz ou en septembre pendant le festival international du Film, un tas de bars très chouettes, où la musique se déguste comme la bière sortie des nombreuses brasseries artisanales de la province. Mais pour découvrir le Toronto de derrière les fagots, il faut savoir prendre son temps.

Quant au climat, Toronto n'est pas une « vraie » ville canadienne glaciale. L'hiver de Toronto ressemble plus à celui de New York qu'à celui de Montréal. Et l'été torontois est une vraie fournaise !

Arrivée à l'aéroport

✈ **L'aéroport** se trouve à 32 km au nord-ouest du centre-ville. Il n'y a pas encore de liaison ferroviaire directe (prévue pour 2008), il faut donc se donner du temps durant les *rush hours* sur les routes.
– **Renseignements :** ☎ 247-7678. De 8 h à 22 h. Appels possibles dans plusieurs langues.
➤ **De l'aéroport à Downtown en voiture :** prendre la route 427 vers le sud, puis la QEW (Queen Elizabeth Way) vers l'est. Compter 25 mn.
➤ **Bus « Airport Express » pour le centre-ville :** départ toutes les 20 ou 30 mn de 6 h 25 à 0 h 45. Le bus s'arrête devant une dizaine de grands hôtels, le dernier arrêt étant le terminal des bus. Durée du trajet : 40 mn. Réduction de 10 % pour les étudiants. Plus intéressant de prendre un aller-retour (valable un an !).
➤ **Taxis avec Airport Services :** ☎ 255-2211.
➤ **Bus urbains :** le bus 58 (environ 4,50 $Ca, soit 2,8 €) de la *Toronto Transit Commission* met 45 mn à atteindre le métro Lawrence West, à 25 mn du centre-ville.

Orientation

Toronto est très étendue, et les centres d'intérêt y sont assez éloignés les uns des autres. Le centre-ville peut cependant être délimité au sud par *Front Street,* au nord par *Bloor Street,* à l'est par *Jarvis Street* et à l'ouest par *Bathurst Street.* En plein centre, se déroulant dans l'axe nord-sud, *Yonge Street* constitue un bon point de repère. C'est à partir de cette rue que les perpendiculaires se divisent en « East » et « West ».

Transports

Même si les distances sont importantes, une voiture est bien souvent un handicap à Toronto. On est souvent obligé de se garer dans les parkings privés payants. C'est commode, mais ça revient cher. Le taxi est plus rapide et ultra-facile, car il y en a partout ; et ils demeurent moins chers que les parkings quand on réside dans le périmètre du centre-ville. La marche nécessite de solides mollets, mais le Downtown n'est pas si grand. Un truc pour visiter « à l'économie » : commencez la journée dans les environs de la rue Bloor (la frontière nord du Downtown) et visitez en vous dirigeant tranquillement vers le sud et le lac Ontario. Vous marcherez ainsi sur un long faux plat qui descend tranquillement vers le lac ; c'est moins fatigant. La fameuse Toronto Transit Commission (TTC – on dit « ti-ti-ci »), le système de transports publics le plus utilisé en Amérique du Nord, exploite 4 lignes de métro *(subway)* dont 2 principales, l'une se dirigeant de l'est vers l'ouest et l'autre décrivant un demi-cercle dans l'axe nord-sud. Propre et rapide, d'utilisation facile, il est ouvert entre 6 h et 0 h 30. Les bus fonctionnent très bien (24 h/24) et les tramways nommés *streetcars* (mêmes horaires que le métro) couvrent tout le centre-ville et sont des symboles de la ville. Les chauffeurs, d'une gentillesse peu commune, se feront un plaisir de vous aider à trouver votre chemin.
On peut acheter des jetons aux stations de métro : communs à tous les transports. Il existe également un *day-pass,* assez vite amorti.

Adresses et infos utiles

Infos touristiques

🚹 **Centre d'information touristique de l'Ontario** (*zoom couleur C3, 1*) : centre Eaton, niveau 1, | 220 Yonge Street. Ouvert du lundi au vendredi de 10 h à 21 h, le samedi de 9 h 30 à 19 h et le dimanche de 12 h à 17 h. Des conseillers touristiques sont là pour vous aider à organiser votre séjour dans la province. Le service et les brochures sont souvent disponibles en français.

– **Renseignements par téléphone :** ☎ 1-800-363-1990 ou 203-2500. Conseillers touristiques au bout du fil.
– **Renseignements par Internet :** ● www.torontotourism.com ●

Argent, change

■ **Guardian International Currency :** 151 Yonge Street, angle King Street (près de la Union Station). ☎ 362-1300.

■ **American Express :** en cas de perte ou de vol, ☎ 1-800-221-7282.
■ **Visa :** ☎ 1-800-732-1322.

Représentations diplomatiques

■ **Consulat de France :** 130 Bloor Street W. ☎ 925-8041. Le consulat peut, en cas de difficultés financières, vous indiquer la meilleure solution pour que des proches puissent vous faire parvenir de l'argent, ou encore vous assister juridiquement en cas de problèmes.
■ **Consulat de Belgique :** 2 Bloor Street W. ☎ 944-1422.
■ **Consulat de Suisse :** 154 University Avenue. ☎ 593-5371.
■ **Consulat des États-Unis :** 360 University Street. ☎ 595-1700.

Santé

■ **N° d'appel d'urgence :** ☎ 911.
■ **Clinique médico-sociale communautaire** (zoom couleur C3, 2) : c'est la clinique médicale de langue française du centre-ville. Au 22 College Street, à deux pas à l'ouest de Yonge Street. Ⓜ College. ☎ 922-2672.

■ **Pharmacie-drugstore ouvert 24 h/24** (zoom couleur C3, 8) : Shoppers' Drug Mart, 700 Bay Street, à l'angle de Gerrard Street. ☎ 979-2424. Pour connaître la pharmacie ouverte la plus proche : Shoppers' Drug Mart, ☎ 1-800-363-1020 (renseignements en français).

Transports

■ **Air France :** 151 Bloor Street W, bureau 810. Ⓜ Museum ou Bay. ☎ 1-800-667-2747. Ouvert du lundi au vendredi de 9 h 30 à 12 h 30 et de 14 h 30 à 17 h.
🚆 **Union Station** (gare centrale ; zoom couleur C4) : 65 Front Street, entre Bay Street et York Street. Via Rail. ☎ 366-8411. ● www.viarail.ca ● Nombreux départs quotidiens pour Montréal et Ottawa, c'est d'ici que partent les transcontinentaux vers Vancouver.
🚌 **Bus Terminal** (zoom couleur C3) : à l'angle de Bay Street et Dundas Street. Informations et réservations : ☎ 1-800-661-8747. Bus en direction de plusieurs grandes villes et circuits. Les départs de plusieurs transporteurs (dont Greyhound) s'effectuent à cette adresse.

■ **Location de voitures :** de nombreuses petites agences. Parmi les grandes : National Car Rental Canada, ☎ 922-2000. Hertz, ☎ 620-9620.
■ **Location de vélos** (zoom couleur C4, 3) : McBride, à l'angle de York et de Queens Quay W. ☎ 763-5651. Ouvert de mai à octobre. Le magasin principal se trouve au 2799 Dundas Street W, très éloigné du centre-ville. Ouvert la nuit.
■ **Le Dominion :** en face du 360 Bloor Street W. Ⓜ Spadina. Supermarché ouvert tous les jours et 24 h/24. Mais ce n'est pas le seul. Il y a au centre-ville plusieurs Hasty Market, petits supermarchés ouverts toute la nuit et adorés des noctambules.

Loisirs

– Les journaux hebdomadaires **Now** et **Eye,** distribués partout gratuitement, donnent la liste de tous les spectacles culturels de la ville. Plutôt de gauche et nettement plus cool que les journaux traditionnels.

■ **T.O.TIX :** achats de billets de théâtre et de concerts à moitié prix pour la soirée ; se méfier car certains de ces spectacles sont sans intérêt, même à moitié prix. Kiosque à l'Eaton Center. Ouvert du mardi au vendredi de 12 h à 21 h, le samedi de 12 h à 19 h et le dimanche de 12 h à 18 h. Calendrier des productions théâtrales torontoises au • www.theatreintoronto.com • Toronto est la 3e ville de théâtre anglais au monde *(yes Sir!)* après Londres et New York.

■ **Radio en français :** Radio Canada, 860 AM. La radio libre de l'Université de Toronto – CIUT, 89.5 FM ; 91 George Street ; Ⓜ St George – propose une émission aux rythmes de la francophonie mon-diale le dimanche de 11 h à 13 h. Vous pouvez simplement écouter l'émission mais vous pouvez aussi y assister et même y participer ! L'animateur Éric Cader, un Mauricien, vous montrera toute la chaleur « franco-multiculturelle » de Toronto. ☎ 759-5079. • pot-pourri@sympatico.ca •

■ **Maison de la Presse internationale** *(zoom couleur C3, 5)* : 124 Yorkville Avenue. Ⓜ Bay. On y trouve bien entendu des journaux français, québécois, et aussi *L'Express de Toronto.* • www.lexpress.to •

@ **Cyber Space** *(zoom couleur B3, 7)*, 561 Bloor Street W. **Cyberland Café** *(zoom couleur C3, 9)*, 257 Yonge Street.

– Toutes les **piscines publiques** sont gratuites. Celle du quartier Riverdale (juste à l'est de la rivière Don, accès par l'avenue Broadview) offre une belle vue sur le centre-ville. Demandez la liste à l'office de tourisme ou appelez le ☎ 392-7838 *(Pool hot line)*.

Où dormir ?

L'hébergement à Toronto est difficile et cher. Les campings sont éloignés du centre, les universités proposent des chambres : ce n'est pas bon marché mais c'est le moins cher en termes de chambres privées. Les hôtels excentrés sont nettement moins chers. Reste l'AJ (centrale) et les autres auberges non affiliées à *Hostelling International.* Pour ceux qui sont plus en fonds, préférez les *B & B* aux hôtels, même s'ils sont vraiment chers. Vous serez près du centre, le petit dej' sera compris et vous rencontrerez des gens sympas. Pour tous les hébergements, il faut RÉSERVER.

Camping

⛺ **Glen Rouge Campground :** 7540 Kingston Rd, juste à l'ouest de la Red River (entre les avenues Sheppard et Altona). ☎ 338-2267. • www.city.toronto.on.ca/parks Près du zoo de Toronto, au nord-est de la ville. Sortie Port Union Rd de l'autoroute 401. Ouvert du 16 mai au 30 septembre. Il y a 8,7 ha et 125 emplacements (22 $Ca, soit 13,4 €) dont 11 sont réservés spécifiquement aux *backpackers,* donc aux non-motorisés (plus petits, ces emplacements coûtent seulement 14 $Ca, soit 8,5 €). Le seul camping dans les limites de la ville de Toronto. Site idéal, à quelques pas d'une rivière, d'oiseaux qui gazouillent et de chevreuils qui gambadent entourés de papillons heureux... et dans la même énorme enclave de verdure – Rouge Park – qui abrite le zoo de Toronto. On peut faire du canoë dans le Rouge Park. On peut aussi se faire un petit feu le soir, comme si on était loin de tout. Le camping est à quelques kilomètres des plages du lac Ontario et de la station Rouge Hill, ainsi que des trains de banlieue GO, qui permettent d'accéder en 20 mn au centre-ville. Bref, vous l'aurez compris, c'est une super-adresse. Toutes les grandes villes du monde devraient avoir un camping comme cela !

Bon marché (moins de 30 $Ca, soit 18,3 €)

🛏 *Hostelling International Toronto* (*zoom couleur C3-4, 20*) : 76 Church Street. ☎ 971-4440 ou 1-800-668-4487. Fax : 971-4088. ● www.hostel lingint-gl.on.ca ● Ouvert 24 h/24. Au total, 180 lits. Compter 21 ou 24 $Ca (12,8 et 14,6 €) en dortoir. Neuf chambres doubles privées chères à 70 $Ca (42,7 €). Rajouter 4 $Ca pour les non-membres. Il vaut mieux réserver. La salle d'accueil est organisée en petits salons, avec des guides et des livres en libre-service. À disposition également : une vaste cuisine, une laverie, une salle TV et un accès Internet. Ambiance jeune et conviviale. L'AJ organise aussi des petites excursions (prix et destinations variés). C'est propre et sécurisant. La terrasse, en hauteur, est chouette.

🛏 *Canadiana Backpackers Inn* (*zoom couleur B-C4, 21*) : 42 Widmer Street (entre Richmond et Adelaide). ☎ 598-9090 ou 1-877-215-1225. ● www.canadianalodging.com ● AJ privée répartie dans 3 maisons victoriennes au centre-ville. Compter 25 $Ca (15,3 €) et plus. Draps et serviettes fournis. Accès Internet. Une nouvelle AJ tranquille de 120 lits, bien civilisée et située près de Queen Street West, le secteur le plus sympa de Toronto.

🛏 *The Rosa Tourist House* (*plan couleur général A4, 22*) : 1584 King Street W, Sunnyside. ☎ 536-8225. Chambres simples ou doubles. Une bonne affaire. Réductions pour un séjour d'une semaine. Prendre le tramway 504. À 20 mn du centre-ville. Déco hétéroclite. Clientèle surtout européenne. Accueil chaleureux du proprio Giuseppe, originaire d'Italie. Propreté impeccable. Les enfants sont les bienvenus. AC. N'accepte pas les cartes de paiement. Parking gratuit.

🛏 *Leslieville Home Hostel* (*plan couleur général D3, 23*) : 185 Leslie Street. ☎ 461-7258. Fax : 469-9938. Sur Queen Street, prendre le tramway Est jusqu'à Leslie. Excentré. À 10 mn du centre en voiture. Dortoirs, chambres simples ou doubles. Si vous souhaitez plus d'indépendance, la patronne loue des chambres doubles et un appartement dans une autre maison, un peu plus loin et plus au calme !

🛏 *Global Village Backpackers* (*zoom couleur B4, 24*) : 460 King Street W. ☎ 703-8540 ou 1-888-844-7875. Fax : 703-3887. ● www.global backpackers.com ● Plus de 200 lits dans une maison de 4 étages, située dans le cœur de Toronto à 5 mn à pied du *SkyDome* et de la *CN Tower*. On a un peu l'impression d'entrer dans une boîte de nuit, comptoir peinturluré et musique rock, ambiance *cool and relax*, à l'australienne. À disposition : une cuisine, une salle TV, Internet (payant), un piano, un billard, et même un pub ! Une adresse à conseiller chaudement aux amateurs du genre. Partiellement climatisé.

🛏 *The Planet Traveler's Hostel* (*zoom couleur B3, 25*) : 175 Augusta Avenue. Juste au nord de Dundas, derrière le Kensington Market. ☎ 599-6789. ● www.theplanettrave ler.com ● Prendre la ligne de bus de Dundas Street, descendre un arrêt à l'ouest de Spadina Avenue. Compter 20 $Ca (12,2 €) par personne en spacieux dortoirs de 6 lits ; également des chambres privées. Une AJ récente, située dans une maison victorienne rénovée, très propre, avec cuisine, salle TV. Accueil chaleureux d'Anthony, toujours prêt à rendre service. Breakfast compris et copieux : muffins, fruits, boissons à volonté... L'adresse commence à se faire connaître chez les routards, pensez à réserver. Pas de clim' (n'oubliez donc pas votre déodorant).

TORONTO

Les universités (moins de 30 $Ca, soit 18,3 €)

Possibilité de location de chambres à la nuit, à la semaine ou au mois.

🏠 *University of Toronto (zoom couleur B3, 26)* : Summer Residence Accommodation, Sir Daniel Wilson Residence, 85 St George Street. ☎ 978-2520. • www.uto ronto.ca/ucres • Ouvert de mai à fin août uniquement. Séjour d'une semaine minimum et il est obligatoire d'être étudiant (présentation d'une carte exigée). Chambre simple à 16 $Ca (9,8 €) la semaine. Il faut apporter ses draps. Plus de 200 chambres simples ou doubles, celles-ci plus rarement disponibles. Certaines ont vue sur le parc. Très style *Cercle des poètes disparus* : chambres spartiates, meubles en bois ciré, poignées de portes en laiton. Les sanitaires et les baignoires sont impeccables, mais la cuisine est réduite au minimum (1 frigo, 1 micro-ondes). Salle TV. Ce campus reste très animé pendant tout l'été. Couvre-feu à 23 h. Vraiment pittoresque !

🏠 *Neill Wycik College Hotel (zoom couleur C3, 27)* : 96 Gerrard Street E, entre Jarvis et Church Streets. ☎ 977-2320 ou 1-800-268-4358. Fax : 977-2809. Ⓜ College. Pas mal situé. Lit en dortoir à 27 $Ca (16,5 €), chambre double à 60 $Ca (36,6 €), taxes et petit dej' inclus. Compter 10 % moins cher si on reste une semaine. Réductions de 20 % pour étudiants, seniors et membres des AJ. Grande résidence étudiante ouverte aux routards uniquement de mi-mai à fin août. 185 chambres fonctionnelles, sans style et parfois défraîchies. Draps, serviettes et savon fournis. Douches collectives. Machine à laver. Une cuisine pour 10 chambres et une cafétéria. Sauna et terrasse sur le toit avec barbecue ! Pas de couvre-feu. Sachez qu'un lit pliant supplémentaire dans une chambre coûte très peu cher et que 2 enfants de moins de 17 ans peuvent loger gratuitement avec leurs parents.

🏠 *Tartu College (zoom couleur B3, 28)* : 310 Bloor Street W. ☎ 925-9405. • www.tartucollege.com • Ⓜ Spadina. Ouvert aux touristes du 1er mai à la fin août. Bureau ouvert de 9 h à 16 h. Compter 37 $Ca (22,6 €) pour une chambrette d'une personne. Résidence d'étudiants un peu tristounette mais fonctionnelle. Sanitaires communs avec baignoires. Assez centrale. Pas de couvre-feu. Une cuisine et une salle de bains pour 6 chambrettes.

🏠 *YWCA (plan couleur général C2, 29)* : 80 Woodlawn Avenue East. ☎ 923-8454. Fax : 923-1950. • www. ywcator.org • Ⓜ Summerhill. Ouvert toute l'année 24 h/24. Dortoirs et chambres individuelles. N'accepte que les femmes de 16 ans et plus. Petit dej' inclus.

Les associations de *B & B* (et d'hébergement champêtre)

Il y en a 4. Elles pratiquent toutes plus ou moins les mêmes prix, ceux-ci variant en fonction de la classe de la maison et de sa proximité du centre. S'y prendre à l'avance, les *B & B,* de petite taille, affichent souvent complet.

◼ *Across Toronto Bed & Breakfast Registry* : ☎ (705) 738-9449 ou 1-877-922-6522. • www.torontobandb. com • Belles maisons du centre-ville, toutes *most positively* non-fumeurs.

◼ *Downtown Toronto Association of Bed & Breakfast Guesthouses* : PO Box 190. Station B, Toronto M5T-2W1 ☎ 410-3938. Fax : 368-1653. Grande sélection de maisons victoriennes, chères mais centrales.

TORONTO

■ **Bed & Breakfast Homes of Toronto Association :** PO Box 46093, College Park, 777 Bay Street, Toronto M5G-2P6. ☎ 363-6362. ● www.bbcanada.com/associations/toronto2 ●
■ **Resorts Ontario :** ☎ (705) 325-9115 ou 1-800-363-7227. Fax : (705) 325-7999. ● www.resorts-ontario.com ● *Resorts Ontario* représente plus de 200 auberges champêtres, centres de villégiature et chalets en Ontario. Pour écouter les oiseaux et sentir la nature canadienne, même près des villes.

Quelques adresses de bon rapport qualité-prix (entre 85 et 100 $Ca, soit 51,9 et 61 €)

🛏 **Les Amis** (zoom couleur C3, 32) : 31 Granby Street, au centre-ville. Ⓜ College. ☎ 591-0635. Fax : 591-8546. ● les-amis@bbtoronto.com ● Chambres doubles climatisées de 85 à 95 $Ca (51,9 et 58 €), sanitaires communs. *Les Amis* porte bien son nom, puisqu'on y est accueilli comme tel. Ambiance chaleureuse et feutrée. Les propriétaires, français et végétariens, servent des petits dej' excellents. Situé sur une rue tranquille et adorable, au cœur du centre-ville. Une trouvaille.

🛏 **Global Guesthouse** (zoom couleur B3, 33) : 9 Spadina Rd. ☎ 923-4004. Fax : 923-1208. Proche de Bloor Street et de la station de métro Spadina. TV et parking. Fresques et tableaux peints sur les murs du couloir et des chambres ; la maîtresse de maison est une artiste... Dix chambres au décor ringard. Noter la baignoire rouge ! Demander une chambre avec AC. Pas de petit dej', mais cuisine à disposition des locataires.

🛏 **Beaconsfield B & B** (plan couleur général B4, 34) : 38 Beaconsfield Avenue, petite rue entre Dufferin et Dovercourt, à 500 m au nord de Queen. ☎ et fax : 535-3338. ● www.bbcanada.com/771.html ● Les proprios, Katia et Bern McLoughlin, sont amicaux et de bon conseil. En plus, ils savent vraiment faire des petits dej' délicieux, tous les jours différents. L'adresse est un peu excentrée, mais elle demeure très accessible avec le *streetcar*. Maison à valeur patrimoniale.

Plus chic (de 90 à 170 $Ca, soit 54,9 à 103,7 €)

🛏 **Terrace House** (plan couleur général B2, 35) : 52 Austin Terrace. ☎ 535-1493. Fax : 535-9616. ● ter racehousebandb@sympatico.ca ● Ⓜ St Clair West. Austin Terrace est une jolie petite rue donnant sur Bathurst Street, juste au nord de Davenport Rd. Tout proche de la *Casa Loma*. La maison, baignée de verdure, date du début du XXᵉ siècle. Suzanne Charbonneau et son mari sont des Canadiens francophones d'origine québécoise. Chambres impeccables. L'une d'entre elles possède un petit salon privé avec vue sur les ratons laveurs du jardin. AC. Petit dej' copieux et de qualité. Non-fumeurs uniquement. Une très bonne adresse.

🛏 **Annex House** (plan couleur général B2-3, 36) : 147 Madison Avenue. ☎ et fax : 920-3922. Ⓜ Dupont. Bien située, dans une jolie rue, calme et verdoyante, cette maison cossue du début du XXᵉ siècle. Chambres doubles, vastes, bien tenues et très confortables. Parking privé gratuit. C'est un peu plus cher que nos autres adresses de *B & B*, mais ça reste raisonnable et, à prix égal, aucun hôtel ne vous offrira le même confort et le même charme. Une bonne adresse, idéale pour ceux qui recherchent un certain confort et peuvent se l'offrir.

🛏 **Travelodge Motor Hotel** (zoom couleur B4, 37) : 621 King Street W. ☎ 504-7441. Fax : 504-4722. Bien situé, proche du Chinatown et de l'Ontario Place. Excellent rapport qualité-prix au centre-ville. Motel américain classique et fonctionnel de chambres rénovées. Parking gratuit. Parfaitement approprié si on est en voiture.

🛏 *Beverley Place (zoom couleur B3, 38) :* 235 Beverley Street. ☎ 977-0077. Ⓜ St Patrick. Juste au sud de College Street. Maison particulière classique, mal indiquée, dans une rue résidentielle. Cinq belles chambres

d'une propreté irréprochable. Décoration élégante : tableaux, meubles anciens, moquette épaisse ou parquet qui craque. Très classe. Cinq autres chambres du même style, plus spacieuses, dans une maison de l'autre côté de la rue. Petit dej' inclus que l'on prend dans le jardin. On ne peut pas fumer dans les chambres. Un chouette endroit, c'est sûr.

Très chic (plus de 170 $Ca, soit 103,7 €)

🛏 *Fairmont Royal York (zoom couleur C4, 39) :* 100 Front Street. ☎ 368-2511. Fax : 368-2884. ● www.fairmont.com ● Face à Union Station. Moquette épaisse, cuivres rutilants, lustres en cristal imposants, atmosphère feutrée et personnel dévoué, c'est le grand hôtel classique de Toronto, dans tous les sens du terme. Pour les routards fortunés ou pour y passer une nuit si vous n'avez pas dépensé tout votre budget vacances. Aussi un excellent endroit pour prendre un verre dans une at-

mosphère digne de James Bond ou simplement pour se relaxer – gratuitement – sur un des nombreux canapés du rez-de-chaussée. Un bus pour l'aéroport passe devant l'hôtel toutes les 30 mn, de 5 h 30 à 23 h.

🛏 *The Strathcona Hotel (zoom couleur C4, 40) :* 60 York Street. ☎ 363-3321. Fax : 363-4679. Hôtel pour gens d'affaires, rénové, qui présente un des meilleurs rapports qualité-prix du centre-ville de Toronto. À deux pas du Royal York.

Où manger ?

Comme toutes les villes jeunes et ouvertes, Toronto a su acquérir toutes les diversités de cuisine de la planète. Les nombreux immigrants ont pu ainsi faire revivre un peu de leur pays au travers de leurs spécialités culinaires. Même si Toronto est une ville beaucoup plus chère que Montréal, ses comptoirs de fast-food ethniques sont moins chers et plus variés. Vous vous régalerez sans vous ruiner.

Dans Chinatown

Bon marché (moins de 10 $Ca, soit 6,1 €)

Toute la rue Dundas est pleine de gargotes qui ont retenu notre attention.

🍴 *Saigon Le Lai Restaurant (zoom couleur B3, 50) :* 434 Dundas Street W. ☎ 592-9155. Ouvert de 10 h à 22 h, jusqu'à 23 h les vendredi et samedi. Les menus comprennent le thé et la salade de soja. En plein Chinatown. Une salle doucement climatisée où se retrouvent les familles asiatiques autour de tables rondes. Cuisine de Saigon. Les fauchés se contenteront d'une soupe, très copieuse.

🍴 *Tung Hing Bakery (zoom couleur B3, 51) :* 428 Dundas Street W.

Ouvert de 7 h à 20 h. Excellentes pâtisseries chinoises et autres, à emporter.

🍴 *Saigon Palace Restaurant (zoom couleur B3, 52) :* 454 Spadina Avenue. ☎ 968-1623. Une enseigne de supermarché jaune, à côté de *El Mocambo* (juste au sud de College Street). Ouvert de 9 h à 22 h, les vendredi et samedi jusqu'à 23 h. Ambiance cantine joyeuse, fréquenté par les Asiatiques du quartier. Grande variété de jus de fruits exotiques.

Sur la rue Baldwin

Prix moyens (entre 10 et 20 \$Ca, soit 6,1 et 12,2 €)

Baldwin Street regorge de petits restos tous différents et plus sympas les uns que les autres.

|●| **Dessert Sensation Café** (zoom couleur B-C3, **53**) : 26 Baldwin Street. ☎ 348-0731. Ouvert tous les jours de 11 h 30 à minuit. Bon choix de gâteaux vraiment costauds. Plats de pâtes et de poissons. Terrasse très sympa et ambiance tranquille.

|●| **John's Italian Café** (zoom couleur B-C3, **54**) : 27 Baldwin Street. Ouvert de 12 h à 23 h, jusqu'à 2 h le week-end. Café italien classique et décontracté, avec une terrasse au soleil l'après-midi. Petite carte de pizzas, soupes et pâtes. L'endroit idéal pour écrire ses cartes postales.

Sur Queen Street West

Prix moyens (autour de 15 \$Ca, soit 9,2 €)

|●| **Tortilla Flats** (zoom couleur B4, **55**) : 429 Queen Street W ; à l'est de Spadina Avenue. ☎ 593-9870. Ouvert tous les jours midi et soir. Resto et bar tex-mex avec un agréable patio. On a adoré les *fajitas*. Un must le mardi soir où elles sont à moitié prix. Les *margaritas* ne sont pas chères non plus. Goûtez aussi leurs desserts « décadents », à des prix civilisés. Une bonne adresse.

|●| **Le Rivoli** (zoom couleur B3-4, **56**) : 332 Queen Street W. ☎ 596-1501. Ouvert de 11 h 30 à 2 h. Resto-bar design. Propose des plats originaux, inspirés de la cuisine asiatique, quelques hamburgers bien d'ici... et un grand choix de vins. Clientèle branchée. Beaucoup de jeunes. Tous les mois, expos originales d'artistes locaux. Y aller plutôt le soir. On peut d'ailleurs se contenter de boire un verre en terrasse.

Près de Front Street et dans le vieux Toronto

Prix moyens (autour de 15 \$Ca, soit 9,2 €)

|●| **Bouchon** (zoom couleur C4, **57**) : 38 Wellington East, un peu à l'ouest de Church Street. Ⓜ King. ☎ 862-2675. Ambiance et qualité dans un bouchon (oui, le proprio est lyonnais) qui lame le sourire aux lèvres. Prix très intéressants, sauf pour les desserts...

|●| **Restaurant Marché Mövenpick** (zoom couleur C4, **58**) : 42 Yonge Street. Dans la BCE Place. ☎ 366-8986. Ouvert tous les jours de 7 h 30 à 2 h. Variété d'assiettes, sucrées ou salées. C'est le fleuron de la chaîne des restaurants *Mövenpick*. Un resto assez étonnant : immense (500 couverts) et pourtant agréable,

grâce à un aménagement intérieur très attractif. C'est un marché qui ressemble de près à ceux de nos villages français : étalages colorés et parfumés de plats très divers, tous aussi appétissants les uns que les autres. Du pizzaiolo au pâtissier, en passant par le comptoir des vins, vous pourrez butiner, muni de votre plateau, devant les nombreux stands. Vous l'avez compris, ce n'est pas un restaurant comme les autres, et c'est aussi ouvert pour le petit déj'. Faites-y un tour, en gardant un œil sur l'addition. Pensez à réserver.

|●| **Café Bar Masquerade** (zoom couleur C4, **59**) : 42 Yonge Street,

en face du *Mövenpick*. ☎ 363-8971. Ouvert de 7 h 30 à 22 h, fermé le dimanche. Resto-bar très moderne. Mobilier aux couleurs vives. Ambiance carnaval à l'italienne. *Antipasti, pasta* et pizza au menu. Très agréable pour y prendre seulement un café (un *espresso*, s'il vous plaît).

|●| *Le Papillon (zoom couleur C4, 60) :* 16 Church Street, près de Scott Street. ☎ 363-3773. Ouvert du lundi au samedi de 11 h 30 à 22 h. Spécialités québécoises entre autres, menu hétéroclite. Décor et accueil raffinés, avec en plus la spontanéité et le naturel des Québécois. La cuisine est correcte mais ce n'est pas

de la gastronomie.

|●| *Shopsy's (zoom couleur C4, 61) :* 33 Yonge Street, à l'angle de Front Street. Ouverture à 6 h 30, fermeture à 21 h, selon les jours. Restaurant – ou plutôt *deli,* comme on dit ici – fondé en 1922, ce qui en fait l'un des plus vieux de la ville. Très grand : plus de 250 couverts. Décor style ancienne brasserie de gare, banquettes en bois et photos de stars au mur. Ce n'est pas une adresse gastronomique (hamburgers, steak-frites, charcuterie, salades...), mais on y mange correctement et copieusement.

Sur Bloor Street West

Bon marché (autour de 10 $Ca, soit 6,1 €)

|●| *Mercurio Bar (zoom couleur B3, 62) :* 270 Bloor Street. ☎ 960-3877. Ⓜ Museum. Ouvert tous les jours de 7 h à 23 h. Le proprio, Albino Mercurio, est un vrai Italien ; ça s'entend et s'apprécie, du matin au soir, dans ce mignon resto-bar. Petite salle pleine d'ambiance où on voit les cuisiniers concocter de savoureux plats à prix doux.

|●| *Country Style (zoom couleur B3, 63) :* 450 Bloor Street W. ☎ 537-1745. Ⓜ Bathurst. Ouvert tous les jours de 11 h à 22 h. Prépare aussi des plats à emporter. Salle étroite et banale dans laquelle on déguste les meilleures spécialités hongroises. On vient ici pour la qualité et la quantité de la cuisine, pas pour la frime. D'ailleurs, ce n'est pas un hasard si le resto est un lieu de rendez-vous des Hongrois de Toronto. Excellent goulasch. Goûtez aussi le *beef with paprikash onions* ! Hmm... Le dernier survivant des restos hongrois traditionnels de la rue Bloor.

|●| *Madison Avenue Pub (zoom couleur B3, 64) :* 14 Madison Ave-

nue. ☎ 927-1722. Ⓜ Spadina. Juste au nord de Bloor. Ouvert de 11 h à 2 h. *Happy hours* pour certains plats entre 15 h et 18 h. D'un extérieur classique, 2 maisons accolées et pub anglais est composé de nombreuses pièces et terrasses constituant un véritable labyrinthe sur plusieurs niveaux. On vient y boire sa pinte à la sortie du bureau, serré autour des grandes tables en bois, même en hiver, car les terrasses sont chauffées par d'énormes radiateurs à gaz placés en hauteur. Billard et fléchettes.

|●| *Swiss Chalet (zoom couleur B3, 65) :* 234 Bloor Street. ☎ 972-6831. Ⓜ St George ou Museum. Ouvert midi et soir. *Swiss Chalet* est une chaîne de restaurants dont la spécialité est le poulet à la broche, préparé à toutes les sauces. Les salles sont aérées et quelques boiseries décorées rappellent les alpages. Bon rapport qualité-prix dans ce secteur plutôt cher, près de Yorkville et du Royal Ontario Museum.

À Yorkville, près et dans le quartier chic

Plus chic (autour de 20 $Ca, soit 12,2 €)

|●| *Dynasty Chinese Cuisine (zoom couleur C3, 66) :* 131 Bloor Street W,

à l'étage. ☎ 923-3323. Ouvert tous les jours de 11 h à 15 h 30 et de 17 h 30 à 22 h 30. Un des meilleurs restos chinois de Toronto, une ville qui s'y connaît en la matière. Service stylé, atmosphère à la fois affairée et joyeuse. Saveurs franches et produits frais.

I●I *Pilot Tavern (zoom couleur C3, 67)* : 22 Cumberland Street. Ouvert jusqu'à 1 h. En 1987, un club de fanatiques d'aviation a repris ce bar légendaire, dont le nom rend hommage aux célèbres pilotes de guerre. La grande salle sombre en bas relate quelques exploits. Le *Fly deck* (en fait la terrasse sur le toit) n'a d'intéressant que le nom. Au menu, salades, hamburgers et club-sandwichs de haut niveau dans un cadre relax et cool. Le *pad thai* est renommé. Pas de desserts, mais de très bons gâteaux chez *Dinah's Cupboard,* au n° 50, sur le même trottoir.

I●I *Hemingway's (zoom couleur C3, 68)* : 142 Cumberland Street. Ouvert jusqu'à 2 h. Nourriture correcte. Très symbolique du quartier chic de Yorkville. Canapés confortables où les businessmen viennent prendre des *drinks on the rocks.* Nous, on a préféré la terrasse sur le toit. Là, l'ambiance fait plus « vacances ». Sympa.

Vers Yonge Street

Bon marché (moins de 10 $Ca, soit 6,1 €)

I●I *Spring Rolls (zoom couleur C3, 69)* : 693 Yonge Street (angle Hayden). Ⓜ Bloor-Yonge. ☎ 972-7655. Ouvert de 11 h à 23 h. Un des meilleurs rapports qualité-prix à Toronto. Cuisine asiatique recherchée dans un joli décor. Très populaire.

I●I *Souvlaki House (zoom couleur C3, 70)* : 591 Yonge Street. Ⓜ Wellesley. ☎ 960-1203. Ouvert de 11 h 30 à 23 h. Pour les fauchés affamés. Souvlakis, ragoûts et lasagnes qui plairaient aux adeptes du sumo. Ici la devise pourrait être : « S'engraisser sans se ruiner. » Et c'est pas mauvais ! Salle style cafet' enjolivée, tenue par des Perses. Concept modeste très réussi. Sur fond de musique quelquefois arabe.

I●I *Salad King (zoom couleur C3, 71)* : 335 Yonge Street (en fait sur Gould Street, juste à l'est de Yonge). ☎ 971-7041. Ouvert du lundi au vendredi de 11 h à 21 h 30, jusqu'à 20 h le samedi. Fermé le dimanche. Repaire des étudiants de la Ryerson University. Plats thaïlandais savoureux et très relevés dans un petit resto où on se sert les coudes pour se régaler à peu de frais.

Dans Entertainment District

Prix moyens (environ 15 $Ca, soit 9,2 €)

I●I *CME Grill (zoom couleur C4, 72)* : 86 John Street. ☎ 340-9700. Un grand bâtiment en brique sur un parking. On entre dans une longue salle divisée en deux, murs en brique et chaises western. La première partie fait bar, la deuxième restaurant. Plats typiques, et aussi hamburgers et club-sandwichs. Musique country en fond et des téléviseurs diffusant les matchs de base-ball qui se déroulent à quelques minutes à pied, au *SkyDome.*

I●I *The Second City (zoom couleur B4, 73)* : 56 Blue Jays Way. ☎ 863-1111. Ce théâtre-restaurant est l'une des meilleures adresses de Toronto pour apprécier l'humour canadien-anglais. On mange au *Leoni's* (même entrée), dans une immense salle. Spécialités italiennes. Copieux.

I●I *Shoeless Joe's (zoom couleur C4, 74)* : 401 King Street W (côté sud), juste à l'est de Spadina. ☎ 596-2171. Ouvert tous les jours de 11 h à 2 h. Accueil et service souriants dans ce « sports bar » évolué, avec des TV qui montrent aussi bien CNN que du foot. À midi, on vous sert en moins de treize minutes et demie, sinon c'est gratuit. Grand menu de spécialités nord-américaines (steaks, pâtes, salades) pas trop chères ; mais attention à l'arnaque des boissons à plus de 2 $Ca...

|●| *Le Saint-Tropez (zoom couleur C4, 75)* : 315 King Street W. ☎ 591-8600. Ouvert de 11 h 30 à 23 h. Une

cuisine française délicieusement revue et corrigée, une jolie salle de dimension humaine, une terrasse l'été et plusieurs touches *frenchy* : la 2 CV en tableau, le *soufflenheim,* la bouteille de Cointreau... et au mur, la grande ardoise avec la suggestion du chef. On y parle le français et on y sert un vrai café bien de chez nous.

Où boire un verre ?

🍸 *Amadeus Bar (zoom couleur B3, 80)* : à l'angle de Augusta Street et de Denison Square, dans le quartier du Kensington Market. Ouvert de 10 h à 2 h. Terrasse où l'on se retrouve entre copains. Endroit ringard mais néanmoins sympa. Spécialités portugaises et fruits de mer.

🍸 *Lettieri (zoom couleur C3, 81)* : 96 Cumberland Street, à l'angle de Bellair Street, à Yorkville. Café sympa et agité avec une terrasse où se rencontrent les yuppies et la jeunesse dorée de la ville le soir.

🍸 *Bovine Sex Club (zoom couleur B4, 82)* : 542 Queen Street W, à l'est de Bathurst Street. Ouvert de 22 h à 3 h. Non, ce n'est pas un club louche, mais un bar plutôt amusant à l'ambiance punk-rock si populaire à Toronto. Reconnaissable de loin à sa façade où sont suspendus vélos, landaus et ustensiles de cuisine. Quant à l'intérieur, c'est indescriptible... Non-vaccinés contre le tétanos, s'abstenir ! Concerts de temps à autre.

🍸 *Canoe (zoom couleur C4, 83)* : 66 Wellington Street W (angle Bay).

☎ 364-0054. Ouvert en semaine midi et soir. Bar prestigieux au 54e étage du *TD Center* au cœur du quartier des affaires. La vue sur la ville et le lac Ontario est inoubliable. C'est également un excellent restaurant.

🍸 *Chick'n'Deli (plan couleur général C1, 84)* : 744 Mount Pleasant. Un peu excentré, mais l'aventure ethnologique vaut le déplacement. Bar classique, typique des feuilletons américains. Bouteilles de bière sur le comptoir, lumières tamisées. Souvent bondé. Groupes de rock tous les soirs. Endroit sympa pour guincher. Ambiance très décontractée.

🍸 *Future Bakery Café (zoom couleur B3, 85)* : 483 Bloor Street. Ouvert tous les jours de 7 h à 1 h ou 2 h. Un vieux bistrot, genre cafétéria d'université, bondé d'intellos, d'artistes et d'étudiants. Tous viennent ici prendre un verre, réviser des exams ou bouquiner la presse tranquillement. On peut aussi y manger vite fait et pour pas cher. Spécialités d'Europe de l'Est. Agréable terrasse.

Où boire un verre en écoutant de la musique live ?

Il y a des bars un peu partout, mais surtout dans les longues rues Queen, King et Bloor. On ne pourra donc que vous conseiller de papillonner de l'un à l'autre en vous en mettant plein les oreilles. Un bon moyen de faire toutes sortes de chouettes rencontres. Toronto est une des capitales nord-américaines de la musique live, c'est une véritable métropole sonique. Il y a ici beaucoup de bons groupes et des légions de spectateurs pour les faire vivre. Si vous aimez le rock qui hurle ou le jazz qui roucoule, vous serez comblé, et sans vous ruiner.

🍸 ♪ *The Orbit Room (zoom couleur B3, 90)* : 580A College Street. ☎ 535-0613. Ouvert tous les jours

de 21 h à 2 h. Entrée payante (pas très chère). Un *cocktail lounge* classique au cœur du quartier « hype » de Little Italy. Banquettes demi-circulaires. *Rythm and Blues* des années 1960 et blues éternel. Excellente musique. Une expérience corsée de sons et de couleurs.

♟ ♪ Velvet Underground *(zoom couleur B4, 91)* : 510 Queen W, près de Bathurst. ☎ 504-6688. Salle longue et étroite, aux murs noirs. La vedette ici, c'est la musique, dans une atmosphère amicale. Rock nouveau, rock alternatif, techno-metal. Ça cogne les tympans... mais pas le portefeuille. L'entrée est gratuite. Il paraît que Prince aime bien l'endroit. Nous aussi.

♟ ♪ Horseshoe Tavern *(zoom couleur B4, 92)* : 370 Queen Street W. ☎ 598-4753. On entre d'abord dans un bar (entrée gratuite). Les fauchés resteront boire un coup tout

en écoutant de la musique jouée dans la salle du fond. Si le groupe n'est pas à votre convenance, restez au bar et jouez au billard. Vous pouvez accéder à la pièce du fond pour une somme modique. Groupes de toutes sortes, mais toujours assez bons ; l'endroit date des années 1950 et il soigne sa réputation.

♟ ♪ Lee's Palace *(zoom couleur B3, 93)* : 529 Bloor Street. Ⓜ Bathurst. Ouvert de 12 h à 1 h. Chouette bar sur 2 niveaux, reconnaissable à sa façade aux couleurs délirantes. Concerts tous les soirs au rez-de-chaussée. Du rock, du pur et dur. Des groupes hallucinants de cran et d'originalité. Discothèque à l'étage, souvent bondée. Droit d'entrée modeste exigé le week-end.

Où danser ?

À Toronto, les boîtes où l'on danse ouvrent et ferment si vite que les guides de voyage ont peine à suivre le pas. Sachez toutefois qu'elles sont maintenant concentrées dans le secteur surnommé *Clubland* entre les rues Queen et King, au niveau de John Street.

♪ Big Bop *(zoom couleur B4, 94)* : 651 Queen Street, à l'angle de Bathurst Street. ☎ 504-6699. Ouvert les mercredi, vendredi et samedi uniquement. Boîte à taille humaine

sur 2 étages. Pas très originale, si ce n'est que la musique y est bonne. Mercredi, soirée spéciale hard rock. Attention, le quartier n'est pas très sûr la nuit.

À voir

Les musées

⚔⚔⚔ Royal Ontario Museum *(zoom couleur B-C3)* : 100 Queen's Park. ☎ 586-5549 ou 586-8000. • www.rom.on.ca • Ⓜ Museum. Ouvert du lundi au jeudi 10 h à 18 h (jusqu'à 21 h 30 le vendredi, à partir de 11 h le dimanche). Entrée : 15 $Ca en semaine, 20 $Ca le week-end (9,2 et 12,2 €) pour l'accès à toutes les expositions ; réduction étudiants. Gratuit le vendredi de 16 h 30 à 21 h 30. Ce musée est l'un des plus prestigieux du Canada et d'Amérique du Nord, par la qualité de ses collections et par son caractère multidisciplinaire. Parmi la trentaine de sections, vous êtes certain de trouver un domaine qui suscitera votre intérêt. Attention, le musée est en travaux ; certaines salles peuvent être fermées lors de votre passage.
– La *collection chinoise* est l'une des plus importantes au monde. En quelques heures, on parcourt plusieurs millénaires d'art chinois, des vestiges archéologiques aux récents témoignages de la dynastie mandchoue. À noter, la galerie du tombeau des Ming et les 3 peintures murales dans la galerie *Bishop White*. Elles représentent des divinités bouddhiques et taoïstes et datent du XIIIe siècle. Toujours dans la collection chinoise, la

galerie consacrée au *mobilier funéraire* offre également un aperçu saisissant de l'importance accordée aux défunts. Noter le réalisme des figurines accompagnant le mort.

– Les galeries réservées aux **sciences de la vie** présentent notamment 13 squelettes authentiques de dinosaures dans une reproduction de leur habitat naturel. Étonnant.

– La *galerie des Découvertes* permet aux visiteurs, par petits groupes, de toucher et d'observer au microscope toutes sortes d'objets.

– D'autres galeries consacrées aux **vestiges archéologiques** des premières civilisations du Bassin méditerranéen (Égyptiens, Grecs, Étrusques, Romains) méritent un détour. À noter aussi, la section concernant l'*art islamique.*

– Enfin, les **galeries du Patrimoine canadien** vous feront découvrir l'histoire, la culture et les réalisations des divers peuples du Canada.

🎭 **Art Gallery of Ontario** *(zoom couleur B-C3)* **:** 317 Dundas Street W. ☎ 979-6648. Ⓜ St Patrick. Ouvert les mardi, jeudi et vendredi de 11 h à 18 h (le mercredi jusqu'à 20 h 30), les week-ends de 10 h à 17 h 30. Fermé le lundi. Entrée : 12 $Ca (7,3 €) ; réductions et variation du prix d'entrée selon les expositions. C'est le grand musée des beaux-arts ontarien. Ces dernières années, la surface d'exposition a doublé (50 salles) et intégré *The Grange,* la plus ancienne maison de brique de Toronto. On peut y voir une collection exceptionnelle de plâtres originaux réalisés par le sculpteur contemporain anglais Henry Moore. Belle réussite de mise en valeur des œuvres par la lumière zénithale. La *Canadian Collection* présente les peintures du célèbre Groupe des 7 qui jeta les bases, dans les années 1920, de la peinture canadienne anglaise, reprenant différents éléments des impressionnistes européens. La section d'art inuit est réduite mais extraordinaire.

L'Art Gallery of Ontario présente aussi une superbe collection de *peinture européenne* : maîtres flamands (Rembrandt, Van Dyck, Frans Hals), peintres des écoles française (Poussin, Boucher), italienne (Canaletto, Bordone) et anglaise (Hogarth, Raeburn, Reynolds), ainsi que des peintres de la fin du XIXe siècle et du début du XXe siècle (Derain, Delaunay, Picasso, Chagall, Dufy, Van Gogh, Renoir, Monet, Pissarro, Cézanne...). Un département présente une surprenante collection d'*art plastique* avec des œuvres de Rodin, Degas, et une *Tête* de Picasso.

🎭 **Ontario Science Centre** *(plan couleur général D1)* **:** 770 Don Mills Rd, à l'angle d'Eglinton Avenue E. ☎ 696-1000. ● www.ontariosciencecentre.ca ● Informations en français : ☎ 696-3147. Ouvert tous les jours de 10 h à 17 h. Entrée : 14 $Ca (8,5 €) ; réductions. Éloigné du centre. Prendre le métro de la ligne Yonge jusqu'à Eglinton, puis le bus Eglinton East. Descendre à Don Mills Rd ou prendre le métro de la ligne Bloor jusqu'à Pape, puis le bus Don Mills North. En voiture, prendre la Don Valley Parkway (qu'on peut attraper sur Front Street, près du lac) et suivre les indications pour Don Mills Rd North (compter entre 20 et 30 mn).

Imaginez un palais de la Découverte où l'on vous invite à participer à plein d'expériences marrantes et très instructives. La présentation hyper-pédagogique de chaque atelier nous fait presque croire que l'on vient de percer les derniers secrets de la planète. Vraiment chouette. Évitez le week-end. Comprend un cinéma « Omnimax ».

🎭 **Bata Shoe Museum** *(zoom couleur B3)* **:** 327 Bloor Street W. ☎ 979-7799. Ⓜ St George. Ouvert de 10 h à 17 h (de 12 h à 17 h le dimanche et de 10 h à 20 h le jeudi). Fermé le lundi. Entrée : 6 $Ca (3,7 €).
Musée de la chaussure interactif, distrayant et instructif. On y découvre des pompes inédites telles que les *platform boots* d'Elton John. Extrêmement populaire, ce nouveau musée ne cesse de grandir et il présente une des expositions les plus originales à Toronto.

Divertissements sportifs

– **Matchs de base-ball au SkyDome** (zoom couleur C4) **:** 1 Blue Jay Way, au pied de la CN Tower. ☎ 341-1234. Matchs fréquents d'avril à septembre. Places de 7 à 55 $Ca (4,3 à 33,6 €). Les routards fortunés choisiront les sièges de la section « Club 200 Infield » à 55 $Ca (35,8 €) : la vue est parfaite et les sièges bien moelleux. Les Blue Jays n'ont plus la cote comme avant (quand ils étaient « World Champions » en 1992 et 1993) mais ils demeurent un spectacle sportif de premier ordre dans un stade hallucinant de modernisme. Un écran géant retransmet le match et des tonnes de statistiques en direct pendant le jeu. Pompom girls, mascottes et tirages au sort font monter l'ambiance.

🍖 **SkyDome Tour Experience** (zoom couleur C4) **:** 1 Blue Jay Way, au pied de la CN Tower. ☎ 341-2771. C'est la grosse carapace de tortue blanche, célèbre pour son toit rétractable en 4 parties. Visite d'environ 1 h tous les jours, toutes les heures jusqu'à 17 h sauf les jours de match. Entrée : 11 $Ca (6,7 €). La visite permet de marcher sur le terrain de base-ball et de s'imaginer en train d'attraper une balle devant 55 000 spectateurs en délire – habillé dans un uniforme qui ressemble à un pyjama, sur du « gazon artificiel » de plastique. Les amateurs d'ingénierie en prendront plein la vue : le toit pèse 11 000 t et couvre 3,2 ha. Les moins calés remarqueront surtout, dans le vestiaire des basketteurs, la hauteur des portes et des sèche-cheveux. C'est une véritable ville : on y trouve des restaurants, des bars, un Hard Rock Café, et même un très bel hôtel Marriott de 348 chambres, dont certaines donnent sur le terrain.

– **Matchs de hockey et de basket-ball au Air Canada Center** (zoom couleur C4) **:** sur la rue Bay, au sud de la gare Union. ☎ 815-5500. Prix selon les matchs. Le hockey est extrêmement populaire, alors vous devrez vous contenter de mauvais sièges ou acheter des billets à prix fort à un revendeur (scalper). Les grands héros de Toronto sont les hockeyeurs des Maple Leafs (les « feuilles d'érable »). L'ambiance est électrique dans ce stade à dimension humaine où les cris des spectateurs résonnent bruyamment pendant l'automne et l'hiver. L'équipe de basket, les Raptors, jouent plus ou moins pendant la même période. Ces reptiliens sauteurs sont moins populaires que les Leafs même s'ils alignent l'Américain Vince Carter, le joueur de basket le plus spectaculaire au monde.

🍖 **Air Canada Center** (zoom couleur C4) **:** 20 Bay Street. ☎ 815-5500. Proche de la CN Tower, à quelques minutes à pied. Ouvert tous les jours de 10 h à 15 h. C'est là que se déroulent les matchs de hockey et de basket-ball. Le centre doit son nom à la compagnie aérienne qui le sponsorise. La visite du stade, des coulisses et d'un petit musée dure 1 h et coûte 9 $Ca (5,5 €).

🍖 **Hockey Hall of Fame** (zoom couleur C4) **:** immeuble de la BCE Place, au 30 Yonge Street et à l'angle de Front Street. ☎ 360-7735. Ouvert tous les jours en été de 10 h à 17 h (de 10 h à 18 h le dimanche). Entrée : 12 $Ca (7,3 €) ; réductions.
C'est un lieu regroupant musée, jeux et magasins, consacré au sport national du Canada : vous saurez tout sur le hockey, ses héros, son histoire. Débauche de coupes, crosses, présentations vidéo, etc. Très cher des Canadiens, en particulier des enfants qui, crosse à la main, tentent d'imiter leurs héros. La passion du hockey n'a pratiquement pas de limite ici ; c'est la seule chose – avec l'hiver – que les Canadians et les Québécois partagent intégralement.

Autres sites

🍖 **CN Tower** (zoom couleur C4) **:** 301 Front Street W, à l'angle de John Street. Si vous la manquez, il est temps d'acheter de grosses, GROSSES lunettes. ☎ 868-6937. C'est la tour en béton en forme de fusée à qui on aurait fait une grosse tête. Ouvert de 9 h à 22 h, les vendredi et samedi de 8 h à 23 h. Entrée : 22 $Ca (13,4 €) ; réductions.

L'ascenseur vitré s'élève à 335 m en 58 secondes ! Nous recommandons fortement une deuxième ascension jusqu'au « Sky Pod » à 447 m (pour un petit supplément) ; une minipièce d'observation qui semble 2 fois plus haute ! La CN Tower est l'immeuble à structures autoportantes le plus élevé du monde (ah !...). L'antenne atteint 533 m. Avant de payer votre entrée, vérifiez que la visibilité est bonne. De là-haut, vue géniale sur la ville, le lac et même sur les États-Unis, de l'autre côté du lac (par temps clair). Restaurant (bon et cher) et boîte de nuit tournant à 350 m au-dessus du sol. Un plancher en verre a été installé il y a quelques années et de nombreux visiteurs n'osent pas s'aventurer sur cette surface. On les comprend car c'est franchement impressionnant. Beaucoup de monde le week-end. Essayez d'y aller le matin en semaine. Ou, pour voir le maximum en une seule visite, allez-y 30 mn avant le crépuscule et vous verrez tout de jour, de soir et de nuit...

🍽 *Casa Loma (plan couleur général B2) :* 1 Austin Terrace. ☎ 923-1171. Ⓜ Dupont. C'est à 5 mn à pied vers le nord. Ouvert tous les jours de 9 h 30 à 17 h. Entrée : 10 $Ca (6,1 €) + parking.

Château construit de 1911 à 1914 par un homme d'affaires richissime et excentrique industriel, sir Henri Pellat. Les 98 pièces de l'édifice sont décorées avec raffinement, malheureusement les meubles exposés ne sont pas les originaux, lesquels furent vendus aux enchères à peine 10 % de leur valeur lors de la faillite du propriétaire.

🍽 *Spadina Museum (plan couleur général B2) :* 285 Spadina Rd. ☎ 392-6910. Ⓜ Dupont. Ouvert du mardi au dimanche de 12 h à 17 h. Entrée : 5 $Ca (3,1 €). Réservation obligatoire pour les visites en français. À côté de la *Casa Loma.*

Maison typique de la haute bourgeoisie du début du XXᵉ siècle. Beaux jardins. Tout a été soigneusement conservé en état de fonctionnement. Quatre générations de la famille Austin y ont vécu jusqu'à récemment. Même la visite guidée, très *british,* reste dans le ton de la maison.

🍽 *Toronto City Hall (zoom couleur C3) :* situé au Nathan Philipps Square. Ⓜ Dundas ou Queen. En vous baladant dans le quartier, vous ne pourrez pas échapper à cet édifice aux lignes ultramodernes, composé de 2 tours en quart de cercle et d'une troisième ressemblant à une soucoupe volante géante posée en leur milieu. On dirait du pur Oscar Niemeyer. Ce building a symbolisé Toronto dans les années 1960, jusqu'à la construction de la CN Tower dans les années 1970.

🍽 *Old City Hall (zoom couleur C3) :* ancienne bâtisse imposante, dont l'architecture totalement décalée dénote dans ce quartier neuf. Ça vaut le coup d'œil, tout comme le grand magasin **The Bay,** le plus grand et le plus vieux de cette chaîne au Canada.

Attractions

🍽 *Ontario Place (plan couleur général B4) :* 955 Lakeshore Bd (angle Dufferin). ☎ 314-9900. ● www.ontarioplace.com ● Ouvert tous les week-ends de mi-mai à mi-septembre et tous les jours de début juin à début septembre, de 10 h à minuit. Grand parc d'attractions (payant) bien aménagé, où les enfants sont rois. Espaces verts dotés de nombreuses activités. Pour les plus grands, des restos et surtout des concerts en plein air, tous les soirs, pour le prix normal d'une entrée au parc. Certains artistes internationaux s'y produisent et les prix ne grimpent pas. Pour les concerts, arrivez assez tôt et apportez votre pique-nique. Les artistes jouent sur une scène circulaire et tournante. On est toujours bien placé.

🍽 *Toronto Islands :* prendre le ferry à l'embarcadère situé au commencement de Bay Street *(zoom couleur C4),* derrière le *Westin Harbour Castle*

Hotel. Départs très fréquents, jusqu'à 23 h 30. Prix de la traversée : 5 $Ca (3,1 €). Renseignements sur les horaires : ☎ 392-8194.

Un beau parc pour se la couler douce sur les plages superbes qui donnent sur le large... lac Ontario. Dommage que l'eau soit polluée ! Un bout de plage pour les nudistes. Location de vélos. C'est là que les habitants passent une partie de leur week-end quand il fait chaud. Il faut aimer la foule quand on attend le ferry duquel on a une chouette vue sur *Downtown*. Ne pas confondre avec **Toronto Tours,** qui propose des croisières autour des îles pour 20 $Ca (12,2 €).

🍴 **High Park** *(plan couleur général A3)* : Ⓜ High Park et Keele. Le plus grand parc aménagé de la ville. L'été, pendant 15 jours, on y présente gratuitement des pièces de théâtre en plein air. Shakespeare à l'œil ! Petit zoo à l'intérieur. Agréable but de promenade. Les immigrants d'Asie y font des barbecues familiaux énormes.

🍴 **Toronto Zoo :** Meadowvale Rd, au sud de l'Old Finch Avenue, à 40 km au nord-est du centre. Sortie 389 de la Highway 401, à Scarborough. ☎ 392-5900. Entrée : 18 $Ca (11 €), réductions ; parking payant. Ouvert en été de 9 h à 19 h (18 h 30 le week-end) ; le reste de l'année à des heures réduites. Un des plus grands parcs zoologiques du monde (4 000 animaux !), bien conçu (pour les visiteurs comme pour leurs locataires forcés, ce qui est rare). Prévoir plusieurs heures pour tout voir... et une bonne bouteille d'eau en été ! La section « Amérique du Nord » est riche en castors, orignaux, ours et autres grosses bestioles poilues.

🍴 **Fort York** *(zoom couleur B4) :* ouvert en haute saison de 10 h à 17 h, et de 10 h à 16 h en basse saison. Entrée payante.

C'est le berceau de Toronto et le théâtre des affrontements entre Anglais et Américains. Ces derniers détruisirent le fort en 1813. En représailles, les Anglais, en marche vers Washington et Baltimore, incendièrent le bureau politique américain, qui fut recouvert de peinture blanche afin de masquer les traces du feu, devenant ainsi... la Maison-Blanche. Fort York fut reconstruit et échappa in extremis aux promoteurs immobiliers en 1934. C'est un charmant site si l'on oublie l'autoroute (qu'on a légèrement déviée pour ne pas raser ce site historique !), la ligne de chemin de fer et la ville nouvelle qui l'entourent. La porte franchie, on bascule dans le XIXᵉ siècle et on imagine la vie qu'animait le fort : officiers au mess, cantinières à l'ouvrage... Outre ces faits intéressants, le fort York demeure assez ennuyeux. À moins d'adorer l'histoire de l'Empire britannique.

Balades dans les petits quartiers sympas...

Voilà un petit circuit pour les amoureux des villes et de poésie urbaine.

🍴🍴 **Kensington Market :** un marché contenu dans le quadrilatère formé par les rues Augusta à l'ouest, Spadina à l'est, Dundas au sud et College au nord. Le marché est ouvert tous les jours, sauf le dimanche, de 8 h à 19 h. Le quartier est vraiment agréable. Étals colorés de légumes, poissonneries aux façades naïves, friperies, petits cafés charmants, perrons sur lesquels les jeunes de toutes les couleurs discutent le coup. Kensington est l'un des coins les plus chaleureux de Toronto. Un coup de cœur incontournable.

Les premiers résidents furent des immigrants anglais, au début du XXᵉ siècle, qui laissèrent la place aux colonies juives d'Europe centrale. Ce sont eux qui donnèrent au quartier sa véritable identité populaire. Les petits boutiquiers fleurirent et le marché d'aujourd'hui possède les couleurs de celui d'antan. Les années 1950 virent arriver de nouvelles minorités, comme les Hongrois et les Italiens, qui retrouvaient un peu du pays dans cette manière de vivre en prise avec la rue.

Puis les Portugais débarquèrent et internationalisèrent encore un peu plus le coin. Aujourd'hui, le paysage de Kensington est avant tout multicolore, accueillant même quelques punks déchus que le béton a laissés sur le carreau.

🍴 *Chinatown* : situé sur *Dundas Street*, à l'ouest de University Avenue, et se poursuit au-delà de Spadina Avenue. La naissance du quartier date en fait de 1878, quand Sam Ching ouvrit une « laverie » sur Adelaide Street West. Lentement mais sûrement, le quartier se développa jusqu'au tournant des années 1960 où des flots de Chinois de Hong Kong vinrent grossir la communauté.

Un quartier particulièrement animé le dimanche, non par les touristes mais par les « autochtones ». C'est ici que les familles chinoises (et vietnamiennes) se retrouvent pour faire leurs courses, partager un repas, revoir les amis qui habitent en banlieue, histoire de garder le contact. Sur Dundas Street, on peut voir encore quelques bâtisses du XIXᵉ siècle sur lesquelles sont venues se greffer des enseignes lumineuses jaunes et rouges en caractères chinois. Plus loin, les centres commerciaux climatisés prennent le relais de la rue pendant les hivers rigoureux. Dans l'architecture moderne ou ancienne, la communauté chinoise est parvenue à se développer, forte de ses 200 000 âmes. Troisième Chinatown après celui de San Francisco et de Vancouver, ce quartier est devenu un point de rencontre très apprécié des Canadiens de Toronto eux-mêmes. Belle preuve d'intégration sociale. Cinq journaux en chinois y sont imprimés quotidiennement.

🍴 *Queen Street West* et *West Queen West* : c'est le quartier où se mêlent les jeunes de Toronto. C'est le SoHo de la ville. De grands entrepôts ont été récupérés par des artistes dans les années 1970 pour en faire des ateliers. Depuis, des boutiques de fripes, de gadgets, des restos très branchés sont venus s'accrocher au nouveau souffle que connaît le quartier, contribuant ainsi à grossir la population composée originairement d'Ukrainiens, de Polonais et de juifs de tous pays. On y trouve un brassage intéressant des 20-35 ans de Toronto. Un quartier à découvrir plutôt le samedi après-midi et puis, bien sûr, le soir, puisque plein de bars très chouettes s'y trouvent. Les quartiers à la SoHo sont organiques, au sens où ils grandissent et meurent. La portion d'origine de Queen Street West (de Simcoe Street à l'est jusqu'à Spadina Avenue à l'ouest) demeure intéressante, mais elle s'est embourgeoisée quelque peu. Les pulsions créatrices de Toronto rythment aujourd'hui le secteur « West Queen West » (voir « Où boire un verre ? », « Où boire un verre en écoutant de la musique live ? », « Où danser ? »).

🍴 *Little Italy* : quartier italien, sur College Street, près du *Kensington Market*. C'est un quartier très à la mode. On s'y arrache les appartements à prix d'or. Les cafés et restos sont bondés d'une jeunesse dorée qui carbure à l'*espresso*.

🍴 *Cabbagetown* : ce quartier résidentiel ne possède rien d'exceptionnel. Il reflète tout simplement ce que pouvait être un quartier d'habitations populaires à la fin du XIXᵉ siècle. Destiné maintes fois à être détruit dans les années 1960 pour laisser place à d'austères buildings, ce coin de verdure rappelle étrangement certains quartiers de San Francisco : petits cottages fleuris et colorés, maisons étroites et hautes, constructions victoriennes de charme, etc. Professions libérales et industriels ont envahi les rues comprises entre Jarvis et Parliament Streets, d'une part, et Gerrard Street East et King Street East d'autre part. Cabbagetown se situe plus au nord et plus à l'est de ces rues.

Baladez-vous dans *Wellesley Street East, Sackville Street*, bordées de jardinets et de buissons touffus, poursuivez vers *Amelia Street* et *Metcalfe Street*. Les amoureux de vieilles maisons y retrouveront l'odeur du début du XXᵉ siècle.

Attention : évitez de marcher la nuit sur *Parliament,* au sud de Gerrard ; c'est devenu un coin malfamé. Prostitution, drogues, misère et pauvreté, un cock-tail urbain explosif, surtout par les chaudes soirées d'été.

🦌 *Yorkville :* ancien district hippie (dans les sixties) dont les anciennes maisons ont été rénovées et transformées en galeries d'art, boutiques chic, restaurants de luxe. Le quartier le plus « m'as-tu-vu » du Canada. Un des endroits torontois où sont concentrés le plus de cafés avec terrasse. Très fréquentés par les yuppies et les gens chic. Quelques bars très chouettes, mais les restaurants n'offrent pas tous un bon rapport qualité-prix. Les stars d'Hollywood dorment et mangent dans le coin quand ils tournent à Toronto.

🦌 *Saint Lawrence Market :* 103 Front Street. À l'angle de Jarvis Street, dans le plus vieux quartier de la ville. Grand marché couvert situé dans un vieil édifice en brique. Ouvert du mardi au samedi de 8 h à 18 h (19 h le vendredi, 17 h le samedi). Très B.C.B.G., le contraire du *Kensington Market.* À voir, sentir et goûter...

🦌 *Gay Village :* la communauté gay et lesbienne de Toronto est l'une des plus grandes et dynamiques au monde. Le cœur du Gay Village est situé à l'angle des rues Wellesley et Church (Ⓜ Wellesley). « *This is Toronto – be yourself* », précise le *Gay and Lesbian Guide* de Tourism Toronto. Le goût indubitable des gays se retrouve dans les bars, boutiques et restos. Toutes les pulsions d'une société libérée des tabous traditionnels s'affirment ici. Fin juin, la Pride Week culmine par une parade. Elle réunit habituellement plus d'un million de personnes, ce qui en fait la troisième au monde, après New York et Sydney !

⌒ *The Beaches :* le secteur le plus inattendu de Toronto. Une longue et somptueuse plage borde le lac Ontario à l'est de la ville (à la hauteur de Woobine Avenue). Les yuppies y ont bien sûr acheté des maisons et ouvert des commerces (rue Queen). Lieu de sport et de relaxation, la plage est couverte de beaux corps très heureux de se faire remarquer. Bref, c'est la Californie sur un lac !

Vie culturelle

– Les bons en anglais iront au *Royal Alexandra Theater (zoom couleur C4, 6),* 260 King Street W (achat de billets au ☎ 872-1212) ou assisteront aux représentations shakespeariennes du *Toronto Free Theater,* d'autant plus sympas qu'elles sont en plein air et gratuites : 2 semaines chaque été, dans High Park (sur Bloor Street, à l'angle de Parkside Drive). Ⓜ High Park. Renseignements sur les dates et pièces jouées : ☎ 368-3110.
– Les autres se rendront au *Théâtre français de Toronto.* Guichet : ☎ 534-6604 ou 1-800-819-4981. ● www.theatrefrancais.com ● Il change de salle en fonction des représentations. Pièces classiques (Molière et compagnie) et créations nouvelles du Québec et de l'Ontario français.
– Les mélomanes pourront aller écouter l'*Orchestre symphonique de Toronto* au Roy Thompson Hall. ☎ 593-4828. L'acoustique de la salle a été récemment améliorée, et la beauté futuriste du bâtiment ne fait aucun doute.

Fêtes et manifestations

– *Toronto Downtown Jazz Festival :* vers la dernière semaine de juin. Infos : ☎ 928-2033. ● www.toronto.com ● De nombreux groupes de qualité se donnent rendez-vous sur une quarantaine de scènes et dans les bars du centre-ville, notamment ceux de Queen Street West. Super-ambiance. C'est souvent gratuit. Les spectacles dont les places sont réservées – les meilleurs – sont payants.

– **Caribana Festival** : fin juillet-début août. ☎ (905) 799-1630. • www.cari bana.com • C'est le carnaval des Afro-Américains ; ils viennent de toutes les villes environnantes et des États-Unis pour fêter ça. Festival de costumes, de couleurs et, bien sûr, de danse et de musique. Plein les oreilles pour pas un rond. Le point culminant du carnaval est la parade qui se déroule le dernier jour des festivités. Renseignez-vous sur son parcours à l'office de tourisme. Elle dure tout l'après-midi ! Tout le monde va ensuite pique-niquer pendant 2 jours sur les Toronto Islands ! Une immersion totale dans le monde des immigrants antillais. Extrêmement populaire.

– **Toronto International Film Festival** : la deuxième semaine de septembre, à quelques jours près. ☎ 967-7371. • www.e.bell.ca/filmfest • Plus de 250 films du monde entier y sont présentés. Hollywood y teste les publics internationaux et le cinéma non américain y teste Hollywood. C'est le seul festival qui absorbe complètement Toronto, qui rassemble toutes les attentes et qui génère toutes les passions dans cette ville normalement si disciplino-systématique. Les stars et les producteurs d'Hollywood y sont ; c'est à la fois glamour, business et intello. Un événement, un vrai.

– Pour les nombreuses autres manifestations, lire les hebdomadaires gratuits, *Now* et *Eye* que l'on trouve un peu partout dans la ville.

Achats

❀ **Honest Ed's** (*zoom couleur B3, 100*) : 581 Bloor Street W, à l'angle de Barthurst Street. C'est bien simple, il s'agit de la boutique la plus étonnante de Toronto, et une des moins chères. Une sorte de *Tati* qui vendrait des fringues mais aussi un tas d'objets utiles et surtout inutiles. Une phrase sur la façade : *Don't just stand here, buy something* (« Ne restez pas là, achetez quelque chose »). Le genre de magasin duquel on sort en ayant dépensé tout l'argent qu'on pensait économiser en y entrant. Fréquenté surtout par des immigrants à la recherche d'aubaines. Ineffable.

❀ **The World's Biggest Bookstore** (*zoom couleur C3, 101*) : 20 Edward Street. Non loin de l'angle des rues Yonge et Dundas. La plus grande librairie du monde ? En tout cas, elle en a l'air. Nombreux magazines français. Petites librairies d'occasion aux alentours qui permettent des achats nettement plus avantageux.

❀ **Eaton Center** (*zoom couleur C3, 102*) : sur Yonge Street, entre Queen et Dundas Streets. Un centre commercial géant. Ouvert tous les jours de 10 h à 21 h, le samedi de 9 h 30 à 18 h et le dimanche de 12 h à 17 h. On y trouve... tout ! La verrière immense est inspirée de la *Galleria* de Milan. Les œuvres suspendues sont signées Michael Snow, un des plus grands artistes contemporains au monde.

❀ **The Bay** (*zoom couleur C3, 103*) : à l'angle de Queen West et de Yonge Street. Autre centre commercial géant. Ouvert tous les jours de 10 h à 21 h, le samedi de 8 h à 18 h et le dimanche de 12 h à 18 h. Aussi bien conçu et achalandé que notre *Samaritaine*. Pour acheter la fameuse couverture de laine de la *Compagnie de la baie d'Hudson*.

QUITTER TORONTO

En avion

Deux possibilités pour se rendre à l'aéroport.

➤ Prendre la navette Airport Express (☎ 905-564-3232) toutes les 20 ou 30 mn à partir des plus grands hôtels de la ville et de certaines stations de métro. Prévoir 40 mn de trajet. Environ 12 $Ca (7,3 €).

➤ Plan routard plus économique : prendre le métro jusqu'à Lawrence West, puis le bus n° 58 jusqu'à l'aéroport (coût : moins de 5 $Ca, soit 3,1 € !).

En voiture

➤ *Vers Hamilton et Niagara Falls :* prendre la *Highway 2* (trajet sympathique) ou la *Gardiner Expressway* (autoroute surchargée) puis la *Queen Elizabeth Way* (QEW). Poursuivre jusqu'à *Niagara Falls* ou prendre la *55* en direction de *Niagara-on-the-Lake.* De là, prendre la *Niagara Parkway* qui vous mènera à *Niagara Falls,* bien plus agréable que l'*Expressway.*
➤ *Vers Montréal :* remonter *Yonge Street* ou le *Don Valley Parkway* pendant plusieurs kilomètres jusqu'à la *401,* que vous prendrez vers l'est.

En bus

🚌 *Bus Terminal (zoom couleur C3) :* ☎ 393-7911. *Greyhound* et autres compagnies.
➤ Départs fréquents toute la journée *vers Ottawa, Montréal* et *Niagara Falls.*

En stop

➤ *Vers Montréal :* le plus agréable serait de lever le pouce le long de la route 2 East. Si on est pressé, on devrait plutôt opérer depuis une rampe d'accès de l'autoroute 401 East.
➤ *Vers les chutes du Niagara :* métro jusqu'à Kipling (terminus ouest) ; puis prendre le bus n° 44 jusqu'à Queen Élizabeth. L'autoroute *Queen Elizabeth Way* est juste à côté. Direction *Hamilton Niagara* (stop facile). À l'arrivée, il y a 11 km entre l'Expressway et les chutes, mais beaucoup de voitures, donc pas de problème. Le retour sera probablement plus difficile.
➤ *Vers l'Algonquin Park :* prendre le métro North jusqu'à Finch, puis le bus n° 60 jusqu'à l'autoroute 400. Attention, il existe plusieurs bus n° 60 (60 A, 60 B, etc.).
Solution de secours : il y a un bus qui part de la gare centrale et qui va jusqu'à North Bay (ville au nord de Toronto) avec la compagnie *Greyhound.* Départs réguliers (le mieux, pour aller au parc, est de descendre dans la petite ville de Huntsville). Pour ceux qui sont en rade à Toronto, la nuit, sachez qu'il y a des cafétérias, à proximité de la gare centrale, ouvertes 24 h/24.

DE TORONTO À NIAGARA FALLS

Cette bande de terre qui sépare le lac Ontario du lac Érié est essentiellement composée de vergers et de vignobles (faites-y une halte, les dégustations sont quotidiennes et les vins ontariens sont bien meilleurs qu'il y a quelques années). Après Toronto et ses banlieues industrielles, il fait bon y venir prendre un bol d'air. La région est souvent appelée la *fruit belt* de l'Ontario. Elle bénéficie d'un microclimat dû à la présence des 2 lacs.
Il nous semble plus intéressant de faire un tour à Niagara-on-the-Lake avant d'aller à Niagara Falls. C'est de là qu'on emprunte la superbe *Niagara Parkway* qui longe la Niagara River (propice à une longue balade à vélo). Sur la droite de la route, tout l'été, de nombreuses fermes vendent les cerises et les fraises de leur production. Généralement excellentes et vraiment pas chères. N'hésitez pas à vous arrêter.

HAMILTON
500 000 hab.   IND. TÉL. : 905

À 60 km de Toronto et à 60 km de Niagara. Ville industrielle. La communauté artistique de Hamilton surprend par sa vivacité. Des appartements presque 2 fois moins chers qu'à Toronto et la prestigieuse McMaster University (1280 Main Street W, ☎ 525-9140) servent d'aimants à des jeunes créatifs. Plusieurs stars d'Hollywood sont d'ici. Le *Hess Village* est le secteur des terrasses et des boîtes à la mode.

Comment y aller ?

➤ *En voiture :* le Queen Elizabeth Way (QEW) est la route la plus évidente mais la route 2, qui longe le lac Ontario, est plus agréable.
➤ *En bus :* de nombreux autobus *GO* (pour banlieusards, moins chers que les bus habituels) partent pour Hamilton depuis la Union Station de Toronto.
➤ *En avion :* depuis quelques années, l'aéroport de Hamilton (● www. yhm.com ● et ☎ 679-1999) est le *hub* de *WestJet* (● www.westjet.com ● et ☎ 1-800-538-5696), ligne aérienne à rabais qui dessert 26 destinations canadiennes. C'est l'aéroport qui croît le plus vite au Canada. La navette depuis Toronto coûte 42,50 $Ca (26 €), taxes incluses.

Adresses utiles

🛈 *Tourism Hamilton :* 34 James Street South, ☎ 546-2489 et 1-800-263-8590. ● www.tourismhamilton. info ●
■ *Stations de radio :* CFMU-FM 93.3 (radio de la McMaster University). Talk Radio 900 AM, le poste où les opinions s'enflamment.

@ *Accès Internet :* ISP Café, 19 John Street North (juste au sud de King Street au centre-ville). ☎ 777-9398. Ouvert du lundi au jeudi de 12 h à 2 h, 24 h/24 les vendredi et samedi. Un lieu sombre, tranquille, où les postes informatiques ne coûtent que 2 $Ca l'heure.

Où dormir ?

🛏 *Résidences de la McMaster University :* 1280 Main Street (Highway 8), à l'ouest de la ville. ☎ 525-9140, poste 24223 (housing). ● www. macocho.com ● Hébergement touristique de début mai à fin août. Les résidences sont dans le pavillon *Mary Keyes*. Quelque 250 lits dans des chambres de l'édifice Malton. Chaque unité de 4 chambres partage cuisine et salles de bains. C'est tout neuf, mais cher : 45 $Ca (27,5 €) par personne la semaine, qu'on soit 1 ou 2

dans une chambre. Cartes de paiement acceptées.
🛏 *Rutherford House B & B :* 293 Park Street South, à quelques minutes à pied du centre-ville et de la station des bus *GO*. ☎ 525-2422. ● www.bbcanada.com/5198.html ● Compter 95 $Ca (58 €) pour 2, petit dej' copieux compris. Dans une des belles grandes maisons de la fin du XIXe siècle qui entourent le cœur de Hamilton. Tenu par un couple sympathique et raffiné.

Où manger ?

🍴 *Safin Grill :* 95 King Street East, au cœur du centre-ville. ☎ 540-8536.

Aziz Saleh et ses employés préparent des spécialités du Moyen-

Orient à emporter. Ils ne font pas beaucoup de sourires, mais ils concoctent des mets généreux ; ça compense amplement. On mange sa « proie-pita » dans le parc en face.

|●| *Le Chinois :* 173-175 King Street East (entre les rues Wellington et Mary). ☎ 528-2223. Ouvert tous les jours. Spécialités séchouannaises, mandarines et cantonaises à l'est du centre-ville. Nourriture délicieuse, bien présentée. Le proprio n'est pas francophone. Il voulait juste « faire différent » avec ce nom français. Décidément, on donne des noms français à toutes sortes de restaurants... même des chinois ! Salle agréable et bon service.

|●| *The Ancaster Old Mill Inn :* 548 Old Dundas Rd à Ancaster (le secteur historique à l'ouest de la ville). ☎ 648-1827. • www.ancaste roldmill.com • Ouvert midi et soir. Un grand restaurant classique qui appartient à des Italo-Canadiens. Nourriture extraordinaire dans un décor superbe : l'intérieur est une belle maison historique et l'extérieur est inoubliable – ce sont des chutes naturelles. Prix en conséquence. Réservations recommandées.

NIAGARA

À voir

🕴🕴 *Dundurn Castle :* 610 York Bvd, à l'angle de Dundurn Street. ☎ 546-2489. • www.city.hamilton.on.ca • Ouvert de 10 h à 16 h tous les jours du 15 juin au 1er septembre et de 12 h à 16 h tous les jours du 2 septembre au 14 juin.
Le château de Dundurn est la première villa « à la toscane » en Amérique du Nord et le cœur de la classe dirigeante de l'Est canadien au milieu du XIXe siècle. En effet, il fut construit en 1835 par sir Allan Napier MacNab, Premier ministre de la province unie du Canada (Ontario, plus le Québec actuel). Une des plus grandes et prestigieuses maisons d'époque au Canada. Un incontournable où se déroulent plusieurs événements spéciaux au cours de l'année. Les 35 pièces admirablement meublées présentent la vie d'un riche gentilhomme victorien au Canada. Du parc splendide s'ouvre une belle vue sur le lac Ontario. Petit resto victorien.

🕴🕴 Au centre-ville, la résidence *Whitehern* est un autre bijou historique (41 Jackson Street W, ☎ 546-2018).

🕴🕴 *Art Gallery of Hamilton :* 123 King Street. ☎ 527-6610. • www.art galleryofhamilton.on.ca • Au centre-ville. Gratuite et consacrée en grande partie à l'art moderne et canadien. Le musée est composé de petites salles qui cernent bien leurs sujets. La rareté relative des visiteurs, en comparaison des musées de grandes capitales, permet une communion inhabituelle avec les œuvres. C'est le troisième plus grand musée d'art en Ontario.

🕴🕴 *Hamilton Warplane Museum :* à l'aéroport international de Hamilton, au 9280 Airport Rd. ☎ 1-877-347-3359. • www.warplane.com • Ouvert tous les jours de 9 h à 17 h, jusqu'à 19 h en juillet-août.
Ce musée de l'aviation militaire canadienne est plein de magie et de mystère. Il est habité par l'esprit des pionniers et l'amour des vieux avions. La participation canadienne aux deux guerres mondiales est évoquée, de façon souvent émouvante. C'est une très belle et grande collection, avec une boutique de souvenirs incroyables. Il est aussi possible de voler dans un vieux biplan.

NIAGARA-ON-THE-LAKE   IND. TÉL. : 905

Une petite halte suffira pour découvrir ce village aux charmantes demeures du XIXe siècle joliment restaurées... et quasiment toutes « bed-and-breakfastées ». Tout y est très mignon... et cher. Ambiance très anglaise, un rien surfaite. Les grands parcs qui étalent leur verdure et la beauté du site en font un endroit très agréable et serein, surtout avant d'attaquer les chutes du Niagara et leur frénésie touristique.

Adresse utile

ℹ Chamber of Commerce-Tourist Information (plan B1) : à l'angle de King Street et Prideaux Street, dans la rue principale. ☎ 468-4263. Ouvert de 9 h à 17 h tous les jours d'été ; les week-ends, de 10 h à 17 h. Ils se chargent de vos réservations d'hôtel ou de B & B.

NIAGARA

Où dormir ?

Se loger dans le village revient cher et on n'a pas vraiment besoin d'y séjourner. Si vous êtes en lune de miel, voici ce que nous avons trouvé (la région étant très touristique, il est conseillé de réserver à l'avance).

Prix moyens (de 60 à 100 $Ca, soit 36,6 à 61 €)

🛏 **Mrs Dietlinde Witt** (plan A1, 3) : 341 Dorchester Street. ☎ 468-3989. Chambres avec un grand lit. Un B & B sans charme particulier, mais l'adorable couple âgé réserve un accueil très chaleureux. On a l'impression d'arriver chez Papy. Cherchez dans le jardin le B & B réservé aux oiseaux.

🛏 **Terri's Bunny Hutch** (plan A1, 6) : 305 Center Street. ☎ 468-3377. La maison est décorée d'innombrables lapins en tissu confectionnés par la propriétaire. Accueil sympathique et courtois. En plus, le propriétaire parle le français. Une bonne adresse.

🛏 **Almar House** (plan A1, 8) : 339 Mary Street. ☎ 468-1368. Fax : 468-2409. Marie-Jane, la propriétaire, parle le français. Un joli salon de lecture et, dans les chambres, les mêmes petits lapins en tissu que chez Jerri's Bunny Hutch. Ambiance reposante.

🛏 **Avalon B & B** (plan A1-2, 2) : 189 William Street. ☎ 468-2091. Maison confortable. Chambres sans charme.

🛏 **The Leighton House** (plan B1, 4) : 16 Front Street. ☎ 468-3789. Charmante maison de 1820, près du lac. Beaucoup de meubles anciens, de moquettes et de tapisseries à fleurs, de tableaux et de bibelots. Très victorien. Proprios charmants et petit dej' compris.

🛏 **The Anchorage Motel** (plan B1, 5) : 186 Ricardo Street. ☎ 468-2141. Un peu plus cher que les B & B en été. Donne sur la marina. Légèrement excentré, récemment rénové, une vingtaine de chambres avec salle de bains et une grande salle de resto avec terrasse. Sympathique l'été.

Plus chic (de 100 à 170 $Ca, soit 61 à 103,7 €)

🛏 **Hickoryvale** (plan A1, 9) : 276 Mississauga Street. ☎ 468-3015. Quelques jolies chambres confortablement aménagées. Demander celles qui donnent sur le parc. Cuisine, salon et piscine à disposition.

🛏 **The Old Bank House** (plan B1, 7) : 10 Front Street. ☎ 468-7136. Très belles chambres dans une ancienne banque. Demander celles avec vue sur le lac Ontario. Petit dej' inclus très copieux. Bien sûr, c'est très cher, mais quel luxe !

🛏 **Moffat Inn** (plan B1, 1) : 60 Picton Street. ☎ 468-4116. Central. Un hôtel charmant, face au parc. Idéal pour les balades en amoureux.

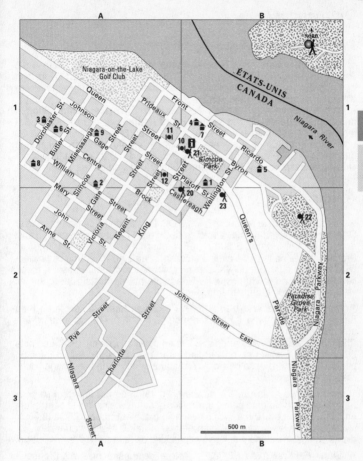

NIAGARA-ON-THE-LAKE

■ **Adresse utile**

■ Chamber of Commerce-Tourist Information

â **Où dormir ?**

1 Moffat Inn
2 Avalon *B & B*
3 Mrs Dietlinde Witt
4 The Leighton House
5 The Anchorage Motel
6 Terri's Bunny Hutch
7 The Old Bank House
8 Almar House

9 Hickoryvale

|●| **Où manger ?**

10 Stagecoach Family Restaurant and Ice Cream Parlour
11 Old Town Ice Cream Shoppe and Restaurant
12 Angel Inn

🏹 **À voir**

20 Niagara Historical Museum
21 Niagara Apothecary
22 Fort George
23 Shaw Festival

Où manger ?

Prix moyens (autour de 10 $Ca, soit 6,1 €)

|●| *Angel Inn (plan A1, 12)* : 224 Regent Street. Ouvert tous les jours de 11 h 30 à 1 h 30. Dans l'esprit d'un pub irlandais, ce resto sombre et bas de plafond nous convie près de sa cheminée ou de ses petites fenêtres aux volets intérieurs pour une cuisine plutôt européenne et des cakes « catholiques ».

|●| *Stagecoach Family Restaurant and Ice Cream Parlour (plan A-B1, 10)* : 45 Queen Street. Ouvert tous les jours de 7 h à 19 h. Resto américain bon marché.

|●| *Old Town Ice Cream Shoppe and Restaurant (plan A1, 11)* : 61-63 Queen Street. Ouvert de 7 h 30 à 21 h en été, 19 h en hiver. Petit dej' correct. Typiquement américain. Grand choix de glaces.

À voir

🎐 *Niagara Historical Museum (plan A-B2, 20)* : à l'angle de Castlereagh et Davy Streets. Ouvert de mai à octobre de 10 h à 17 h et de novembre à avril de 13 h à 17 h. Entrée : 3 $Ca (1,8 €) ; réductions.
Premier musée de la ville à avoir été construit, en 1907. On y voit des collections diverses du début du XXe siècle : costumes militaires, vaisselle, mobilier, ustensiles de la vie courante. Une petite balade nostalgique dans les vieilles malles des grands-mères.

🎐 *Niagara Apothecary (plan B1, 21)* : 5 Queen Street, à l'angle de King Street. Ouvert de mi-mai à septembre de 12 h à 18 h. Gratuit, existe grâce aux dons.
Pharmacie restaurée datant de 1866 et en activité jusqu'en 1964. Les pots en céramique, casiers en bois et flacons colorés nous accueillent dans un parfum de camphre et de bois ciré. À remarquer au plafond, les magnifiques rosaces en bois sculpté.

🎐 *Fort George (plan B2, 22)* : achevé en 1802, ce fort fut construit pour remplacer le fort Niagara passé aux mains des Américains, qui le détruisirent en 1813. Ouvert de 10 h à 17 h d'avril à fin octobre. Entrée : 6 $Ca (3,7 €) ; réductions. Visites guidées et manœuvres militaires réalisées par des étudiants en costume. Une manière sympathique de faire revivre le XIXe siècle.

🎐 *Shaw Festival (plan B2, 23)* : festival de théâtre présentant chaque année, de mai à novembre, des œuvres de George Bernard Shaw et de plusieurs de ses contemporains. Pour les bons en anglais uniquement. Informations et tickets au coin de Wellington et Picton Streets. ☎ 468-2172.

LES CHUTES DU NIAGARA (NIAGARA FALLS)

IND. TÉL. : 905

> « Les chutes du Niagara sont la deuxième déception de la jeune mariée. »
>
> Oscar Wilde.

On n'arrive pas, comme on pourrait le croire, sur un site sauvage et préservé. Les chutes sont au centre de la ville, elle-même transformée en véritable fête foraine : énormes enseignes lumineuses, attractions diverses et variées, Niagara Falls est un petit Las Vegas. Une fois la surprise passée, et en faisant abstraction des lumières et de l'activité grouillante, on est subjugué par les chutes, gigantesques, merveilleuses. On vient pour elles, et on n'est pas déçu. Alors, pour en profiter pleinement, préférez les visites tôt le matin. Loin des ruées de touristes, vous apprécierez toute la majesté du lieu. Pour se garer, pas d'autre choix que l'un des innombrables parkings. Comme le prix est à la journée seulement (il n'y a pas de petits profits), choisissez bien votre emplacement. Plus vous approchez des chutes, plus les parkings sont chers (10 $Ca pour les plus proches). Pas facile non plus de se repérer, les noms des rues changent aux principaux carrefours, mais les plaques, elles, restent inchangées. Le *Casino* et *Hollywood Planet* contribuent largement au « foutoir » urbanistique. Mais qu'importe, la plupart des touristes sont pris en charge par des tour-opérateurs.

UN PEU D'HISTOIRE

Il y a bien longtemps, les chutes se nourrissaient uniquement de quelques vierges indiennes que les Iroquois sacrifiaient à Niagara, « le Grand Tonnerre des eaux ». Elles coulaient alors des jours heureux, jusqu'à ce qu'un jésuite français, Louis Hennepin, vint y mouiller sa soutane en 1678, trouvant les lieux sublimes et effrayants. Tocqueville ne put s'empêcher d'y jeter un coup d'œil. « Dépêche-toi d'y aller. Ils ne tarderont pas à en faire une horreur », écrivit-il à un ami vers 1805. Quelle justesse de vue ! Dès 1825, les cabanes-auberges, hôtels de fortune et animations en tout genre se succédèrent pour arriver à ce que les « Falls » sont aujourd'hui. C'est en fait Joseph Bonaparte, le frère de l'autre, qui est, en partie, responsable de la mode de « la lune de miel » aux chutes. Intrigué par le récit que Chateaubriand en fit, il décida, accompagné de sa jeune épouse, d'effectuer le voyage en diligence depuis la Louisiane. C'était en 1803. Une fois rentré, il en fit une telle description aux notables et personnalités du coin que ceux-ci se mirent en tête de l'imiter. La mode était lancée. Pendant l'entre-deux-guerres, le développement des automobiles accéléra l'engouement des jeunes mariés. Enfin, en 1953, Marilyn Monroe vint y tourner *Niagara,* de Henry Hathaway, ce qui permit à la *Fox* de dire : « *Niagara,* le film où deux Merveilles du monde se partagent la vedette. » Aujourd'hui, des dizaines d'attractions toutes aussi décadentes les unes que les autres viennent prouver au visiteur qu'il « s'amuse » follement (il y a même un *musée Elvis Presley* ! Pauvre Elvis...). Le soir, on illumine les chutes qui passent par toutes les couleurs de l'arc-en-ciel. Complètement psychédélique.

DES CHIFFRES

L'été, les chutes déversent plus de 6 810 000 litres d'eau par seconde. L'érosion de la couche calcaire atteignait 1 m par an dans les années 1950. L'alimentation des centrales hydroélectriques a freiné la vitesse d'érosion à 30 cm. Le fer à cheval mesure 675 m de long et les chutes tombent de 54 m de haut. Leur caractère spectaculaire provient de leur puissance et du bouillonnement surréaliste que les chutes produisent. Le potentiel de la rivière atteint 5 millions de chevaux-vapeur... Allez huuuuue !

NARGUER LES CHUTES...

En 1859, le Français Jean-François Gravelet, dit Blondin, fut le premier casse-cou à défier les chutes. Il les traversa sur un filin tendu entre les rives américaines et canadiennes avec son imprésario perché sur ses épaules. En 1901, ce fut Annie Taylor, une institutrice du Michigan, qui réalisa la première descente des chutes... dans un tonneau. Elle ne savait pas nager. Depuis 1950, ces prouesses sont déclarées illégales.

Adresses utiles

☐ *Tourist Information* (plan A3, 1) : à Table Rock House, devant les chutes canadiennes. ☎ 1-800-56-FALLS. • http://discoverniagara.com • Du 15 mai au 15 juin, ouvert du dimanche au jeudi de 8 h 30 à 18 h (jusqu'à 20 h les vendredi et samedi), tous les jours de 8 h à 20 h du 15 juin au 1er septembre et jusqu'à 17 h du 1er septembre au 15 mai.

☐ *Centre d'information touristique de l'Ontario* (plan A2, 2) : 5355 Avenue Stanley. ☎ 357-3221 ou 1-800-ONTARIO. Fax : 358-6441. • www.ontariotravel.net • Baraque jaune et verte en tôle à l'intersection de Stanley et Roberts Streets. Ouvert toute l'année du lundi au vendredi de 8 h à 20 h ; les week-ends et jours fériés de 9 h à 18 h.
• ***www.niagaraparks.com*** • Site en anglais seulement (à l'exception des modalités pour le passage des postes de frontière, qui est aussi en français). Toutes informations sur les attractions et festivals.

■ *Niagara General Hospital* (plan A2, 3) : ☎ 358-0171. Urgences : 5400 Main Street.

Où dormir ?

En fait, inutile d'y passer la nuit : en 3 h, rédaction des cartes postales comprise, vous aurez fait le tour de la question. Et puis, les motels doublent leurs prix en période d'affluence. La ville évoluant très rapidement, les établissements ferment les uns après les autres et sont remplacés. Même le musée des Chutes a été transformé en hôtel-restaurant !

Camping

✗ *Niagara Glen View* (plan B1, 10) : 3950 Victoria Avenue, près de River Rd. ☎ 358-8689. Compter environ 40 $Ca (24,4 €) pour une tente en été. Pas très loin des chutes (3 km). Navettes toutes les 20 mn de 10 h à 22 h. Épicerie et petite piscine. Bruyant à cause de la piste des hélicos à proximité. C'est un camping à la dimension du pays, c'est-à-dire immense, avec des emplacements spacieux et ombragés et une ambiance familiale.

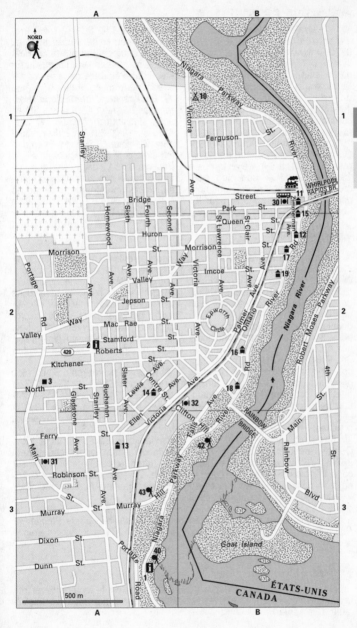

NIAGARA FALLS

Auberges de jeunesse

🛏 *Niagara Youth Hostel* (plan B1, 11) : 4549 Cataract Avenue. ☎ 357-0770. ● www.hihostels.ca ● Près de la rivière Niagara, à environ 3 km des chutes, très proche de la gare ferroviaire et de la gare des bus. Si on arrive de celles-ci, descendre vers la rivière Niagara par l'avenue sur laquelle donne la gare ferroviaire et celle des bus *Greyhound* ; c'est à 100 m sur la droite. Ouvert 24 h/24. Grande bâtisse en brique peinte en rose, avec 70 lits. Nuitée en dortoir à 18 $Ca, 23 $Ca pour les non-membres (11 et 14 €). Chambre double à 25 $Ca, 30 $Ca pour les non-membres (15,3 et 18,3 €) ; breakfast à 3,50 $Ca (2,1 €). Propreté un peu limite. Accès Internet. Cuisine équipée. Possibilité de louer des vélos (demander à l'accueil). En été, il est préférable de réserver par téléphone. Parking gratuit.

🛏 *Backpackers International Hostel* (plan B2, 12) : 4219 Huron Street, angle Zimmerman Avenue. ☎ 357-4266 ou 1-800-891-7022. Fax : 357-1646. Compter 18 $Ca (11 €) en dortoir avec petit dej' (délicieux muffins). Pas loin de l'AJ dans cette zone un peu éloignée des animations du centre. Grande maison, pleine de vieilles choses. Tenue par Charly, un patron super-sympa. Une très bonne adresse.

Motels

🏠 *Fairway Motel* (plan A3, 13) : 5958 Fallsview Bvd (ex-Buchanam Avenue). ☎ (905) 357-3005. Fax : (905) 357-3659. Presque à l'angle de Ferry Street. Prix très variables de 50 à 70 $Ca (30,5 à 42,7 €) la double. Faites-vous préciser « US$ » ou « $Ca », ce n'est pas toujours très net. Plus cher en fin de semaine. Breakfast continental de mai à octobre, compris. Malgré tout, c'est le meilleur rapport qualité-prix, compte tenu de son emplacement. Chambres de taille moyenne avec AC, téléphone, frigo. Piscine couverte et chauffée.

🏠 *Days Inn* (plan A2, 14) : 5068 Center Street. ☎ 357-2550. Fax : 357-7771. ● www.daysbythefalls. com ● Prolongement de Clifton Hill en plein centre, avec ses avantages (restos, boutiques, attractions) et ses inconvénients (bruit, passage). Compter de 90 à 180 $Ca (54,9 à 109,8 €) pour 2. Bel établissement sur 3 niveaux. Chambres spacieuses tout confort avec machine à café, frigo, quelques-unes avec micro-ondes. Piscine couverte chauffée, jacuzzi, centre de musculation et surtout parking gratuit. En plein centre, ça vaut le coup.

🏠 *Happiness Inn* (plan B1-2, 15) : 4181 Queen Street. ☎ 354-1688 ou 1-877-991-3343. Fax : 354-0041. ● www.happinessinn.com ● De 89 à 139 $Ca (54,3 et 84,8 €) en saison. Motel tenu par un Sri Lankais bien sympathique. Salles de bains, frigo, téléphone, micro-ondes et TV. Petit dej' offert à partir de 2 nuits sur place. Suites nuptiales avec jacuzzi. Piscine chauffée. Accueil cordial.

– Nombreux autres motels sur Lundy's Lane, accessibles par le *Shuttle Fall Bus* qui fonctionne de 8 h à 23 h, ou par le bus n° 3 l'été. Plus on s'éloigne des chutes, moins c'est cher.

B & B

En arrivant par la Niagara Parkway, avant les chutes, le long de River Rd, nombreux panneaux « Tourist Home ». Voici quelques adresses (il est préférable de réserver).

🏠 *The Derby House* (plan B2, 16) : 5207 River Rd. ☎ 374-0738. Autour de 85 $Ca (51,9 €). Petite maison à façade verdoyante en bordure d'une route assez passante. Joli jardin. Propose des chambres douillettes et propres avec salle de bains privée. Bon accueil de Martha qui reçoit des hôtes depuis une bonne dizaine d'années. Les chutes ne sont pas loin à pied.

🛏 *Bedham Hall* (plan B2, *17*) : 4835 River Rd. ☎ 374-8515. Entre 95 et 125 $Ca (58 et 76,3 €) la chambre. À côté de l'église. Non-fumeurs. Pas d'enfants de moins de 16 ans. Un peu plus loin que le précédent. À 20 mn de marche des chutes. Immenses chambres à un lit (*queen* et *king size*) dans une maison de bois vieille d'un siècle (cer-

taines avec jacuzzi pour ceux qui ont encore envie d'eau). Intérieur soigné, clair, légèrement lourd. Accueil sympa.

🛏 *Glen Mhor Guesthouse* (plan B2, *18*) : 5381 River Rd. ☎ 354-2600. Fax : 354-2600. ● www.glenmhor.com ● Autour de 100 $Ca (61 €). Cinq chambres décorées avec goût. Prix et service entre Derby et Chesnut. Superbe patio où vous pouvez prendre un petit dej' complet avec du pain qui vient de sortir des fourneaux. Ils viennent vous chercher gratuitement à la gare.

Chic

🛏 *Chesnut Inn* (plan B2, *19*) : 4983 River Rd. ☎ 374-7623. Compter 115 à 135 $Ca (70,2 à 82,4 €). Grande maison blanche, récente, tout en bois. Avec véranda, balcon et terrasse. Chambres très bien tenues. Deux d'entre elles, à

l'arrière, ont un accès direct à la terrasse sur le toit. Possibilité de coucher un enfant dans certaines. Beau jardin très fleuri avec petite fontaine. La gérante parle un peu le français (rare). Bonne adresse.

Où manger ?

C'est une bonne question à laquelle il est difficile de répondre. Si vous n'avez jamais goûté aux excellents hamburgers de *Burger King* (incroyablement bon marché), aux merveilleuses pizzas de *Pizza Hut,* aux grandioses *barbecue ribs* (une spécialité nord-américaine) de *Planet Hollywood,* c'est le moment ou jamais. Pour la localisation de ces établissements, suivez les flèches lumineuses. Heureusement, les restos italiens réservent de bonnes surprises et des bas prix, car il y a beaucoup d'immigrants italiens à Niagara Falls et les restaurateurs se font une compétition féroce.
Et aussi :

🍴 *Simon's Restaurant* (plan B1, *30*) : 4116 Bridge Street. ☎ 356-5310. *Burgers* et plats à partir de 4 $Ca (2,4 €). Ouvert de 5 h 30 à 20 h du lundi au samedi, le dimanche de 5 h 30 à 14 h. Ce resto-épicerie né en 1901 est un bric-à-brac indescriptible, avec des plaques d'immatriculation et des vieux journaux un peu partout. Les petits pépés du coin viennent y prendre un petit dej', une tarte à la rhubarbe ou s'enfiler un kawa, les camionneurs font leur loto et les ouvriers se tapent sur l'épaule en commentant l'actualité. Nous, on adore !

🍴 *La Fiesta* (plan A3, *31*) : 6072 Main Street, au nord de Robin-

son Street. Ouvert de 11 h à 20 h, jusqu'à 21 h le week-end. Parking privé. *Fish and chips* et plats à emporter. Filets de pêche, étoiles de mer et poissons secs accrochés au mur annoncent la couleur. Simple et bon. Thérèse, la proprio, fait des gâteaux savoureux.

🍴 *Victoria House Restaurant* (plan B2, *32*) : 5448 Victoria Avenue. ☎ 358-7542. Entre 13 et 20 $Ca (7,9 et 12,2 €). Plus chic que les précédents. On est content de trouver une telle adresse en plein cœur du chaos touristique. Nourriture de qualité : pâtes, moules-frites, délicieux steaks, salades bien préparées. Une petite salle tout en bois à l'atmosphère chaleureuse et une terrasse surélevée bien sympathique. Des groupes s'y produisent de temps en temps. Le patron indien est très attachant, c'est l'un des cuistots. Bon rapport qualité-prix. Service un peu long.

À voir. À faire

🎬 **Les chutes du Niagara :** elles sont bien plus belles (et commercialisées) du côté canadien : on les voit de face. Les Américains ne récoltent que 10 % du flot touristique de la « *Niagara exhibition* ».

🎬 **Table Rock House** *(plan A3, 40)* **:** au centre du balcon dominant les chutes. On peut y changer de l'argent. Mis à part la vue sur les chutes (superbe), remarquez l'échantillon de population venue de toute la planète pour voir le spectacle.

– **Journey behind the Falls** *(plan A3, 40)* **:** guichet dans la Table Rock House, ouvert de 9 h à 22 h. Pour 7 $Ca (4,3 €), on vous file un ciré jaune canari avant de vous faire prendre un ascenseur qui vous mènera à l'entrée de tunnels souterrains et humides. On a 3 vues étroites sur les chutes : deux complètement dessous et une autre plus éloignée. Seul le fait de réaliser qu'on est derrière les chutes est sensationnel. Sinon, on ne voit qu'un rideau d'eau.

🎬 **Skylon Tower** *(plan A3, 43)* **:** du haut, superbe vue sur les chutes. Ouvert de 8 h à 23 h. Compter 9 $Ca (5,5 €). À côté, la **Minolta Tower,** plus petite, mais plus proche des *Horsehoe Falls*. Pratiquement le même prix et les mêmes horaires. Vue magnifique sur les 2 chutes.

– **Maid of the Mist** *(plan B3, 42)* **:** le bateau fonctionne de 9 h à 20 h. Coût : 11 $Ca (6,7 €). Pas de sortie en hiver. La meilleure place, puisque le bateau emmène les passagers presque dans les chutes. Facile à repérer, cherchez sur la plate-forme au bord de l'eau les petits schtroumpfs qui attendent de prendre leur douche. Là, on vous file un ciré bleu, et c'est parti pour une séance de brumisateur. Rapport qualité-prix, c'est la meilleure attraction. Longues files d'attente.

– Pour les amateurs de musique pop, on signale que le grand pont qui traverse la rivière, le **Rainbow Bridge** *(plan B3)*, a été chanté par Jimi Hendrix. Il est à péage (petit tarif), même pour les piétons. N'oubliez pas votre passeport.

➤ *DANS LES ENVIRONS DE NIAGARA FALLS*

🎬 **Fort Érié :** ouvert de 10 h à 18 h de mi-mai à octobre. Le fort est situé dans un superbe parc près de l'embouchure de la rivière Niagara dans le lac Érié. En face, belle vue sur la ville de Buffalo (États-Unis). Détruit par les Américains en 1814, ce vieux fort présente une architecture imposante, à l'aspect d'une forteresse. Musée abritant des costumes militaires anglais et américains. Visites guidées, animations et exercices de tir par des étudiants, toute la journée. Un saut dans l'histoire bien agréable.
Fort Érié comprend aussi une superbe piste de chevaux de course, de même qu'un beau musée de maisons de poupées. Le petit centre-ville est un chapelet de restos chinois, tous meilleurs les uns que les autres, qui servent une clientèle fidèle qui vient surtout de Buffalo...

🎬 **Canal Welland :** situé à une quinzaine de kilomètres de Niagara Falls, ce canal possède une série d'écluses d'une grandeur impressionnante. D'énormes tankers empruntent cet étroit chenal pour passer du lac Ontario au lac Érié. C'est en haut de l'*observation deck* de l'écluse n° 3 que l'on a la meilleure vue. Si vous n'êtes pas vraiment branché écluses, évitez le détour.

⚰ *Crystal Beach :* en poursuivant au-delà du fort Érié, on parvient dans ce lieu de villégiature populaire. Grande plage propre, agréable et payante. Au bord du lac, charmants petits cottages, résidences estivales d'Américains et d'habitants de Toronto. Pas grand-chose à voir, mais si vous devez y passer la nuit, il y a un motel dans les environs.

🏠 *Crystal Beach Motel :* 122 Ridgeway Rd. ☎ 894-1750. Fax : 894-3691. Chambres à partir de 67 $Ca (40,9 €). AC, TV, micro-ondes et frigo dans toutes les chambres. Piscine.

QUITTER NIAGARA FALLS

En train

🚃 *Gare ferroviaire (plan B1) :* Bridge Street. Renseignements : ☎ 1-800-842-7245. ● www.viarail.ca ● Ouvert de 6 h à 20 h ; 7 h les week-ends. N'oubliez pas que les billets réservés 5 jours à l'avance sont moins chers, 10 jours pour un circuit.

➤ *Vers Toronto :* 3 départs tous les jours en saison. Vérifiez toujours les horaires.
– Train 90 (sauf les week-ends) : départ à 6 h 45, arrivée à 8 h 34.
– Train 92 (sauf les week-ends) : départ à 7 h 40, arrivée à 9 h 30.
– Le 98, lui, roule tous les jours en saison ; départ à 17 h 15, arrivée à 19 h 14. Compter 30 $Ca (18,3 €).

➤ *Vers New York :* 1 départ par jour. Tous les jours, le train 97 part à 11 h 50, arrive à 21 h 45. Arrêt à Buffalo à 13 h 55.

En bus

🚌 *Gare routière (plan B1) :* Bridge Street, en face de la gare ferroviaire. ☎ 1-800-661-8747. ● www.greyhound.ca ● Principaux départs du Greyhound-Courrier Express :

➤ *Vers Buffalo* (États-Unis) *:* 6 départs par jour : de 0 h 50 à 22 h 15 ; le vendredi, 1 départ à 23 h 55. Compter environ 1 h de trajet.

➤ *Vers New York* (États-Unis) *:* 5 départs par jour de 0 h 50 à 22 h 15 (même bus que ci-dessus qui s'arrête à Buffalo) ; 1 départ le jeudi à 22 h 15 et 1 départ le vendredi à 23 h 55. Durée du trajet : entre 9 h (celui du vendredi) et 10 h 30.

➤ *Vers Toronto :* 9 départs par jour de 8 h à 23 h 50. Compter environ 2 h.

LA RÉGION DE KITCHENER ET DE WATERLOO
350 000 hab.

On arrive là dans la vraie campagne faite de vergers où se nichent d'élégants petits bourgs victoriens.

Curiosité de la région : certains descendants des premiers immigrants allemands ont formé des communautés de *mennonites,* membres d'une secte protestante qui vivent encore comme au début du XIXe siècle : sans électricité, sans voiture, ils portent toujours le large chapeau noir et, pour les femmes, le bonnet serré autour des cheveux, et ne se déplacent qu'en carriole à chevaux. Ces « paysans » austères et frugaux sont pourtant souvent de très riches propriétaires terriens.

Vous pourrez les rencontrer dans leurs villages de St Jacobs ou Elmira : prendre la 86 Nord au départ de Waterloo (10 km) où se tient au mois d'avril le festival du Sirop d'érable. Dans les environs de St Jacobs, les mennonites vendent leurs produits au Farmers Market, un des plus extraordinaires marchés de l'Est canadien.

La ville de Kitchener-Waterloo abrite 2 grandes universités et donc des légions d'étudiants qui animent surtout le secteur historique de Waterloo.

ELORA *(IND. TÉL. : 519)*

Situé à une vingtaine de kilomètres au nord de Waterloo, Elora est un petit bourg qui a conservé tout le charme de ses vieilles pierres. On y fait un petit tour avant de pique-niquer au Grand River Park, où la rivière coule au fond d'un canyon. Le village et son canyon forment un des attraits les plus intéressants du sud de l'Ontario.

Adresse utile

⊞ *Tourist Information :* 128 Geddes Street. ☎ 846-9841. En contrebas de la bibliothèque municipale *(public library)*. Ouvert tous les jours, en été de 10 h à 18 h, et en hiver de 8 h 30 à 16 h 30.

À voir

🦌 *Le cœur de la ville :* le moulin, transformé en auberge, les ruelles et les maisons du XIXe siècle.

🦌 *Grand River Park :* 400 Clyde Rd. ☎ 621-2761. Fax : 621-4844. Ouvert d'avril à octobre. Entrée : 3,50 $Ca (2,1 €) par personne. Comme tous les parcs canadiens, celui-ci est très bien aménagé pour le camping. On plante sa tente à partir de 10 $Ca (6,1 €). Nombreuses activités nautiques dans les gorges autour des chutes. Ambiance pique-nique familial le week-end, et réunions de clubs.

Festival

– *Elora Festival :* de mi-juillet à mi-août. Jazz, classique et chorégraphies, pour tous les goûts et toutes les bourses (de 10 à 40 $Ca, soit 6,1 à 24,4 €). Renseignements à l'*Elora Festival Office,* 33 Henderson Street. ☎ 846-0331. Fax : 846-5947. ● www.elorafestival.com ●

À voir dans les environs

🦌 *West Montrose :* au sud d'*Elora*. Le dernier pont couvert de ce genre dans l'Ontario enjambe la Grand River. Il fut construit en 1880, mesure 60 m de long et est encore en service.

OWEN SOUND   21 000 hab.   IND. TÉL. : 519

Agréable capitale régionale sur la route de la péninsule Bruce. Son air vaguement historique et son « bras de lac » (de là son nom) magnifique en font une halte agréable.

Adresses utiles

🛈 **Visitor's Information Center :** 1155 1st Avenue W. ☎ 371-9833 ou 1-888-675-5555. ● www.city.owen-sound.on.ca ● Dans l'ancienne gare au bord de la Syblenham River. Ouvert de mai à septembre de 8 h 30 à 17 h, les week-ends de 12 h à 16 h.

🚍 **Transit Terminal :** à l'angle de la 3rd Avenue et de la 10th Street. ☎ 376-5375. Pour Toronto, 3 départs par jour du lundi au samedi, et 2 départs le dimanche. Durée : 3 h 30.

Où dormir ?

⛺ **Harrison Park Family Campground :** juste au sud d'Owen Sound. Entrée par la 2nd Avenue E (au nord de la Country Rd 18). Près des chutes Inglis. Situé dans le joli Harrison Park, le long des berges de la rivière Sydenham, au pied de l'escarpement du Niagara. Très agréable, même si les 100 emplacements sont petits et rapprochés.

🏠 **Diamond Motel :** 713 9th Avenue E, sur les Highways 6 et 10 (à l'intersection de la 7th Street E, en entrant dans Owen Sound depuis Toronto). ☎ 371-2011 ou 1-800-461-7849. Fax : 371-9460. Propose une vingtaine de chambres très bien tenues, avec kitchenette, à 130 $Ca (79,3 €) en haute saison. La propriétaire du motel vous indiquera, avec enthousiasme, les endroits à voir dans le coin. Petite piscine extérieure.

Où manger ?

🍽 **Channing Restaurant :** 1002 2nd Avenue E (angle 10th Street E). ☎ 376-0718. Ouvert de 11 h à 22 h (23 h les vendredi et samedi). Spécialités surtout chinoises. Assiettes complètes à 6,50 $Ca (4 €) à midi. Compter une dizaine de dollars le soir. Des plats copieux et savoureux, pour tous les goûts. Salle à manger lumineuse et propre. Bon service.

À voir

🦌 **Inglis Falls :** Scenic Route, sur la 2nd Avenue E. Bien sûr, rien de comparable avec les chutes du Niagara, mais c'est un joli coin de nature encore préservé, et ça permet d'oublier la ville toute proche. Belle vue sur la forêt et sur l'Harrison Park.

🦌 **Tom Thomson Memorial Art Gallery :** 840 First Avenue W (à l'angle de la 8th Street E), à 500 m de la Highway 6, bien fléché. ☎ 376-1932. ● www.tomthomson.org ● Petit musée (gratuit) d'art visuel dédié à Tom Thomson, fils d'Owen Sound et leader du Groupe des 7 qui a marqué les tableaux de nature de la peinture canadienne anglaise. Ce lieu sympa dépasse l'attrait des œuvres de Thomson.

LA PÉNINSULE BRUCE ET TOBERMORY

IND. TÉL. : 519

La péninsule Bruce, longue de 100 km, suit l'escarpement du Niagara et sépare la baie Georgienne du bassin principal du lac Huron. C'est le seul coin du sud de l'Ontario qui a conservé une grande partie de sa nature d'ori-

L'ONTARIO

gine. En fait, c'est un lieu de vacances remarquable, bien connu des Allemands et des Hollandais. La mi-juin est le meilleur moment pour y aller. Avant il fait trop froid, après il y a foule dans les hébergements pas si nombreux. Réserver donc. À noter que la péninsule est au confluent de deux systèmes météorologiques et que le temps y change super-vite. Crème solaire et imper peuvent vous servir durant la même excursion.

Comment y aller ?

➢ **D'Owen Sound,** prendre la Highway 6 Nord, vers Tobermory.
➢ Si vous souhaitez vous balader, vous pouvez **longer la côte** d'Owen Sound à Tobermory. Très belle vue sur la baie Georgienne. L'eau est bleue et transparente... mais très froide ! Petits chemins de campagne, bordés de champs, de pins et de fermes. La plus belle balade en voiture mène à la *Cabot Head Provincial Nature Reserve,* du côté est de la péninsule.

Adresses utiles

🔅 **Visitor's Center :** Tobermory Chamber of Commerce. Sur la Highway 6 en arrivant à Tobermory. ☎ 596-2452. ● www.tobermory.org ● Ouvert de 9 h à 21 h l'été.

🔅 **National Parks Visitor's Center :** sur le port. Informations sur les 2 parcs nationaux de la péninsule (parc de la Bruce Peninsula et parc national marin Fathom Five) : ☎ 596-2233. Ouvert de 9 h à 21 h en été. Fermé en hiver.

🔅 **Bruce Peninsula Tourism :** ☎ 793-4734. ● www.brucepeninsula.org ●

■ **Clinique :** ☎ 596-2305.

■ **Police :** ☎ 596-2426 ou 1-800-310-1122.

■ **Location de canoës :** aux *Cedar Grove Cottages,* près du Cameron Lake. ☎ 596-2267. Ou *Tobermory Adventure* : 112 Bay S, au ☎ 596-2289.

■ **Location de vélos :** à *Lands End Park Campground.* ☎ 596-2523.

■ **Banque :** *Royal Bank,* 7371 Highway 6, un peu avant Tobermory, presque en face de la station *Esso.* Ouverte seulement les mardi et vendredi de 10 h à 12 h et de 13 h à 15 h 30. Distributeur de billets (heureusement !).

■ **Radio :** 560 AM diffuse du jazz, de vieux classiques américains et des discussions animées.

@ **Internet :** accès pas cher à la bibliothèque publique (entre *The Fish and Chips Place* et *The Sweet Shop*).

Où dormir ?

Campings (18 $Ca la nuit par tente, soit 11 €)

⚊ **Tobermory Village Campground :** à 3 km au sud de Tobermory, entrée sur le côté ouest de la Highway 6. ☎ 596-2689. ● www.tobermoryvillagecamp.com ● Ouvert de mai à mi-octobre ; 110 emplacements. Camping avec piscine, très bien organisé. Sites ombragés. Parcours de golf adjacent.

⚊ **Cyprus Lake Campground :** dans le parc national de la péninsule de Bruce, à 10 km au sud de Tobermory. ☎ 596-2263. Fax : 596-2433. Réservations du lundi au vendredi, de 8 h 30 à 16 h 30. Ouvert de mai à septembre. Très très très (ce n'est pas une erreur d'impression) populaire, il faut réserver bien à l'avance ! Camping en pleine nature, au bord d'une eau turquoise, scintillante, inoubliable. De belles balades à faire à pied, en canoë ou à vélo. Attention aux moustiques ! Ils aiment le parc aussi et ils s'y croient chez eux...

L'ONTARIO

⚠ *Cape Croker Indian Park :* entrée par la Rural Rd 5, sur la péninsule du cap Croker, au nord-est de Wiarton, entre Owen Sound et Tobermory. ☎ 534-0571. Compter 20 à 22 $Ca (12,2 à 13,4 €) l'emplacement. Ici, vous pouvez jouer aux campeurs et aux Indiens. Les Chippawas de Nawash de la *Cape Croker First Nation* vous accueilleront sur leur grande et magnifique réserve. Réservations recommandées ; 250 emplacements marqués, dont plusieurs ont des vues superbes sur la baie Georgienne et l'escarpement du Niagara. Les Chippawas de Nawash sont assez gentils, mais ils sont surtout très fiers : leur territoire n'a jamais été cédé par traité aux Blancs, ce qui est d'autant plus étonnant que ce territoire est superbe. Ils vous inviteront à participer à leurs fêtes et à acheter leur artisanat.

Prix moyens

🛏 *Blue Bay Motel :* du côté droit du port, ledit « Little Tub Harbour ». ☎ 596-2392. ● www.bluebay-motel. com ● Chambre double à 86 $Ca (52,5 €). Fort populaire car les chambres, propres et agréables, permettent de voir le mignon petit port et la baie (surtout celles à l'étage). Proprios très pros et de bon conseil.

🛏 *Peacock Villa Motel :* sur la Highway 6, prendre le petit chemin sur la gauche au niveau du port (c'est indiqué). ☎ 596-2242. ● www.peacockvilla.com ● Bien situé. Chambre double à 65 $Ca (39,7 €) et chalets à 65 et 75 $Ca (39,7 et 45,8 €). Vous aurez le choix entre une chambre classique, type motel, et un pittoresque petit chalet en bois à l'ombre des arbres avec kitchenette. Barbecue à disposition. Pour nous, y'a pas photo !

Où manger ?

🍽 *Shipwreck Lee's bar & bistro :* en arrivant au port, sur la droite. ☎ 596-2177. Ouvert d'avril à octobre de 17 h à 21 h en basse saison et de 11 h à 2 h en haute saison. Plats de 8 à 19 $Ca (4,9 à 11,6 €). Un décor de masques venus des quatre coins du monde et menu présenté sous forme de journal : des infos, des jeux, des nœuds... Les serveurs vous aspergent gratuitement de spray antimoustiques pendant le repas ! Quelle délicatesse ! Spécialité de *whitefish* du lac Huron, à chair blanche délicate, *fish and chips*, plats de pâtes ou de poulet et steak. Musique live ou comédiens tous les soirs d'été sur la grande terrasse.

🍽 *Craigie's Harbourview Restaurant :* à l'entrée du port, dans une cabane de bois. ☎ 596-2867. Ouvert tous les jours de 7 h à 19 h 30. Boui-boui *canadian* typique avec du cholestérol à la tonne et des sourires amicaux qui aident à faire passer la cuisine pas trop subtile. Spécialités : gros petits dej' et *fish and chips*. Pas cher. Service rapide.

À voir. À faire

⛰ *Singing Sands (plage des Sables chantants) :* sur la Dorcas Bay Rd, à 5 km au sud de Tobermory, sur les bords du lac Huron. Plage bordée de sapins où l'on peut se baigner dans 1 m d'eau (chaude) pendant plus de 2 km ! Les Canadiens viennent pique-niquer ici en famille le soir en été.

🌳🌳🌳 *Bruce Peninsula National Park :* à 10 km au sud de Tobermory, sur la Highway 6. Informations : ☎ 596-2233. Réservations camping : ☎ 596-2263. Ouvert de 8 h 30 à 16 h 30. Entrée : 8 $Ca (4,9 €) par voiture. De nombreux chemins de randonnée balisés sillonnent ce parc. Réellement impressionnants, les paysages se découvrent à pied, au fur et à mesure de la progression le long du *Bruce Trail.* Ce sera un moment fort de votre voyage au Canada.

– Le *Bruce Trail* est un super-sentier de randonnée d'environ 800 km, qui longe l'escarpement du Niagara, entre Queenston (près de Niagara Falls) et Tobermory. Pour plus d'informations et des plans détaillés (essentiels), vous pouvez contacter : *The Bruce Trail Association,* à Hamilton. ☎ 1-800-665-4453 ou (905) 529-6821.

➤ Plusieurs balades d'environ 1 h vous sont proposées à partir du lac Cyprus. Nous vous conseillons de prendre le sentier *Georgian Bay* qui mène au bord de l'escarpement. Très beaux points de vue : grottes, plages de galets blancs, eaux cristallines... À la pointe Halfway Rock, on aperçoit au loin les îles Flowerpot et Bears Rump ; on passe ensuite devant une arche naturelle et la grotte, toutes deux creusées par les vagues dans la dolomite, une roche poreuse. On revient par le sentier du lac Marr en empruntant un petit bout du Bruce Trail (suivre les marques rectangulaires blanches sur les arbres).

🎥 *Fathom Five National Marine Park (parc national marin) :* regroupe 5 îles dont la fameuse île « Pot de Fleur » *(Flowerpot)* où il est possible de camper (5 places, pas de réservation). Ses eaux limpides, ses épaves, ses fonds rocheux en font l'un des hauts lieux de la plongée en eau douce au Canada. Confirmés et débutants s'y donnent rendez-vous. Informations au centre d'inscription des plongeurs sur le port. ☎ 596-2503. Les épaves sont également visibles des bateaux qui mènent à Flowerpot.

➤ *Balade dans les îles :* à partir de 12 $Ca (7,3 €) par personne. Plusieurs compagnies de promenades en bateau, toutes situées sur le port, proposent des circuits. Les paysages, les rochers et les phares sont d'une rare beauté. Départs fréquents à partir de 9 h, tous les jours en été. Si vous disposez d'une journée, vous pouvez vous faire déposer sur une île le matin et en profiter pour pique-niquer (attention, pas de point de vente d'eau et de nourriture sur les îles).

L'ÎLE MANITOULIN   IND. TÉL. : 705

La plus grande île en eau douce du monde ! Cette bande de terre baignée par les eaux du lac Huron et de la baie Georgienne mesure plus de 100 km de long pour 40 km de large. Un tiers de ses habitants est d'origine indienne. C'est un endroit paisible, en retrait du monde « civilisé ». Il est d'ailleurs fort conseillé de débarquer avec sa voiture ou son vélo car aucun transport public n'est prévu sur l'île. Une chose est sûre : on vient ici pour se reposer et profiter de la nature, pas pour faire la fête ! L'île s'anime pourtant le premier week-end du mois d'août lors des annuels *Pow-Wow,* fêtes indiennes traditionnelles. À la pointe ouest de l'île, vous verrez des chevreuils sauvages gambader un peu partout. Inoubliable.

Comment y aller ?

⛴ *Chi-Cheemaun Ferry Service :* ferry entre le port de Tobermory et South Baymouth sur l'île Manitoulin. De la place pour environ 650 passagers et 145 véhicules sur ce beau navire qui fait 100 m de long. Compter 12 $Ca (7,3 €) par passager (réductions) et 26 $Ca (15,9 €) par véhicule automobile. Renseignements au terminus de Tobermory (☎ 596-2510) ou au terminus de South Baymouth (☎ 705-859-3161). Réservations au ☎ 1-800-265-3163. Environ 3 départs par jour, les horaires changent beaucoup selon les périodes. Ferry actif de mai à mi-octobre. La traversée dure 1 h 45. Il est possible de ne passer qu'une journée sur l'île Manitoulin (le dernier ferry part de South Baymouth en fin de soirée). Cafétéria. *Chi-Cheemaun* ça veut dire quoi ? Cette question vous brûle les lèvres. Bon. Ça veut dire « gros canot » en langue ojibwé...

Adresses utiles

Centres d'informations : 2 possibilités.
– Si vous arrivez par la route : *Manitoulin Information Center,* situé à Little Current (à droite après le pont). Ouvert de fin avril à fin octobre. ☎ 368-3021. Fax : 368-3802. Le centre se charge des réservations de ferry.

– Si vous arrivez par le ferry : *Information Center* au terminal du ferry à South Baymouth. Ouvert de 8 h à 20 h.
■ *Sue's Taxi :* ☎ 368-3293. Peut vous conduire de Little Current au terminal du ferry.

L'ONTARIO

Où dormir ?

Bon marché (moins de 50 $Ca, soit 30,5 €)

⚕ *Camping Providence Bay Park :* à Providence Bay. ☎ 377-4650. Ouvert toute la semaine de 9 h à 21 h. Assez central. Clientèle familiale et internationale. En face de la plage.

🛏 *Bridgeway Motel :* sur la Highway 6 Nord, à Little Current. Sur la route d'Espanola. ☎ 368-2242. Chambres simples et pratiques.

À voir

⌓ Plage de sable fin à *Providence Bay.*

🌿 Point de vue superbe sur le sentier *Cup & Saucer,* sur la 540 entre West Bay et Little Current. Chemin de randonnée d'environ 1 h. Panorama sur la forêt et les lacs. Vraiment magnifique.

🌿 *Réserves d'Indiens :* à *West Bay* et *Wikwemikong.* Rien de spécial à voir quand il n'y a pas de fêtes indiennes *(Pow-Wow).* Quelques jolis magasins d'artisanat cependant.

LA RÉGION DES BLUE MOUNTAINS IND. TÉL. : 705

THORNBURY

Petit village connu essentiellement pour ses possibilités de ski en hiver. Si, si, avec un peu d'élan, vous finissez dans le lac !

CRAIGLEIGHT

Une petite ville paisible en passe de devenir LA station de ski alpin, située au pied des Blue Mountains, prolongement de l'escarpement et point culminant du massif du Niagara.

L'ONTARIO

Adresse utile

■ *Location de matériel de ski et de vélos :* on trouve plusieurs boutiques de location au pied de l'auberge *Blue Mountain* et des remontées mécaniques.

Où dormir ?

🛏 *Blue Mountain Inn :* adorable auberge située non loin des remontées mécaniques de Craigleight. Prendre le chemin qui monte avant le complexe du *Blue Mountain Inn* (à ne pas confondre !). ☎ 445-0231. Nuit à 120 $Ca (73,2 €) pour 2 en haute saison. Téléphoner pour connaître les disponibilités ; 83 places au total. Demi-tarif pour les possesseurs de la carte des AJ. Cuisine, sauna, grande salle avec cheminée, point de départ d'une balade à proximité. Tout le charme d'un chalet de montagne.

À voir

🐾🐾 *Scenic Caves :* Scenic Caves Rd, un peu à l'ouest de Collingwood. ☎ 446-0256. Ouvert tous les jours de mi-mai à mi-octobre, en fonction de la météo, généralement de 10 h à 17 h. Entrée : 10 $Ca (6,1 €) ; réductions. On exige le port de chaussures de sport ou de randonnée. Grottes rafraîchissantes où l'on peut admirer des fossiles. Le roc de l'escarpement du Niagara est crevassé et permet plein de découvertes. Beaux points de vue panoramiques sur le circuit. Départ d'une randonnée pour accéder au sommet de la montagne. Compter environ 1 h 30. Superbe panorama sur la Nottawasaga Bay.

À faire

– *Ski en hiver :* de mi-décembre à mi-mars.
– *Randonnée, mountain bike en été.*

COLLINGWOOD *(IND. TÉL. : 705)*

Adresses utiles

ℹ *Tourist Information Center :* 6011 1st Street, au croisement de la Highway 26. ☎ 445-7722 ou 0748. Se charge des réservations des hôtels dans la région.

■ *Banque nationale :* 108 Hurontario, presque en face de l'hôtel de ville. Ouverte de 8 h 30 à 17 h du lundi au jeudi (18 h le vendredi), de 9 h à 12 h le samedi. Distributeur de billets.

WASAGA BEACH   IND. TÉL. : 705

Les longues plages de la Nottawasaga Bay attirent de plus en plus de monde, et l'exploitation touristique s'accélère d'année en année. Plus du tout le Canada sauvage ! La plage de Wasaga fait 14 km de long et se targue d'être la plus grande plage d'eau douce du monde. Il est possible de venir en bus tôt le matin depuis Toronto et d'y retourner le soir.

Adresse utile

🛈 **Visitor's Information** : plage Area 1 et 2. À côté du parc d'attractions. Ouvert de 10 h à 17 h, uniquement l'été. ☎ 429-3847 ou 1-866-292-7242. ● www.wasagabeach.com ●

Où dormir ?

La ville regorge de motels, locations, chambres à louer au jour, à la semaine, au mois, sur le « front de mer » et sur la Highway 92... assez chers l'été et de qualité diverse.
– Pas de *Provincial Park Campground*. Les campings, à partir de 30 \$Ca (18,3 €) la nuit, sont privés, donc on vous entasse et on vous presse comme des citrons.

⚓ **Jell-E-Bean Park Camping Ground** : n° 8681 sur la Highway 26, un peu avant l'intersection avec la Highway 92. ☎ 429-5418. Petite piscine. À 2 mn de la plage. Camping familial.

⚓ **Cedar Grove Park :** 100 Cedar Grove Parkway, en face du précédent, un peu plus calme cependant. ☎ 429-2134. Location de bouées, vélos et canoës. Bien équipé ; 150 places.

À voir. À faire

– **Waterworld :** sur la plage 1 et dans le Main Park de la Highway 92 E. ☎ 429-4400. Toboggan géant et piscines en tout genre.

🗡 **Nancy Island Historic Site :** sur Mosley Street. ☎ 429-2728. En plein centre, face au *Visitor's Information*. Musée gratuit et fort intéressant ; le parking est payant car c'est tout près de la plage principale. Nancy Island est une île composée d'alluvions qui sont venues s'accoler à l'épave d'un bateau britannique, le *Nancy*, coulé sur la rivière Nottawasaga alors qu'il cherchait un abri contre les attaques américaines durant la guerre de 1812. Histoire fascinante. Bonnes explications sur cette guerre obscure mais sanglante, et sur la vie des voyageurs canadiens français de l'époque.

PENETANGUISHENE   8 000 hab.   IND. TÉL. : 705

« L'Endroit du Sable blanc roulant », en indien, est un petit port bien protégé, situé au cœur de la Huronie, région autrefois peuplée par les Hurons, tribu indienne semi-sédentaire, et les Iroquois, ennemis jurés des premiers. Au départ du petit port, superbe balade à travers les « 30 000 Islands », aussi nommées Georgian Bay Islands. N'oubliez pas la visite des établissements navals et militaires, très intéressante. La ville est surnommée « Penetang », c'est plus court. C'est un foyer de la vie francophone en Ontario.

Adresses et infos utiles

🛈 **Tourist Information :** sur le port. ☎ 549-2232. ● www.town.penetan guishene.on.ca ● Ouvert de 9 h à 17 h, tous les jours de juin à septembre.

L'ONTARIO

✉ *Bureau de poste :* 36 Main Street (près du port). Ouvert du lundi au vendredi de 8 h 30 à 17 h 15.

@ *Internet :* Main Street Computers, au 29 Main Street, tout près du bureau de poste. ☎ 549-1303. Ouvert la semaine de 10 h 30 à 17 h. Cher (7 \$Ca, soit 4,3 € l'heure), mais c'est la seule possibilité ici.

■ *Centre d'activités françaises* (administré par La Clé d'la Baie en Huronie) : 63 Main Street. ☎ 549-3116 ou 1-877-316-6449. Bureaux ouverts la semaine de 8 h 30 à 16 h 30. Dans la rue principale. Centre culturel et social. N'hésitez pas à vous y rendre, l'accueil est chaleureux et on y fera tout pour vous aider, dans la mesure du possible. Le centre donne des informations sur les chambres disponibles dans la région. Bar le vendredi en fin de journée, parfait pour faire des rencontres. Soirées « d'échanges » franco-canadiens pour les groupes, sur demande.

■ *CFRH :* radio locale en français. 88.1 FM.

🚌 *Bus Terminal :* PMCL, Roberts Street (angle Main Street). ☎ 549-3388 ou 1-800-461-1767. • www.midlandtours.com • Pour Toronto, 3 départs par jour.

Où dormir ?

Se loger revient moins cher à Penetang qu'à Midland, plus touristique.

Campings

⛺ *Awenda Provincial Park Campground :* à la pointe de la péninsule, à 11 km de Penetang. ☎ 549-2231. • www.ontarioparks.com • Ouvert de 8 h 30 à 22 h. Nuit à partir de 20 \$Ca (12,2 €), 333 emplacements. Camping simple, en accord total avec la nature. L'endroit est vraiment chouette, non loin du lac. Le parc est immense (2 062 ha). Nombreux sentiers de randonnée. Nécessité d'être motorisé, car loin de la plage. C'est ici que l'explorateur français Étienne Brûlé a été tué par les Amérindiens. Brûlé ne détestait pas la magouille et les femmes, et ça lui aurait été fatal...

⛺ *Camping Lafontaine :* 240 chemin Lafontaine Est, Route régionale 4. ☎ 533-2961. • www.lafontaine-ent.on.ca • Ouvert du 1er mai au 15 octobre. Très grand (550 places !). Camping qui appartient à de fiers Franco-Ontariens. Très familial. Grande piscine. Sympathique et bon enfant. Sentiers en forêt. À quelques kilomètres du parc provincial Awenda.

B & B (de 50 à 80 \$Ca, soit 30,5 à 48,8 €)

🛏 *Chez Vous, Chez Nous Couette et Café :* 160 Lafontaine Rd W, à Lafontaine, à 3 km de Penetanguishene. ☎ 533-2237. Ouvert toute l'année. Grande maison blanche au milieu des champs. Dans ce village, 35 % des habitants parlent le français. Georgette Robitaille vous enchantera par son hospitalité et sa cuisine typiquement franco-canadienne. Ses grandes chambres colorées sont arrangées avec soin. Près des plages. Idéal pour les familles nombreuses. Demandez à son mari de vous raconter la légende du « Loup de Lafontaine »...

🛏 *N° 1 Jury Drive Bed & Breakfast :* 1 Jury Drive. ☎ 549-6851. • www.jurydrbb.huronia.com • Ouvert toute l'année. De 80 à 125 \$Ca (48,8 à 76,3 €). Belle maison de style victorien proche du théâtre et de Discovery Harbour. Le n° 1 de la rue, et également le n° 1 des B & B de la région. Tout y est parfait, rien à rajouter... Ah si ! les propriétaires ont des vélos à disposition.

Où manger ?

Prix moyens (autour de 10 $Ca, soit 6,1 €)

IOI *The World Famous Dock Lunch :* snack gréco-américain, sur le port. ☎ 549-8111. Ouvert de 7 h à 21 h (22 h le vendredi). On y mange les pieds dans l'eau depuis 1957. Parfait pour les gros creux après la croisière des 30 000 Îles. On commande un hamburger et on rajoute tous les condiments possibles et imaginables : oignons, olives, maïs, ketchup, sauces de toutes les couleurs et de toutes les saveurs... Aussi, excellentes salades (c'est ce que ce resto fait de mieux), souvlakis, poisson frit et glaces. Le proprio, Nick Boudouris, est un maniaque de hockey sur glace. La salle à manger est tapissée de photos de héros en patins de la région. Fait aussi des petits dej'.

Du bon fast-food honnête dans un endroit typique avec une vue magnifique. Et avec un sens de l'humour *(World Famous...)* indéniable.

IOI *Captain Ken's :* 70 Main Street, devant le centre francophone. ☎ 549-8691. Ouvert tous les jours midi et soir. Petite salle sympa sans prétention. Poissons frais des Grands Lacs (poêlés) et des océans (frits).

IOI *Olympia Gardens :* 106 Main Street. ☎ 549-4809. Ouvert le soir seulement dès 17 h. Fermé le dimanche et lundi. Semble anodin de l'extérieur mais fort excellent à l'intérieur : pâtes, steaks, poissons... Belle salle à manger où il faut être vêtu correctement.

À voir. À faire

Penetanguishene 30 000 Island Cruises : chouette croisière à travers les 30 000 Îles sur le *Georgian Queen,* un steamer tout en métal. ☎ 549-7995 ou 1-888-682-6678. Départ à 14 h, à gauche de l'office de tourisme, de juin à septembre. Commentaire en français sur demande. Durée : 3 h environ. Le circuit coûte 15 $Ca (9,2 €). Possibilité de déjeuner à bord. Les paysages sauvages et déchiquetés, embrasés par la lumière, prennent des allures extraordinaires.

Discovery Harbour : tout au bout de Jury Drive, à 3 km du centre-ville. Dans la ville, suivre le panneau « King's Warf Theather ». Ouvert de 10 h à 17 h (dernière visite à 16 h 15). Tous les jours de semaine de mi-mai à environ début septembre. Entrée payante ; réduction étudiants.
Arsenal datant du début du XIXe siècle, transformé en musée animé par des étudiants en costume. Ce havre de la découverte est composé de 15 bâtiments, qui faisaient partie du fort et servirent de quartier général aux Anglais pendant la guerre de 1812 contre les Américains. Chaque bâtiment présente un aspect différent de la vie de l'arsenal : entrepôts, quartiers d'habitations, chantiers de construction, et même un théâtre. Les enfants peuvent participer activement en apprenant à faire des nœuds, en donnant un coup de main à la réparation d'un bateau. Belle vue sur les environs.

De Penetang, vers de superbes plages : en vous promenant sur la côte sud-ouest de la péninsule, vous découvrirez une multitude de grandes plages sablonneuses ou de petites criques rocailleuses. On a aimé : *Balm Beach, Rowntree Beach, Tiny Beach* et *Lafontaine Beach.* Les routes qui y mènent traversent une campagne fraîche et boisée, bordée de cottages et de villages minuscules comme **Lafontaine** et sa charmante église au long toit rouge effilé.

Cedar Point et **Christian Island :** à l'extrémité ouest de la péninsule, on débouche sur un port minuscule. Un traversier vous conduit sur Christian

Island (plusieurs départs par jour de 7 h 30 à 17 h 30, et jusqu'à 19 h 30 le week-end), réserve des Indiens ojibwés. Tarif : 40 $Ca aller-retour par voiture, ou 8 $Ca aller-retour par personne si vous n'êtes pas motorisé (24,4 ou 4,9 €). Sur cette île s'étaient réfugiés les Hurons ainsi que les missionnaires jésuites après le massacre du fort Sainte-Marie en 1649. Quand ils voulurent partir en traversant le lac gelé, la glace se rompit... sonnant ainsi le glas de la nation huronne. La réserve – très pauvre – n'a rien de particulièrement attrayant, mais pour qui souhaite entr'apercevoir la situation des Indiens au Canada, la visite est instructive. Évitez les appareils photo. Possibilité de camper.

MIDLAND

IND. TÉL. : 705

Station balnéaire très prisée (l'animation nocturne est tout de même loin d'y être tropézienne) et haut lieu historique de l'Huronie. C'est ici que les jésuites français se sont distingués par leur obstination à convertir les Indiens hurons. On y rencontre encore beaucoup de francophones et quelques Indiens. Un endroit à multiples facettes. Midland a de fort jolies maisons. Ses fresques historiques extérieures démontrent une belle fierté. La peinture murale présentant le village des jésuites est immense, elle recouvre un très grand bâtiment au bord de l'eau.

UN PEU D'HISTOIRE

D'abord, il faut savoir que le nom de « Huron » provient du mot français « hure ». Les marins français s'écriaient : « Quelles hures ! » en voyant passer des Indiens hurons dont la coupe de cheveux en crête hérissée faisait penser au poil de sanglier ou de cochon. Leur véritable nom était *Ouendats* ; 30 000 d'entre eux y vivaient à l'époque où Jean de Brébeuf, jésuite français, en donna la première description. Agriculteurs, donc sédentaires, les Indiens se tournèrent rapidement vers l'exploitation des fourrures avec les Français qui leur apportaient en échange farine, tabac, maïs et autres denrées, ainsi que des objets divers. Les belliqueux Iroquois, ennemis des Hurons et des Français, lancèrent de nombreuses attaques depuis ce qui est aujourd'hui l'État de New York, décimant peu à peu la tribu huronne faiblement armée. C'est cette situation qu'eurent à connaître les premiers récollets (religieux franciscains réformés), puis les jésuites, de 1615 à 1650. Apportant la bonne parole avec eux, ils ont, en fait, contribué à l'anéantissement moral et physique des Hurons, semant la discorde entre les membres d'une même famille, exacerbant la haine des Iroquois.

Adresses utiles

🔲 *Tourist Information :* Midland Chamber of Commerce, 208 King Street. ☎ 526-7884. Fax : 526-1744. ● www.southerngeorgianbay.on.ca ● Ouvert de 8 h 30 (10 h le week-end) à 18 h, tous les jours en été. Fermé le week-end en hiver.
✉ *Post Office :* 525 Dominioan Avenue.
■ *Police :* ☎ 526-2201.

🚌 *Bus terminal :* PMCL, 475 Bay Street. ☎ 526-0161. Pour Toronto, 3 départs par jour (7 h 10, 11 h 45 et 17 h).
■ *Location de voitures :* Budget Rent-a-Car, 725 Vindin Street. ☎ 526-4300.
■ *Huronia District Hospital :* 1112 Street Andrews Drive. ☎ 526-3751.
■ *Banque nationale :* 248 King

Street (près de Dominion Avenue). Ouvert du lundi au jeudi de 9 h à 17 h (18 h le vendredi), pas de distributeur de billets.

Où dormir ?

Campings

Très grands campings. Possibilité de louer des cottages à la semaine et à la saison.

⚊ **Bayfort Camp :** au bout d'Ogden's Beach Rd, derrière le sanctuaire des martyrs canadiens, à 6 km à l'est de Midland. ☎ 526-8704. Nuit à partir de 20 $Ca (12,2 €). Au bord du lac Huron. Camping privé bien équipé ; 150 grandes places. Sanitaires un peu vieillots. Petite plage.

⚊ **Smith's Trailer Park :** au 736 King Street, près de Little Lake. ☎ 526-4339. Ouvert toute l'année. À partir de 19 $Ca (11,6 €). Central, supérette. Sanitaires vétustes. Baignade agréable dans le lac. Un camping avec ses propres routes pour y vivre à l'année. On peut planter sa tente parmi les mobile homes.

Bon marché (autour de 60 $Ca, soit 36,6 €)

⚊ **King's Motel :** 751 King Street. ☎ 526-7744. Chambres doubles à 79 $Ca (48,2 €) en juillet-août (moins chères en basse saison), n'hésitez pas à négocier. Vieillot mais propre. Petit hébergement à petit prix. Et le King alors ? Pas vu ici !

⚊ **Shamrock Motel :** 955 Yonge Street (à l'ouest de Midland). ☎ 526-7851. TV, frigo, micro-ondes et AC. Éloigné du centre. Modeste. Vue partielle sur Little Lake Park.

B & B (de 75 à 135 $Ca, soit 45,8 à 82,4 €)

La liste complète peut être obtenue auprès de l'office de tourisme.

⚊ **Little Lake Inn :** 669 Yonge Street. ☎ 526-2750. Fax : 526-9005. ● www.littlelakeinn.com ● B & B haut de gamme. Chambres de 95 à 135 $Ca (58 à 82,4 €), avec sanitaires de luxe privés. La chambre jaune a une vue magnifique sur le parc, une entrée indépendante, 2 petits salons privés (un à l'intérieur, l'autre sur la terrasse) et un dressing. Les propriétaires néo-zélandais sont accueillants et super-pros.

La maison est décorée avec goût. Grande terrasse à l'arrière. Internet gratuit.

⚊ **Victorian Inn :** 670 Hugel Avenue. ☎ 526-4441. Chambres à partir de 75 $Ca (45,8 €). Moins chic et plus classique que le Little Lake Inn. On y est très bien accueilli tout de même et on passe un bon moment dans cet endroit romantique à souhait.

Où manger ?

Prix moyens (autour de 15 $Ca, soit 9,2 €)

|●| **Scully's :** 177 King Street. Grand bar et resto devant le port. ☎ 526-2125. Ouvert tous les jours de 11 h à 23 h, l'été seulement.

Déco originale tout en bois. Remarquez les abat-jour dans le quartier français. Billard, base-ball en vidéo et bière dans les gosiers... Quelques plats marins classiques. Terrasse sympa avec vue sur la marina.

|●| The Riv Bistro : 249 King Street (près de Dominion Avenue). Ouvert en semaine de 11 h à 14 h et de 17 h à 21 h, le samedi de 17 h à 21 h, fermé le dimanche. Ce « bistrot de la Riviera » sert surtout des spécialités méditerranéennes. Décor recherché, enjolivé de peintures murales décrivant la vie en Grèce. Bon service. On s'y sent bien. Et on se délecte. Vin pas trop cher.

|●| Freda's Restaurant : 342 King Street. ☎ 526-4851. Ouvert de 11 h 30 à 14 h sauf le week-end et à partir de 17 h 30 tous les jours. Fermé le lundi. Déjeuner de 9 à 19 $Ca (5,5 à 11,6 €). Une maison de poupée de 1906 transformée en resto *british* très « cup of tea »... par des Italiens ! Les nappes blanches brodées et les assiettes fleuries ravi-

ront les amoureux qui auront l'impression de débarquer chez une tantine normande, le sourire en moins. Excellente adresse, mais une tendance cuisine nouvelle et... anglaise. Le soir, le choix des plats double, le prix aussi (de 9 à 32 $Ca, soit 5,5 à 19,5 €). Spécialités : bœuf *prime rib* et pâtes.

|●| Sha-na-na's : 519 Hugel Avenue (près de King Street). ☎ 526-2266. Plats de 7 à 13 $Ca (4,3 à 7,9 €). « L'endroit où les adultes refusent de grandir. » Nostalgiques des *sixties*, ce resto est pour vous : comptoir-piano, vieilles pompes à essence, banquette en moleskine bicolore, mini-juke-box et photos de stars aux murs. Cuisine et musique américaines incluant milk-shakes et *soda floats*. Bar après fermeture de la cuisine à 22 h. Danse les vendredi et samedi.

Où boire un verre ?

♈ Le *California Sports Café* est le grand lieu de rassemblement bien arrosé (334 King Street). Le *Celler-* *man's Ale House* est un pub nettement plus tranquille (337 King Street).

À voir. À faire

♈ *Huronia Museum :* sur King Street, à Little Lake Park. ☎ 526-2844. Ouvert de 9 h à 17 h, jusqu'à 18 h en juillet-août. Entrée : 6 $Ca (3,7 €) ; réductions (valable pour le musée et le village en face).
Deux grandes salles. Dans la première, un fouillis d'objets poussiéreux entassés donnant l'impression d'être dans une brocante. Ustensiles apportés par les pionniers : vêtements, jouets, meubles, outils, bijoux, objets de la vie quotidienne, tout cela classé plus ou moins par thème. La deuxième pièce expose de façon très classique des accessoires indiens de la vie courante. On a un peu regretté l'endroit trop étriqué et le manque d'exploitation de ce musée pourtant très riche en potentiel.

♈♈ *Huron Indian Village :* à côté de l'Huronia Museum. ☎ 526-2844. Demandez la feuille de route en français à l'entrée. Une haute palissade de bois entoure le village huron reconstitué. On y voit les « longues maisons » recouvertes d'écorces qu'habitaient plusieurs familles indiennes. Un circuit à travers le village permet de comprendre leur mode de vie avant que les Blancs n'y mettent fin. Des pictogrammes devant chaque abri renvoient à la feuille de route. Lieu de fabrication de poteries, salle du « médecin », garde-manger, sauna (malheureusement, il n'est plus en état de fonctionnement). Dans un tipi, des peaux finissent de sécher. Bonne reconstitution.

♈♈ *Sainte-Marie au pays des Hurons :* à 5 km à l'est de Midland, à droite de la Highway 12. ☎ 526-7838. ● www.saintemarieamongthehurons.on.ca ● Ouvert de fin mai à octobre de 10 h à 17 h, tous les jours en été (dernière visite à 16 h 15). Entrée : 10 $Ca (6,1 €).

Ce village est la reconstitution exacte, au même emplacement, de la première mission jésuite en Ontario, construite en 1639 et qui a brûlé 10 ans plus tard. Pour commencer, on vous présente un diaporama d'une vingtaine de minutes (demandez la version française), très bien fait, qui vous plonge droit dans le XVIIe siècle. Il explique la fin de la tribu des Hurons, décimés par les maladies importées, et l'échec des jésuites, affaiblis par la famine et les attaques des Iroquois, ainsi que leur fuite, d'abord sur l'île Christian, à la mission Saint Mary II, puis, après l'hiver et la famine, vers l'île d'Orléans, près de Québec. Cette mission, à son apogée, comptait de nombreux laïcs et artisans venus la transformer en un véritable village de 25 bâtiments dans lequel étaient accueillis les Hurons christianisés. Pour eux, c'était un exemple de la culture française du XVIIe siècle, et pour les missionnaires un lieu de recueillement. La visite est animée par des étudiants embauchés pour l'été pour jouer le rôle de missionnaires, forgerons, Indiens hurons, cultivateurs, etc. Les visiteurs n'auront pas besoin de beaucoup d'imagination pour saisir le choc culturel que devaient subir les Indiens à l'arrivée des Blancs. Dans l'église, on voit les tombes de Jean de Brébeuf et de Gabriel Lalemant, atrocement martyrisés par les Iroquois. N'hésitez pas à poser plein de questions aux interprètes en costume d'époque, ils sont incollables et parlent le français. La reconstitution vivante est si bien faite qu'on regrette de ne pas être costumé pour vivre pleinement la visite !

➤ **Wye Marsh Wildlife Centre :** à côté de la mission Sainte-Marie. ☎ 526-7809. ● www.wyemarsh.com ● Ouvert tous les jours de 10 à 18 h l'été. Entrée : 5 \$Ca (3,1 €). Circuits de promenades à pied dans une nature caractérisée par de grands marais. On y rencontre le « trilium » (la trille), petite fleur blanche à trois pétales (rare) fort jolie, emblème de la province de l'Ontario. Pour les balades accompagnées en canoë l'été ou les promenades en raquettes l'hiver, il faut réserver à l'avance.

➤ **Balade en bateau dans les 30 000 Îles :** avec *Midland Tours* et leur petit bateau *Miss Midland*. Départs sur le port tous les jours en été à 10 h 45 et 13 h 45. D'autres balades en fin d'après-midi à certaines périodes. Durée : 2 h 30. ☎ 549-3388 ou 1-888-833-2628. ● www.midlandtours.com ● Ticket à 19 \$Ca (11,6 €) ; réductions.

Pour les routards moins pressés, préférez un départ de Parry Island, à l'ouest d'Huntsville. L'idée qu'on se fait du Canada : maisons en bois colorées sur des îlots boisés et proprets, avec le hangar à bateaux couvert au bout de l'île et parfois l'hydravion, pour les propriétaires plus fortunés. Une belle promenade, où l'on aspire à une vie paisible et proche de la nature : un p'tit bout de terre, une p'tite bicoque, une bonne bière et une canne à pêche ; c'est pas beau ça !

LA RÉGION DES LACS MUSKOKA

Passage obligé de la région de Midland au parc Algonquin, cette superbe région est caractérisée par le roc et les pins qui baignent dans les lacs Muskoka, Rosseau et Joseph. Le tour du lac Muskoka peut s'effectuer en 3 h au départ de Gravenhurst ou de Bracebridge. Ses nombreux points de vue font de l'endroit un petit condensé de l'Ontario typique. Peu connue des Québécois, cette région constitue le cœur de « l'imaginaire de la nature canadienne » perçu par les Ontariens, car « the Muskokas » (région aussi nommée « Cottage Country ») sont au nord de Toronto, et c'est là que les urbains qui contrôlent en grande partie le Canada vont passer leurs week-ends dans des chalets, les pieds dans l'eau.

GRAVENHURST

Porte d'entrée de la région de Muskoka, Gravenhurst (• www.gravenhurst. com •) partage son activité entre le lac Muskoka, avec une croisière historique sur le plus vieux steamer encore en service en Ontario, et le lac Gull où des concerts sur des barges flottantes sont organisés en été. La ville évolue doucement en conservant le calme et la sérénité de ses belles demeures victoriennes du XIXe siècle.

Site du **Bethune Memorial House Historic Site,** la maison restaurée de Norman Bethune, un médecin qui est allé aider à soigner les Chinois alors en guerre contre les Japonais en 1939. C'est un héros national en Chine. Histoire fascinante.

Où dormir ? Où manger ? Où boire un verre ?

🛏 **Taboo resort & golf :** Muskoka Beach Rd (Route régionale 17), juste au nord de Gravenhurst. ☎ 687-2233 et 1-800-461-0236. • www.ta booresort.com • Les chambres standard sont à 190 $Ca (115,9 €), 43 $Ca (26,2 €) de plus pour une vue sur le lac. Centre de villégiature et golf de haut niveau, sur le bord du lac Muskoka. La plupart ont vue sur le lac, ce qui est exceptionnel car presque tout le pourtour du lac est absorbé par des chalets privés. Le nec plus ultra de la région.

|●| ▼ Le **terrain de golf :** 175 $Ca, soit 106,8 € (un peu moins si on réside à l'hôtel) est dans une classe à part ; c'est le « home course » du Canadien Mike Weir, gagnant du tournoi

Master's 2003. Ce golf est littéralement sculpté dans le bouclier précambrien des Muskokas. Deux **grands restaurants,** gérés par le Français Marc Bouvet, permettent de goûter aux produits du terroir ontarien (vins, agneau, etc.) devant un lac suprêmement beau. Et si vous avez du goût, mais pas beaucoup de sous, rien ne vous empêche de venir simplement prendre un verre dans un des **bars** ou sur l'une des terrasses.

|●| ▼ **Lakers Pub :** 435 Bethune Drive N (près de l'intersection de la route 17), au nord de Gravenhurst. ☎ 687-0062. Ouvert de 11 h à 2 h. Belle ambiance dans ce pub local au menu international. Plats savoureux et copieux de 10 à 15 $Ca (6,1 à 9,2 €).

BRACEBRIDGE

Connu pour sa cascade au cœur de la ville, là où la rivière Muskoka se jette dans la baie Bracebridge.

Adresse utile

ℹ **Visitor's Information Center :** à l'angle d'Ecclestone Drive et d'Ontario Street, au-dessus des chutes. ☎ 645-8121 ou 645-5231. Ouvert

l'été de 9 h à 17 h du lundi au vendredi, le samedi de 10 h à 16 h. • www.tourismbracebridge.com •

Où dormir ?

🛏 **Kruger's Muskoka River B & B :** 84 Beaumont Drive. ☎ 645-5814. • kruger@muskoka.com • Chambres et petits chalets au bord de la rivière Muskoka. Petit dej' sur la terrasse. Les proprios Bruce et Lynn Kruger sont « fiers d'être canadiens ». Il est le

crieur officiel de Bracebridge !

🛏 **Bellwood Motel :** 133 Manitoba Street, au cœur de Bracebridge. ☎ 645-4424. • www.bracebridge. com/bellwood • Petit motel d'une quinzaine de chambres. Frigo et micro-ondes. Services tout près.

PORT CARLING

Adresse utile

🛈 *Port Carling Information :* à Port Carling près du pont, dans la rue principale. ☎ 765-5336. Bureau de tourisme ouvert de 10 h à 16 h en été seulement. Quelques infos plus locales.

Location de bateaux

On vous conseille de découvrir le lac et la beauté de ses paysages aux commandes d'un bateau à moteur. Ce n'est pas si cher et ça vaut vraiment le coup. À part le permis voiture, aucun autre permis n'est demandé. Attention, en plus des taxes (15 % à rajouter), il faut prévoir le prix de l'essence, ainsi que le montant de la caution.

▪ *Beaumaris Marina :* 1214 Beaumaris Rd. Sur la Highway 118, sortir à Beaumaris Rd (à mi-chemin entre Bracebridge et Port Carling). ☎ 764- 1171 ou 1-877-496-4450. ● www.beaumarismarina.com ● Location pour 2 h minimum de bateaux à moteur et de canoës.

Où boire un verre avec vue sur le lac ?

🍷 *Au Boat House* (dans le *Carling Cove Inn*), sur Port Carling, à côté du pont et de la station-service. Très beau panorama sur le lac Rosseau.

HUNTSVILLE

La dernière ville avant de découvrir la beauté de l'Algonquin Park. Dynamique, elle a d'ailleurs axé son tourisme sur celui-ci. On trouve beaucoup d'hébergements et de commerces liés aux excursions dans le parc.

Comment y aller ?

➤ *Un train quotidien de Northland* va et revient de Huntsville-racebridge à Toronto. Prévoir 3 h de trajet. ☎ 1-888-VIA-RAIL. ● www.viarail.ca ● Quelques bus par semaine vont directement de Huntsville au parc Algonquin.

Adresse utile

🛈 *Travel Information :* 8 West N. ☎ 789-4771. Ouvert toute l'année de 9 h à 17 h en semaine, le samedi de 10 h à 15 h. ● www.huntsville. ca ● www.lakeofbays.on.ca ●

Où dormir ?

🏠 *The Carriage House :* 22 Main Street (centre-ville). ☎ 789-9434. ● thecarriagehouse@hotmail.com ● Ouvert toute l'année. Grandes chambres dans une charmante maison de brique des années 1920. Tenu par un couple. Petit dej' copieux.

🛏 **Sunset Inn Motel :** 69 Main Street. ☎ 789-4414 ou 1-866-874-5360. • www.sunsetinnmotel.com • À partir de 85 $Ca (51,9 €) en haute saison.

Où manger ? Où boire un verre ?

|●| 🍷 **Louis II restaurant & tavern :** 24 Main Street (à deux pas de l'office de tourisme). ☎ 789-5704. Ouvert tous les jours. Excellents petits dej'. Menus du déjeuner entre 7 et 9 $Ca (4,3 à 5,5 €). Plats le soir entre 7 et 18 $Ca (4,3 à 11 €). Bon vieux *dinner* sympa et sans préten-tion autre que de servir une nourriture honnête à bon prix. Service gentil.

|●| 🍷 **The Cottage bar & grill :** au pied du pont tournant. ☎ 789-6842. Plats de 8 à 23 $Ca (4,9 à 14 €) dans ce resto-terrasse idéalement situé au bord de l'eau.

LE PARC ALGONQUIN

IND. TÉL. : 705 (à l'ouest) ou 613 (à l'extrémité est)

🍁🍁🍁 À 250 km de Toronto, on trouve un parc provincial immense, 7 700 km² (presque aussi grand que le pays de Galles) de nature sauvage et exubérante, percé de milliers de lacs. Ici, la voiture est bannie. La Highway 60, qui traverse la partie sud du parc, n'est là que pour faciliter l'accès des amoureux de la nature venus emprunter les sentiers de promenade ou les 1 600 km de voies navigables en canoë. C'est ici qu'est préservé le Canada, celui des grands arbres, des lacs d'eau claire et potable, des soirées au coin du feu à essayer de décrypter les murmures et les cris de la nuit, des réveils au pied d'un lac embrumé. Cette rencontre avec le Canada sauvage, ce sentiment d'être loin de tout (on y est vraiment) sera l'un des moments forts de votre séjour. Un ami canadien a coutume de dire : « Quiconque prétend connaître le Canada sans être allé quelques jours à la découverte des lacs en canoë ne dit pas la vérité. » Vous nous avez compris, il serait dommage de manquer cette occasion.

Le parc possède 29 points d'accès, mais les plus fréquentés restent ceux de la Highway 60. Vous devrez vous munir d'un permis pour accéder aux activités du parc (canoë, camping...). Tarifs : 12 $Ca par voiture pour une journée et 40 $Ca par voiture pour des séjours de plus de 4 jours (7,3 et 24,4 €). Vous avez le droit cependant de traverser le parc gratuitement si vous demeurez sur la Highway 60.

Adresses et infos utiles

Bus quotidien entre Toronto et Hunstville, de là liaison jusqu'au parc, dans les deux sens, mais certains jours seulement (les lundi, mercredi et vendredi). Un bus par jour, alors renseignez-vous bien sur les horaires.

🅸 **West & East Gate Park Information Centers :** un centre d'information aux entrées est et ouest du parc, sur la Highway 60. Comme 70 % des visiteurs arrivent par l'entrée ouest, c'est celle qui est mieux équipée pour informer les visiteurs. Informations : ☎ (705) 633-5572. • www.algonquinpark.on.ca • Ouvert de 8 h à 16 h 30 tous les jours en été (jusqu'à 22 h le vendredi). À ne pas confondre avec le **Algonquin Visitor's Center** (décrit plus bas) qui est surtout un musée opéré par « Les Amis du parc Algonquin ». Procurez-vous la doc concernant le parc. Très bien faite et parfois disponible en français. Permis de pêche vendus aux points d'accès et aux entrées du parc (7 jours minimum, pour les non-Canadiens 22,50 $Ca, soit 13,7 €).

■ *Urgences Parc :* ☎ 633-5583.
■ *Police :* ☎ 1-888-310-1122.

■ *Hôpital :* Huntsville, ☎ (705) 789-2311 ; *Barry's Bay,* ☎ (613) 756-3044.
■ *Centre antipoison :* ☎ 1-800-267-1373.
■ *Météo :* au centre info. Prévisions de 3 à 5 jours.
■ *Radio d'information sur le parc :* 102.7 FM.

Où dormir ?

Il y a plusieurs hôtels dans le parc, mais ils sont tous atrocement chers ; par exemple, les « cabins » en haute saison au *Killarney Lodge* (● www.killarneylodge.com ●) coûtent au minimum 400 $Ca (244 €) pour 2 personnes par jour, 3 copieux repas inclus ! Heureusement que le canot est compris dans le prix ! On peut se loger dans les petites villes aux entrées du parc : Dwight ou Huntsville, à l'entrée ouest, et Whitney à l'entrée est. Nous vous conseillons :

🛏 **The Wolf Den Bunkhouse & Nordic Lodge :** 3429 Highway 60, Oxtongue Lake. ☎ 635-9336. ● www.wolfdenbunkhouse.com ● À 5 mn de voiture de l'entrée ouest du parc. Nouveau, une AJ à proximité du parc Algonquin ! Compter 20 $Ca (12,2 €) pour 1 lit en petits dortoirs (4 ou 8 lits). Dans des cabanes de bois... Un des *lodges* sert de lieu de rassemblement. Également des cabanes privées à louer pour 2, 4 ou 6 personnes. Propose des forfaits hébergement + équipement + accès au parc.

🛏 **Dwight Village Motel :** à 25 km de l'entrée ouest du parc, juste à l'ouest de Dwight sur la Highway 60. ☎ (705) 635-2400. ● www.dwightvillagemotel.com ● De 69 $Ca (42,1 €) l'hiver à 109 $Ca (66,5 €) en haute saison. Tenu par un jeune couple

sympa. Chambres mignonnes et propres, décorées grâce à des thèmes forestiers. On entend un peu le trafic de la route, mais c'est supportable. Petits frigo et micro-ondes dans les chambres.

🛏 **The Curv Inn Motel :** à 5 km de l'entrée ouest. ☎ (705) 635-1892. De 35 à 50 $Ca (21,4 à 30,5 €) l'hébergement. On peut y planter sa tente pour 10 $Ca (6,1 €). Le dernier motel avant le parc et le moins cher – ce n'est pas un palace ! Chambres rustiques (la propreté laisse parfois à désirer), mais assez grandes. Au-dessus du magasin de souvenirs-restaurant-réception de l'hôtel et station-service, le proprio possède des chambres supplémentaires avec salle de bains commune. Un peu bruyant mais correct. On peut utiliser gratuitement les canoës du proprio.

Camper dans le parc

Il y a 8 campings sur le parcours de la Highway 60, tous au bord d'un lac. Réservation pour tous les campings : ☎ 1-888-668-7275. Emplacement à partir de 24 $Ca (14,6 €). Les emplacements sont très propres et le respect de la nature est un concept acquis depuis longtemps par les Canadiens (dire qu'en France, on en est juste à la prise de conscience...).

Procurez-vous le fascicule gratuit *Algonquin Information Guide* qui décrit les installations et indique les sentiers de randonnée. Si vous n'êtes pas marcheur et que vous désirez camper, arrangez-vous pour choisir un camping où les bateaux à moteur ne sont pas autorisés, voire où il n'y a pas de douches. C'est le seul moyen d'éviter la foule des fins de semaine. On ne peut séjourner que 23 jours consécutifs sur un même site.

L'ONTARIO

⚠ On vous conseille le camping de **Canisbay** (au km 25 de l'entrée ouest) ou celui de **Pog Lake** (environ au km 37 de l'entrée ouest). Les emplacements sont assez bien isolés et ils sont moins fréquentés que les autres.

Où manger ?

Il est préférable d'acheter ses aliments avant d'entrer dans le parc, où les quelques magasins sont légèrement plus chers.

Les *lodges* ont de bons restaurants et il y a des snack-bars à quelques endroits ; vous n'allez pas mourir de faim dans ce parc, mais votre survie vous coûtera plus cher qu'ailleurs au Canada...

Les ours

Même si leur pelage est doux, les ours ne sont pas « gentils ». Rassurez-vous, vous avez peu de chance d'en rencontrer. En fait, pour que la cohabitation fonctionne bien, il suffit de faire très attention à la nourriture : ne jamais laisser de déchets derrière soi, entreposer les vivres dans le coffre de la voiture ou en hauteur (des cordes spéciales ont été aménagées). Ne jamais chercher à se rapprocher des ours s'ils sont dans les parages et surtout ne jamais les nourrir. Pour être à peu près certain de ne pas se retrouver face à face avec un ours, munissez-vous (comme une vache des Alpes) d'une clochette qui avertira l'ours de votre présence – il déguerpira, car il a normalement peur de l'homme.

Sentiers de balades et de randonnées

Les balades de santé

Au total, 16 sentiers sont proposés à partir de la Highway 60. Ils sont bien tracés et des panneaux indicateurs bleus, jaunes et marron vous montrent la route. Chaque parcours possède un thème particulier que développe un petit fascicule disponible au départ de la marche (vie sauvage, écologie du parc), en anglais ou en français. On peut soit les utiliser le temps de la balade et les rendre à la fin, soit les acheter pour un prix très modique.

On vous conseille :

➤ **Lookout** (1,9 km) : pour les pressés ou les flemmards. Superbe vue sur le parc au milieu du parcours. Exige tout de même un mollet déterminé.

➤ **Booth's Rock** (5,1 km) : permet de découvrir des paysages variés.

➤ **Mizzy Lake** (11 km) : il mène à une série d'étangs et petits lacs, sentier aménagé spécialement pour favoriser l'observation des animaux.

➤ **Whiskey Rapids Trail** (2,1 km) : le long de la rivière et des rapides.

Les sentiers de longue randonnée (plusieurs jours)

Procurez-vous, dans un des centres d'information, une carte topographique, et là indiquez aux guides votre itinéraire et vos campements. Trois parcours possibles. Chacun de ces sentiers est équipé d'emplacements pour camper, désignés par un petit triangle rouge sur la carte. Il s'agit d'un simple endroit dégagé où un emplacement est prévu pour faire du feu. Respectez-le. Pour les w.-c., creusez un trou puis rebouchez. Deux parcours partent de la Highway 60. Nombre de campeurs limité.

➤ **Western Uplands** : composé de 3 boucles ; 32,55 et 88 km. Prévoir entre 3 et 7 jours. Le plus varié. Emplacement prévu pour faire du feu. Achat du permis à la porte ouest du parc (West Gate).

➤ *Highland Back Packing Trail :* 2 boucles de 19 et 35 km. Compter 2 à 3 jours. Achat du permis au *Cache Lake Information Center,* sur la Highway 60. Moins fatigant que le premier.

➤ *Eastern Pines :* 2 boucles de 5,5 et 15,5 km. À l'est du parc.

Les routes de canotage

Le meilleur moyen de vivre la véritable aventure, de se sentir l'âme d'un pionnier, de suivre la trace des Indiens, de s'enfoncer dans les forêts reculées, de pêcher et de griller du poisson au feu de bois, bref de prendre son pied sans trop user ses chaussures, c'est... le canoë.

Le parc Algonquin est un peu comme une nuit étoilée dont chaque étoile serait un lac. Entre chaque lac, des sentiers ont été tracés. Les itinéraires de canotage sont constitués par l'ensemble des voies navigables et par ce que l'on appelle le « portage », qui est le fait de porter son canoë sur le dos pour rejoindre la prochaine voie navigable. Même les non-initiés peuvent entreprendre une petite expédition de quelques jours. N'oubliez pas que le canoë n'a rien à voir avec le kayak, qui demande de véritables compétences techniques. De plus, s'il pleut (et ça arrive !), le canoë posé à l'envers sur deux pierres fera un excellent parapluie. C'est arrivé à des lecteurs.

Le canotage du parc Algonquin est sans danger car sans rapides. On navigue sur des lacs calmes et des cours d'eau paisibles. Voyageant en pleine nature sauvage, le seul danger vient en fait de vous, si vous avez mal préparé votre parcours. Pour cela, il est donc nécessaire d'aller au centre d'information du parc et de discuter des différents trajets possibles et praticables, sur lesquels les distances de portage sont relativement courtes, histoire de ne pas vous dégoûter. Tous les jours en juillet et en août, les rangers vous proposent un programme de connaissance de la nature qui inclut une initiation au canoë et des conseils très utiles pour la préparation de votre voyage. Renseignez-vous par téléphone. La location de canots n'est pas si chère, surtout pour une semaine.

Comment réaliser pratiquement votre voyage ?

Les boutiques spécialisées

Les prix et la qualité du service sont semblables pour ces 3 magasins :

■ *Algonquin Outfitters :* Highway 60. À environ 8 km avant l'entrée ouest du parc, à 500 m au nord de la route. Panneaux indicateurs immanquables. ☎ (705) 635-2243 ou 1-800-469-4948. ● www.algonquinoutfitters.com ● Ouvert toute l'année de 9 h à 17 h (8 h à 19 h en juillet-août). Choix énorme de matériel à acheter ; beaucoup plus que partout ailleurs autour du parc, mais ce n'est pas donné. Locations en tout genre. Ils vous conseilleront efficacement. Exemple de prix, canot, matériel de camping et nourriture pour 3 jours, 2 personnes : de 150 à 200 \$Ca par personne (91,5 à 122 €). Location de canot à 20 \$Ca (12,2 €) et plus par jour. Il est possible de rapporter le canoë, à la fin de votre périple, dans l'un de leurs deux magasins situés dans le parc : *Brent Store,* sur le lac Cedar (au nord du parc) ou *Opeongo Store.*

■ *Opeongo Store :* à l'est du parc, près du lac du même nom. ☎ (613) 637-2075. Ouvert de 8 h à 19 h en juillet-août, de 8 h à 18 h de mai à octobre.

■ *Portage Store :* au km 14, DANS le parc, 200 m au nord de la Highway 60 à partir de l'entrée ouest. ☎ (705) 633-5622. ● www.portagestore.com ● Ouvert du 27 juin au

1er septembre de 7 h à 21 h (de 8 h à 19 h au printemps et à l'automne). Devant Canoe Lake. Il faut un permis du parc pour accéder à cet endroit, car il est dans le parc. Plus de routes de canoë depuis ce site que depuis celui d'*Algonquin Outfitters.* Prix en fonction du type de canoë, 10 % de réduction à partir de 10 jours. Accueil très sympa. Restaurant rustique qui donne sur le lac.

Quelques derniers conseils

– Les week-ends d'été, les lacs les plus accessibles sont très prisés. Si vous voulez la paix, évitez de demeurer sur *Canoe Lake.* En semaine, ça va encore. En règle générale, les lacs dont l'accès demande un portage dès le début sont moins fréquentés. Plus on se dirige vers le nord, plus on est seul. De même pour tous les lacs n'ayant aucun point de départ sur la Highway 60. Les accès au parc sont signalés par des losanges rouges sur la carte. À l'ouest, accès à *Magnetawan Lake* ou, tout au nord, *Cedar Lake.* Excellent itinéraire. Isolement assuré.
– À partir de la Highway 60, en semaine, emprunter *Smoke Lake* et descendre jusqu'à *Ragged Lake.* Peu de portage et pas trop de monde.

À voir en traversant le parc par la route

🚶🚶 **The Algonquin Visitor's Center :** sur la Highway 60, 43 km à partir de l'entrée ouest. Ouvert de 9 h à 21 h en été. Tenu par *The Friends of Algonquin Park,* regroupe une cafétéria, une librairie et un petit musée gratuit, *The Algonquin Park Museum,* qui décrit habilement la faune du parc, élans, biches, etc. Paradoxalement, c'est sur la Highway que l'on a le plus de chance de voir des élans du Canada (orignaux). En mai et juin, ils apprécient l'eau encore salée qui stagne sur la chaussée, provenant du déneigement des routes. Évitez de rouler vite la nuit dans les parcs. Il paraît que les élans, lorsqu'ils sont en mal de femelle, sont passablement nerveux. Femelle ou pas, la vue de la lumière les attire et ils peuvent foncer droit dessus. Comme ils oublient toujours d'allumer leurs codes, vous les voyez au dernier moment et boum ! Haut sur pattes, un orignal se casse les membres lorsque ses quelque 400 kg de chair ferme foncent sur le pare-brise à la vitesse du véhicule (80 km/h, la limite théorique et légale). C'est horrible, mais c'est vraiment comme ça...

🚶🚶 **Le musée du Bûcheron :** à l'entrée est du parc. Ouvert de 10 h à 18 h. Présentation grandeur nature, sur un parcours de 1,3 km, de différents matériels utilisés au XIXe siècle par les bûcherons : bateau à aubes, charrette, loco. Diaporama pas mal fait. En 1861, 112 compagnies exploitaient le parc Algonquin. La demande était si forte que l'anarchie la plus complète régnait sur le site, défigurant inéluctablement le visage de la forêt. On n'hésitait pas à sacrifier les plus jeunes arbres sur l'autel de la demande économique. Les experts prévoyaient l'exploitation du domaine pendant 700 ans ! Soixante-dix années plus tard, on se demandait où était passée la forêt. En 1893, on décida la création du parc, afin de maîtriser l'exploitation forestière et d'éviter un nouveau massacre. Si le « musée » est fermé, il suffit de prendre un petit guide au distributeur, au début du chemin, et de faire le parcours seul.

🚶 **Algonquin Gallery :** au km 20 sur la Highway 60. Ouvert de juin à octobre de 10 h à 18 h. Entrée payante ; réduction étudiants. Expositions temporaires, chaque été.

ENTRE ALGONQUIN ET OTTAWA

Sur la route entre Algonquin et Ottawa, un seul conseil : suivez la rivière des Outaouais (en sortant du parc, prendre la route 60 Est, passez la ville de Renfrew puis empruntez les routes 17 et 417 Est jusqu'à Ottawa).

BARRY'S BAY

Petite ville de services où on trouve tout ce dont on a besoin avant ou après un voyage au parc Algonquin.

Où dormir ? Où manger ?

▴ **Algonquin East Gate Motel :** à quelques kilomètres à l'est du East Gate du parc Algonquin, sur la Highway 60, dans le village de Whitney. ☎ (613) 637-2652. Chambres très correctes de 53 à 73 $Ca (32,3 à 44,5 €). Atmosphère plaisante. Tenanciers de bon conseil. Location de canoës (25 $Ca, soit 15,3 € par jour) avec accès à un lac.

▴ |●| **The Ash Grove Inn :** Highway 62, à 1 km au sud de la Highway 60. Face au lac Kamaniskeg. ☎ (613) 756-7672 ou 1-888-756-7672. Chambre à 60 $Ca (36,6 €) et repas de 7 à 14 $Ca (4,3 à 8,5 €). On mange des *pierogies* (le proprio est polonais, comme une bonne partie des habitants de la région) sur la mignonne terrasse (devant un lac scintillant) en se rappelant les aventures et les émotions de l'Algonquin.

▴ **Red Deer Lodge & Campground :** à Madawaska, sur la route 523, à 2 km au sud de la Highway 60 (entre le parc Algonquin et Barry's Bay). ☎ (613) 637-5215. ● reddeer@nexicom.net ● Quatre petits pavillons (50 à 85 $Ca, soit 30,5 à 51,9 €) et 40 places de camping. Devant un lac avec une petite plage. Proprio sympa. Tranquille et très agréable. Location de canoës.

Où faire du rafting dans le coin ?

À **Foresters Falls,** au croisement de la Highway 21 et de la 48, les amateurs de rafting seront au paradis : descentes de spectaculaires rapides sur les rivières des Outaouais et Madawaska.

Le prix le plus élevé par personne, pour une journée de raft, repas inclus, le samedi en été et commun aux 3 organismes tourne autour de 100 $Ca (61 €). Les tarifs varient selon la saison, le jour et le nombre de personnes. Des forfaits de 2 jours avec gîte et couvert sont également proposés. Attention, ce sont des grosses structures : le week-end, c'est l'usine !

L'accès aux différents sites est très bien indiqué à partir de Forester's Falls (et même avant !).

■ **Wilderness Tours :** ☎ (613) 646-2241 ou 1-800-267-9166. Notre préféré, ils aiment vraiment ce qu'ils font !

■ **OWL Rafting Inc. :** ☎ (613) 646-2263 ou 1-800-461-RAFT.

■ **RiverRun :** ☎ (613) 646-2501 ou 1-800-267-8504.

Où dormir ?

▴ **Victoria House B & B :** dans la rue principale, lorsqu'on arrive par la Highway 21. ☎ (613) 646-7638. Compter pour une chambre double de 65 à 85 $Ca (39,7 à 51,9 €). Quelques chambres accueillantes et joliment décorées à l'ancienne. L'une d'elles propose un lit d'empereur chinois de 150 ans (le lit, pas l'empereur !).

L'ONTARIO

OTTAWA

800 000 hab.   IND. TÉL. : 613

> **Pour le plan d'Ottawa, voir le cahier couleur.**

La grande ville la plus bilingue du Canada anglophone. Les nuls en anglais se sentiront relativement chez eux. Ottawa fut choisie comme capitale du Canada en 1857 par la reine Victoria, plus pour sa position stratégique entre les 2 pays linguistiques – et loin de l'ennemi américain – que pour sa réelle importance politique. Elle s'appelait auparavant Bytown et fut renommée Ottawa, qui signifie « Échange sur la rivière » en langage algonquin. On y trouve donc un décalage intéressant entre le sérieux des buildings et des édifices parlementaires et la décontraction très provinciale de ses larges avenues bordées de parcs. Le week-end, les bateaux se promènent sur la rivière des Outaouais et le canal Rideau qui traversent la ville. Le soir, les jeunes vont chercher l'animation dans le quartier de Byward Market. Ottawa la paisible offre également de superbes musées nationaux. Cœur de la politique canadienne, Ottawa est aussi une capitale de la recherche et de la technologie de pointe. Ne pas oublier que « la région de la capitale nationale » comprend aussi la ville québécoise de Gatineau.

Adresses utiles

Infos touristiques

🅸 *Infocentre* (plan couleur B2) : 90 Wellington Street, à l'angle de Metcalfe Street. En face des édifices parlementaires. ☎ 239-5000 ou 1-800-465-1867. ● www.whereottawa.com ● Ouvert de 8 h 30 à 21 h tous les jours en été, de 9 h à 17 h le reste de l'année. On y parle le français.

Argent, change

■ *Travel Choice American Express* (plan couleur B2, 2) : 220 Laurier Avenue. ☎ 563-0231. Ouvert de 8 h 30 à 17 h 30, fermé le week-end.

■ *Banque nationale du Canada* (plan couleur C2, 8) : 242, rue Rideau, à l'intersection de Cumberland. Ouvert du lundi au vendredi de 9 h 30 à 16 h. Distributeur de billets.

Représentations diplomatiques

■ *Ambassade de France* (plan couleur B1, 1) : 42 Sussex Drive. ☎ 789-1795. Ouvert de 9 h à 13 h.
■ *Ambassade de Belgique* (plan couleur C2, 3) : 80 Elgin Street ; 4e étage. ☎ 236-7267.

■ *Ambassade de Suisse* (plan couleur C2, 4) : 5 Marlborough Avenue. ☎ 235-1837.
■ *Ambassade des États-Unis* (plan couleur B2, 5) : 490 Sussex Drive, en face de Clarence Street. ☎ 238-5335.

Santé

■ *N° d'appel d'urgence :* ☎ 911.
■ *Hôpital d'Ottawa :* 501 Smyth Rd (entre Saint-Laurent et Alta Vista). ☎ 737-7777.

■ *Pharmacie Shoppers Drug Mart* (plan couleur C2, 70) : 50, rue Rideau, au rez-de-chaussée du grand centre commercial. ☎ 236-2533.

Ouvert dès 8 h en semaine, 9 h le samedi et 11 h le dimanche. Fermeture à minuit.

■ *Pharmacie Brisson* (plan couleur C1, 9) : 270 Dalhousie (angle Murray Street). ☎ 241-6273. Petite pharmacie à l'européenne. Sympa-thique et francophone. Ouverte du lundi au vendredi de 9 h à 18 h, jusqu'à 17 h le samedi.

■ *Police d'Ottawa* (plan couleur C3, 6) : 474 Elgin Street. ☎ 236-1222.

Transports

🚆 *Gares ferroviaires* (hors plan couleur par A2 et D2) : Tremblay Rd. *Via Rail* : ☎ 1-888-842-7245 (appel gratuit). Pour Toronto (via Kingston), Montréal et Québec, plusieurs départs par jour.

🚌 *Terminus Voyageur* (plan couleur C3, 7) : 265 Catherine Street. ☎ 238-5900.

🚌 *Greyhound* (plan couleur C3, 7) : mêmes adresse et téléphone que *Terminus Voyageur*. Nombreux départs pour les États-Unis, l'Ouest canadien et le Sud ontarien. Départ pour Montréal toutes les heures sauf à 11 h et 13 h.

■ *OC Transpo :* la compagnie des bus urbains. Excellent système et bonnes fréquences. Terminus au centre Rideau (plan couleur C2). ☎ 741-4390. ● www.octranspo.com ● *Daypass* (carte d'une journée) à 5 $Ca (3,1 €).

✈ *Aéroport* (hors plan couleur par C3) : à 7 km du centre-ville. ☎ 248-2125.

■ *Air France :* ☎ 1-800-667-2747. Pas de comptoir de billets à l'aéroport d'Ottawa.

■ *Air Canada :* ☎ 1-888-AIR-CANADA. Il n'y a plus de bureau de billets au centre-ville ; il faut aller au comptoir des billets d'Air Canada à l'aéroport (ouvert tous les jours de 5 h à 21 h 30).

Loisirs

@ *Agora Café* (plan couleur C2, 11) : 145, rue Besserer. ☎ 562-4672. Ouvert du lundi au vendredi de 10 h à 20 h, le samedi de 12 h à 19 h, le dimanche de 12 h à 17 h. Compter 5 $Ca (3,1 €) l'heure. Géré par les étudiants de l'université d'Ottawa. C'est aussi une librairie universitaire.

■ *Alliance française :* 352 MacLaren Street. ☎ 234-9470.

■ *Vélocation/Rent-a-Bike :* à l'arrière de l'hôtel *Château Laurier,* 1, rue Rideau (en fait, ça donne sur l'avenue MacKenzie). ☎ 241-4140. ● rentabike@cyberus.ca ● Location de vélos et circuits guidés.

Où dormir ?

Pas cher (moins de 25 $Ca, soit 15,3 €)

🛏 *HI-Prison d'Ottawa* (plan couleur C2, 21) : 75 Nicholas Street, à l'angle de Daly Avenue. ☎ 235-2595. ● ottawa.jail@hihostels.ca ● À partir de la gare, prendre le bus n° 95. Proche du terminal des bus du centre Rideau. Situé dans l'ancienne prison de la ville. Surprenant de se retrouver en taule. Accueil très sympa des « matons ». Couvre-feu à 2 h en hiver. Colonne d'infos. On dort à 4, 6 ou 8 par cellule. Chambres sans fenêtre. On ne peut plus dormir dans la cellule des condamnés à mort : les « candidats » en sortaient anéantis ! Cuisine. Buanderie. Bar et billard. Quelques chambres pour couples. À voir, c'est l'AJ la plus originale au Canada.

Bon marché (25 à 60 $CA, soit 15,3 à 36,6 €)

🛏 *Ottawa Backpackers Inn (plan couleur C1, 25)* : 203 York Street (juste à l'ouest de King Edward). ☎ 241-3402. ● www.ottawahostel. com ● Une maison en brique rouge qui dispose d'une trentaine de lits. Chambres privées (55 $Ca, soit 33,6 €) et semi-privées (avec rideau, 38 $Ca, soit 23,2 €). Une bonne adresse pour les routards, moins cher que l'AJ. Chambres colorées, assez propres. On est accueilli par un tas de chaussures à l'entrée, et un panneau indique dans toutes les langues qu'il faut enlever les siennes. Ambiance très sympa. Bien situé en marge du marché By Ward et à 2 mn à pied du supermarché.

🛏 *Université d'Ottawa (plan couleur C2, 22)* : 110 University Street. La réception se trouve dans l'immeuble Marchand. ☎ 564-5400. Ouvert de mai à fin août pour les routards. Chambres très propres à 60 $Ca (36,6 €) pour 2, 45 $Ca (27,5 €) si les 2 sont étudiants, cuisine et sanitaires partagés. Style 1er de la classe. Pour les autres, c'est un peu l'arnaque. Également de petits appartements.

🛏 *YMCA* et *YWCA (plan couleur C3, 23)* : 180 Argyle Street, à l'angle d'O'Connor Street. ☎ 237-1320. Près du terminal de bus. Ouvert toute l'année. Quarante lits pour les voyageurs dans une grande résidence d'étudiants, assez glauque. Compter 60 $Ca (36,6 €), taxes incluses. Piscine et *health club* de bon standing gratuit. Si vous n'avez rien trouvé d'autre...

B & B (de 70 à 85 $Ca, soit 42,7 à 51,9 €)

🛏 *Auberge du Marché (plan couleur C1, 28)* : 87 Guigues Avenue. ☎ 241-6610 ou 1-800-465-0079. Très près du centre. Jolie maison canadienne typique, datant du début du XXe siècle. Chambres simples, de très bon goût. Endroit calme et reposant. Nicole, l'hôtesse, est franco-ontarienne. Petits dej' copieux et raffinés.

Plus chic (de 90 à 170 $Ca, soit 54,9 à 103,7 €)

🛏 *Auberge The King Edward (plan couleur C2, 29)* : 525 King Edward Avenue (entre Laurier et Wilbrod). ☎ 565-6700. Dès que vous aurez franchi le seuil de cette magnifique demeure, vous serez enchanté par l'architecture du salon et ses nombreuses colonnes et plantes. La cuisine ne manque pas de charme non plus. Trois chambres confortables et propres. L'hôte francophone, Richard Gervais, est accueillant et il est une mine de renseignements. Cadre très plaisant avec terrasse. Parking gratuit.

Où manger ?

Partout dans le centre, il y a des *chip wagons,* des véhicules-cantines qui servent des montagnes de grosses frites accompagnées de vinaigre de malt. Vu que le Québec est tout proche, la poutine fait ici la guerre aux frites à l'anglaise...
Le quartier du Byward Market présente des dizaines de restaurants. Mais les rues Elgin et Somerset valent des détours si on a du temps.

Dans le quartier animé de Byward Market

Le quartier le plus ancien de la ville regroupe plus de 250 restaurants, bars, snacks et cafés.

Bon marché (moins de 10 $Ca, soit 6,1 €)

|●| **Zack's** (plan couleur C2, **41**) : 16 Byward Market, non loin de Clarence Street. Genre *Happy Days*. Juke-box d'époque, banquettes confortables. Délicieux milk-shakes. Plats traditionnels comme chez une bonne-maman *canadian* (*meat loaf*, roast-beef, *fish and chips*), et plats contemporains. Portions énormes, qu'on partage sans supplément. Cuisine simple mais variée. Une valeur sûre.

|●| **Memories** (plan couleur B1-2, **46**) : 7 Clarence Street. ☎ 241-1882. Ouvert tous les jours de 11 h à 23 h. Belle carte de gâteaux appétissants. Les plus gourmands pourront accompagner leur *apple-pie* tiède de glace à la vanille. Chocolats chauds crémeux à souhait. Fait aussi de la cuisine « santé-exotique ».

Plus chic (de 15 à 25 $Ca, soit 9,2 à 15,3 €)

|●| **Nagina Indian Cuisine** (plan couleur C2, **50**) : 217 Rideau Street. ☎ 562-0060. Ouvert tous les jours. Nom, décoration, cuisine, musique, personnel, tout est indien. Ambiance douce, cuisine parfumée et savoureuse. Formule buffet ou à la carte. Hors du secteur touristique.

|●| **Mamma Grazzis** (plan couleur C2, **47**) : 25 George Street (dans Courtyard). ☎ 241-8656. Ouvert tous les jours. Restaurant italien sur 2 étages. Spécialités de pâtes et de pizzas à prix raisonnables. Laissez-vous tenter par les pâtes à la *Gambari*. Un régal ! Grande terrasse au soleil. Cadre sympa et tranquille.

|●| **The Fish Market** (plan couleur C2, **42**) : 54 York Street. À côté de Byward Market et de William Street. ☎ 241-3474. Ouvert jusqu'à 22 h. Décor chouette. Poissons cuisinés de toutes les façons, même cajun. Carte réduite et plats assez simples.

Dans Somerset Village

Prix moyens (de 10 à 20 $Ca, soit 6,1 à 12,2 €)

Le petit Somerset Village, sur Somerset Street, entre O'Connor et Bank Streets, est un quartier authentique où les maisons abritent de nombreux restos. Spécialités chinoises, italiennes et plats américains... Atmosphère chaleureuse garantie. Prix abordables.

|●| **Full House** (plan couleur C3, **44**) : 337 Somerset Street W. ☎ 238-6734. Ouvert tous les jours de 17 h à 23 h 30. Plats autour de 16 $Ca et un menu complet très convenable pour 21 $Ca (9,8 et 12,8 €). *Piano parlour* à l'étage. Cadre select et intime. À ne pas rater dans une ville où bien manger n'est pas évident.

Un peu plus loin

Bon marché (moins de 10 $Ca, soit 6,1 €)

|●| **Mekong Restaurant** (plan couleur B3, **48**) : 637 Somerset Street. Ouvert tous les jours entre 11 h et minuit. En plein cœur du petit Chinatown d'Ottawa. Bonne cuisine asiatique. Décoration sans fioritures, personnel souriant et efficace, plats copieux et pas chers : voilà une adresse comme on les aime, et on n'est pas les seuls !

I●I **Druxy's** (plan couleur B2, 45) : 100 Metcalfe Street, à l'angle de Slater Street. ☎ 594-9365. Egalement sur Laurier Street, à l'angle d'O'Connor Street. Ouverts tous les jours. Une chaîne spécialisée dans les salades et les sandwichs. Un favori des employés de bureau qui veulent un bon lunch équilibré vite fait, bien fait, souvent pour rapporter au bureau.

Prix moyens (de 10 à 20 $Ca, soit 6,1 à 12,2 €)

I●I **Le Ritz** (plan couleur C2-3, 43) : 274 Elgin Street (entre Somerset et MacLaren). ☎ 235-7027. Ouvert jusqu'à 22 h (23 h le week-end). Fermé les samedi et dimanche midi. Salle tout en longueur. Un endroit intime et sympa. Cuisine raffinée du nord de l'Italie.

Où boire un verre ?

Dans le coin du Byward Market

Quartier le plus animé le soir.

🍸 **The Rainbow Bistro** (plan couleur C1, 61) : 76 Murray Street, à l'angle de Parent Avenue. Au 1er étage. Bons groupes de blues ou jazz tous les soirs, notamment le dimanche. Entrée payante. Une institution ici.

🍸 **The Collection Bar Bistro** et **Mercury Lounge** (plan couleur C2) : 56 Byward. Ouvert tous les jours à partir de 18 h (jusqu'à 2 h). Deux cafés branchés l'un sur l'autre où la jeunesse dorée se retrouve pour siroter des cocktails colorés.

🍸 **Zoé's Lounge** (plan couleur C2, 84) : 1, rue Rideau. ☎ 241-1414, poste 3030. Ouvert tous les jours. Le très beau bar du château Laurier de la chaîne Fairmont, qui est le grand hôtel historique d'Ottawa. Jazz live le soir. Repaire traditionnel de politiciens et de gros bonnets d'Ottawa. Les consommations sont chères, mais ça vaut le coût.

Prendre un verre côté Québec, à Gatineau (voir plus loin), est aussi très agréable... Et les fumeurs n'y sont pas persécutés comme en Ontario (on ne peut pas y fumer, même dans les bars !).

Les boîtes

Pour ceux qui font plus jeunes que leur âge, n'oubliez pas que la carte d'identité est demandée à l'entrée de chaque boîte. En effet, l'âge minimum requis pour sortir en boîte est de 19 ans en Ontario et de 18 ans au Québec.

♫ **Helsinki Lounge & Disco** (plan couleur C2, 66) : 12 George Street. ☎ 241-2868. La boîte la plus à la mode en ville. Fringues et air blasé de rigueur.

♫ **Suite 34** (plan couleur C1-2, 67) : 34 Clarence Street (entre Sussex Street et ByWard Market). Ouvert les vendredi et samedi de 20 h à 2 h. Plan drague dans une boîte lounge ultra-populaire.

À faire

➤ **Balade sur la rivière des Outaouais :** plusieurs compagnies proposent leurs services.

■ ***Paul's Boat Lines*** *(plan couleur B2, 93)* **:** départ au bas des écluses, à la rivière. ☎ 235-8409. Durée : 1 h 30, 15 $Ca (9,2 €). Réduction étudiants. La balade du soir permet d'admirer la colline du Parlement sous une belle lumière. Excursions aussi sur le canal Rideau, 12 $Ca (7,3 €). Départs fréquents du centre des conférences. Durée : 1 h 15.

■ ***The Ottawa Riverboat Company*** *(plan couleur B2, 92)* **:** départ au bas des écluses à Ottawa ou du parc Jacques-Cartier à Gatineau. ☎ 562-4888. Compter 18 $Ca (11 €). Ouvert entre mai et mi-octobre. Trois ou quatre tours par jour. Durée 1 h 30.

➤ ***Tour de la ville en bus :*** on vous conseille la compagnie suivante : ***Capital Double Decker & Trolley Tours*** *(plan couleur B2, 91)* **:** à l'angle de la rue Sparks et de Metcalfe. ☎ 260-2359. Visite commentée bilingue, à votre propre rythme, car le billet à la journée permet de monter et de descendre où et quand vous voulez. Navette gratuite depuis l'hôtel, coupons-rabais pour les musées. La compagnie propose également une excursion en train à vapeur entre Hull et Wakefield, durée 5 h. Un seul départ par jour.

– ***Son et lumière « À La Croisée des Vents » :*** devant le Parlement. Très bien fait. Les soirs d'été, en français et en anglais. Durée du spectacle : environ 30 mn. Renseignements à l'office de tourisme pour les horaires exacts. Bonne occasion de s'informer synthétiquement sur l'histoire du pays tout en étant allongé tranquillement sur la pelouse. Et c'est gratuit.

– ***La relève de la garde :*** pour les fans d'uniformes, entre 9 h 30 et 10 h, tous les matins en été, quand il fait beau. En fait, il s'agit plutôt d'un défilé, de la place Cartier jusqu'à la ***colline du Parlement*** *(plan couleur B2)*.

➤ ***Promenade en voiture :*** pour les amoureux des beaux quartiers. Passer devant le Parlement et emprunter Sussex Drive ; on longe le musée des Beaux-Arts qui élève fièrement ses dômes de verre aux formes géométriques. En poursuivant, on passe devant le ministère des Affaires extérieures (bâtiment supposé rappeler la forme d'un sphinx) puis devant l'hôtel de ville, construit sur une île, et enfin devant les différentes ambassades. Ensuite, on entre dans le domaine résidentiel de Rockliffe, composé de collines verdoyantes et boisées où se nichent les larges demeures des hauts fonctionnaires dont celle du Premier ministre du Canada. On peut y voir tous les styles d'habitations : cottage anglais, maison californienne, petit château, grand palace...

➤ ***Promenades à vélo :*** de nombreuses pistes cyclables dans la ville et les alentours d'Ottawa. Procurez-vous le *Guide cyclotouristique de l'Outaouais* à l'office de tourisme. Gratuit et très bien fait.
En outre, le dimanche matin en été, les promenades de la rivière des Outaouais, de Rockliffe... sont fermées aux automobilistes. Tous à vos vélos et à vos rollers !

– ***Les pousse-pousse :*** pour les fainéants, une autre façon de découvrir la ville, moins fatigante que le vélo. Des étudiants musclés vous conduiront à travers Ottawa pour une trentaine de dollars les 30 mn. On peut les trouver un peu partout autour du marché, notamment à l'angle de George Street et de William Street.

À voir

🔾 ***La colline du Parlement*** *(plan couleur B2)* **:** en été, ouvert de 9 h à 20 h et jusqu'à 17 h le week-end. Vaste et magnifique édifice en U de style néo-gothique, rénové ces dernières années, entouré de larges pelouses, centre stratégique de la ville et lieu de rassemblement des fêtes du 1er juillet. Visite guidée (gratuite) de l'édifice du Centre et de l'édifice de l'Est. Départ des visites guidées toutes les 30 mn. Visite instructive qui permet de mieux comprendre les rouages politiques et démocratiques canadiens (Chambre des communes, Sénat...), d'autant plus qu'il est possible d'assister aux débats pendant les sessions parlementaires.

– **Édifice du Centre :** l'incendie de 1916 avait tout détruit, sauf la superbe bibliothèque qui fait penser à la nef d'une cathédrale gothique. Pour la petite histoire, toucher les portes d'entrée de la bibliothèque est considéré comme porte-bonheur. En effet, lors de l'incendie, une employée avait fermé ces portes mêmes, sauvant ainsi les ouvrages des flammes destructrices. Vraiment exceptionnel. Le reste a été rebâti dans un style néo-gothique, coiffé de toits de cuivre. Boiseries de pin blanc finement travaillées. Notez aussi des centaines de rosettes ciselées. L'édifice est en calcaire fossilisé du Manitoba. Visite intéressante en français ou en anglais. Guides très compétents. À faire plutôt le soir. Il y a moins de monde et la vue sur la ville du haut de la tour est bien plus belle. Un conseil, allez retirer votre billet tôt le matin.

🎞 **Les écluses du canal Rideau** (plan couleur B2) **:** dans la rue Wellington à côté de l'hôtel Le Château Laurier. Une série d'écluses relie le canal Rideau à la rivière des Outaouais. Elles sont encore manœuvrées à la main. Le canal avait été percé à des fins militaires, mais ne servit jamais. Des expositions d'interprétations sont organisées à la belle saison, de 8 h 30 à 16 h 30. L'été, les bateaux de plaisance y naviguent. L'hiver, le canal est gelé, il est amusant de voir des hauts fonctionnaires aller au travail... en patins à glace. Le canal Rideau, ainsi que plusieurs autres sites (centre Rideau, rue Rideau, chutes Rideau, rivière Rideau...) doivent leur nom au fait que, lorsque Samuel de Champlain découvrit les chutes d'Ottawa, il s'écria : « On dirait un rideau »... tout simplement.

🎞 **Le château Laurier** (plan couleur C2) **:** 1 Rideau Street, près des écluses. Vous ne pouvez pas manquer de noter l'architecture joliment médiévale de cet hôtel de luxe. Le seul édifice d'inspiration française à Ottawa. C'est un des symboles de la ville. Petite expo de photos historiques.

🎞 **Byward Market** (plan couleur C2) **:** le plus grand quartier animé de la ville le soir. Les restos et les cafés s'étalent autour des rues Byward, Clarence, Parent, York, George et William. Le coin a conservé ses vieilles bâtisses à taille humaine. Marché très sympa dans la journée. L'été, les fruits de saison sont à des prix imbattables.

Les musées

🎞🎞🎞 **Le musée canadien des Civilisations** (plan couleur B1) **:** 100, rue Laurier, à Gatineau, face à la colline du Parlement. ☎ (819) 776-7000. ● www.civilisations.ca ● Ouvert tous les jours en été de 9 h à 18 h. Nocturne gratuite le jeudi de 16 h à 21 h. Entrée : 10 $Ca (6,1 €); réductions.
Le musée est récent et l'architecture de ce superbe bâtiment est une allégorie du paysage canadien, créé par l'érosion naturelle des glaciers, du vent et de l'eau. Une immense galerie en verre contient la reconstitution grandeur nature de différentes habitations amérindiennes avec de majestueux mâts totémiques et des pirogues. Le niveau supérieur retrace l'arrivée, l'établissement et la vie quotidienne des différents peuples venus au Canada. De nombreux dioramas très réalistes, sous une voûte de 17 m de haut, reconstituent l'arrivée des Vikings, la pêche à la baleine et une rue de la Nouvelle-France au XVIIIe siècle, un campement métis dans les prairies, une rue de l'ancienne Ontario, un chantier naval et une scierie du XIXe siècle... Nombreux exemplaires d'art populaire. Exceptionnel, à ne pas rater. Prévoir au moins 3 h si l'on veut tout voir.

🎞🎞 **Le musée canadien de la Nature** (plan couleur C3) **:** 240 MacLeod Street. ☎ 566-4700. ● www.nature.ca ● Ouvert en été de 9 h 30 à 17 h tous les jours. Nocturne le jeudi jusqu'à 20 h. Entrée : 8 $Ca (4,9 €) ; réductions. Le musée est gratuit le samedi de 10 h à 12 h.

Le rez-de-chaussée comporte les sections « La Vie à travers les âges » et « La Terre ». Ces sujets, vastes et complexes, sont abordés avec des méthodes pédagogiques attrayantes, jamais barbantes. Très intéressant. Les sections « Mammifères du Canada » et « Oiseaux au Canada » présentent des dioramas hyper-réalistes où vous pourrez voir un troupeau de bisons traversant un paysage enneigé ou des colonies d'oiseaux de mer sur les falaises de la côte atlantique. À voir : la collection de squelettes de dinosaures, certains exemplaires sont uniques au monde. Ne pas manquer l'exposition (permanente) saisissante des « mal-aimés » : insectes et rongeurs vivants ! Un musée qu'on a beaucoup apprécié.

🎬🎬🎬 *Le musée des Beaux-Arts du Canada (National Gallery ; plan couleur B1) :* 380 Sussex Drive. ☎ 990-1985. Ouvert tous les jours en été de 10 h à 18 h (20 h le jeudi), en hiver de 10 h à 17 h. Entrée des expositions temporaires : 10 $Ca (6,1 €). Gratuit pour la collection permanente. Superbe musée. Enfin, on fait la part belle à l'espace et à la lumière ! Le dôme de verre aux formes géométriques montre l'audace et la modernité du concepteur, Mashe Safdi (mi-canadien, mi-israélien). À l'intérieur, on peut admirer l'oratoire de la chapelle Rideau (29,7 m de long et 7,6 m de haut), voué à la destruction puis sauvé in extremis. Il fut démonté pièce par pièce, restauré puis assemblé de nouveau. Notez la rosace en bois sculpté. L'ensemble de ces sculptures anciennes et de leur « enveloppe » moderne s'harmonise étonnamment. À découvrir également la collection consacrée à l'art traditionnel canadien, dont le fameux Groupe des 7, fondé en 1920 peu après la mort du leader de la nouvelle peinture canadienne, Tom Thomson, dont de nombreuses œuvres sont exposées. Au 2e étage, belle vue sur la colline du Parlement. Enfin, ne pas manquer l'exposition sur l'art inuit et la nouvelle exposition d'œuvres amérindiennes. Juste une remarque : il faut être vraiment costaud pour ouvrir les immenses portes.

🎬 *Le musée canadien de la Guerre (plan couleur B1) :* 330, promenade Sussex (intersection de Bruyère). ☎ (819) 776-8600 ou 1-800-555-5621. ● www.museedelaguerre.ca ● Ouvert de 9 h 30 à 17 h, jusqu'à 20 h le jeudi. Gratuit le jeudi de 16 h à 20 h, demi-tarif le dimanche. Entrée : 4 $Ca (2,4 €). On n'est pas là pour faire l'apologie de la guerre, mais il faut bien avouer que ce petit musée est remarquablement bien fait. Sur 3 niveaux, vous découvrirez chronologiquement les différentes implications de l'armée canadienne dans tous les conflits mondiaux depuis 200 ans. Pour finir, une galerie sur les Casques Bleus canadiens. Le visiteur se promène parmi des reconstitutions quasi vivantes, des peintures, photographies et maquettes en tout genre. Le musée déménagera en mai 2005 sur les Plaines Le Breton, à l'ouest du centre-ville et sera beaucoup plus grand.

🎬 *Le musée de l'Aviation du Canada (hors plan couleur par B1) :* 11, promenade de l'Aviation, près du boulevard Saint-Laurent. ☎ 993-2010 ou 1-800-463-2038. ● www.aviation.technomuses.ca ● Ouvert tous les jours d'été de 9 h à 17 h. Entrée : 6 $Ca (3,7 €) ; réductions. Gratuit tous les jours de 16 h à 17 h. Le musée montre l'évolution des machines volantes tant en période de paix qu'en temps de guerre, de l'époque des pionniers jusqu'à aujourd'hui. La collection met l'accent, sans s'y limiter, sur les réalisations canadiennes. Par conséquent, on trouve dans la collection des avions de nombreux pays – ce que lui a valu une excellente réputation internationale.

🎬 *Le musée des Sciences et de la Technologie du Canada (hors plan couleur par B1) :* 1867 Saint Laurent Bvd. ☎ 741-4390. ● www.technomuses.ca ● Ouvert tous les jours de 9 h à 17 h du 1er mai au 1er lundi de septembre (fête du Travail). Entrée : 6 $Ca (3,7 €) ; réductions.

Poussez, tirez, tenez, pressez... Vous participerez activement à la découverte des lois physiques. Sorte de palais de la Découverte dépoussiéré. Expo de voitures anciennes, locomotives à vapeur et, plus près de nous, le Canada dans l'espace, connexions, ordinateurs, etc. Assez grand. Pour tout voir, il faut avoir du temps.

Ottawa et les tulipes

Au printemps, Ottawa déploie ses superbes jardins, spectacle floral dont les vedettes sont incontestablement ces millions de tulipes, offertes au Canada tous les ans par le peuple néerlandais (notamment pour avoir permis à la reine d'accoucher dans une chambre déclarée territoire hollandais), la famille royale ayant trouvé refuge à Ottawa durant la Seconde Guerre mondiale. C'est le plus grand festival de tulipes au monde. ● www.festivaldes tulipes.ca ●

Fêtes et manifestations

– Durant le mois de juin, **Le Franco,** qui est le festival franco-ontarien ; grands spectacles avec des vedettes souvent québécoises, parfois françaises, beaucoup d'animation. Le moment le plus fort est le spectacle de la Saint-Jean, le 24 juin, fête des francophones du Canada.

– Le **1er juillet, fête du Canada,** est l'occasion de multiples festivités en ville avec parade d'avions, groupes musicaux... et un formidable feu d'artifice le soir. Des milliers de familles se retrouvent sur la colline du Parlement. Ambiance sympathique et bon enfant. Des dizaines de bateaux égaient la rivière.

– Pour le **14 juillet,** les Français qui ont le mal du pays peuvent toujours, munis de leur carte d'identité, aller retirer une invitation quelques jours avant, à l'ambassade de France, pour un cocktail avec toast (frugal et pas vraiment exaltant). L'occasion pour les routards un peu mondains de rencontrer des Français émigrés.

– La 2e quinzaine de juillet, **festival de Jazz.** Moins important que celui de Montréal. De bons groupes, cependant, animent les rues d'Ottawa. Renseignements : ☎ 241-2633.

– Les 3 premiers week-ends de février se déroule le **Bal de Neige/Winterlude.** Beaucoup d'activités, comme des courses en canoë ou des concours de sculptures sur glace. On patine sur le canal Rideau, censé être la plus longue patinoire aménagée au monde.

Achats

⊛ **Centre Rideau** (plan couleur C2, 70) : le seul centre commercial d'Ottawa situé en centre-ville. Grand food court, permet de manger pour une fraction de ce que coûtent les vrais restos.

⊛ **Byward Market** (plan couleur C2) : superbes fruits et légumes le week-end. Excellentes boutiques d'alimentation. Pas cher et ambiance agréable.

⊛ **Giant Tiger** (plan couleur C1-2, 72) : 98 George Street, à l'angle de Cumberland Street, à deux pas du Byward Market. Humble royaume des fauchés. Le tout premier d'une chaîne de magasins à rabais ontariens. Dans la ruelle adjacente, ne pas manquer l'ensemble de murales « Un hommage aux Franco-Ontariens » qui a été payé par ce Tigre Géant.

> *DANS LES ENVIRONS D'OTTAWA*

À voir et à faire du côté du Québec

🐾 *Le parc de la Gatineau :* à 20 mn en voiture du centre d'Ottawa, du côté québécois, on accède à un magnifique parc composé de forêts denses et de lacs sauvages. Assez incroyable quand on se sait si proche de la ville. Un endroit vraiment chouette pour faire un break au milieu du voyage. Éviter les fins de semaine. Pour tous renseignements sur le parc et les campings : ☎ (819) 827-2020. ● www.capitaleducanada.gc.ca/gatineau ● Procurez-vous la carte du parc. Gratuite et bien faite.

Trois *campings* pas chers. Celui du *lac Philippe* est le plus grand et le plus bondé en été. Celui du *lac Taylor* est plus sauvage mais la baignade est interdite, et celui du *lac de la Pêche* n'est accessible qu'en canot (location sur place). Super-coin, vraiment au calme. Plage surveillée.

➢ Plus de 125 km de sentiers pédestres, 90 km de pistes cyclables réputées (VTT) et 200 km de sentiers de ski de fond l'hiver.

– Les 3 plus grands lacs (*Meech, Philippe* et *de la Pêche*) possèdent des plages surveillées (environ 5 plages publiques dans le parc ; frais d'entrée demandés). Location de vélos et de canoës au *lac Philippe*. Le *lac Pink* est bordé d'un sentier doté de nombreux panneaux expliquant l'originalité écologique du lac.

– *Le parc national de Plaisance :* à Plaisance, sur la route 148, à environ 50 mn à l'est de Gatineau. ☎ 1-877-752-4726. ● www.parcsquebec.com ● Camping sauvage aux abords de la rivière des Outaouais. Sentiers multifonctionnels, observation de la nature, retour des bernaches.

🐾 *Le parc Oméga :* à peu près à mi-distance d'Ottawa (80 km) et de Montréal (110 km), sur la route 323, à Montebello. ☎ (819) 423-5487 ou 5023. Ouvert toute l'année de 10 h à la tombée de la nuit. Un parc dirigé par des Alsaciens établis au Canada ; 800 ha que parcourt un chemin de 10 km. Au programme : bisons, wapitis, cerfs élaphes, ours noirs, bouquetins, sangliers... dans de superbes paysages. Possibilité de circuler en voiture ou à pied. En été, spectacle d'oiseaux de proie inclus dans la visite. Entrée payante.

GATINEAU (IND. TÉL. : 819)

N'hésitez pas à traverser la rivière pour poser un pied au Québec, à Gatineau (fusion récente des villes de Hull, Aylmer, Gatineau, Buckingham et Masson-Angers). Rangez votre dictionnaire et commencez votre promenade dans le parc de la Gatineau (voir ci-dessus). Puis, pour vous détendre un peu, poussez jusqu'à l'adorable *place Aubry*, à 500 m des ponts d'Ottawa. Les bars ont une saveur purement québécoise.

Adresse utile

ℹ️ *Maison du tourisme de l'Outaouais* (plan couleur A1, 12) : 103, rue Laurier, au pied du pont Alexandra. ☎ (819) 778-2222 ou 1-800-265-7822. ● www.tourisme-outaouais.ca ● Du 24 juin à la fête du Travail, ouvert de 8 h 30 à 20 h en semaine, et de 9 h à 18 h le week-end. De la fête du Travail au 24 juin, ouvert de 8 h 30 à 17 h 30 en semaine, et de 9 h à 16 h le week-end. Des tas d'infos et un accueil digne des Québécois.

Où dormir ?

Gîtes touristiques (de 60 à 100 $Ca, soit 36,6 à 61 €)

🛏 **Un Pied à Terre** (plan couleur A1, 30) : 245, rue Papineau, angle Laurier, en face du musée canadien des Civilisations. ☎ 772-4364. ● www3.sympatico.ca/unpie daterre ● Maison patrimoniale typique du secteur Hull, dont les chambres avec kitchenette (de 82 à 99 $Ca, soit 50 à 60,4 €) sont décorées différemment. Pauline et Jim, les proprios, ont énormément voyagé et ça se voit. Pas de petit dej' mais café et jus d'orange gratuits à disposition.

🛏 **Couette et Croissant** (plan couleur A1, 36) : 330, rue Champlain (à l'angle du boulevard du Sacré-Cœur, par lequel l'accès au B & B est le plus facile). ☎ 819-771-2200. La propriétaire prépare toujours des muffins à l'avance, au cas où... Deux jolies chambres, un petit salon. Très mignon. Parking.

🛏 **Au Gîte du Parc** (plan couleur A1, 35) : 258, rue Rédempteur. ☎ 819-777-7981. Fax : 819-771-1621. Un B & B sans prétention, mais l'accueil franc et chaleureux de Jacqueline et Marcel compense la décoration surannée.

Où manger ?

🍽 **Le Twist Café Resto Bar** (hors plan couleur par A2, 49) : 88, rue Montcalm, secteur de Hull. ☎ 777-8886. Ouvre à 11 h tous les jours. Renommé pour ses succulents « hambourgeois », moules-frites et desserts maison. Également des mets végétariens. Ambiance décontractée, grande sélection de bières. Superbe terrasse côté cour en été. Plats autour de 10 $Ca (6,1 €). Si populaire qu'il vaut mieux réserver, même au déjeuner !

🍽 **Restaurant Barbe** (plan couleur A1-2, 55) : 122, rue Eddy. Plats autour de 10 $Ca (6,1 €). À l'origine, c'était ici que les ouvriers venaient manger avant d'aller travailler, puis les usines ayant fermé, c'était devenu le bar où l'on finissait la nuit en sortant de boîte. Changement de décor, aujourd'hui, c'est un petit resto qui sert des spécialités canadiennes, notamment la fameuse tourte à la viande (la « tourtière »). Vous nous en direz des nouvelles...

🍽 **Le Tartuffe** (plan couleur A1, 56) : 133, rue Notre-Dame, au croisement de la rue Papineau. Proche du musée canadien des Civilisations. ☎ 819-776-6424. Fermé les dimanche et lundi. Plats autour de 12 $Ca (7,3 €) à midi. Multipliez l'addition par 2 le soir. Une maison tout en hauteur, une petite salle intime et raffinée et des menus qui fleurent bon la gastronomie française. Belle terrasse.

Où boire un verre ?

🍸 **La place Aubry** (plan couleur A2, 64) : se trouve le long de la promenade du Portage, à hauteur du n° 179. Rien à voir avec notre Martine nationale, elle doit son nom à un ancien maire de Hull. C'est une charmante place piétonne où la plupart des jeunes branchés se donnent rendez-vous. Près de la place, le **Bop Bar**, le **Troquet** et le **Où Quoi ?** sont bondés le soir quand arrivent les beaux jours.

🍸 **Aux 4 Jeudis** : 44, rue Laval, à côté de la place Aubry. Le port d'attache des étudiants de l'UQAH (Université du Québec à Hull), une valeur sûre très appréciée des francophones. Une superbe ciné-terrasse l'été.

SUR LA RIVE DU SAINT-LAURENT

LES PARCS DU SAINT-LAURENT

De Cornwall à Gananoque, on traverse une région superbe, dotée de nombreux campings. *Commission des parcs du Saint-Laurent* : ☎ 543-3704. Retirez la brochure à l'office de tourisme de Kingston, ou sur le parking de l'Upper Canadian Village. L'administration du parc se trouve à quelques kilomètres à l'est de Gananoque, au bord de la Parkway des Mille-Îles.

GANANOQUE IND. TÉL. : 613

L'entrée de cette longue ville n'est pas très accueillante, mais une fois passée l'avenue centrale sur laquelle se concentrent tous les motels, restos, grands magasins et concessionnaires de toutes marques, le cœur de Gananoque se dévoile. C'est surtout le meilleur point de départ pour les Mille-Îles.

L'ONTARIO

Adresse utile

🚩 *Tourist Information :* 2 King Street. Entre la mairie et le pont. ☎ 382-3250. Ouvert en été de 8 h à 20 h tous les jours, et en hiver de 9 h à 17 h.

Où dormir ?

Camping

Plusieurs campings sur la passagère 1 000 Islands Parkway.

⛺ *The Landon Bay Centre :* 302 1 000 Islands Parkway. ☎ 382-2719. ● landonbay@1000island.net ● Ouvert de mi-mai à octobre. Emplacement pour une tente à partir de 20 $Ca (12,2 €). Un camping à dimension humaine, ombragé, avec une piscine. Alcool interdit.

B & B

🏠 *Goose Nest :* 415 Stone Street S. ☎ 382-4498 ou 1-877-697-9478. ● www.gitescanada.com/4394.html ● Sortie 645 de l'autoroute 401. Chambres climatisées avec sanitaires, dans une gracieuse maison. De 90 à 130 $Ca (54,9 à 79,3 €), taxes comprises. Un couple charmant et discret, Gail et Robert, parle le français et tient avec bonheur ce *B & B* parfait.

C'est le Canada tel qu'on l'aime !
🏠 *Tea & Crumpets :* 260 King Street E. ☎ 382-2683. Chambres doubles de 70 à 149 $Ca (42,7 à 90,9 €). Les chambres *Teddy Bear* et *Butterfly* possèdent un jacuzzi privé. Le petit dej' est servi dans un service en porcelaine. C'est très douillet, très anglais, très coquet. Les fans de *B & B* adoreront.

Où manger ?

Prix moyens (autour de 10 $Ca, soit 6,1 €)

⏐●⏐ *Maple Leaf* : 65 King Street E. Ouvert tous les jours jusqu'à 22 h, plus tard en été. Un couple de Tchèques, établi depuis quelques années au Canada, sert de bons plats, des salades copieuses, des spécialités des pays de l'Est et d'excellents desserts *(Apfelstrudel...)*.

⏐●⏐ *Titania* : 740 King Street W, à la sortie de la ville. Ouvert de 7 h à 21 h, sauf le dimanche, jusqu'à 20 h. Deux petites salles claires, où l'on mange rapidement pour pas trop cher.

À faire

➤ *Balade des Mille-Îles :* pour faire une île, il faut en fait 1 arbre et 6 pieds carrés de terre. Il arrive que les maisons soient plus grandes que l'île elle-même. Nombre de ces îles ont été vendues par des tribus indiennes au gouvernement qui les a revendues, une à une, pour un ou deux dollars. Aujourd'hui, les riches sénateurs américains et les hauts fonctionnaires s'y sont fait construire des résidences secondaires.

■ *Gananoque Boat Line :* vente de billets sur le port. ☎ 382-2146 (infos sur répondeur 24 h/24). ● www.gan boatline.com ● Départ toutes les heures. Durée de la croisière : 1 h ou 3 h. Ouvert tous les jours l'été. Le tour de 3 h fait une escale sur une île américaine, pour voir le *Boldt Castle*, une magnifique demeure inachevée que fit construire le riche propriétaire du *Waldorf Astoria* de New York. Attention, pour visiter cette île, il faut avoir son passeport.
– D'autres compagnies proposent également des tours, notamment à Rockport et à Ivy Lea.

■ *1 000 Islands Air :* 101A Street S, sur le front de « mer ». ☎ 382-7111. Ouvert tous les jours de 9 h à 20 h. Pour un survol : minimum 2 personnes (vous pouvez y aller seul mais vous paierez pour 2). Plusieurs départs par jour. Absolument magnifique ! Ça vaut vraiment le coup de casser sa tirelire et de se payer un baptême de l'air en hydravion. Le paysage à 1 500 pieds de hauteur est splendide. On a une vue réelle sur les Mille-Îles (en fait, il y en a 1 870), émergeant des eaux pures du fleuve. C'est plus cher et plus bruyant que le bateau, mais quel bonheur et quel moment privilégié !

KINGSTON   130 000 hab.   IND. TÉL. : 613

Paisible station balnéaire accueillant de nombreux plaisanciers, située à l'estuaire sud du canal Rideau et à l'entrée du Saint-Laurent. Entre 1841 et 1844, Kingston connut une grande expansion. La ville fut désignée comme capitale du Canada-Uni avant que la reine Victoria ne choisisse Ottawa. Le City Hall, en face du port, avait été construit pour accueillir le Parlement canadien. On trouve dans la ville de nombreuses et riches demeures du XIXe siècle qui lui donnent une dimension historique somme toute assez rare au Canada. On y sent l'influence des racines écossaises.
Beaucoup de vacanciers chics et décontractés. Étape agréable sur la route entre Montréal et Toronto. Attention : il est assez difficile d'y loger en septembre. La prestigieuse *Queen's University* déverse son lot d'étudiants qui cherchent – et trouvent – souvent des prétextes à la fête. Les deux rues à connaître sont Princess et Ontario.

Adresses utiles

🅸 **Visitor's and Convention Bureau :** 209 Ontario Street. En face du City Hall, sur le port. ☎ 548-4415 ou 1-888-855-4555. Fax : 548-4549. ● www.kingstoncanada.com ● Ouvert en été de 9 h à 20 h tous les jours, en hiver de 9 h à 17 h.

🚌 **Bus Station :** 175 Counter Street. ☎ 547-4916 (info en français). Renseignements au *Visitor's and Convention Bureau*; pour Toronto et Montréal, 7 départs par jour. Environ 2 h 30 chaque trajet.

Quatre départs quotidiens pour Ottawa. Durée : 2 h environ.

🚈 **Gare ferroviaire :** loin du centre, pour y aller, prendre le *Woodbine Park Bus* sur Brock Street, derrière le City Hall. *Via Rail :* ☎ 1-888-842-7245. Plusieurs départs par jour pour Toronto, Ottawa, Montréal.

■ **Kingston General Hospital :** 76 Stuart Street. ☎ 548-3232.

■ **Location de vélos :** *Ahoy Rentals,* 23 Ontario Street (près de King Street). ☎ 539-3202.

Où dormir ?

Campings (environ 20 $Ca, soit 12,2 €)

⛺ **Lake Ontario Park :** à 4 km à l'ouest de la ville, vers l'hôpital psychiatrique ce qui rend les abords un peu tristes. ☎ 542-6574. Fax : 542-5699. Ouvert de mai à septembre. Propre, bien équipé. Bus régulier (4 fois par jour) au départ du centre de Kingston. On peut y pêcher et se baigner.

⛺ **Hi-Lo Hichory Campground :** sur Wolfe Island en face de Kingston. ☎ 385-2430 ou 1-877-99-OSEA. Prendre le ferry gratuit (on peut passer en voiture) au port. Durée du trajet : 20 mn. Une fois sur l'île, prendre la Highway 96 East pendant une bonne dizaine de kilomètres. Beaux sites et plages naturelles. Très isolé.

Bon marché (de 20 à 30 $Ca, soit 12,2 à 18,3 €)

🏠 **Louise House Summer Hostel :** 329 Johnson Street (près de Division Street au centre-ville). ☎ 531-8237. ● kingston@hihostels.ca ● Ouvert du 1er mai à fin août. Cette auberge officielle compte 60 lits dans un bâtiment public qui date de 1847. Grandes chambres fonctionnelles occupées le reste de l'année par les étudiants de l'université

Queen's. Accueil sympa.

🏠 **Queen's University :** Queen's Crescent Street, à l'angle d'Albert Street. ☎ 533-2501. Ouvert uniquement du 1er mai jusqu'à fin août. Allez au Victoria Hall. Chambres d'étudiants toutes simples, spacieuses et propres. Petit dej'-buffet inclus dans le prix.

Prix moyens (de 60 à 100 $Ca, soit 36,6 à 61 €)

🏠 **Glen Lawrence B & B :** route 2 Est, PO Box 1325. À 6 km à l'est de Kingston. ☎ 548-4293. En face de la *Glen Lawrence Farm.* Marion et Hans Westenberg parlent plusieurs langues. Leur maison est superbe, arrangée avec beaucoup de goût, dans les bois et à 2 mn du fleuve Saint-Laurent. Silence et repos. Su-

per-adresse, vraiment ! Accueil chaleureux et petit dej' extra.

🏠 **Alexander Henry :** 55 Ontario Street. ☎ 542-2261. Fax : 542-0043. ● bedbreakfast@marmuseum.ca ● Ouvert de mai à fin septembre. Une idée originale et attractive pour les routards curieux. On dort à bord d'un brise-glace désaffecté. Marrant de

se retrouver dans la cabine d'un matelot ou dans celle, plus spacieuse, du capitaine. Donne un accès gratuit au *Marine Museum* tout près.
🛥 *Downtown Wellington Street*

B & B : 60 Wellington Street. ☎ 544-9919. Ce n'est pas franchement une auberge de charme, mais elle a l'avantage d'être située à proximité du centre.

Très chic (de 125 à 250 $Ca, soit 76,3 à 153 €)

🛥 *The Hotel Belvedere :* 141 King Street E, à quelques pas du centre. ☎ 548-1565 ou 1-800-559-0584. ● www.hotelbelvedere.com ● Très belle demeure classique, superbe-

ment décorée. Si vous êtes en fonds, prenez la chambre 202 (la plus chère) ; lit gigantesque, meubles de style qui donnent une authenticité au lieu.

Où manger ?

Prix moyens (moins de 15 $Ca, soit 9,2 €)

|●| *Stoney's :* 189 Ontario Street, à deux pas de l'office de tourisme. Ouvert tous les jours de 10 h à 22 h, le week-end jusqu'à 23 h. Grand choix de salades, pizzas et spécialités américaines mais c'est un peu cher. Bar le soir, belle atmosphère et bière à bon prix. Au dessert, les *baklavas* trahissent l'origine grecque des propriétaires.
|●| *Hoppin' Eddy's :* 393 Princess Street. ☎ 531-9770. Un grand resto au centre-ville, avec plusieurs salles et une terrasse. Style et cuisine

« Nouvelle-Orléans ». Ça bouge et ça crie dans tous les sens les soirs de fête. Grande sélection de bières et scotchs. Terrasse.
|●| *The Pilot House of Kingston :* 265 King Street E. Ce resto en angle doit son nom aux marins qui venaient s'y restaurer. Le café en a gardé une ambiance conviviale et chaleureuse et une décoration typique des tavernes de l'époque. La nourriture n'a toutefois rien de gastronomique.

Plus chic (autour de 20 $Ca le soir, soit 12,2 €, un peu moins cher le midi)

|●| *Chez Piggy :* 68R Princess Street. Ouvert tous les jours de 11 h à minuit. ☎ 549-7673. Au niveau du n° 72, il y a une impasse qui mène à une courette. C'est là, sur la gauche, dans une maison du XIXᵉ siècle. Sans doute le restaurant le plus réputé de la ville. Cuisine internationale (surtout méditerranéenne), inspirée par les nombreux voyages des proprios et les origines diverses des

chefs qui s'y succèdent. Bonne carte des vins, enfin !
|●| *Mino's Restaurant :* 250 Ontario Street, près du City Hall. ☎ 548-4654. Ouvert du lundi au samedi de 11 h à 14 h 30, le dimanche de 17 h à 19 h 30. Bonnes spécialités grecques. Très copieux. Atmosphère pseudo-grecque, somme toute bien réussie. Très populaire, il le faut car l'endroit est très grand.

Où manger une glace ?

🍦 *White Mountain :* 176 Ontario Street (angle Johnson), à l'extrémité ouest du centre-ville. Vous ne pouvez pas le louper quand il fait chaud, il y a beaucoup de monde devant la

boutique ! Ouvert tous les jours l'été de 10 h à 23 h 30. Excellentes glaces faites maison. Même les cornets sont fabriqués sous vos yeux.

Où boire un verre?

🍸 *Toucan Bar :* pub anglais dans la même cour intérieure que *Chez Piggy,* au 76 Princess Street. Ouvert jusqu'à 1 h en semaine et 2 h le week-end. Spécialité de bière irlandaise (pour ne pas dire son nom). On y retrouve les éternels jeux de fléchettes ; groupes de rock de temps en temps. Possibilité d'y dîner.

🍸 *Margaritaville :* 251 Ontario Street (c'est la terrasse à l'arrière du resto tex-mex *Lone Star*). ☎ 548-8888. En face de *Mino's Restaurant.* Ouvert tous les jours de 11 h à minuit. Aux premiers rayons de soleil ce resto-bar-terrasse s'anime. Il donne sur le lac Ontario. Des tonneaux en guise de table, des *nachos* à l'apéro, de la musique et c'est parti. Spécialités mexicaines. *Hot, hot, hot !*

🍸 *The Kingston Brewing Co. :* Clarence Street, près de l'angle avec Ontario Street. Ouvert tous les jours jusqu'à 1 h. Et encore un pub plus ou moins anglais ! Ils fabriquent eux-mêmes leurs bières. Très bonnes d'ailleurs. Très connu dans le coin. Dites le *Brew Pub* si vous voulez faire *in.* Agréable patio.

Où danser?

🎵 *AJ's Hangar :* 393 Princess Street. C'est une petite entrée, peu visible, à côté du restaurant *Hoppin' Eddy's.* Ouvert tous les jours. Le hangar d'*AJ* est décoré style *sixties,* avec des avions suspendus au plafond. Ambiance sympa, rock'n'roll, bière et drague. Beaucoup de monde le soir pour écouter les groupes de passage ou pour s'éclater lors des soirées rétro du mardi et disco des jeudi et samedi. Entrée payante pour ces soirées à thème.

🎵 *Stages :* 390 Princess Street, en face de l'*AJ's Hangar.* Fermé les mardi et dimanche. Une boîte en vogue. Clientèle jeune. Droit d'entrée.

🎵 *Cocamo :* 172 Ontario Street. Ouvert toute la semaine jusqu'à 2 h (3 h le samedi). Gratuit pour les filles le lundi. Boîte branchée de station balnéaire. La jeunesse dorée de Kingston s'y éclate sur des rythmes très dance. Un peu frime, étonnant au Canada ! Pour les petits creux de fin de soirée, kiosque à pizzas à l'entrée de la boîte. Resto pendant la journée.

Où voir une pièce de théâtre?

- *The Grand Theatre :* 218 Princess Street. ☎ 530-2050.
- *Domino Theatre :* 370 King Street W. ☎ 546-5460. En contrebas, face à Ellerbeck Street. Pièces presque tous les soirs, en été.

À voir. À faire

🎖 *Old Fort Henry :* à l'est de Kingston. Sur la Highway 2, à 30 mn à pied du centre. Panneaux indicateurs. Demander le programme des parades à l'office de tourisme avant de vous y rendre. ☎ 542-7388. Ouvert de 10 h à 17 h. Entrée : 10 $Ca (6,1 €). Visites guidées en français plusieurs fois par jour.

Fort construit en 1832 pour défendre l'accès du canal Rideau à l'époque où les relations entre Anglais et Américains n'étaient pas au beau fixe. Le fort ne fut jamais utilisé. Il abrite aujourd'hui d'intéressantes collections de costumes et d'armes. Visite des quartiers des officiers tels qu'ils étaient en 1867. Quelques prisonniers de la Seconde Guerre mondiale y furent détenus. Ils

L'ONTARIO

s'évadèrent... par les latrines. Les parades, défilés, démonstrations en uniformes et la discipline militaire de l'époque animent le fort de façon très réaliste. Les enfants pourront même s'initier à la marche au pas et au salut réglementaire. C'est l'un des plus beaux musées vivants de ce genre au Canada.

🏃 **Murney Tour :** sur les bords du lac Ontario, au croisement de King Street et de Barries Street. Ouvert de mi-mai à mi-septembre de 10 h à 17 h, jusqu'à 18 h en juillet-août. Un petit musée en rapport avec le fort Henry, dans une des **tours Martello,** grosses et trapues, construites pour la défense de la ville.

🍴 **Bellevue House :** 35 Centre Street. ☎ 545-8666. Ouvert de 10 h à 17 h. Entrée payante (bon marché) ; réduction étudiants.
Cette maison d'inspiration « toscane » fut la demeure d'un riche commerçant ruiné, avant d'être habitée de 1848 à 1849 par sir John A. MacDonald, petit avocat à l'époque et qui devait devenir le premier Premier ministre de la toute nouvelle Confédération. Petit film de présentation. La maison reflète la vie bourgeoise du XIXe siècle. Guide francophone intarissable.

– **Farmer's Market :** sympathique marché fermier derrière le City Hall les mardi, jeudi et samedi.

– **S & R Department Store :** une curiosité locale. Ouvert de 9 h à 21 h (9 h à 18 h le samedi et 10 h 30 à 17 h le dimanche). Un vieux magasin général qui survit au centre-ville avec des prix à ras le plancher. C'est sympa et les fauchés vont y saliver un bon coup.

QUITTER KINGSTON

– Si vous faites du **stop,** ne vous étonnez pas si vous restez un long moment le pouce levé. Kingston abrite 6 grandes prisons, la plus forte concentration du pays. Les automobilistes verront toujours en vous un Rapetou en fuite. Évitez de porter votre pull rayé !

➤ Si vous partez à **Toronto** et que vous n'êtes pas trop pressé, la route 33, via Picton, est nettement plus agréable que la Highway 401. On y longe des champs de pommiers, on y croise des petits ports, on roule tranquillement à travers la campagne verdoyante canadienne.

LES GRANDES PRAIRIES

De l'Ontario aux Rocheuses s'étend une vaste plaine (c'est rien de le dire) que votre imagination, même aussi fertile que la plaine susnommée, ne saurait concevoir. Cette immensité plate, alourdie par un ciel très bleu l'été, balayée par le vent, organisée en parcelles clôturées et traversée par la transcanadienne, semble inhabitée. De fait, cette région, large de plus de 1 300 km, compte un peu moins de 4,5 millions d'habitants réunis principalement dans les villes de Winnipeg (Manitoba), Regina (Saskatchewan), Calgary et Edmonton (Alberta).

LE MANITOBA

Le Manitoba, c'est en fait le centre du Canada, mais ce grand pays n'a pas de centre si l'on écoute les Canadiens ! Il y a l'Est, jusqu'à l'Ontario, et l'Ouest commence – et vlan ! – à la frontière du Manitoba... Faut dire que cette frontière n'est pas uniquement psychologique. Le Manitoba se présente comme la fin des interminables forêts rocailleuses du Nord ontarien. L'Ouest, c'est un autre Canada. Une grande contrée qui se sent isolée, oubliée et souvent humiliée par *the East,* beaucoup plus peuplé et plus costaud au Parlement canadien. Le Manitoba, c'est donc le début de la *Western alienation,* mais c'est aussi le début de ce sentiment de grande liberté qui anime toujours les Prairies.
Pour ceux dont l'esprit d'émerveillement dépasse les évidences – comme les Rocheuses – le Manitoba offre de grands lacs, de grands ciels, de grandes émotions basées sur l'immensité. Et il y a aussi Winnipeg, une métropole qui forme un espace d'urbanité isolé dans un océan de blé. La grande ville la plus proche est Minneapolis au Minnesota...

WINNIPEG   670 000 hab.   IND. TÉL. : 204

Cette grande ville peut sembler sans âme pour un Européen, car elle s'étend à l'infini, à l'image des immenses prairies qui l'entourent. Les centres vivants sont très dispersés, à l'américaine. Voiture conseillée, les déplacements se font rapidement et le parking n'est pas un problème. On se demande où sont passés les habitants, tellement l'espace est généreusement distribué. En fait, si une ville a été construite à cet endroit, c'est bien parce qu'il constituait le lieu géographique idéal pour le commerce du grain. Winnipeg était donc avant tout un vaste entrepôt à céréales. Il ne manquait alors qu'une voie de chemin de fer pour que cette plaque tournante des Grandes Prairies devienne une véritable cité. Heureusement, les colonies ukrainienne, russe, mennonite, italienne, grecque, polonaise et chinoise sont venues stimuler la vie de la Prairie.
Un des intérêts de séjourner à Winnipeg sera d'explorer le quartier francophone de Saint-Boniface et de visiter l'excellent *Manitoba Museum of Man and Nature.* Les amoureux de la nature iront au nord, sur les rives du lac Winnipeg et du lac Manitoba. Les pêcheurs y font des prises extraordinaires. Winnipeg, c'est aussi l'occasion de faire des rencontres fortes avec des *urban Aboriginals,* ces Amérindiens des villes qui sont maintenant aussi

nombreux que ceux des réserves. Avertissement : ce ne sont pas des Indiens de parcs d'attractions, leur comportement franc, sans détours, pourrait vous désarçonner.

QUELQUES DIAPOS SUR LE PASSÉ

Ancien poste de traite des fourrures de la Compagnie, Winnipeg se développa notamment sur la rive droite de la rivière Rouge, où est situé le quartier de Saint-Boniface. C'est là que la nation métisse naquit. Il s'agissait de petits marchands semi-nomades et de coureurs des bois des compagnies de fourrures qui fondèrent un foyer avec des femmes indiennes de la tribu

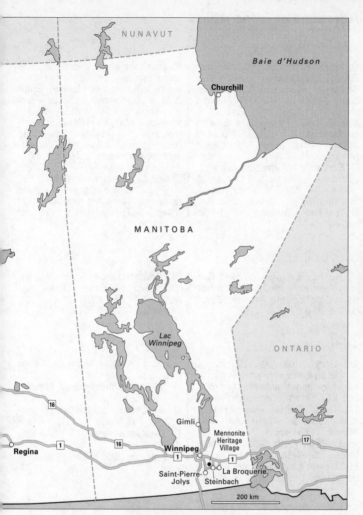

LES GRANDES PRAIRIES

cree notamment. La région fut le théâtre de la révolte des Métis contre le gouvernement canadien, menée par leur chef politique *Louis Riel* (voir la rubrique « Histoire » du chapitre « Généralités » en début de guide).

Comment y aller ?

➢ *De l'aéroport :* *Shuttle Bus* vers le centre-ville. Bus orange et jaune. Les vols sur Winnipeg depuis Toronto sont directs. À surveiller, il y a parfois des ventes de sièges (aller simple) à 125 $Ca (76,3 €).

Adresses et infos utiles

Infos touristiques

ℹ️ *Visitor's Information Center* (plan B2, 1) : Legislative Building, sur Broadway Avenue, à l'angle d'Osborne Street. ☎ 945-3777. Numéro d'appel de *Travel Manitoba* : ☎ 1-800-665-0040. Poste 36. ● www.travelmanitoba.com ● Bureaux ouverts de 8 h à 21 h en été au 7-155 Carlton Street.

ℹ️ *Bureau d'information* (plan B2, 2) : dans le Convention Center, au centre-ville, 232-375 York Avenue. ☎ 943-1970.

ℹ️ *Tourism Winnipeg* : ☎ 1-800-665-0204.

■ *Manitoba Farm Vacations* : une façon sympa de visiter le Manitoba est de loger dans des fermes. Écrire à M. Félix Kuehn, Manitoba Farm Vacations, 525 Kylemore Avenue, Winnipeg, Manitoba R3L-1B5 ; ou téléphoner : ☎ 475-6624. Pas donné pour les gîtes ruraux, mais correct.

■ *Parcs Canada* (plan C2, 4) : 25 Forks Market Rd. ☎ 983-6757. Ouvert du lundi au vendredi de 8 h 30 à 17 h. Centre d'information sur les campings, les parcs provinciaux et nationaux, les permis de chasse et de pêche.

Services, urgences

✉️ *Post Office* (plan C2) : 266 Graham Avenue. ☎ 983-5481. Un bloc au sud de Portage Avenue. Ouvert de 8 h 30 à 17 h 30.

■ *Health Science Center* (plan B1, 1) : 820 Sherbrook Street. Urgences : ☎ 787-3167.

■ *Police :* ☎ 986-6222.

Transports

🚌 *Greyhound* (plan B2, 3) : à l'angle de Portage Avenue et de Colony Memorial Boulevard. ☎ 1-800-661-8747. ● www.greyhound.ca ●

🚌 *Grey Goose Bus Lines :* même lieu de départ que *Greyhound.* ☎ 784-4500.

🚆 *Via Rail* (plan C2) : 123 Main Street. Réservations : ☎ 1-800-561-8630. Belle gare historique au cœur de la ville. Des générations d'immigrants y ont foulé le sol de l'Ouest pour la première fois.

✈️ *Winnipeg International Airport :* ☎ 744-0031.

■ *Air Canada :* 335 Portage Avenue. ☎ 943-9361.

■ *WestJet Airlines :* ☎ 1-800-538-5696.

■ *Canada 3000 :* ☎ 1-888-CAN-3000.

Loisirs, divers

■ *Centre culturel franco-manitobain* (plan D2, 2) : 340 Provencher Bvd. ☎ 233-8972. Bar, resto *Le Café Jardin,* musique (jazz tous les mardis soir). Les francophones s'y retrouvent. La nourriture n'est pas géniale, mais l'ambiance est agréable et il y a une merveilleuse terrasse extérieure. Également, une boutique aux objets originaux et parfois étonnants, souvent réalisés par des Franco-Manitobains.

■ *Librairie À la Page* (plan C2, 6) : 200 Provencher Bvd. Près de la station *Shell.* Magazines et journaux québécois et français.

■ *Postes de radio en français :* Radio-Canada 1150 AM. Radio communautaire (une radio libre) du Manitoba au 91.1 FM.

■ *Tournées historiques en français :* ☎ 235-1043. Tournées à pied « *Marche-Donc* » organisées par Luc Marchildon, un grand francophile (il a fait 25 voyages en France !) qui connaît Winnipeg comme sa poche.

■ *Ô Tours :* ☎ et fax : 253-6664. Services touristiques complets, pour groupes ou voyageurs individuels. Tours de villes, services de guides francophones, organisation de voyages à Churchill, etc. Marcel de Gagné et Michelle Gervais vous aideront à pro-fiter au maximum de votre voyage. Ils adorent le Manitoba et ils en connaissent tous les secrets.

■ *Cartouches de gaz (plan B2, 5) :* United Army Surplus Sales, à l'angle de Portage Avenue et de Colony Memorial Bvd.

Où dormir ?

Quelques endroits pour se reposer.

▣ *Ivey House International Hostel (plan A2, 10) :* 210 Maryland Street. ☎ 772-3022. • iveyouse @hotmail.com • À 15 mn à pied du centre. Fermé de 9 h à 16 h. Petite maison propre et chaleureuse. Quarante lits dispersés dans plusieurs pièces. Cuisine et frigo. Petit salon. Très chouette et pas cher. Location de bicyclettes.

▣ *University of Manitoba (hors plan par B3, 11) :* Pembina Highway. ☎ 474-9942. Du *Downtown*, prendre le *Pembina Bus* jusqu'à l'université. Il s'arrête à 2 mn du Taché Hall, là où se trouve la réception de la résidence. Si vous arrivez après 17 h, demandez le gardien de nuit, c'est lui qui ouvre les portes. Trente chambres d'étudiants. Assez bon marché mais fermé aux touristes à partir de septembre. Cafétéria et restaurant à l'University Center Building. Mais bon, pas très pratique et excentré. Préférer l'AJ.

▣ *Saint James Hotel (hors plan par A2, 12) :* 1719 Portage Avenue. ☎ 888-2341. Pour y aller, prendre le bus *Red-Express* sur Portage Avenue. Propre et pas cher, mais très excentré.

▣ *Guesthouse International (plan B2, 13) :* 168 Maryland Street. ☎ 772-1272. Bon marché et accueil sympa. Salle à manger et cuisine. Pas plus de 3 lits par chambre. Salle de bains à chaque étage, douche et buanderie au sous-sol.

WINNIPEG

WINNIPEG

500 m

NORD

SLAW REBCHUK BR.

Higgings

Logan
Alexander Ave.

William

Notre
Dame

Mac Phillips St.

Arlington

Mac

Ave.

1 ■ Sherbrook

Dermot

Isabel

William

Wellington Ave.

Garfield

Ingersoll

Banning

Sargent

Arlington

Simcoe

Toronto

Notre

Cumberland

Spence

Dame

Ave.

Edmonton

Carlton

Ave.

Princess

Kim

41

26
|●|

Ave.

Balmoral

Ellice

Ellice Ave.

Maryland

Furby

Colony St.

Portage

3

5 ■

50 ▲

Memorial

Osborne Blvd.

Kennedy

York

Mary

i 2

Broadway

Ingersoll

Banning

Simcoe

Toronto

Ave.

Broadway

Wimy
Ridge
Park

10 ♨

Sherbrook

St.

Ave.

Spence

Colony

N.

i 1

OSBORNE BR.

Portage

|●| 25
13 ♨

Maryland

Furby

Garfield

Aubrey

Westminster

Arlington

Wolseley

Ave.

MARYLAND BR.

Middle Gt.

River

River

51 ♀

Stradbrook

Nassau

Osborne

Ruby

Assiniboine River

Rd.

3 Wellington
Cr.

Academy

Cambridge St.

Harrow

Stafford St.

Munson

Wellington

Park

Cr.

Grosvenor St.

Ave.

Corydon

Cockburn St.

Grant Ave.

Pembina Hwy.

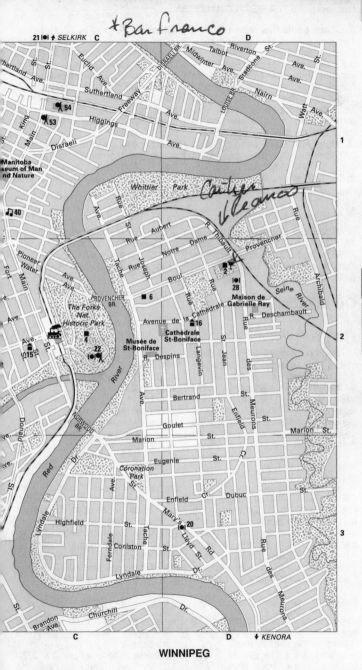

WINNIPEG

≜ *Place Louis-Riel (plan C2, 14)* : 190 Smith Street. ☎ 947-6961 ou 1-800-665-0569. Hôtel imposant au cœur de la ville. On penserait y trouver une présence française. Mais non, le décor est tout à fait amérindien dans toutes les chambres. Elles ne sont pas données, mais elles comportent toutes une kitchenette, ce qui permet de faire des économies.

≜ *Hôtel Fort Garry (plan C2, 15)* : 222 Broadway, à deux pas de la gare. ☎ 942-8251 ou 1-800-665-8088. L'hôtel historique de Winnipeg, c'était le plus grand au début du XXᵉ siècle. Aujourd'hui, il a été surpassé par celui de la chaîne *Fairmont,* qui est plus moderne et plus cher. « The Fort Garry », comme on dit ici, aurait la particularité d'être hanté ! Bien sûr, la direction de l'hôtel n'affiche pas cette singularité... Le buffet du petit dej' est remarquable. On cuisine toutes sortes de choses devant vous à prix fixe. Ça vaut la peine de venir s'y remplir la panse pour carburer toute la journée. Le *Fort Garry* a aussi la bonne idée d'offrir le plus de services en français possibles.

B & B

≜ *Gîte de la Cathédrale (plan D2, 16)* : 581, rue Langevin. ☎ 233-7792. Chez Jacqueline Bernier, dans le quartier de Saint-Boniface. Salle de bains commune. Très bon accueil. Excellente réputation. Bonne nourriture. À deux pas de la station CKSB de Radio-Canada et du Collège universitaire de Saint-Boniface.

Où manger ?

Vraiment pas cher

|●| *Redtop (plan D3, 20)* : 219 Saint Mary's Rd. Les meilleurs hamburgers de la ville. Pour les vrais fauchés.

|●| *Kelekis (hors plan par C1, 21)* : 1100 Main Street. Les meilleurs hot-dogs. Plein de photos dédicacées par des célébrités ou racontant la vie de ce cher M. Kelekis, proprio du resto. Endroit très réputé à Winnipeg, car il fait partie de la petite histoire locale.

|●| Dans le quartier de *La Fourche (plan C2, 22)*, se reporter à la rubrique « À voir », différents *stands* proposent des repas complets chinois, sri lankais, ukrainiens, italiens ou jamaïcains vraiment excellents, à des prix défiant toute concurrence.

Prix modérés

|●| *Alycia's (hors plan par B1, 23)* : 559 Cathedral Avenue (angle Mac-Gregor). ☎ 582-8789. On vient de loin pour manger en famille dans ce resto ukrainien du nord de la ville. Goûtez les soupes. Bon *sauerkraut* (chou émincé) et délicieux *pirojki,* le *North End Special* est copieux et délicieux. Déco kitsch avec portraits et photos du pape. Tenu par une famille adorable. Une adresse excellente. À côté, le *Daly Store* fait des plats à emporter.

|●| *Kum Koon (plan B1, 24)* : 257 King Street. ☎ 943-4655. Atmosphère assez remuante dans ce resto chinois. Un autre chinois pas mal : *Emperor Palace,* 277 Ruppert Avenue, dans Chinatown.

Plus chic

|●| *Acropolis (plan B2, 25)* : 172 Sherbrook Street. Bon resto grec. Souvlakis, *gyros* et tarama.

|●| *Picasso's (plan B1, 26)* : 615 Sargent Avenue. Assez chicos. Spécialités de fruits de mer. Si vous ne faites pas gaffe, l'addition grimpe vite. Contentez-vous des salades ou d'*appetizers.*

|●| *Osaka (hors plan par B3, 27)* : 667 Strafford Street, à l'angle de Pembina Highway. ☎ 452-1166. Resto

japonais. On laisse ses chaussures à l'entrée. Cher, mais les *side dishes* vous rempliront l'estomac sans vous mettre à sec.

|●| *La Vieille Gare* (plan D2, 28) : 630 Des Meurons, à Saint-Boniface.

Dans un ancien édifice de gare et un wagon de train, sympa, au décor feutré. Tenu par des Canadiens français. Prix raisonnables, spécialité : le gigot d'agneau au sirop d'érable organique.

Si vous en avez les moyens, plusieurs restos de haut niveau proposent une cuisine française ou « fusion » faite à partir d'ingrédients comme la chair de bison, le délicat poisson d'eau douce « goldeye » et le riz sauvage du lac Winnipeg.

Où boire un verre en écoutant de la musique ?
Où danser ?

🍸 *Le Café Jardin-Terrasse Daniel Lavoie* (plan D2, 2) : 340 Provencher Bvd. Dans le Centre culturel franco-manitobain, dans le quartier de Saint-Boniface. Cuisine franco-canadienne : tourtes, soupes gratinées, pâtés, tartes à la citrouille. La poutine québécoise est servie avec de la mozzarella, faute de fromage en grains à la québécoise... À midi uniquement. On est servi avec l'accent. Le mardi soir, concerts de jazz. Les autres soirs, des groupes se produisent occasionnellement (consulter leur programme).

♫ Pour danser, essayez *8 Trax* (plan C1, 40), à l'angle nord-est de Main Street et MacDermot Avenue (☎ 942-8729) ou *Cloud 9* (plan B2, 41), club de l'hôtel *Ramada Malborough,* 331 Smith Street, angle sud-est de Smith et Ellice Avenues. Sinon, *L'Euphoria,* boîte assez populaire, située dans le *Windsor Park Inn,* au 1034 Elizabeth Rd.

Pour les anglicistes amateurs de shows

– *Rumor's Comedy Club* : 2025 Corydon Avenue. ☎ 488-4520. Spectacles comiques à 21 h.

À voir

🏛🏛🏛 *Manitoba Museum of Man and Nature* (plan C1) : 190 Rupert Avenue (angle Main). ☎ 956-2830. ● www.manitobamuseum.mb.ca ● Ouvert tous les jours de 10 h à 18 h. Ticket commun : 15 $Ca (9,2 €) ; réductions. Cet excellent musée constitue le must culturel de la ville. Un arrêt à Winnipeg n'est pas vraiment complet si vous faites l'impasse sur cette visite. On apprend beaucoup sur l'évolution du Canada.

Les différentes sections retracent l'histoire de la terre par le biais de dioramas très réalistes : climat, végétation et faune du Canada sont expliqués clairement. La partie consacrée aux Indiens algonquins est une réussite. On se retrouve en fait au milieu d'un village. Reconstitution vivante d'une rue de Winnipeg au début du XXᵉ siècle. Allez voir également la salle où se trouve le *Nonsuch,* réplique grandeur nature du premier bateau faisant le commerce de fourrures au XVIIᵉ siècle. Impressionnant.

La toute nouvelle galerie de la *Compagnie de la baie d'Hudson* est exceptionnelle par ses couleurs, la qualité des objets de la collection et ses aspects audiovisuels. En outre, elle est bilingue (anglais-français), ce qui n'est pas le cas du reste de l'exposition.

🏛 *Le musée Saint-Boniface* (plan C2) : 494 Taché Avenue, non loin du Provencher Bvd. ☎ 237-4500. Ouvert de 9 h à 21 h (17 h le samedi).

Le musée est situé dans l'ancien couvent des « Sœurs grises ». Pour la petite histoire, sachez que 4 d'entre elles vinrent de Montréal à Winnipeg en canoë en 1844. Le voyage dura 59 jours. C'est le plus vieux bâtiment de la ville. Outre quelques reliques appartenant aux nonnes, le musée présente à l'étage de nombreux objets hétéroclites d'utilisation courante retraçant la vie des gens aisés du milieu du XIXᵉ siècle. La fondatrice du couvent fut mariée à un trafiquant d'alcool, alcoolique de surcroît, avant de se faire nonne. Les boutades sarcastiques disaient de son mari qu'il était toujours « gris ». La nonne choisit cette couleur comme signe distinctif, non sans humour, pour couper court aux médisances. Au fond de la chapelle, notez la Vierge en papier mâché. Le musée possède une salle consacrée à Jean-Baptiste Lagimodière, figure locale, connu pour avoir accompli l'exploit de porter un message urgent de Winnipeg à Montréal, en plein cœur du redoutable hiver de 1815-1816.

🎏 La cathédrale Saint-Boniface *(plan C-D2)* **:** sur la gauche du musée. Elle a brûlé en 1968. Il n'en reste plus que la superbe façade néo-romane. Quelques piliers ainsi que la statue de saint Boniface restent intacts. Une église à la structure affreuse a été reconstruite juste derrière. Néanmoins, l'intérieur vaut le coup d'œil avec ses boiseries et ses verrières modernes. À remarquer aussi, la grande statue de Notre-Dame-de-la-Rivière-Rouge au-dessus du chœur, elle porte des mocassins et une ceinture fléchée...

🎏 En face de la cathédrale, un petit *cimetière* accueille les sépultures de nombreuses personnalités de Saint-Boniface dont celles de Louis Riel et Mgr Provencher, venus à Winnipeg en 1818 pour assurer une présence religieuse chez les Français et les Métis, et pour établir un grand foyer francophone et catholique à l'Ouest. Cette histoire est racontée chaque été par la pièce de théâtre *Sur les traces de Riel* qui est jouée en juin, juillet et août (en français et en anglais) dans le cimetière. ☎ 233-7799.

🎏 Saint-Boniface est aussi le site du très grand carnaval en février, nommé **Festival du voyageur,** qui célèbre le patrimoine canadien français et métis. ☎ 237-7692. ● www.festivalvoyageur.mb.ca ●

🎏 La maison de Gabrielle Roy *(plan D2)* **:** 375, rue Deschambault. ☎ 231-8503. ● www.maisongabrielleroy.mb.ca ● Célèbre maison de jeunesse de ce grand nom de la littérature canadienne. Passionnée de culture européenne, Gabrielle Roy a fait, en 1937, le voyage inverse des immigrants de l'époque : elle est partie pour Paris et Londres...

🎏🎏 Winnipeg Art Gallery *(plan B2, 50)* **:** 300 Memorial Bvd, à l'angle de St Mary Avenue. ☎ 786-6641. Ouvert de 11 h à 17 h les mardi, vendredi et samedi, de 11 h à 21 h les mercredi et jeudi, de 12 h à 17 h le dimanche. Fermé les lundi et jours fériés. Gratuit le mercredi. La plus grande collection d'art inuit au Canada.

Construit en 1970 avec la pierre fossilisée du Manitoba, cet édifice tout en pointes abrite, entre autres, de superbes collections de sculptures inuit (dans la mezzanine). Les œuvres inuit fascinent par le respect qu'elles imposent. La matière n'est jamais travaillée avec trop de délicatesse. Il en ressort une rudesse qui se traduit par une douceur dans les visages sculptés. Les groupes de personnages restent souvent attachés dans la pierre, comme pour se tenir chaud. On remarquera également que les personnages sont toujours actifs, courbant l'échine, témoignage de la vie austère des Inuit. La *Floor Gallery* propose des œuvres sur bois du XVIᵉ siècle, flamandes et allemandes. Expositions tournantes.

🎏 Ukrainian Museum of Canada *(plan C2)* **:** 1175 Main Street. ☎ 582-7345. Fermé le lundi. Non loin du Centennial Center. Musée montrant la vitalité de la culture ukrainienne dans la région. Collections de costumes richement brodés des pionniers du XIXᵉ siècle.

🎋 *Le quartier d'Osborne Village (plan B3, 51) :* petite portion sur Osborne Street, entre River et Strabrook Avenues, sur laquelle on trouve quelques bars et restos. Sans être Greenwich Village, le quartier est le point de rencontre de la jeunesse locale. Un des quartiers les plus animés de la ville. Le quartier italien de *Corydon Avenue* est également plein de vie (terrasses, cafés, etc.).

🎋 *Exchange District (plan C1, 52) :* quartier de Main Street, situé juste au nord de Portage Avenue. On peut y voir les plus anciens buildings de la ville, construits au début du XXᵉ siècle. Ici, les fortunes se faisaient en une journée grâce aux ventes de grains. Ainsi, de 1880 à 1920 (et encore en partie aujourd'hui), ce district fut le centre de l'industrie du grain du Canada. On y trouve une des plus grandes bourses agricoles au monde. Visites guidées du quartier depuis le Old Market Square à 11 h et 14 h de juin à septembre sauf le lundi. ☎ 942-6716.

🎋 *La Fourche (The Forks ; plan C2, 22) :* au confluent de la rivière Rouge et de la rivière Assiniboine, derrière la gare *Via Rail.* ☎ 957-7618 (boîte vocale) ; ☎ 943-7752 extension 250 (renseignements). Dans un environnement agréable, La Fourche est devenue l'endroit le plus animé de Winnipeg. C'était le lieu de rassemblement traditionnel des Amérindiens et plusieurs sculptures et monuments leur rendent hommage. C'est ici aussi que les Métis et les colons écossais établirent la colonie de la rivière Rouge au début du XIXᵉ siècle.

Fruit d'un projet de redéveloppement d'un haut lieu historique de la ville et du Manitoba, La Fourche est essentiellement un lieu de détente, avec des promenades aménagées le long des berges (avec panneaux d'explications historiques et culturelles intéressantes, rédigées en français et en anglais). Mais c'est aussi un ensemble de pavillons et anciens entrepôts très joliment transformés en boutiques et en restaurants, cafés, glaciers, épiceries étrangères (toutes les ethnies représentées au Manitoba) qui vendent également leurs produits sous forme de snacks à emporter ou à consommer sur place. On peut également louer des vélos à l'heure ou à la journée.

🎋 *Circle of Life Thunderbird House (plan C1, 53) :* 715 Main Street (angle Higgins). ☎ 940-4240. Important centre culturel et spirituel amérindien. Pour 5 $Ca (3,1 €), vous pourrez rencontrer un « aîné » qui vous guidera pendant la visite.

🎋 *The Aboriginal Centre of Winnipeg (plan C1, 54) :* dans la vieille gare restaurée du *Canadian Pacific Railways,* lieu de rencontre et galerie d'art des Amérindiens. ☎ 989-6395. • www.abcentre.org • Amical et ouvert. Resto ouvert pour le lunch. Un lieu paradoxal puisque c'est le chemin de fer qui a permis la colonisation massive de l'Ouest.

À faire

– On peut assister aux *sessions de l'Assemblée législative du Manitoba.* Intéressera les férus de sciences po ou de droit.
– L'office de tourisme fournit une multitude d'infos concernant la *pêche* (miraculeuse) que l'on peut pratiquer au nord de Winnipeg.

⌂ Si vous êtes à Winnipeg pour quelques jours et que l'écrasante chaleur des Prairies vous pèse, allez vous baigner à *Grand Beach,* belle plage très prisée des habitants de Winnipeg en fin de semaine. À environ 130 km de Winnipeg par la Highway 59. Camping très bien aménagé dans le *Grand Beach Provincial Park.* ☎ 754-2212.

Fêtes et manifestations

– **Spectacles** en été au *Rainbow Stage,* dans le Kildonan Park sur Main Street N. On y joue aussi bien *My Fair Lady* que *The King and I* ou *Annie.* Voir *Key to Winnipeg.*

– **Arts de la scène :** *Le Royal Winnipeg Ballet* est l'une des 3 grandes troupes de ballet canadiennes (les autres sont à Toronto et Montréal). Winnipeg a aussi un orchestre symphonique, une troupe de danse contemporaine et un opéra. Un théâtre français, *Le Cercle Molière,* se produit depuis 75 ans à Saint-Boniface.

– **Sports professionnels :** Winnipeg a des équipes professionnelles de hockey, de football canadien et de base-ball. Il n'y a pas de volley-ball professionnel au Canada mais les équipes de l'université du Manitoba sont de très haut niveau.

– **Folk Festival :** dans le « Birds Hill Provincial Park », à 20 km au nord de la ville par la Highway 59. Durée : 3 jours, début juillet, tous les ans. ☎ 231-0096. Il s'agit d'un festival en plein air de « musiques du monde », regroupant une centaine de spectacles, de styles très variés puisque venus du monde entier. Nourriture et artisanat. Le plaisir de cette fête est celui des rencontres, de chapiteau en chapiteau. Public bien sûr très composite. Un des aspects de la mosaïque multiculturelle canadienne !

– **Festival du voyageur :** en février. Carnaval qui célèbre le patrimoine canadien français et métis. (Renseignements : ☎ 237-7692. ● www.festival voyageur.mb.ca ●)

➤ DANS LES ENVIRONS DE WINNIPEG

🐾🐾 **Lower Fort Garry :** à 32 km au nord de Winnipeg par Main Street, qui devient la Highway 9. ☎ 983-6341 ou 1-877-LFG-FORT. Ouvert tous les jours de fin mai à début septembre de 10 h à 18 h. Entrée payante mais pas chère. Site « fort » agréable au bord de la rivière Rouge.

Fort construit de 1831 à 1848 pour la traite des fourrures. Il était, de fait, le centre économique de la colonie de la rivière Rouge. Visite de plusieurs bâtiments bien conservés dont une belle maison tout aménagée qu'habitèrent le gouverneur George Simpson, puis le gouverneur Colville. Des envoyés d'Angleterre signaient des contrats de 3 à 5 ans pour travailler au fort. On n'utilisait pas les Indiens, qui étaient plutôt des trappeurs. Des animateurs en costume jouent le rôle des anciens locataires. À l'époque, ce fort constituait la partie la plus avancée à l'ouest de Ruppert Land. Visitez également la maison du forgeron *(blacksmith's shop)* où les enfants peuvent aider à la fabrication de clous.

Mais, à notre avis, la partie la plus intéressante est l'entrepôt de fourrures *(fur loft).* De nombreuses peaux y sont entreposées. Une peau de castor étant composée de poils longs et courts, une technique de friction était utilisée pour faire tomber les poils longs (trop durs) et conserver les poils courts. Au début des traites, les Indiens s'étonnaient que les commerçants soient plus intéressés par les peaux d'« occasion » (déjà portées) que par celles plus récentes. Pour transformer la peau de castor en feutre, on utilisait une technique de trempage dans un mélange de mercure et de plomb. L'émanation de vapeurs très toxiques rendait fous tous les « faiseurs de chapeaux », sans que l'on sache pourquoi. C'est de là que vient l'expression anglaise *as mad as a hatter* (« fou comme un chapelier ») utilisée par Lewis Carroll dans *Alice au pays des merveilles,* où l'un des personnages porte le nom de *Mad Hatter.* L'Angleterre des années 1800 raffolait des *top hats* et cet engouement pour le feutre fut l'une des raisons de la prospérité de Winnipeg... et de la disparition des castors.

🦌 *Saint Andrew's-on-the-Red Anglican Church :* sur la belle route – sentier du Patrimoine, *River Road Heritage Parkway* – entre Winnipeg et Lower Fort Garry. Cimetière et petite église historique. La plus vieille église de pierre de l'Ouest canadien. Les prie-Dieu sont recouverts de cuir de bison...

🦌 *Gimli :* au nord de Winnipeg, par les Highways 8 et 9. Étonnant village qui forme la plus grande communauté islandaise hors d'Islande. L'endroit n'est pas très joli mais il donne sur le grand lac Winnipeg. Petite plage et port décoré de fresques qui reflètent l'histoire maritime du coin. Petit *Musée islandais* (☎ 642-4001). Grande statue de viking qui fait les délices des touristes de type *Instamatic*. **Festival islandais** en août.

On peut goûter aux bons poissons du lac Winnipeg pour pas cher dans les fast-foods.

🦌 *Mennonite Heritage Village :* de Winnipeg, prendre les Highways 1 et 12. Le musée se trouve à environ 60 km, juste au nord de la ville de Steinbach. Ouvert en été de 9 h (12 h le dimanche) à 20 h. Entrée payante. Le village est une reconstitution de maisons appartenant à plusieurs anciens villages construits par les mennonites émigrés des Pays-Bas et d'Allemagne de 1874 à 1880 : on y voit une imprimerie, des boutiques, une école, une église, un beau moulin à vent. Un petit musée près de l'entrée présente des costumes typiques et une carte indique les grandes migrations mennonites, cherchant à échapper aux persécutions successives.

La secte, issue des anabaptistes (comme les amishs aux États-Unis), fut fondée par Menno Simonsz, un réformateur néerlandais du XVIe siècle. La morale des adeptes n'est fondée que sur la Bible et leur propre conscience. Contrairement aux amishs, ils sont ouverts au progrès technologique et se sont bien intégrés dans la vie moderne – ils sont d'ailleurs très prospères.

🍽 Le *restaurant* du village propose des plats mennonites typiques de bonne qualité. On vous recommande notamment le gâteau à la rhubarbe et le *pluma moos,* salade de fruits séchés, puis cuits. On en a pris 2 fois !

🦌 *The Links at Quarry Oaks :* près de Steinbach, un des plus beaux et intéressants parcours de golf au Canada. Jugé « Best Value Course » de tous les golfs évalués par le magazine télévisé américain *Golf the Word* en 2000. La classe sans le prix et le snobisme. ☎ 326-GOLF.

🦌 *La Broquerie :* près de Steinbach également. C'est le village le plus francophone au Manitoba. Un petit *musée* raconte l'arrivée des colons canadiens français et belges (☎ 424-9442). On y trouve un beau golf (pas cher du tout) et un bon hôtel.

🏠 *Hôtel La Broquerie :* ☎ 424-5302 ou 1-866-424-5302. Chambres neuves et bien aménagées, dont les prix sont remarquables. Grand bar et resto sur place. Un bon endroit pour les routards en auto.

🦌 *Saint-Pierre-Jolys :* village surtout francophone près de Winnipeg. *Galerie d'art* métis et francophone (☎ 433-7181). *Musée* dans un ancien couvent (☎ 433-7226). Agence de voyages et auberge tenue par des francophones sympas : *Voyages Lavergne* (☎ 433-3700).

🦌 *Saint-Norbert :* village important dans l'histoire franco-manitobaine, à 20 mn de Winnipeg. Fresques, galerie d'art (☎ 269-0564), église et chapelle, parc provincial qui recrée la vie des colons de langue française (☎ 269-5377 ou 945-4375).

CHURCHILL
1 100 hab.   IND. TÉL. : 204

Uniquement pour les routards courageux ou poètes... Il s'agit d'un petit village, perdu au bout du monde, c'est-à-dire sur la baie d'Hudson. Et pourtant il permet de découvrir facilement le Nord canadien. C'est le dernier village indien (les Cree) avant ceux des Inuit.

Comment y aller ?

Pour y aller, comme il n'y a pas de route, c'est le train ou l'avion. Naturellement, on vous conseille le train.

➤ *En train :* 3 départs par semaine de Winnipeg. Prévoir 70 h aller-retour pour 3 200 km environ (pas cher, compte tenu du trajet et des émotions). Un bon truc : bloquez une semaine. L'aller-retour vous prendra 5 jours et 6 nuits, dont 3 jours à Churchill même.

Bon plan : en prenant son billet de train 7 jours à l'avance au départ de Winnipeg, on bénéficie de près de 40 % de réduction. Autre possibilité, aller en auto jusqu'à Thompson (8 h de route) et finir le trajet en train.

Pendant les 35 h de train (quelquefois davantage), on a le temps de faire connaissance avec les voisins (parfois c'est triste !), d'admirer le paysage (la forêt de moins en moins dense, puis la taïga et enfin la toundra), d'observer les animaux – différents selon les saisons (élans, renards... le train est si lent qu'on a tout le temps) –, de faire halte dans les villes minières (The Pas, Thompson), de s'arrêter au milieu de nulle part et de voir surgir les Indiens qui chargent du poisson dans le train pendant qu'on décharge des caisses de bière (on en a vu).

À voir

Ce voyage dans le Nord est très insolite, on voit plein de choses qu'on n'a jamais vues ailleurs. Churchill est un endroit unique au monde. Jusqu'à la mi-juillet, la baie d'Hudson est encore couverte d'icebergs, avec la muraille glacée de la banquise qui ferme l'horizon. Impressionnant.

🎏 *La toundra :* désert glacé en hiver, plus un arbre, tout est plat à perte de vue.

– *Les Inuit :* Churchill est encore un village indien mais c'est là que les Inuit trouvent divers services : hôpital, services sociaux. On peut donc en voir en ville. À noter, les panneaux écrits en alphabet esquimau. *Musée inuit* pas mal.

– *Les ours polaires :* à partir de début octobre, ils attendent que la baie gèle pour partir à la pêche au phoque. Ils sont autour de Churchill. Attention, ils sont dangereux et n'ont peur de rien. Il y a un mort tous les 2 ou 3 ans ! Meilleure époque pour les observer : du 15 octobre au 15 novembre. Difficile de trouver un logement à cette période.

– *Les baleines béluga :* observables l'été, ainsi que des milliers d'oiseaux dont le huard arctique.

■ *Northern Expeditions :* PO Box 614. ☎ 675-2793. Organise différentes excursions dans les environs de Churchill pour observer les ours, photographier des baleines blanches. Pour les plus sportifs (et les moins frileux), expéditions de plusieurs jours à travers la toundra. Assez cher.

■ *International Wildlife Adventures :* ☎ (204) 949-2050 à Winnipeg. Ils organisent des voyages à Churchill. Des spécialistes du Nord.
■ *The Great Canadian Travel Company :* ☎ (204) 949-0199. Mêmes prestations que chez *International Wildlife Adventures.*

🏃 **Les aurores boréales :** en anglais, *Northern Lights.* Churchill est le lieu idéal, surtout en décembre et en janvier. On en voit même si l'on a attrapé une conjonctivite.

🏃 **Le terminal céréalier :** la ligne de chemin de fer a été construite pour cela. Visite guidée en anglais organisée par *Parcs Canada* : ☎ 675-8863. Super-sympa. Les silos de 70 m, le traitement du grain...

🏃 Pour voir un **village indien,** il faut aller à *Eskimo Point,* à 300 km au nord en avion ou à pied. La deuxième solution est déconseillée, parce que vous risquez de ne jamais revenir...

LA SASKATCHEWAN

La Saskatchewan est le grenier à blé du Canada. Par endroits, les champs s'étendent d'un horizon à l'autre – un tiers de la province est constitué de fermes et la Saskatchewan produit 54 % du blé canadien. D'une superficie de 651 900 km², la province compte une population de 1 050 000 habitants et possède aussi une florissante industrie de potasse (un quart de la production mondiale !) et d'autres industries d'extraction minière.
Pays de rivières, de forêts (la moitié de la superficie de la province) et de lacs, cette province possède quelques-uns des plus beaux cours d'eau du Canada. Parmi eux, la rivière Saskatchewan (nom indien qui signifie « Rivière au courant rapide ») et la puissante rivière Churchill qui se fraie un passage au travers du bouclier précambrien, offrant ainsi des paysages spectaculaires et des défis de taille aux canoéistes débutants et experts.
Tout au long des routes de cette province, vous traverserez des dizaines de petites villes et villages dont les silos à céréales sont visibles à des kilomètres de distance. Partout où vous irez, vous trouverez ranchs et fermes pour vous loger.
Les Saskatchewanais, dont beaucoup sont les descendants directs des immigrés français, belges, britanniques, allemands, ukrainiens, russes ou scandinaves arrivés au Canada entre la fin du XIXᵉ siècle et au début du XXᵉ siècle, sont hospitaliers, amicaux et ont gardé bien vivants leur folklore et leurs coutumes. Ils sont en général grands et blonds comme leur blé.
Le sud de la Saskatchewan forme l'extrême-nord des *Great Plains* qui se trouvent surtout dans le *Midwest* américain. C'est donc un pays de cowboys, mais c'est une société plus rassurante que celle des États américains limitrophes où l'on croise des armes à feu un peu partout.
La Saskatchewan, c'est aussi le pays de la survivance des Indiens. Pas moins de 38 % des Saskatchewanais ont du sang indien, pur ou mélangé. Le taux de natalité des Amérindiens est si élevé que la Saskatchewan aura, d'ici une génération, une population composée à 50 % d'Indiens et de Métis « inscrits »...
La Saskatchewan est un pays de nature, loin des contraintes des pays surpeuplés. On trouve des parcs provinciaux et des campings un peu partout, un vrai paradis pour les amoureux de la pêche et de la faune.

REGINA
IND. TÉL. : 306

Regina, la capitale provinciale la plus ensoleillée du Canada, est située au cœur de vastes plaines où pousse le blé en abondance, à 160 km au nord de la frontière américaine. La ville, baptisée Regina en l'honneur de la reine

Victoria, portait autrefois le nom de *Pile O'Bones* (littéralement « Amas d'Ossements ») qui désignait le site où les Indiens et les Métis pratiquaient la chasse au bison au XIXe siècle.

En 1882, Regina est choisie comme quartier général de la police montée des Territoires du Nord-Ouest, ancêtre de la Gendarmerie royale du Canada, puis elle devient, en 1883, la capitale des Territoires du Nord-Ouest de l'époque. Sa population se compose des groupes ethniques les plus divers, dont une forte minorité d'origine allemande.

Adresses et infos utiles

Infos touristiques

🛈 *Tourism Regina Convention and Visitor's Bureau* et aussi *Tourism Saskatchewan :* Highway #1 E, PO Box 3355, Regina, S4P-3H1. ☎ (306) 789-2300 ou 1-800-661-5099. ● www.tourismregina.com ● Situé à l'entrée est de la ville de Regina. Très documenté (guides spécifiques sur les curiosités, l'héberge-ment et les campings, la chasse et la pêche, les terrains de golf et les événements spéciaux). Cartes routières gratuites.

🛈 *Regina Tourism Center :* Cornwall Center, 2100 Saskatchewan Drive, Regina. ☎ 787-2300 ou 1-800-661-5099. ● www.tourismregina.com ● Dans le centre.

Transporteurs aériens

La Saskatchewan est la province de l'Ouest la moins bien desservie par les transporteurs aériens.

■ *Air Canada* (☎ 1-888-AIRCANADA) va à Saskatoon et Regina. La compagnie de charter *Canada 3000* (☎ 1-888-CAN-3000) propose également ces 2 destinations depuis peu, ce qui a fait baisser légèrement les tarifs.

■ *Air Sask :* ☎ 1-800-665-7275. Petits avions qui vont dans le Nord, inaccessible autrement.

Loisirs

– Le quotidien *The Leader-Post* fournit toutes les informations concernant la vie culturelle de la ville.

– L'hebdomadaire culturel gratuit *The Prairie Dog* s'adresse aux jeunes et pose un regard critique et progressiste sur les événements.

– L'hebdomadaire *L'Eau vive* est le seul journal en français, il s'adresse à la population francophone et francophile de la Saskatchewan.

■ *Assemblée communautaire fransaskoise :* 3850 Hillsdale. ☎ 569-1912 ou 1-800-991-1912. ● www.fransaskois.sk.ca ● *Fransaskois* signifie « francophone de la Saskatchewan ».

■ *Association canadienne française de Regina :* 3850 Hillsdale Street. ☎ 566-6020. Dans le centre scolaire et communautaire francophone.

■ *CNT Tours :* ☎ 584-3524. ● www.cnttours.ca ● Propose des tournées de la ville en français, ainsi que des circuits consacrés à la découverte de la vie des Métis et des cow-boys ou des expériences spirituelles amérindiennes, en petits groupes dans plusieurs régions de la Saskatchewan.

■ *Great Excursions :* ☎ 569-1571. ● www.greatexcursions.com ● Voyages dans les milieux sauvages organisés par un francophone, diplômé en archéologie.

Où dormir ?

– Nombreux *B & B*.

🏠 *YMCA :* 2400 13ᵗʰ Avenue.
🏠 *YWCA :* 1940 MacIntyre Street.
Dans le même secteur que l'AJ.
🏠 *Auberge de jeunesse Turgeon :*
2310 MacIntyre Street. ☎ 791-8165.
Aménagée dans une grande maison
historique rénovée. Une des belles
AJ du Canada. Propre. Installations

toutes neuves. Personnel efficace et
sympa. Accès Internet public. Boutique d'accessoires et de livres desti-
nés aux routards. Bien située près
du Wascana Center, mais ferme à
22 h, parfois plus tard l'été. Une
chambre privée est réservée en prio-
rité aux couples et aux familles.

Où manger ?

🍽 *Bushwakker :* 2206 Dewdney
Avenue. ☎ 359-7276. Une des meilleures brasseries artisanales au Canada. Dans le secteur cool du *Old
Warehouse District*. Huit bières de
haut niveau (la *Regina Pale Ale* est
d'un bel équilibre), et de bons repas
copieux dans une ambiance affairée
et amicale. La nourrissante et appé-
tissante *Saskatchewan Hot Plate* est
composée de spécialités d'Europe
de l'Est. Le site Internet dit tout de
cette institution locale.
🍽 *Village Bakery :* 2208 Albert

Street. ☎ 525-9922. Le meilleur pain
biologique en ville. Des plats-santé
savoureux dans un décor apaisant.
Service rapide et souriant. Clientèle
relax. Tenu par des francophones.
🍽 *Heliotrope :* 2204 MacIntyre
Street. ☎ 569-3373. Joli petit restaurant végétarien-bio. Ambiance chaleureuse dans un cadre relaxant.
🍽 *Pasta Prima :* 4040 Albert
Street. ☎ 585-0777. Verdict populaire : les meilleures pâtes en ville !
Pas cher. Bières artisanales. Service exceptionnel.

À voir

Wascana Center

Un parc de 800 ha aménagé sur les rives du lac artificiel Wascana, qui abrite
les principaux immeubles gouvernementaux de la ville. On y trouve les bâtiments qui suivent.

🏛 *L'Assemblée législative :* un bâtiment cruciforme, construit en pierre calcaire du Manitoba. Les matériaux qui ont servi à sa réalisation ont été importés
de divers pays. À l'intérieur, les arcs et les ornements du plafond attirent l'œil vers
une tour et un dôme d'une hauteur de 56 m. L'édifice abrite la *Saskatchewan
Gallery,* qui possède une importante collection de tableaux représentant les
Indiens des Prairies et évoquant les heures héroïques de la colonisation. Le
panorama qu'on peut admirer du sommet du dôme en vaut l'ascension.

🏛 *Royal Saskatchewan Museum :* angle de College Avenue et Albert
Street. ☎ 787-2815. Possède une collection remarquable d'animaux sauvages, d'oiseaux, de reptiles et de fossiles. C'est un des bons musées canadiens d'histoire naturelle.

🏛🏛 *Royal Canadian Mounted Police Centennial Museum and Training
Academy :* ☎ 780-5838. On croit rêver, voici le repaire de la « police montée » canadienne, le symbole même de la civilisation qui fraye rudement son
chemin (sur la *Red Coat Trail*) dans l'Ouest en défendant la veuve et l'orphe-
lin. La *North-West Mounted Police* était à l'origine – en 1873 – une force

armée d'occupation chargée de ne pas laisser les Américains faire de la contrebande et du pillage sur des territoires sans protection. Sa devise était et demeure : « Maintiens le droit », oui, en français dans le texte, comme la devise de la Couronne britannique. Ironiquement, ce sont les Américains – toujours à la recherche de héros blancs à la mâchoire carrée – qui ont créé le mythe du policier canadien. Une exposition de posters de films sera d'ailleurs, pour certains visiteurs, le clou du musée. Une affiche hilarante présente le film de série B *Canadian Mounties versus Atomic Invaders*. Au Canada, le rôle joué par la *Gendarmerie royale du Canada* (son nom français) envers les Indiens et les Métis demeure controversé, car elle représente l'autorité de l'État. Le chef métis Louis Riel a été pendu juste derrière le musée...

L'inspection des recrues est le moment le plus fort de la visite (les jours de semaine à 12 h 50, mieux vaut confirmer au ☎ 780-5838). Le sergent-major, invariablement bourru et brutal, crie ses ordres et fait ses commentaires. Les spectateurs semblent souvent plus ébranlés que les recrues ! Boutique de souvenirs exceptionnelle.

🏃 **The Louis Riel Trail :** alors que les porte-parole de la *RCMP (Royal Canadian Mounted Police)* ne savent toujours pas quoi dire sur Louis Riel, les pragmatiques promoteurs du tourisme ont trouvé une réponse – il faut l'honorer ! C'est pourquoi la Highway 11, qui relie Regina à Prince Albert, a été nommée *Louis Riel Trail* en juin 2001. Elle est déjà à la base de circuits touristiques, car le *Trail* suit le chemin emprunté par les colonies métisses en Saskatchewan.

🏃 **Government House :** 4607 Dewdney Avenue. ☎ 787-5773. Entrée gratuite. Dépliants et visites en français. Ouvert toute l'année de 10 h à 16 h du mardi au dimanche. Tout près du centre de la *RCMP*, la *Government House* est un splendide édifice de 1891 qui sert, depuis, de résidence officielle au représentant de la reine d'Angleterre pour la Saskatchewan – qu'on nomme « lieutenant-gouverneur ». C'était, à l'origine, le cœur de la vie sociale et politique de la haute société des Territoires du Nord-Ouest. Une partie de l'édifice a été transformée en musée ; l'autre abrite les bureaux du lieutenant-gouverneur actuel.

À faire : parcs, nature et canotage...

■ **Parcs Provinciaux :** QG à Regina. ☎ 1-877-237-2273.

■ **Ducks Unlimited :** 1606 4th Avenue. ☎ 569-0424. • www.ducks.ca • L'organisme de référence en matière d'observation des milieux naturels. On vous aidera à établir des circuits de découvertes autonomes dans le cadre du programme « Nature Watch ».

■ **Canoe Saskatchewan :** un huitième de la province étant composé de cours d'eau, cet excellent site Internet (en anglais) explique tout sur le canotage, surtout sur le canotage d'aventure dans le nord de la province. • www.lights.com/waterways •

Fêtes et manifestations

– **Mosaic,** début juin, est le festival multiculturel de Regina.

– Chaque année, de mi-juillet à mi-août, une *pièce sur le procès de Louis Riel (The Trial of Louis Riel)* est présentée en anglais à la *MacKenzie Art Gallery*, située au 3475 Albert Street. ☎ 584-8890. Riel dirigea la rébellion (ou la résistance, ça dépend du point de vue) contre le gouvernement central qui refusait de reconnaître les revendications territoriales des Métis, devenus colons après la disparition des troupeaux de bisons. Le procès donne un aperçu fascinant de l'histoire du Canada à ses origines (lire les détails à la rubrique « Histoire » dans le chapitre « Généralités » en début de guide).

– **Expositions agricoles :** il y en a plusieurs, de grande envergure, qui sont aussi des festivals western et des fêtes foraines. Les deux plus grandes foires agricoles sont le *Farm Progress Show* ● www.wcfps.com ● et l'*Agribition* ● www.agribition.com ●

– **Dragon Boat Festival :** début septembre, festival chinois au lac Wascana basé sur des courses d'embarcations à tête de dragon.

– **Saskatchewan Roughriders Football Club :** ☎ 1-888-474-3377 ou 525-2181. ● www.saskriders.com ● Les *Rough Riders* (les « Rudes Cavaliers ») forment le club de football canadien le plus populaire. Le football canadien nous apparaît identique au football américain, mais le terrain est plus grand et le jeu plus offensif. Les matchs ont lieu à la fin de l'été et à l'automne au *Taylor Field*. Compter de 8 à 35 $Ca pour les billets (4,9 à 21,4 €).

MANITOU BEACH
IND. TÉL. : 306

Le lac Manitou, entre Regina et Saskatoon près de la route 2, est encore plus dense que la mer Morte, et d'une composition minérale comparable. C'est donc, en plus d'une curiosité touristique, un lieu de cure réputé.
En Europe, pareil lac serait entouré de constructions à perte de vue. Ici, il y a quelques installations de bon niveau, une plage qui donne son nom au village, quelques hébergements (*B & B,* motels) et des restaurants, mais c'est tout, et c'est tant mieux.

Adresse utile

■ **Manitou Springs Resort & Mineral Spa :** ☎ 946-2233 ou 1-800-667-7672. ● www.manitouspringsspa.sk. ca ● L'établissement haut de gamme de l'endroit.

SASKATOON
230 000 hab.   IND. TÉL. : 306

Saskatoon compte environ 30 000 habitants de plus que Regina. Plus grand centre manufacturier et universitaire que la capitale, d'où sa taille et son dynamisme particulier. En outre, le site naturel de Saskatoon est superbe, la ville est baignée par une rivière et la vallée abrite un superbe parc naturel. Il n'y a pas que le nom de la ville qui est rigolo, les nombreux étudiants de la belle *University of Saskatchewan* (dont un nombre surprenant d'étrangers) se chargent de mettre de la vie dans les bars du centre-ville.

Adresse et info utiles

🛈 **Tourism Saskatoon :** 6-305 Idylwyld Drive N. ☎ 1-800-567-2444. ● www.tourismsaskatoon.com ●

🚆 Saskatoon est le seul arrêt des trains nationaux de *VIA* (☎ 1-800-561-8630) en Saskatchewan.

Où dormir ?

🛏 **University of Saskatchewan :** 91 Campus Drive. ☎ 966-8600. Fax : 966-8599. ● www.usask.ca ● Entre les mois de mai et août, les résidences universitaires proposent des chambres aux touristes de passage.

Renseignements également à l'office de tourisme.

■ *B & B :* pas mal de choix sur
● www.tourismsaskatoon.com ●

■ *Saskatoon Inn :* 2002 Airport Drive (près de l'aéroport). ☎ 242-1440 ou 1-800-667-8789. Pour les routards pas trop fauchés, environ 80 \$Ca (48,8 €) la chambre. Excellent rapport qualité-prix. Accueil amical et aménagements de goût. Saine nourriture. La classe des grandes villes à un prix provincial.

■ *Champêtre County :* à 40 km à l'est de Saskatoon, près de Saint-Denis. ☎ 258-4635. ● www.champetrecounty.com ● Ranch touristique avec hébergement. Excellente réputation. Tenu par des francophones sympas.

À voir. À faire

🪶🪶 *Wanuskewin Heritage Park :* à quelques kilomètres au nord de Saskatoon. ☎ 931-6767. ● www.wanuskewin.com ● *Wanuskewin* signifie « À la recherche de la paix intérieure » en langue cree. Ce site historique immense comporte un centre d'interprétation exceptionnel. Inoubliable : la reproduction d'un *buffalo jump,* ces sauts de la mort que les Indiens faisaient faire aux bisons.

Le beau site naturel de Wanuskewin, une vallée encaissée, a servi d'abri hivernal pour de nombreuses tribus pendant 6 000 ans avant l'arrivée des Blancs. C'était aussi un lieu de rencontre, de partage et de fête. Les légendes n'y manquaient pas... Il y a plusieurs kilomètres de sentiers d'interprétation. Un vrai pèlerinage dans l'âme indienne... Beaucoup d'événements spéciaux toute l'année.

🪶 *Western Hockey League :* le Canada perd souvent dans les tournois internationaux mais les Canadiens demeurent les champions du grand spectacle qu'est le hockey sur glace. Et la Saskatchewan, pays de glace par excellence, est au cœur de cette passion. Les meilleurs joueurs de l'Ouest d'âge « junior » (16 à 20 ans) s'affrontent dans la *Western Hockey League (WHL).* Voilà un spectacle inoubliable, rapide et brutal. C'est comme si les placides Canadiens se défoulaient, par de jeunes braves interposés, comme les Indiens d'autrefois...

– Le grand amphithéâtre moderne *Saskatchewan Place* (☎ 938-7800 ;
● www.saskatchewanplace.com ●) de Saskatoon est le meilleur endroit de la province pour assister à un match (pour une douzaine de dollars environ). Clubs de la WHL dans d'autres villes également : Prince Albert, Regina, Swift Current et Moose Jaw. La WHL est aussi présente dans les trois autres provinces de l'Ouest. Renseignements : ● www.whl.ca ●

BATOCHE & DUCK LAKE   IND. TÉL. : 306

Il était une fois des aventuriers français qui se marièrent à des Amérindiennes des Prairies. Ils eurent tant d'enfants qu'ils durent créer une « Nouvelle Nation », celles des Métis, avec un grand « M ». Ces Métis, forts, fiers et francophones (avec un très puissant accent « mitchif »), ne voulaient pas se faire passer sur le corps par l'impérialisme anglais. Ils se sont battus, jusqu'à la dernière cartouche, dans les champs de Duck Lake (autrefois « lac aux Canards »...) et Batoche...

Il y a tout un pèlerinage à faire ici pour un Français qui aime la civilisation indienne, car le mariage de ces deux cultures a été consommé ici. Et ça continue... Batoche est devenu un village fantôme, mais Duck Lake vit toujours. Onze fresques ornent les grands murs commerciaux de la ville. Elles sont parfois émouvantes, toujours instructives, mais le village lui-même manque de vie. Agréable à voir, en passant. Camping à proximité.

À voir

🏃 *Lieu historique national de Batoche :* dans la municipalité actuelle de Rosthern, entre Saskatoon et Prince Albert. ☎ 423-6227. Grand site des batailles, du village fantôme et du cimetière de Batoche, cadre du dernier conflit armé en terre canadienne, qui opposa le gouvernement provisoire métis au gouvernement du Canada en 1885. Le site lui-même n'est pas très intéressant, malgré la belle rivière Saskatchewan qui coule derrière le cimetière (possibilités de canotage). En revanche, le centre d'interprétation ouvre la porte d'un monde pratiquement inconnu, celui du mode de vie métis, un mariage étonnant d'us et coutumes indiens et européens. Il faut absolument voir le spectacle audiovisuel en langue française, pour bien se baigner de l'accent « mitchif » qui ressemble au vieux français, métissé de langue cree. En juillet, les **Back to Batoche Days** recréent le mode de vie des Métis dans une atmosphère de fête.

🏃 *Duck Lake Regional Interpretive Center :* à Duck Lake, juste au nord de Batoche. ☎ 467-2057. Ce musée neuf décrit la bataille initiale de la rébellion, celle de « lac aux Canards » (renommé *Duck Lake* par les anglophones), qui a été gagnée par les Métis, forçant le gouvernement d'Ottawa à envoyer une véritable force militaire en Saskatchewan pour mater la résistance. Ce musée régional n'a pas les moyens financiers de *Parcs Canada* et son bilinguisme laisse à désirer. L'exposition est néanmoins valeureuse, car elle semble plus spontanée, plus émouvante, plus à fleur de peau que celle de Batoche...

Où dormir dans les environs ?

🛏 *Jack Pine Stables :* à 11 km de Duck Lake par la route rurale 783, dans la forêt. ☎ 467-4922. ● www. jackpinestables.com ● Petit ranch aux chambres rustiques et tipis. Hautement recommandé. Le proprio, Lawrence, est métis, son arrière-grand-père était un des leaders de la « rébellion du Nord-Ouest ». Vous pourrez nourrir les chevaux à la manière des cow-boys et vous balader avec eux dans les bois environnants. Il y aura peut-être du *pemmican* au petit dej'. Et, si vous faites preuve d'un réel intérêt pour la culture amérindienne, Lawrence vous recommandera à une famille cree de la réserve indienne voisine qui invite parfois des étrangers dans sa « loge de purification » *(sweat lodge)*. Cela n'est pas une attraction touristique, ils n'acceptent pas d'argent. Il faut plutôt donner du tabac et des pièces d'étoffe (symboles de partage et de respect) au chef de famille. La cérémonie comme telle se déroule en quatre phases où la résistance physique est testée (par une chaleur intense, de la vapeur et de la fumée) pour ouvrir le cœur et l'esprit. Même si les hôtes des *Jack Pine Stables* ne parlent pas le français, ils sont entourés de gens qui le parlent.

SAINT-ISIDORE-DE-BELLEVUE   IND. TÉL. : 306

Juste à l'est de Batoche se trouve Saint-Isidore-de-Bellevue, le plus souvent nommé Bellevue tout court. C'est le village le plus francophone de la Saskatchewan (95 % des habitants sont originaires de France, du Québec et d'Acadie) et les données généalogiques du village ont de quoi étonner. Fondé en 1902, Bellevue est un centre de production de pois jaunes – il y a un pied de pois sculpté de 10 m à l'entrée du village – qui servent à la célèbre « soupe aux pois canadienne française ». Ce plat, nourrissant et économique, disponible en conserve un peu partout (la marque *Habitant* est la meilleure), est parfait pour le routard fauché mais soucieux de sa santé ! On peut compléter cette soupe de jambon et de légumes.

|●| ♟ **Centre culturel franco-phone :** au cœur du village, sur la route principale 225. ☎ 423-5303. Doté d'un bar-restaurant. C'est l'endroit parfait pour se détendre, boire une bonne bière fraîche de l'Ouest avec un énorme repas, et se faire des amis francophones qui connaissent la région comme leur poche.

⚠ **Camping municipal :** s'inscrire au Centre culturel.

🛏 **B & B chez Tina Grenier :** à l'est du Centre culturel. ☎ 423-5239. Rien de romantique mais pratique.

À voir. À faire

– **Le pèlerinage de Saint-Laurent-de-Grandin :** juste au nord de Bellevue, un petit ferry gratuit permet de traverser la rivière Saskatchewan-Sud pour atteindre Saint-Laurent et son lieu de pèlerinage. Ce site, comme tant d'autres dans le monde, a été inspiré par Notre-Dame de Lourdes et en porte le nom. La grotte présente peu d'intérêt, sauf pour les pèlerins (les Métis sont particulièrement croyants et les plus âgés marchent parfois des dizaines de kilomètres pour atteindre la grotte sacrée du site).

La curiosité touristique du lieu est une étonnante église de bois rond où tout, mais alors là tout, sans exception, est fait de bois, excepté les cierges !

L'ALBERTA

L'Alberta, c'est le pays des cow-boys des Prairies. En outre, c'est le pays des producteurs de pétrole, ce qui fait la prospérité exceptionnelle de cette province. Non loin des grandes cités modernes d'Edmonton (la capitale) et de Calgary (siège de l'industrie pétrolière canadienne), les Albertains élèvent toujours leur bétail dans de vastes ranchs où vous pourrez séjourner (voir la rubrique « Hébergement » dans le chapitre « Généralités »). La généreuse nature canadienne s'exprime sans limite dans l'Alberta. Ici, certains lacs sont turquoise, même sous la pluie, grâce à la farine de roche issue de la fonte des glaciers en juin. Ici encore, se dressent les imposantes Rocheuses (frontière naturelle avec la Colombie-Britannique), cette mer de montagnes aux pics bleutés qui étonna les premiers explorateurs. C'est dans cette région que s'étendent les plus beaux parcs nationaux du Canada : Banff et Jasper aux contours gigantesques. Canyons étroits, lacs limpides, forêts denses. Les paysages sont restés tels qu'ils étaient lors de l'arrivée des premiers Européens.

CALGARY
950 000 hab.   IND. TÉL. : 403

Pour le monde entier, Calgary c'est la ville des Jeux olympiques d'hiver de 1988. Pour les Canadiens, c'est le Stampede, le plus grand rodéo du Canada. Pendant 10 jours, chaque été, en juillet, c'est la grande folie. Barmen, businessmen, prostituées, caissières de supermarché, tout le monde porte la tenue du cow-boy : jeans, stetson et boots... Super-ambiance dans les bars et dans les rues de la ville qui se grise et se dégrise. Mais Calgary est aussi le point de départ d'un merveilleux parcours, celui traversant les incroyables paysages des Rocheuses. Un conseil : venez ici pour le *Stampede* puis, quand tout est terminé, allez vous relaxer dans les montagnes...

Le stop est théoriquement interdit dans toute la province. Attention, à Calgary, l'interdiction est totale et appliquée, et l'amende très salée. On vous aura prévenu...

UN PEU D'HISTOIRE

L'histoire de la ville résume parfaitement son atmosphère actuelle. Elle connut 3 booms successifs. Ce fut tout d'abord l'établissement de la police montée en 1875, au beau milieu des Prairies. Le colonel Brisebois, commandant du fort, lui donna sans complexe son propre nom. Après avoir régné pendant quelque temps en tyran dans ce fort isolé, il fut démissionné, et le nouveau commandant de police rebaptisa l'endroit « Calgary » – ce qui signifie, en écossais, « L'Eau limpide ». La deuxième étape est due à l'arrivée du chemin de fer, en 1883, qui y draina des centaines de colons poussés toujours plus à l'ouest, vers une hypothétique terre promise. Puis la découverte, en 1914, de gisements de pétrole sonna le glas du petit village pour laisser la place à une ville qui, depuis 15-20 ans, prend un essor économique considérable. Aujourd'hui, plusieurs centaines de compagnies pétrolières (86 % des producteurs du pays) possèdent des bureaux dans les hauts buildings qui ne cessent de pousser selon le célèbre principe architectural du « vas-y que j'te bâtisse ».

LE STAMPEDE

Du 8 au 17 juillet en 2005 et du 7 au 16 juillet en 2006, c'est le rendez-vous pour des dizaines de milliers de Canadiens et d'Américains qui viennent assister à cette fête du rodéo. Les festivités ont lieu dans les rues, notamment sur 8th Avenue avec, le jour d'ouverture, une fabuleuse parade de cowboys, d'Indiens de différentes tribus, de majorettes, de la police montée, etc.

CALGARY

- ■ **Adresses utiles**
  - 🛈 Tourist Information
  - ✉ Poste
  - 🚌 Bus Greyhound
  - 1 Consulat des États-Unis
  - 2 8th & 8th Health Centre
  - 3 Alliance française
  - 4 Budget
  - @ 5 Wired

- 🛏 **Où dormir ?**
  - 9 Auberge Chez nous
  - 10 Calgary International Youth Hostel
  - 11 SAIT (Southern Alberta Institute of Technology)
  - 12 University of Calgary Summer Residence
  - 13 YWCA
  - 14 Regis Plaza Hotel
  - 15 Tumble Inn
  - 16 A Good Knight B & B
  - 17 Lions Park B & B
  - 18 Inglewood B & B
  - 19 Sandman Hotel
  - 20 Kensington Riverside Inn

- 🍴 **Où manger ?**
  - 30 Good Earth Café
  - 31 Silver Dragon
  - 32 Community Natural Foods
  - 33 Buzzards Cowboy Cuisine
  - 34 Sukiyaki House
  - 35 Cannery Row
  - 36 Élisabelle
  - 37 Earl's
  - 38 River Café
  - 39 Saltlik
  - 40 La Caille on the Bow
  - 41 Teatro

- 🍴 **Où prendre le petit déjeuner ?**
  - 42 Second Cup
  - 43 Starbucks
  - 44 Benny's Bistro

- 🍸 🎵 **Où boire un verre ?**
  Où écouter de la musique ?
  - 50 The Rose and Crown
  - 51 The Ship & Anchor Pub
  - 52 Ceili's
  - 53 Tantra
  - 54 The Whiskey Saloon
  - 56 The Ranchman's
  - 57 Cowboys Dance Hall
  - 58 Coyotes

- ⚙ **Achats**
  - 89 Riley & McCormick
  - 90 Mountain Equipment Co-op
  - 91 Hudson's Bay Company

CALGARY

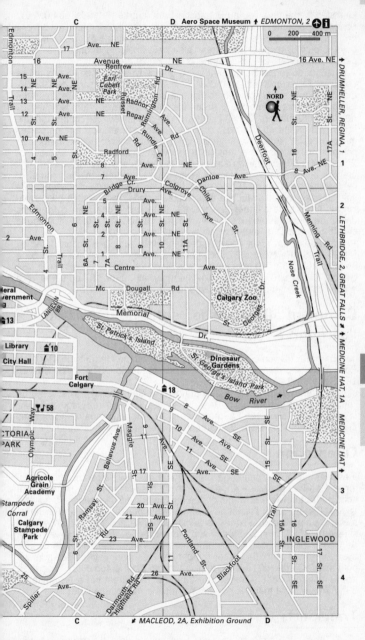

CALGARY

Le rodéo lui-même a lieu au Stampede Park (entrée : 11 $Ca, soit 6,7 €). Le festival remonte à 1912 : le succès de l'industrie du blé menaçant l'avenir de l'élevage, on créa le Stampede, comme un hommage aux derniers cow-boys. C'était bien vite les enterrer, l'élevage a finalement continué de prospérer, et cette fête en est devenue la formidable devanture.

À l'intérieur de l'enceinte, on peut voir 3 grands types de compétitions qui se déroulent l'après-midi (de 13 h 30 à 17 h en général) et à partir de 19 h 30. L'après-midi, c'est l'heure du rodéo : le cavalier chevauche une monture furieuse pendant au moins... 8 secondes, une main levée. Non, les chevaux ne sont pas sauvages. On les excite juste un peu en leur serrant très fort une lanière au niveau du bas des reins. Cela leur compresse si fort les parties génitales qu'ils reviennent à l'état sauvage. Pour calmer le cheval après la compétition, on relâche la tension. Il redevient doux comme un agneau. Le 2e point fort est le *calf roping* (l'après-midi toujours) dans lequel le cow-boy doit prendre au lasso un veau puis sauter de son cheval, retourner le veau et lui lier 3 pattes en moins de 10 secondes. Le 3e est la course du *chuck-wagon* (le soir), rappelant la chevauchée des pionniers dans des roulottes bringuebalantes. Il s'agit de charger une roulotte (tirée par 4 chevaux) d'ustensiles divers, de décrire une boucle sur la piste puis de s'élancer à toute allure sur le circuit. Spectaculaire, cette course est aussi très dangereuse.

– *Stampede Park (plan C3) :* vente des billets sur place ou par Internet. De 25 à 45 $Ca (15,3 à 27,5 €) pour les rodéos d'après-midi et de 35 à 65 $Ca (21,4 à 39,7 €) pour les courses de *chuck-wagons* du soir. Pour plus d'infos, ☎ 261-0101 ou 1-800-661-1260, par fax : 265-7197 ou sur le Web ● www.calgarystampede.com ● On peut s'y rendre par *C-Train*.

Comment aller dans le centre au départ de l'aéroport ?

➢ *En bus :* Airport Shuttle Express, environ toutes les 30 mn, 24 h/24. Pour le retour, réserver au ☎ 509-4799 ou 1-888-GET-2-YYC. Environ 12 $Ca le trajet (7,3 €).

➢ *En voiture :* en suivant les panneaux « Centre-ville » à la sortie de l'aéroport, vous tombez sur la Barlow Trail que vous suivrez jusqu'au bout à la hauteur de Bow River. Là, prendre vers l'ouest pour vous retrouver dans *Downtown* sur 4th Avenue SE. Durée du trajet : 15 mn.

Orientation

Il est très facile de s'orienter à Calgary une fois que l'on a compris le système. La ville est divisée en 4 quadrants : nord-est, sud-est, sud-ouest et nord-ouest. La rivière Bow, prolongée par Memorial Drive, sépare le nord du sud, et Center Street l'ouest de l'est. La numérotation des rues et avenues s'effectue à partir de ces lignes de démarcation. Ainsi 7th Avenue SW est tout simplement la 7e avenue vers le sud à partir de Bow River, située à l'ouest de Center Street. Pour repérer une adresse exacte dans une rue ou une avenue, il vous suffit de laisser tomber les 2 derniers chiffres de l'adresse pour trouver la rue, ou l'avenue la plus proche. Ainsi le 456 de 3rd Avenue se trouve non loin de 4th Street, et le 2345 de 13th Street est à proximité de 23rd Avenue. Cela manque de charme, mais c'est très pratique !

Transports

🚊 *C-Train :* une sorte de tramway fonctionnant de 6 h à minuit (24 h/24 pendant le Stampede). Deux lignes en forme de Y. Le train qui va vers le sud (en passant par le Stampede Park) s'appelle *Somerset-Bridlewood,* celui qui va vers le nord-ouest *Dalhousie* et celui qui va vers le nord-est *Whitehorn*. Des navettes relient le terminal de City Center et le terminal *Greyhound*. Rapide et pratique. Même prix que les bus (2 $Ca par trajet ou 5,60 $Ca par jour, soit 1,2 et 3,5 €) et gratuit sur le trajet de 7th Avenue dans les 8 blocs du *Downtown*.

– 🚌 *Bus :* nombreux se dirigeant vers les stations de *C-Train*. Payants. Fonctionnent de 6 h à minuit. Renseignements : • www.calgarytransit.com •

– Garder votre véhicule pour les sites d'intérêt excentré, il est très difficile de se garer en centre-ville, surtout proche de 8th Avenue, à part dans les parkings payants, chers. Conduire à Calgary est facile, mais les très nombreuses rues à sens unique ont de quoi rendre fou.

– Un réseau de passerelles, le « + 15 » (mètres au-dessus du sol), relie la plupart des sites touristiques, commerces et hôtels du centre-ville. On s'y perd un peu, mais au moins, on est au chaud et au sec !

– Si vous voyagez en train, sachez qu'aucun train de voyageurs ne passe plus par Calgary. Il faut prendre le bus à partir d'Edmonton, la gare la plus proche.

Adresses utiles

ℹ️ *Tourist Information à l'aéroport :* ouvert de 8 h à 22 h.

ℹ️ *Tourist Information* (plan B2) : dans le magasin *Riley & MacCormick*, 220 8th Avenue SW. ☎ 263-8510 ou 1-800-661-1678. Demander le Tourism Calgary Visitor's Information Center. Leur site web • www.tourismcalgary.com • est très bien fait. Ouvert tous les jours de 9 h à 17 h 30 de mi-mai à début septembre, fermé le dimanche le reste de l'année. Possibilité d'y trouver un dépliant *Calgary Attractions,* offrant des réductions pour diverses activités de la ville.

■ *Chambre économique de l'Alberta :* 1 000 8th Avenue SW, bureau 101. ☎ 802-0880. Fax : 234-0670. • www.lacea.ab.ca • La CÉA a pour but de promouvoir les activités économiques et touristiques des francophones de l'Alberta. Utile pour ceux qui sont fâchés avec l'anglais, puisqu'elle publie un guide gratuit de l'Alberta en français avec les professionnels du tourisme... francophones ! La CÉA aide aussi à trouver des offres d'emploi temporaire ou permanent pour les francophones.

■ *Radio de langue française :* Radio-Canada, 103.9 FM ; sa chaîne culturelle est sur 89.7 FM.

✉️ *Poste* (plan B3) : 207 9th Avenue SW, en plein centre. ☎ 974-2078. Ouvert du lundi au vendredi de 8 h (11 h les samedi et dimanche) à 17 h 45.

■ *Banques et distributeurs :* on en trouve à foison sur Stephen Avenue (8th Avenue SW).

■ *Consulat des États-Unis* (plan B2, 1) : 615 MacLeod Trail SE, bureau 1000. ☎ 266-8962. Accueil de 8 h 30 à 12 h.

■ *8th & 8th Health Centre* (plan A2, 2) : 912 8th Avenue SW. ☎ 781-1200. Un centre médical ouvert tous les jours 24 h/24 sans rendez-vous. Pharmacie attenante (au n° 910), ouverte de 8 h 30 à 18 h, 17 h le samedi.

■ *Urgences :* ☎ 911, comme partout.

■ *Alliance française* (plan B3, 3) : 1221 2nd Street SW. Dans le parc Memorial. ☎ 245-5662. Fax : 244-3911. • www.afcalgary.ca •

@ *Wired* (plan A3, 5) : 1032 17th Avenue SW. ☎ 244-7070. Ouvert de 9 h à 22 h (20 h le week-end). Plus proche du salon de thé que du cybercafé, avec sa bibliothèque à l'ancienne et ses vieux fauteuils, mais tout y est : bécanes, scanners, imprimantes. La chaleur en plus. Cher toutefois : 2,50 $Ca (1,5 €) pour 15 mn.

🚌 *Bus Greyhound* (plan A2) : 850 16th Street SW, à l'angle de 9th Avenue SW. ☎ 265-9111. • www.greyhound.ca •

■ *Location de voitures :* Budget *(plan B2, 4),* à l'aéroport et dans le centre, 1406th Avenue SE. ☎ 226-0000 ou 1-800-267-0505. ● www.budgetcanada.com ● *Thrifty Car Rental,* à l'aéroport et 1235th Avenue SE (d'autres adresses et livraison à l'hôtel), ☎ 262-4400 ou 1-800-367-2277. ● www.thrifty.com ●

■ *Location de mobile homes :* 4 compagnies se partagent le marché de la location à Calgary :
– *Canadream Campers :* 250824th Avenue NE. ☎ 250-3209 ou 1-800-461-7368. ● www.canadream.com ●
– *Alldrive Canada :* 190810th Avenue SW. ☎ 245-2935 ou 1-888-736-8787. ● www.alldrive.com ●
– *Canadian Mobile Holidays :* 404 Meridian Rd NE. ☎ 569-9303. ● www.canadianmobileholidays.com ●
– *Fraserway RV Rental :* 2475 Pegasus Rd NE. ☎ 291-5080 ou 1-800-661-2441. ● www.fraserway-rv.com ● Location de véhicules neufs et d'occasion.

Où dormir ?

Il n'est pas très commode de se loger à Calgary : en centre-ville, on trouve surtout des chaînes d'hôtels, chers et impersonnels. Les *B & B,* nettement plus agréables, sont généralement excentrés (liste disponible à l'office de tourisme ou à l'*Alberta B & B Association,* ● www.bbalberta.com ●). En plus, les prix fluctuent, selon les saisons, mais aussi selon les festivals ou conventions diverses... on vous indique les prix « plafonds », pour éviter les mauvaises surprises, mais vous avez toutes les chances de vous voir proposer des tarifs revus à la baisse. Pour le *Stampede,* pensez à réserver vos nuits bien à l'avance, et sachez que presque tous les hébergements, même les AJ, exigent alors un supplément.

Camping

⛺ *Calgary West KOA Campground :* sur la Highway 1, vers Banff, à environ 1 km à gauche après le Canada Olympic Park. ☎ 288-0411 ou 1-800-562-0842. ● www.koa.com ● À partir de 27 $Ca (16,5 €) pour une tente. Un camping de la chaîne *KOA* avec tous les services possibles : douche, électricité, laverie, piscine, minigolf, etc. Mais le site reste assez moyen.

Bon marché

🏠 *Auberge Chez nous (plan B2, 9) :* 1495th Avenue SE. ☎ 232-5475 et 1-866-651-3387. Fax : 323-5489. ● www.auberge-cheznous.com ● Compter 28 $Ca (17,1 €), taxes incluses, pour un lit dans des dortoirs de 5 à 7 lits (un dortoir est toujours réservé aux femmes) et une chambre privée à 65 $Ca (39,7 €). Une AJ récente, et francophone de surcroît, au centre de Calgary. Aménagée dans un ancien entrepôt par Agathe et Robert, un couple de Québécois. Une quarantaine de lits en dortoirs, chacun séparé de ses voisins par une cloison. Propre comme un sou neuf. Accès Internet, cuisinette, salle de séjour. Resto québécois *Élisabelle* à côté (voir « Où manger ? »).

🏠 *Calgary International Youth Hostel (plan C2, 10) :* 5207th Avenue SE. ☎ 269-8239 ou 1-866-762-4122. Fax : 283-6503. ● www.hihostels.ca ● Deux blocs à l'est du City Hall, et *C-Train* (Downtown Line) juste à côté, très pratique. Compter 20 $Ca la nuit, 24 $Ca pour les non-membres (12,2 et 14,6 €). Perdue au milieu de parkings et de terrains vagues (le quartier n'est pas très engageant le soir), une longue maison en bois sur 2 niveaux ; près d'une centaine de lits en dortoirs de

6 personnes. Grande cuisine lumineuse (et nickel), frigo. Possibilité de laver son linge. Épicerie tout près. AJ très propre mais un peu triste quand même. Un bon lieu de passage, sans plus.

▪ *SAIT (Southern Alberta Institute of Technology ; plan A1, 11)* : 1601 10th Street NW. ☎ 284-8013 ou 1-877-225-8664. Fax : 284-8435. • www.campuslivingcentres.com/conference/calgary • Depuis la 16th Avenue, prendre la 12th Street vers le sud pour entrer sur le campus. La résidence étudiante est l'*Owasina Hall.* De mi-mai à mi-août, à partir de 28 $Ca par personne, ou 56 $Ca la chambre double (17,1 et 34,2 €). Dans la résidence universitaire, chambres basiques ou petits appartements plus ou moins équipés, certains avec cuisine et salle de bains. Laverie, salle TV.

▪ *University of Calgary Summer Residence (hors plan par A1, 12)* : 2500 University Drive NW. ☎ 220-3203 de mai à août. • www.ucalgary.ca/residence • Compter 34 $Ca pour 1 personne, 42 $Ca pour 2 (13,4 et 25,6 €). Chambres d'étudiants à prix corrects, mais excentrées. Le bus *9-Bridgeline* va directement au *Downtown* en 15 mn.

De prix moyens à prix modérés

▪ *YWCA (plan C2, 13)* : 320 5th Avenue SE. ☎ 232-1550 ou 232-1599. Fax : 263-4681. • www.ywcaofcalgary.com • Compter de 50 à 60 $Ca (30,5 à 36,6 €) la chambre. À 15 mn à pied du Stampede Park et à 2 blocs du *C-Train.* Femmes et enfants uniquement (garçons jusqu'à 10 ans). Vu de l'extérieur, c'est un immense bloc de béton dans un quartier d'échangeurs autoroutiers, heureusement les chambres sont beaucoup plus accueillantes, avec micro-ondes et frigo. Très propre. Cafétéria, laverie, salle TV, piscine, salle de gym.

▪ *Regis Plaza Hotel (plan B2, 14)* : 124 7th Avenue SE. ☎ 262-4641. Fax : 262-1125. • www.regisplazahotel.com • Très central et situé sur le trajet du *C-Train.* À partir de 59 $Ca (36 €) avec sanitaires à l'étage et 79 $Ca (48,2 €) avec sanitaires dans la chambre. Cet hôtel date de 1912, ce qui en fait une antiquité ici. Les chambres sont rénovées périodiquement, mais toujours en laissant la déco originale. On est donc dans un cadre très western (incluant des miroirs brisés et moquettes torturées). Les bains épais et le chauffage central à vapeur sont d'origine ! Une centaine de chambres dont la moitié n'ont pas de sanitaires (rarissime pour un hôtel nord-américain). Les appels téléphoniques locaux coûtent 25 cents, 10 cents de moins qu'en cabine publique ! Muffins et café gratuits le matin. Avertissement : le trottoir devant l'hôtel est presque toujours encombré d'Indiens d'allure douteuse. D'ailleurs, le secteur n'est pas engageant.

B & B

Réservations jusqu'à un an à l'avance pour la période du *Stampede,* vous êtes prévenu !

▪ *Tumble Inn (plan B3, 15)* : 1507 6th Street SW. ☎ 228-6167. • www.bbcanada.com/tumbleinn • Arriver entre 17 h 30 et 19 h, ou s'arranger en téléphonant avant. À partir de 60 $Ca la double (65 $Ca si vous ne restez qu'une nuit, soit 36,6 et 39,7 €). Un *B & B* très bien situé (près de la très animée 17th Avenue) et pas très cher de surcroît. Chambres très confortables dans une belle maison victorienne de 1912, avec salle de bains commune. Accueil chaleureux et décontracté d'Arlène et Paul qui aiment vraiment rencontrer des gens.

▪ *A Good Knight B & B (plan A1, 16)* : 1728 7th Avenue NW. ☎ 270-7628 ou 1-800-261-4954. Fax : 284-0010. • www.agoodknight.com • À partir de 90 \$ca (54,9 €). Dans un quartier résidentiel très calme, à 15 mn du centre en bus (n° 9). Chambres impeccables et personnalisées, toutes avec salle de bains. Un vrai petit nid douillet comportant une grande collection d'oursons en peluche. Petit détail : les chaussures ne peuvent franchir le palier.

▲ *Lions Park B & B (plan A1, 17) :* 1331 15th Street NW. ☎ 282-2728 ou 1-800-475-7262. Fax : 289-3485. ● www.lionsparkbb.com ● Au sommet d'une longue côte. À partir de 85 \$Ca la nuit (51,9 €). Chambres avec salle de bains privée. Entrée

indépendante, cuisine et salon avec TV et accès Internet. Très bon accueil de Dori.

▲ *Inglewood B & B (plan C-D3, 18) :* 1006 8th Avenue SE. ☎ et fax : 262-6570. ● www.inglewoodbedand breakfast.com ● Ouvert toute l'année. Pas loin du centre (15 mn à pied de la Calgary Tower), près du sentier piéton de la rivière Bow. À partir de 100 \$Ca (61 €) la nuit. Quartier résidentiel au calme. Élégante demeure de style victorien avec véranda, au milieu d'un jardin. Jolies chambres confortables, simplement décorées.

De plus chic à très chic

▲ *Sandman Hotel (plan B2, 19) :* 888 7th Avenue SW. ☎ 237-8626 et 1-800-266-4684. Fax : 290-1238. ● www.sandmanhotels.com ● Compter 130 \$Ca (79,3 €) au maximum. Ce maillon de la chaîne a l'intérêt d'être idéalement situé à un prix encore abordable. Chambres confortables, piscine, salle de fitness. Bar au 1er étage et resto au rez-de-chaussée. *C-Train* devant la porte de l'hôtel. Parking souterrain pas cher (6 \$Ca, soit 3,7 €). Excellent rapport qualité-prix.

▲ *Kensington Riverside Inn (plan A2, 20) :* 1126 Memorial Drive NW. ☎ 228-4442 ou 1-877-313-3733.

● www.kensingtonriversideinn.com ● Beaucoup plus cher, à partir de 249 \$Ca la nuit (152 €) mais les prix sont revus à la baisse le week-end, petit dej' et parking inclus, un hôtel qualifié « de charme », pour hommes d'affaires ou occasions spéciales. Plus tendance que les hôtels du centre. Les chambres, toutes différentes, ont chacune leur particularité, petit balcon, jardinet, cheminée, jacuzzi, TV et chaîne hi-fi. Tout confort évidemment. Prêt de vidéos et de livres. Petite restauration sur demande 24 h par jour. Accueil stylé.

Où manger ?

Comme Vancouver, Calgary est une ville cosmopolite, où l'on peut goûter à toutes les cuisines. Mais la spécialité locale, c'est le bœuf d'Alberta. La 4th Street, la 8th Avenue (aussi connue sous le nom de Stephen Avenue) et la 17th Avenue regorgent de bons restos et petits bistrots. Il est à noter que Calgary a d'excellents restos haut de gamme et de nombreux petits restos pas chers ; mais il est difficile d'y trouver une restauration de qualité à prix moyens. Sachez aussi que les portions sont énormes et qu'on peut toujours demander à les partager.

Très bon marché

La spécialité calgarienne des fauchés, ce sont les « Vietnamese Subs », de longs sandwichs fourrés de viande en sauce et herbes indochinoises à 5 \$Ca (3,1 €). On les trouve un peu partout, surtout dans le centre-ville.

|●| *Good Earth Café (plan B2, 30) :* dans le *Marché Eau Claire,* des restos ouverts tous les jours le midi et

l'après-midi, jusqu'à 18 h ou 20 h (les jeudi et vendredi). Faites vos courses et allez pique-niquer dans le parc à côté. Au rez-de-chaussée, le *Good Earth Café* (14 adresses à Calgary) est une cafet' « bio » comme les affectionnent les Canadiens, et nous aussi ! Pour environ 5 $Ca (3,1 €), plats végétariens, soupes, salades et sandwichs à base de pains spéciaux, hmm... avant d'enchaîner sur les pâtisseries maison et un vrai *espresso*.

Bon marché

I●I *Silver Dragon* (plan B2, 31) : 106 3rd Avenue SE. ☎ 264-5326. Ouvert tous les jours, de 10 h à minuit du lundi au jeudi (2 h les vendredi et samedi), de 9 h 30 à 22 h 30 le dimanche et pendant les vacances. Plats variés et copieux entre 9 à 16 $Ca (5,5 et 9,8 €). Resto chinois situé dans le minuscule Chinatown. Vaste salle propre et colorée à l'étage, atmosphère familiale et bruyante. La formule *dim sum* a beaucoup de succès, les chariots passent de table en table et on picore selon son appétit.

I●I *Community Natural Foods* (plan A3, 32) : 1304 10th Avenue SW. ☎ 229-2383. Ouvert du lundi au samedi de 9 h à 18 h 30, le dimanche de 10 h à 17 h. Depuis 1977, une valeur sûre de la bouffe bio-végé de Calgary. Produits des fermiers des environs servis au poids (1,79 $Ca les 100 g, soit 1,1 €), derrière la vitrine d'un grand magasin d'aliments naturels qui sont vendus nettement moins chers qu'ailleurs ; et surtout moins cher qu'à Banff. Un excellent endroit pour faire des provisions d'aliments déshydratés avant d'aller camper dans les Rocheuses.

I●I *Buzzards Cowboy Cuisine* (plan B3, 33) : 140 10th Avenue SW. ☎ 264-6959. Ouvert de 11 h à 23 h. Autour de 11 $Ca (6,7 €) à la carte, tout à la gloire du bœuf d'Alberta et des sacro-saints hamburgers. Carte des bières impressionnante. Ambiance western jusqu'au bout des « tiags » : lustre en roue de chariot, stetson et couvertures indiennes pour rideaux. Levez la tête : s'il y a tant de bottes sur les poutres, c'est qu'un repas est offert en échange d'une paire de santiags usagées ! Une chouette adresse.

I●I *Sukiyaki House* (plan B3, 34) : 517 10th Avenue SW. ☎ 263-3003. Ouvert de 11 h 30 à 14 h et de 17 h à 22 h du lundi au jeudi, de 17 h à 23 h les vendredi et samedi, 21 h le dimanche. De 14 à 17 $Ca (8,5 à 10,4 €) pour des menus le soir. *Sushis* à la carte pas chers du tout. Resto japonais traditionnel, très zen, on enjambe un petit ruisseau pour entrer dans la salle. On peut même déjeuner ou dîner sur un tatami, un peu à l'écart des autres tables (mais pour cela, il est vivement conseillé de réserver). Rapport qualité-prix exceptionnel. Autre adresse à Banff.

Prix moyens

I●I *Cannery Row* (plan B3, 35) : 317 10th Avenue SW. ☎ 269-8889. Ouvert tous les jours, de 11 h 30 à 22 h, à partir de 17 h 30 seulement le week-end. Entre 12 et 15 $Ca le plat (7,8 et 9,7 €). Vaste salle moderne mais chaleureuse. Petite terrasse en été. Spécialités de fruits de mer et grillades, plein de plats légers pour le déjeuner, et un grand choix de vins du monde entier.

I●I *Élisabelle* (plan B2, 36) : 137 5th Avenue SW. ☎ 232-5499. Ouvert du lundi au vendredi de 6 h 30 (samedi 9 h) à 22 h. Fermé le dimanche. Restaurant-bar québécois.

Le proprio, Alain, a l'accent pour le prouver, et toutes les serveuses sont québécoises. Le menu propose les classiques (de 8 à 14 $Ca, soit 4,9 à 8,5 €) : bœuf fumé, poutine, brochettes, pâtes, salades et de copieux petits dej'. En plus des steaks albertains. Mais, la spécialité, ce sont les fondues au fromage (30 à 40 $Ca pour 2, soit de 18,3 à 24,4 €). Également de costauds desserts, tarte au sucre, mousse à l'érable et leurs calorifiques collègues.

I●I *Earl's* (plan B2, 37) : 315 8th Avenue SW (Stephen Avenue Mall).

☎ 265-3275. Ouvert de 11 h (midi les samedi et dimanche) à minuit (1 h les vendredi et samedi, 22 h le dimanche). Sandwichs et burgers autour de 10 $Ca, compter 20 $Ca pour les viandes (6,1 et 12,2 €). Menu-enfants. À gauche, *Earl's Res-* *taurant*, à droite *Earl's Lounge*, pour l'apéro ou le digestif. On trouve vraiment de tout à la carte, dans un style toujours très américain. Une chaîne très appréciée dans l'Ouest canadien, décor intimiste et ambiance animée.

Plus chic

|●| **River Café** (plan B2, 38) : dans le Prince's Island Park (après le pont à gauche quand vous venez du sud). ☎ 261-7670. Ouvert de février à décembre, de 11 h à 23 h (10 h le week-end). Plat le soir à partir de 24 $Ca (14,6 €). Au bout du parc, un des buts de promenade favoris des habitants de Calgary. Décor très chouette, dans un ancien hangar à bateaux, entièrement consacré à la pêche. Excellente cuisine régionale au feu de bois et belle carte des vins. Brunch le week-end.

|●| **Saltlik** (plan B2, 39) : 101 8th Avenue SW. ☎ 537-1160. Ouvert du lundi au vendredi de 11 h à 23 h, jusqu'à 22 h le samedi et de 17 h à 22 h le dimanche. Plats fins et élaborés préparés par un ancien chef du *River Café*, entre 20 et 30 $Ca (12,2 et 18,3 €). Nouvelle chaîne tendance chic de l'Ouest, déco hightech, lumières tamisées et *soft music*, pour créer ce qu'on appelle ici une « *clubby atmosphere* ». Viandes succulentes et combinaison de saveurs insolites, on se régale. Et une carte des vins bien fournie pour arroser le tout. Bar et *dance club* au-dessus. Autre adresse à Banff.

|●| **La Caille on the Bow** (plan B2, 40) : 7th Street et 1st Avenue SW.

☎ 262-5554. Ouvert tous les jours de 11 h 30 à 14 h et de 17 h 30 à 22 h, de 16 h 30 à 21 h le samedi. Fermé le dimanche. De 25 à 36 $Ca (15,3 à 22 €) le plat du soir. Belle maison située près de la rivière Bow, avec vue sur le parc qui la borde. Grand resto sur 2 étages, composé de nombreuses salles indépendantes et de petits salons. Petite terrasse très accueillante en bordure du parc. L'endroit se veut à la fois romantique (cheminée dans chaque pièce) et décontracté, selon les salles. C'est assez réussi. Cuisine sans génie mais de qualité. Prudent de réserver.

|●| **Teatro** (plan B2, 41) : 200 8th Avenue SE. ☎ 290-1012. Ouvert en semaine de 11 h 30 à 23 h, de 17 h à minuit le samedi, et jusqu'à 22 h le dimanche. Pâtes et *antipasti* pour moins de 20 $Ca, plutôt 30 $Ca pour les viandes et poissons (12,2 et 18,3 €). Très chic, une salle haute de plafond dans un élégant bâtiment historique. Au centre, une cuisine ouverte où s'active le chef et son équipe. Un des italiens les plus cotés de la ville, une cuisine inventive mais un peu chère quand même. Micro-terrasse sur l'Olympic Plaza.

Où prendre le petit déjeuner ?

Pas mal de choix sur Stephen Avenue (8th Avenue) dans sa section piétonne (le Mall), entre autres :

|●| **Second Cup** (plan B2, 42) : 306 8th Avenue SW. Ouvert les jours de semaine de 6 h à 23 h, dès 7 h le week-end. Ne loupez pas cette institution canadienne, chacun venant remplir son thermos de café sur le chemin du boulot. Mais puisque vous avez la chance d'être en va- cances, choisissez l'option journaux, fauteuils et terrasse.

|●| Un peu vers l'ouest, dans un local plus petit, la chaîne concurrente américaine **Starbucks** (plan B2, 43), au 411 8th Avenue.

|●| **Benny's Bistro** (plan B2, 44) : 355 4th Avenue SW. ☎ 265-2700.

Ouvert de 7 h à 10 h 30. Compter entre 5 et 13 $Ca (3,1 et 7,9 €). On y sert des petits dej' où les œufs s'accompagnent de bacon, saumon fumé, saucisse, chorizo, steak albertain, etc. Le tout servi dans une salle lumineuse, proprette, avec son côté *british* pas désagréable au petit dej'.

Truc routard (qui peut servir un peu partout au Canada au petit dej' : demander un œuf-toasts (à moins de 5 $Ca), et il sera servi avec des pommes de terre, de la tomate, un morceau d'orange et des confitures variées, comme les plats nettement plus chers.

Où boire un verre? Où écouter de la musique?

Durant le *Stampede,* concerts de rock, jazz ou blues tous les soirs dans les principaux hôtels. Se procurer les journaux gratuits *Ffwd* et *Calgary Straight* pour des infos plus précises. La frontière entre « restos » et « bars » n'est pas franche ici, la plupart des endroits où boire un verre proposent aussi à manger, et vice versa. Beaucoup d'ambiance dans les pubs, qui font fureur au pays des cow-boys et sur la 17th Avenue, bien connue des soiffards. Et comme à l'époque de l'Ouest mythique, il ne faut parfois pas grand-chose pour déclencher une bagarre. Attention : au Canada, si l'on est pompette, on marche. Pas question de prendre sa voiture. Sauf si l'on a envie de passer ses vacances au placard !

🍸 **The Rose and Crown** *(plan B3, 50)* : 1503 4th Street SW ; à l'angle de 15th Avenue. ☎ 244-7757. Ouvert de 11 h 30 à 2 h, minuit le dimanche. Un pub irlandais sympa, pour une bière ou un *fish and chips*. Très bon brunch le week-end de 12 h à 15 h ; 32 bières à la pression, dont une dizaine de canadiennes. *Happy hours* de 16 h 30 à 19 h 30. Chaude ambiance. Groupes les vendredi et samedi de 21 h à minuit.

🍸 **The Ship & Anchor Pub** *(plan B3, 51)* : 534 17th Avenue. ☎ 245-3333. Ouvert tous les jours jusqu'à 1 h. Atmosphère classique des pubs, sombre et enfiévrée. Pas beaucoup plus calme côté terrasse. Musique live le mercredi.

🍸 **Ceili's** *(plan B2, 52)* : 513 8th Avenue SW. ☎ 508-9999. Ouvert de 11 h à 2 h. Le 3e « spot » irlandais,

il y en a bien d'autres, mais on finit par se lasser de la bière, même si, ici, on en compte pas moins de 64 à la pression... Chaude, chaude ambiance à tous les étages, même sur la terrasse !

🍸 **Tantra** *(plan B3, 53)* : 355 10th Avenue SW. ☎ 264-0202. Vaut mieux être à jeun pour retenir les heures d'ouverture : le mardi, jeudi et samedi de 19 h à 2 h, le vendredi de 16 h à 2 h et le dimanche de 20 h à 2 h... Grand bar-resto sur 2 niveaux, dans un style moderne avec des accents d'Extrême-Orient. Si vous avez une petite faim, *Tantra* propose de bons tapas.

🍸 **The Whiskey Saloon** *(plan B3, 54)* : 341 10th Avenue SW. Le plus grand nightclub de la ville, juste à côté du *Tantra.* Beaucoup d'atmosphère.

Pour les amateurs de country

🍸 ♪ **The Ranchman's** *(hors plan par B4, 56)* : 9615 MacLeod Trail S. ☎ 53-1100. Ouvert du lundi au samedi de 10 h à 2 h. À une dizaine de kilomètres de Downtown vers le sud. Le nec plus ultra de la country à Calgary, stetson et santiags de rigueur. Piste de danse et billards. Groupes

la plupart du temps. Lieu légendaire durant le Stampede. 1 100 cowboys et cowgirls peuvent s'y amuser en même temps.

🍸 ♪ **Cowboys Dance Hall** *(plan B2, 57)* : 826 5th Street SW. ☎ 265-0699. Ouvert du mercredi au samedi de 19 h à 2 h. Compter 6 à 9 $Ca (3,7 à

CALGARY

5,5 €) l'entrée. Immense salle dédiée à la country, appréciez leur slogan « *The most fun you can have with your boots on !* ». Groupes certains soirs. Programme disponible sur • www.cowboysniteclub.com •

♉ ♪ ***Coyotes*** *(plan C3, 58)* **:** à l'angle de 11th Avenue SE et Olympic Way. ☎ 263-5345. Country bar rénové, un peu à l'écart de tout, mais près du *Stampede*. Il fait donc le plein à cette période.

À voir. À faire

Bon, si vous ne visitez pas la ville début juillet, c'est dommage, mais n'exagérons pas, il n'y a pas que le *Stampede* à Calgary !

🏛🏛 ***Glenbow Museum*** *(plan B2-3)* **:** 130 9th Avenue SE. ☎ 268-4100. • www.glenbow.org • Ouvert tous les jours de 9 h à 17 h (à partir de 12 h seulement le dimanche). Entrée : environ 12 \$Ca (7,3 €) ; réductions. L'attraction culturelle principale de la ville.

Si vous avez peu de temps, consacrez-le au 3e étage. Une expo splendide, « Nitsitapiisinni : our way of life – The Blackfoot Gallery », a été réalisée il y a quelques années avec des représentants de plusieurs tribus des Prairies, de langage et de culture identiques, les Nitsitapiisinni, plus connus sous le nom de « Blackfoot ». Elle retrace l'histoire de la conquête de l'Ouest à travers leur propre regard, à la première personne. Comme un hommage aux traditions orales, on croirait presque entendre la voix des anciens au coin du feu. Ainsi sont exposés et commentés les traités successifs et le manque de parole des pionniers, qui ont conduit à la spoliation des terres indiennes. Des documents encore peu montrés dans les musées, étant donné la situation actuelle des Indiens. Superbe artisanat des différentes tribus, dont les kayaks inuit en peau de caribou, les instruments de pêche, les couvertures de chevaux brodées, les vêtements très ouvragés, etc. Et dans d'autres salles, la conquête de l'Ouest côté pionnier, objets domestiques, anciennes machines agricoles, l'aventure du pétrole, les Années folles et les Années noires, celles de la Dépression. Un témoignage indispensable et une expo vraiment bien faite, haute en couleur et adaptée à tous les âges, si l'on en croit le nombre d'enfants admiratifs devant les tipis et le bison empaillé plus vrai que nature. Les 2e et 4e étages abritent des expos temporaires et différentes collections (militaire, minéralogique, africaine et asiatique).

🏛 ***Calgary Tower*** *(plan B3)* **:** à l'angle de Center Street et de 9th Avenue S. On ne peut pas la louper, c'est le symbole de la ville. ☎ 266-7171. Ouvert de 7 h à 22 h 30. Franchement cher : 10 \$Ca (6,1 €) ; réductions.

Une hauteur de 190 m, l'équivalent de 55 étages. La construction de la tour était une première en 1967 : le ciment a été coulé de façon continue pendant 24 jours (la CN Tower de Toronto a été coulée de la même manière en 1972). On ne peut pas dire que ce soit une réussite esthétique à Calgary. Ça fait *cheap*. D'en haut, c'est déjà beaucoup mieux. L'ascenseur effectue la montée en 62 s ! Forcément, resto et bar panoramiques. D'un côté le regard se perd dans l'immensité des Prairies, tandis que de l'autre on aperçoit les lignes tendues des *Rocky Mountains*.

🏛 Dans le centre commercial délimité par les 2nd et 3rd Streets SW, au 4e niveau, aller jeter un œil aux étonnants ***Devonian Gardens*** *(plan B2)* : des jardins suspendus, en serre, sur plus de 1 ha. Ouvert de 9 h à 21 h.

🏛🏛 ***Fort Calgary*** *(plan C3)* **:** Interpretive Center, 750 9th Avenue SE. ☎ 290-1875. • www.fortcalgary.com • Ouvert tous les jours de 9 h à 17 h du 1er mai à mi-octobre. Horaires réduits le reste de l'année. Entrée : 9 \$Ca (5,5 €). Musée de la Ville intéressant, sur l'emplacement du premier fort de la police montée. Il n'en reste aujourd'hui que ***The Deane House*** juste en face, ancienne résidence du commandant du fort. C'est aujourd'hui un restaurant, mais on peut la visiter sur réservation. Pas d'un grand intérêt.

À l'extérieur du musée, quand il fait beau, des étudiants costumés reconstituent des scènes de la vie du fort et font participer les visiteurs.

🎬🎬 *Calgary Zoo (plan D2)* : prendre le *C-Train,* descendre à Zoo Station. ☎ 232-9300. • www.calgaryzoo.org • Ouvert tous les jours de 9 h à 17 h. Entrée : 15 $Ca (9,2 €), demi-tarif pour les enfants et autres réductions. Une des fiertés de la ville. La partie consacrée aux Rocheuses, notamment, est vraiment intéressante. Le parc préhistorique, reconstitution grandeur nature d'animaux disparus, est également assez bien fait.

🎬 *Le quartier de Kensington (plan A2)* : au nord-ouest du centre-ville, sur l'autre rive de la Bow River. Balade sympa à faire dans ces quelques rues récemment remises au goût du jour par la communauté artiste de la ville. Entre 14th et 10th Streets NW, Kensington Rd regorge de petits cafés, librairies spécialisées et boutiques d'artisanat.

🎬 *Agricole Grain Academy (plan C3)* : dans le *Round-Up Centre* du Stampede Park. ☎ 263-4594. Ouvert toute l'année du lundi au vendredi de 10 h à 16 h. Entrée gratuite. Un petit musée de l'Agriculture en Alberta. Géré par une coopérative d'agriculteurs fiers de parler de leur métier. Photos, audiovisuels, quelques outils, maquettes, etc.

🎬 *Aero Space Museum of Calgary (hors plan par D1)* : 4629 MacCall Way NE. Suivre Memorial Drive jusqu'au Deerfoot Trail, puis tourner à droite sur MacKnight Bvd, reconnaissable aux vénérables vieux coucous devant l'entrée. ☎ 250-3752. • www.asmac.ab.ca • Ouvert de 10 h à 17 h tous les jours (venir avant 15 h 30 pour les visites guidées). Compter 6 $Ca (3,7 €) la visite, seul ou avec un guide.

Pour les amoureux des zincs, un musée assez riche, mais un peu fourre-tout. On y trouve, entre autres, le célèbre *Sop with Triplane* (héros de la Première Guerre mondiale), le *Hawker Hurricane* (qui s'illustra lors de la bataille d'Angleterre), le *Vampire,* le *Mosquito,* le *Lancaster* et d'autres avions civils et militaires. Petit espace d'information sur la station spatiale internationale et un cockpit ouvert à l'extérieur pour passer derrière les commandes.

Fêtes et manifestations

– Bien sûr, le *Calgary Stampede (plan C3),* pendant 10 jours à partir de la 2e semaine de juillet (voir « Le Stampede » dans l'introduction de « Calgary »).

– *Festival des Caraïbes :* généralement, pendant la 2e semaine de juin. Sur la place Olympique, sur Prince's Island et un peu partout dans le centre.

– *Festival de Jazz :* groupes de jazz un peu partout dans la ville pendant la dernière quinzaine de juin.

– *Canada Day :* la fête nationale, le 1er juillet. Attractions diverses au zoo, dans le fort, dans l'*Heritage Park* et sur *Prince's Island* : concerts, ateliers pour enfants, jeux divers. N'oubliez pas votre petit drapeau canadien...

– Les samedis d'été, *concerts* gratuits dans la journée, dans Rilley Park et Heritage Park.

Achats

Les *boutiques de cow-boys* se succèdent tout le long de 8th Avenue SW. On y trouve ceintures, stetsons en tout genre, boots, lassos, chemises... tout ce qu'il faut pour vous faire un look « Calamity Jane ». Beaucoup d'effervescence aussi sur la 17th Avenue SW, entre la 4th et la 10th Street SW, et sur

Kensington Rd (se reporter à la rubrique « À voir. À faire ») : librairies et petites boutiques en tout genre...

⚜ *Riley & McCormick (plan B2, 89)* : 220 8th Avenue SW. ☎ 1-800-661-1585. Le repaire des vrais cowboys avec les meilleures marques nord-américaines : *Boulet* (du Québec !) pour les bottes, *Wrangler* pour les jeans (les choisir longs pour qu'ils couvrent bien les bottes), *Rockmount Ranchwear* pour les chemises à empiècements et poignets larges, *Montana* pour les boucles de ceinture, *Watson* pour les gants, *Stetson* pour les chapeaux. Soldes après le *Stampede*.

⚜ *Mountain Equipment Co-op (plan A3, 90)* : 830 10th Avenue SW. Ouvert toute la semaine de 10 h à 19 h (21 h les jeudi et vendredi, de 9 h à 18 h le samedi et de 11 h à 17 h le dimanche). C'est une coopérative, on paye 5 $Ca (3,1 €) pour devenir membre à vie lors du 1er achat (vite amorti). Le paradis du campeur et de tous les sportifs en général (kayak, rafting, vélo). Vente et location de matériel, brochures explicatives, et même une librairie à l'étage. Extrêmement populaire auprès des Canadiens, pour son choix immense.

⚜ *Hudson's Bay Company (plan B2, 91)* : 200 Stephen Avenue (8th Avenue SW). ☎ 262-0345. Ouvert tous les jours de 9 h 30 à 18 h, jusqu'à 20 h les jeudi et vendredi, de 11 h à 18 h le week-end. Succursale de la célèbre chaîne de magasins, née le 2 mai 1670 (c'est la plus vieille firme nord-américaine). Pour sa belle architecture à arcades également.

➤ *DANS LES PROCHES ENVIRONS DE CALGARY*

🦌 *Heritage Park (hors plan par A4)* : 1900 Heritage Drive SW. ☎ 268-8500. ● www.heritagepark.ca ● De mi-mai à début septembre, ouvert tous les jours de 9 h à 17 h (mais les démonstrations commencent vers 10 h 30) ; de début septembre à mi-octobre, ouvert le week-end et partiellement en semaine (passez un coup de fil avant d'y aller). Pour y aller de *Downtown*, prendre MacLeod Trail sur plusieurs kilomètres, puis à droite sur Heritage Drive. Le parc est situé un peu plus loin sur la gauche. Compter 20 mn en voiture. Entrée : 11 $Ca, 19 $Ca avec les attractions (train, manèges, etc., soit 6,7 et 11,6 €) ; réductions.

Vaste parc dans lequel on a reconstruit des dizaines de commerces et de maisons datant du début du XXe siècle. Un authentique train à vapeur relie les différents points d'intérêt du parc. On y trouve un saloon, une gare de train, une école, l'atelier du forgeron, celui de réparation des trains, le *railway turntable* et une pâtisserie excellente (où le petit dej' est offert entre 9 h et 10 h sur présentation du billet d'entrée !).

Des programmes estivaux invitent même les enfants à venir vivre la vie de l'époque dans une ferme du village. On y trouve aussi la première grande roue, qui appartenait à un parc d'attractions de Chicago au début du XXe siècle. Balade sur le lac à bord du *S.S. Moyie*. Promenades balisées permettant de redécouvrir 3 grandes périodes : la traite des fourrures en 1860, la colonisation de la Prairie en 1880 et la vie d'une petite ville de l'Ouest en 1910. Apportez votre casse-croûte, les menus proposés ne sont pas donnés. Les enfants et les fans de Laura Ingalls pourront facilement y passer plusieurs heures sans s'ennuyer...

🦌 *Canada Olympic Park (hors plan par A1)* : sur la route de Banff, à 20 mn du centre, continuer toujours tout droit sur la 16e NW, puis à gauche sur Canada Olympic Drive. ☎ 247-5452. ● www.canadaolympicpark.ca ● Ouvert tous les jours de 8 h à 21 h. Entrée : 10 $Ca, 15 $Ca (6,1 et 9,2 €) la visite guidée ; réductions.

Le site principal de 1988 a été aménagé en un musée des J.O. d'hiver, et les installations sont assez impressionnantes pour intéresser aussi les anti-sportifs... Calgary demeure un grand centre d'entraînement des athlètes olympiques canadiens (au grand désespoir de Québécois qui doivent s'y « expatrier »). Vertige assuré du haut des rampes d'élan des sauts. Et possibilité d'essayer le bobsleigh (sur roulettes en été), mais là, on fait moins les malins (et puis c'est cher !). Ne manquez pas la *Ice House,* un bâtiment réfrigéré unique en son genre, où les athlètes de bobsleigh et de luge viennent travailler leur départ. L'été, courses de VTT et tournois en tout genre, l'hiver, les petits Canadiens viennent y découvrir les joies du chasse-neige...

➤ *ET PLUS LOIN...*

Royal Tyrrell Museum of Paleontology : à 6 km au nord-ouest de Drumheller et à 138 km de Calgary. Environ 1 h 30 de route (vers le nord-est, par la Highway 9). ☎ (403) 823-7707 ou 1-888-440-4240. ● www.tyrell museum.com ● De mi-mai à début septembre, ouvert tous les jours de 9 h à 21 h. Compter 8,50 \$Ca (5,4 €) l'entrée, moitié prix pour les enfants. Le reste de l'année, ouvert du mardi au dimanche de 10 h à 17 h, mais aussi le lundi en période de vacances (vous suivez ?).
Situé dans la région des Badlands (les « Mauvaises Terres »). Dans un cadre remarquable, l'un des plus beaux musées de paléontologie au monde. Il porte le nom de Joseph Burr Tyrrell, qui découvrit les premiers restes d'un dinosaure dans la région de Drumheller en 1884. Intéressante reconstitution d'animaux préhistoriques dans leur milieu naturel, suivant l'évolution de la planète depuis sa création, l'apparition des premières formes de vie, suivies de l'arrivée des dinosaures. Entre autres, le squelette entièrement reconstitué d'un tyrannosaure *Rex*. Démarche pédagogique particulièrement réussie. Les enfants pourront s'amuser et se cultiver en même temps sur de petits ordinateurs. Compter au moins 2 h de visite.

Dinosaur Provincial Park : à 2 h de route de Calgary vers l'est, près de la petite ville de Brooks. ☎ (403) 378-4342. Dans un désert de roches et de sable, l'un des sites fossilifères les plus riches du globe (classé par l'Unesco Patrimoine mondial). Un véritable et merveilleux cimetière de dinosaures. Bien se renseigner avant d'y aller, on ne peut pas toujours le visiter.

Head Smashed-In Buffalo Jump : à 66 km à l'ouest de Lethbridge et à 160 km au sud de Calgary. ☎ (403) 553-2731. ● www.head-smashed-in.com ● De l'intersection de la Highway 2 et de la route 785, suivre cette dernière durant 16 km vers l'ouest. Ouvert de 9 h à 19 h du Victoria Day (3e lundi de mai) au Labour Day (1er lundi de septembre) ; de 9 h à 17 h le reste de l'année.
Vous arriverez dans un superbe endroit, déclaré site du patrimoine mondial par l'Unesco en 1981. Un très beau musée et centre d'interprétation, construit en terrasses sur plusieurs niveaux et remarquablement intégré à une falaise, représente le plus grand site de massacre des bisons en Amérique du Nord. Durant près de 6 000 ans, les Indiens des Prairies rabattirent les troupeaux de bisons vers le bord de la falaise ; emportées par leur élan et saisies par la peur, les énormes bêtes s'écrasaient les unes sur les autres une dizaine de mètres plus bas, où d'autres chasseurs les attendaient pour les achever à coups de lance ou de massue. Une technique de chasse abandonnée au début du XVIIIe siècle au profit du cheval. La collection d'os de bison est très impressionnante ; films, vitrines, maquettes, cartes constituent une excellente approche de la vie dans la Prairie. Promenade de 2 km par des sentiers agréables et faciles qui courent du pied de la falaise jusqu'en haut, où la vue sur la plaine verdoyante étendue à l'infini est époustouflante.

¶ **_Fort MacLeod_ :** Fort Museum, PO Box 776, Fort MacLeod, AB T0L 0Z0. ☎ (403) 553-4703. À 20 km à l'est du site précédent, sur la Highway 2, à 165 km au sud de Calgary. Ouvert de mai à octobre de 9 h à 17 h (jusqu'à 19 h en juillet-août). Entrée payante.

Un fort construit sur une île en 1874 constitua le premier avant-poste vers l'ouest de la police montée du Nord-Ouest. Reconstruit en 1957 et aménagé en musée rappelant la vie des cavaliers, des Indiens et des pionniers de cette région, le fort est le théâtre d'une parade en musique de la police montée royale canadienne (4 fois par jour en juillet-août).

■ **_Hammerhead Scenic Tours_ :** 119 Whiteglen Cres. NE, Calgary. ☎ 260-0940 ou 1-888-260-0940. ● www.hammerheadtours.com ● Organise de mai à octobre des tours guidés d'une journée en petits groupes dans le sud de l'Alberta. _Head Smashed-In Buffalo Jump_ le lundi, et les _Badlands_ du mardi au dimanche, sur des sites remarquables et historiques, notamment la piste des dinosaures.

🐾🐾🐾 **_Waterton Lake National Park_ :** à 270 km au sud de Calgary, environ 55 km après Fort MacLeod. Un paysage unique, qui n'a rien à envier aux autres parcs des Rocheuses, et qui commence à attirer les blasés de Banff, en quête de plus de tranquillité. Des montagnes impressionnantes, parmi les plus anciennes de la chaîne des Rocheuses, se mirent dans l'_Upper Waterton Lake_. Créé en 1932, à la frontière du Montana, aux États-Unis, c'est aujourd'hui un « parc international de la paix », à la limite du Montana, les deux nations ayant décidé de laisser la frontière ouverte, pour préserver le patrimoine naturel.

S'il est plus commode d'avoir une voiture pour circuler dans le parc, il est toutefois possible de venir en bus de Calgary : les autobus Greyhound vont jusqu'à Pincher Creek, où une navette continue jusqu'au parc. Renseignements : ☎ (403) 627-5205.

Infos pratiques

– **_Waterton Park Information Services_ :** PO Box 100. ☎ (403) 859-2252. Fax : (403) 859-2342. ● www.watertoninfo.ab.ca ● Le site répertorie toutes les possibilités de logement dans le parc et les campings (de 12 à 24 $Ca la nuit en fonction des services, soit 7,8 à 15,6 €).

– **_Parcs Canada_ :** ☎ (403) 859-5133. ● waterton.info@pc.gc.ca ● Pour des conseils avisés et pour se procurer les cartes nécessaires avant le départ. Pour plus d'infos sur les sentiers, vous pouvez aussi vous procurer le _Waterton-Glacier Views_.

QUITTER CALGARY

🚌 **_Bus Greyhound_ (plan A2) :** 850 16th Street SW. ☎ 260-0850. ● www.greyhound.ca ● Accueil le matin.

➤ **_Pour Vancouver :_** 4 départs tous les jours. Idem pour Canmore.

➤ **_Vers l'est (Winnipeg, Toronto et Montréal) :_** 5 bus dont 3 jusqu'à Montréal. Compter plusieurs jours, même si le bus roule jour et nuit.

➤ Si vous allez **vers l'est,** on vous conseille l'avion, à moins de vouloir visiter la Saskatchewan et le Manitoba.

➤ Si vous voulez aller **vers le nord-ouest,** vers Banff et les _Rockies_, on vous recommande de louer une voiture. Il serait dommage de ne pas pouvoir vous arrêter là où vous le souhaitez. Sinon, en bus : vers Banff (environ 2 h de trajet), 6 départs par jour. Départs aussi pour Lake Louise (environ 3 h) et Jasper (environ 8 h).

– Il n'y a pas de liaison régulière de train entre Calgary, Banff et Vancouver. La seule ligne régulière pour voyageurs passe par Winnipeg, Edmonton, Jasper et Vancouver. Seul le *Rocky Mountaineer,* affrété spécialement pour les touristes de mai à octobre, rallie Calgary et Vancouver. Assez cher mais spectaculaire. Renseignements : ☎ 1-800-665-7245 ou ● www.rockymoun taineer.com ●

EDMONTON   940 000 hab.   IND. TÉL. : 780

Edmonton, au-delà du bien et du « Mall », est la capitale de l'Alberta. Et le *Mall,* c'est le plus grand centre commercial du monde avec ses 800 magasins et boutiques, outre ses parcs thématiques et ses autres lieux de divertissement. Edmonton, c'est aussi de beaux musées, car l'Alberta est la province la plus riche du Canada par tête de pipe (merci le pétrole !). Si elle n'attire pas autant de monde que Calgary et son Stampede, c'est une étape agréable vers Jasper et une ville intéressante, capitale politique et centre universitaire. Edmonton offre aussi de belles vallées qui enjolivent son décor urbain.

Comment aller dans le centre au départ de l'aéroport ?

✈ *L'aéroport* est à 25 km au sud de la ville. *Air Canada* : billetterie ouverte de 5 h à minuit.
➢ *En minibus :* la navette *Sky Shuttle* vous dépose dans le centre pour 13 $Ca (7,9 €). Infos : ☎ 465-8515 ou 1-888-438-2342. ● www.edmonton skyshuttle.com ●
➢ *En taxi :* tarif fixé à 44 $Ca (27 €) pour le centre-ville.
➢ *En voiture :* c'est une balade sans histoires sur la Highway 2. *Avis :* ☎ 890-7596. *Budget :* ☎ 448-2000.
■ *Informations sur les vols et touristiques :* ☎ 890-8382 et 1-800-268-7134. ● www.edmontonairports.com ● Au rez-de-chaussée (niveau des arrivées), petit bureau efficace et parfaitement bilingue.

Adresses utiles

🄸 *Edmonton Tourism Visitor's Information :* au Gateway Park, Highway 2, 2404 Calgary Trail SW. Entre l'aéroport et la ville, bien fléché. Si vous êtes chanceux, on vous y parlera en français. ☎ 496-8400 ou 1-800-463-4667. ● www.edmonton.com ● Ouvert tous les jours du 15 mai au 6 septembre de 8 h à 20 h. Horaires réduits le reste de l'année. Fermé seulement les 25 et 26 décembre, le 1er janvier et à Pâques.
■ *Chambre économique de l'Alberta :* 8929 82th Avenue. ☎ 414-6125 ou 1-866-PARTONS. ● www.lacea. ab.ca ● Siège social de l'organisme cité sur Calgary (voir « Adresses

utiles »). Infos en français sur La Province, incluant celles sur la recherche d'emplois.
■ *Radio francophone :* Radio-Canada, 680 AM. Sa chaîne culturelle est au 90.1 FM.
– *Infos sur Internet :* ● www.infoed monton.com ● ou ● www.discovered monton.com ●
🖳 *Gare VIA :* 12360 121st Street. ☎ 448-2575. Edmonton est la seule étape entre Saskatoon et Jasper. Un train par jour, le matin (environ 5 h de trajet). ● www.viarail.ca ●
🚍 *Gare des autocars Greyhound :* ☎ 413-8747. 4 départs quotidiens pour Jasper (le bus met près de 5 h).

L'ALBERTA

Où dormir ?

Les *B & B* se développent (• www.bbedmonton.com •), se renseigner à l'office de tourisme.

Edmonton International Youth Hostel : 10647 81th Avenue (angle 107th Street), sur une rue résidentielle tranquille. ☎ 988-6836 ou 1-877-467-8336. • www.hihostels.ca • Compter 20 et 25 $Ca (12,2 et 15,3 €) pour les non-membres ; 88 lits en dortoirs de 6 à 8 lits, chambres privées pour couples et familles. Accès Internet, location de vélos, à proximité de Old Strathcona, le quartier des bars et des commerces branchés. Cuisine bien équipée. Laverie. Salle de TV et de jeux. Un panneau fait sourire, c'est indiqué : Paris 7165 km. L'AJ était un couvent et un centre de retraite jusqu'en 1988, ce qui explique le grand nombre de salles de toutes sortes et l'architecture sévère. Personnel sympathique. Une bonne adresse.

Hôtel Crowne Plaza Château Lacombe : 10111 Bellamy Hill. ☎ 428-6611 ou 1-800-661-8801. • www.chateaulacombe.com • Dans le centre-ville, grand hôtel à prix raisonnables (à partir de 104 $Ca, soit 63,4 €), jusqu'à 4 personnes dans la chambre. Service parfait. Délicieux repas par un chef réputé pour l'usage d'ingrédients régionaux à La Ronde. Le seul resto tournant panoramique de la ville. Nommé en l'honneur d'un pionnier canadien français, le père Albert Lacombe. Très populaire. Penser à réserver.

Varscona : 8208 106th Street (angle de Whyte Avenue West). ☎ 434-6111 ou 1-888-515-3355. • www.varscona.com • Le *Varscona* est un étonnant *country inn* logé dans un bâtiment moderne et situé dans le quartier Old Strathcona. Chambres à 130 $Ca (79,3 €), offres spéciales le week-end. On y a reproduit la déco d'antan – et c'est réussi – dans un cadre moderne. Service jeune et empressé. Parking et bon petit dej' compris.

Où manger ? Où boire un verre ?

Le quartier *Old Strathcona* (• www.oldstrathcona.ca •) et son avenue Whyte (au sud du centre-ville) forment le seul secteur à la mode qui procure un grand choix de comptoirs fast-food, restos et bars intéressants. Boutiques originales de mode, de meubles, de musiques et de produits liés à la marijuana. Marché fermier le samedi de 8 h à 15 h (au 10310 83rd Avenue). Bâtiments historiques.

Second Cup : 10402 82nd Avenue (angle 104th Street). Ouvert les jours de semaine de 6 h à 23 h, dès 7 h le week-end. Idéal pour prendre un café serré ou un petit dej' sans œufs.

Chianti Cafe : 10501 Whyte Avenue (angle de 105th Street). ☎ 439-9829. Ouvert midi et soir tous les jours. Nourriture italienne très correcte dans une ancienne caserne de pompiers. Pâtes de 8 à 10 $Ca (4,9 à 6,1 €). Plats de viande et poisson de 11 à 20 $Ca (6,7 à 12,2 €). Demi-portions disponibles. Très populaire : alors il y a souvent foule.

The King & I : 8208 107th Street (angle Whyte Avenue). Ouvert midi et soir du lundi au vendredi, le samedi en soirée seulement. Plats du midi environ 8 $Ca (4,9 €) et plats du soir entre 15 et 20 $Ca (9,2 et 12,2 €). Des recettes en provenance du Siam, brûlantes et sans compromis. Ingrédients frais de qualité. Petites portions sur demande.

Il y a des bars pour tous les goûts sur Whyte Avenue. *O'Byrnes* pour les amateurs de Guinness, *Commercial* pour ceux qui préfèrent les vieux bars américains, et quoi encore. Vous trouverez bien votre pointure.

À voir. À faire

🏃 **West Edmonton Mall :** 8882 170th Street. ☎ 444-5200 ou 1-800-661-8890. ● www.westedmontonmall.com ● Dans la banlieue ouest d'Edmonton ; on s'y rend facilement en bus. Le plus grand centre commercial au monde absorbe une grande partie de la vie de la collectivité. Outre les 800 commerces (pour la plupart prévisibles et ennuyeux), le *Mall* comporte des « quartiers » de restaurants, un parc de manèges, une patinoire de hockey et une plage à palmiers avec son petit lac tropical (le *World Waterpark*). Outre cette amusante baignade, le reste de l'endroit fascinera surtout les amateurs de démesure faite de chiqué à l'américaine.

🏃🏃 **Provincial Museum of Alberta :** 12845 102nd Avenue. Entre le centre-ville et le West Edmonton Mall. ☎ 453-9100. ● www.pma.edmonton.ab.ca ● Ouvert tous les jours de 9 h à 17 h. Entrée : 10 $Ca (6,1 €).
Musée d'histoire naturelle doublé d'une grande salle réservée à d'excellentes expositions itinérantes. L'exposition permanente procure son lot de dinosaures ; on s'y attend et on est content de les voir ! Belle exposition sur les Amérindiens qui ne craint pas les prises de positions politiques. Un des musées les plus populaires au Canada.

🏃 **Edmonton Art Gallery :** 2 Winston Churchill Square, au centre-ville. ☎ 422-6223. ● www.edmontonartgallery.com ● Exposition permanente, un peu confuse et hermétique. Pour les initiés de l'art visuel. À proximité, l'excellente **bibliothèque municipale** (☎ 496-7020).

🏃 **Legislature Building :** 10800 97th Avenue. Au sud-ouest du centre-ville. ☎ 427-2826. ● www.assembly.ab.ca ● Le Parlement albertain semble être un gros morceau d'architecture de la Vieille Europe qu'on aurait parachuté dans la Prairie. Le site est joli, au bord de la rivière Saskatchewan-Nord.

🏃 **Muttart Conservatory :** 626 96A Street. Au sud-est du centre-ville. ☎ 496-8755. ● www.gov.edmonton.ab.ca/muttart ● Un jardin botanique logé dans 4 grandes pyramides de verre : la tropicale, la florale, la tempérée et l'aride. Le concept est génial et c'est très agréable, d'autant plus que ces jardins sont situés au cœur d'une superbe vallée.

➤ *DANS LES ENVIRONS D'EDMONTON*

🏃 **Village historique ukrainien :** à 25 mn à l'est d'Edmonton, prendre la Highway 16. À la sortie du parc national Elk Island. Renseignements : ☎ (403) 662-3640. Ouvert tous les jours en saison de 10 h à 16 h. Compter 6,50 $Ca (4 €) ; réductions.
La vie quotidienne des colons ukrainiens, arrivés de 1892 à 1930, est reconstituée par de jeunes comédiens. Églises à coupole et architecture ukrainienne pour la gare, le poste de police, l'atelier du mécanicien, le magasin général, la quincaillerie, la forge... Dégustation possible. Prévoir 2 à 3 h.

LES ROCHEUSES

La traversée des Rocheuses est le clou d'un voyage au Canada. De Banff à Jasper, vous voici lancé sur un parcours de plus de 400 km, sur une belle *highway* qui offre d'inoubliables panoramas, toujours variés. Mais n'hésitez pas à quitter le confort de la route. Allez explorer à pied les merveilles naturelles que peut-être seuls vos yeux auront vues. Il faudra consacrer plusieurs jours à cet itinéraire si vous voulez profiter pleinement des possibilités de randonnées, d'observation de la vie animale, de raft et d'excursions touristiques qu'offre le parc. Il y en a pour tous les goûts : de la balade de santé de quelques heures à la randonnée de plusieurs jours. Les nombreux campings et AJ aménagés tout le long du parcours permettent aux routards de limiter les frais. Si vous pouvez choisir vos dates de vacances, n'hésitez pas à partir en juin ou septembre : non seulement il y a beaucoup moins de monde, mais il y fait généralement beau et les motels et autres *B & B* sont moins chers. N'oubliez pas cependant que les lacs ne sont entièrement dégelés et les sentiers intégralement ouverts qu'à partir de fin juin, et que, par ailleurs, beaucoup de services disparaissent à partir de mi-octobre.

Les balades à réaliser sont tellement agréables qu'il serait dommage que le temps vous oblige à « speeder » et vous empêche de sortir des *highways* battues. La Highway 1 (la *transcanadienne*), puis la 93, traversent les parcs nationaux Banff et Jasper situés sur la partie orientale de la chaîne, en Alberta. À l'ouest de ceux-ci se trouvent les parcs Yoho et Kootenay, situés en Colombie-Britannique. Pour les rejoindre, il faut quitter la route principale. Les parcs forment une seule chaîne rocheuse, divisée administrativement en 4 parties. Au total, 20 155 km^2 d'espace...

UN PEU DE PRÉHISTOIRE

Il y a quelque 57 millions d'années, la chaîne des Rocheuses sortait de terre, poussée par les forces de la croûte terrestre et celles des océans, tirant les masses vers le haut, les repoussant et les brisant en crêtes aiguës pour former une barrière de plus de 4 000 km, terminant sa course au nord dans le territoire du Yukon et au sud à la frontière du Mexique. Les Rocheuses ressemblent en grande partie à nos Alpes avec des crêtes abruptes, des strates de roches bien dessinées, de grandes vallées boisées, des neiges éternelles et des glaciers à la langue toujours pendante. Elles comportent aussi de vastes forêts de sapins immenses, poussés très serrés grâce à l'humidité, ainsi que des lacs petits ou grands aux abords sauvages ou au décor très civilisé, genre carte postale, dont les couleurs dépassent la simple imagination. La pêche est autorisée. Demandez un permis à l'office de tourisme. Ici, la sensibilité aux couleurs et aux formes est sans cesse en éveil. Les paysages sont changeants, bouleversants aussi.

Depuis leur création, les Rocheuses ont eu à subir au moins 4 périodes glaciaires dont la dernière se situe il y a environ 10 000 ans. Elles permirent aux glaciers de conserver leur jeunesse, traçant ainsi derrière eux, après la fonte, de vastes vallées en U dans lesquelles s'écoulent 5 grands systèmes de rivières drainant avec elles les débris de l'érosion. Dans les parcs naturels, les montagnes Rocheuses sont intactes. Mis à part les villages que vous rencontrerez, l'homme n'a jamais exploité cette région. Les paysages sont comme au premier jour et le seront ainsi, certainement, jusqu'au dernier. Respectez-les.

QUELQUES CONSEILS

– Comme dans tous les parcs nationaux, les places de camping sont limitées. Les rangers sont là pour vous aider à choisir votre endroit, en fonction du temps dont vous disposez. N'hésitez pas à aller les voir. Certains parlent le français. Ils vous communiqueront l'amour de leur montagne.

– *Vous êtes au pays des ours :* c'est le titre d'une petite brochure en français qui vous indique comment vous comporter avec ces « poilidés ». Lisez-la bien. On y trouve quelques consignes pas toujours respectées, vu que chaque année des touristes se font attaquer. Par exemple, ne pas garder de nourriture dans la tente, les ours ont l'odorat suffisamment développé pour la trouver ; ou encore, le classique : ne pas s'approcher des oursons pour les prendre en photo, sinon maman ourse vous fera la peau !

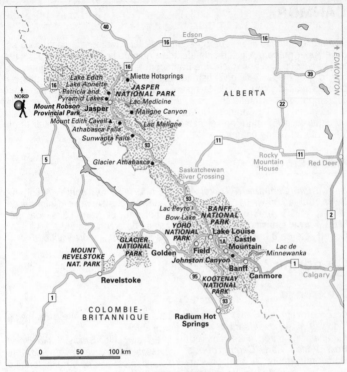

LES ROCHEUSES

– Respectez l'environnement, les poubelles ne sont pas faites pour les chiens. On a vu des gens laisser gentiment traîner leurs boîtes de *Coca* sur un sentier de balade. Ils étaient français ! (Ouf, c'étaient pas des lecteurs !)
– Sur la *highway,* il n'est pas rare de voir des troupeaux de cerfs, de biches ou même d'élans se balader. Ne les nourrissez pas. Ils s'habituent à l'homme. Leur présence devient alors dangereuse pour la circulation.
– Le soir, il fait frais. Prévoyez un pull chaud. Dans les montagnes, il peut neiger n'importe quand, même en juillet !
– Attention aux moustiques et aux taons !

DE CALGARY À BANFF (129 km)

De Calgary, prendre la Highway 1 (dans le prolongement de la 16th Avenue NW) qui traverse les Rocheuses. À quelques dizaines de kilomètres on aperçoit, sur la gauche, les installations olympiques de saut à ski du Canada Olympic Park. Des larges plateaux des Prairies, on passe à un relief plus vallonné sur lequel s'étendent de grandes installations agricoles. Les paysages se dérident, deviennent riants, un peu comme une douce introduction aux montagnes Rocheuses. Quelque 20 km plus loin, le paysage se transforme encore : forêts de sapins et vallons pentus. À la hauteur de Canmore, sur la gauche, on découvre les *Three Sisters,* montagne composée de 3 pics. Pour beaucoup, cette première vue des Rocheuses restera un moment inoubliable.

CANMORE

11 000 hab.   IND. TÉL. : 403

Construite comme ville-étape du chemin de fer, Canmore a continué à se développer grâce aux gisements alentour. Aujourd'hui, plus étendue et surtout beaucoup plus abordable que Banff pour les touristes (mais il coûte plus cher d'y résider à cause de la flambée des prix de l'immobilier), elle attire de plus en plus d'amoureux de la nature. L'activité est concentrée sur Main Street, pas débordante le soir mais suffisante si vous êtes là pour faire de la rando ou du ski. Le Canmore Nordic Centre, créé pour les épreuves de ski nordique en 1988, offre des dizaines de pistes de ski de fond l'hiver et de VTT l'été en pleine nature.

Adresse utile

ℹ *Tourism Canmore & Travel Alberta :* sur la Highway 1, au nord de la ville. ☎ 678-1295 ou 1-800-661-8888. ● www.tourismcanmore.com ● Ouvert l'été de 8 h à 20 h. De 9 h à 18 h le reste de l'année. Aussi efficace que les services d'information canadiens peuvent l'être, des dizaines de brochures et toutes les infos possibles, sourire *included*.

Où dormir ?

Campings

⛺ En arrivant sur Canmore, par la Highway 1, en traversant la région Kananaskis, on trouve les nombreux *Bow Valley Park Campgrounds.* Malheureusement, ils sont presque tous à proximité de la route bruyante et du chemin de fer. Les plus proches de Canmore (à 10 km environ) sont le *Bow River Campground* (grands sites très espacés dont certains bordent la jolie rivière et donnent sur les montagnes...) ; et le *Three Sisters Campground* (les sites les plus au fond sont les moins bruyants, mais ça demeure un problème). Compter 17 $Ca (10,4 €) l'emplacement. ☎ 673-2163. ● www.bowvalleycampgrounds.com ● Il faut « s'auto-enregistrer ».
– Le camping du *Lac des Arcs,* un peu plus au sud, est déjà moins bruyant.
– Le camping *Spray Lake West* (accessible par la route 742 vers l'ouest) n'est pas bruyant du tout. Le problème, ce sont... les ours ! Nombreux et curieux et éventuellement dangereux si on ne suit pas les consignes de sécurité.

⛺ *Restwell Trailer Park :* dans la ville, à 5 bonnes minutes du centre, au bord d'un petit cours d'eau. Près de la route 1A, au 502 3rd Avenue. ☎ 678-5111. ● wwww.restwelltrailerpark.com ● À partir de 28 $Ca (17,1 €) la nuit. Central mais beaucoup de camping-cars, et un peu trop bétonné. En revanche, propose toutes les facilités (douches, machines à laver, etc.).

Bon marché

🏠 *The Alpine Club of Canada :* PO Box 8040. ☎ 678-3200. Fax : 678-3224. ● www.AlpineClubofCanada.ca ● En arrivant de Calgary, un peu avant Canmore, prendre la Highway 1A vers l'est sur 1 km environ. Bien fléché. Pas de navette et assez excentré, pour les routards motorisés ou les grands marcheurs, puisque, après tout, vous êtes ici dans le club-house du Club Alpin du Canada. Compter 19 $Ca, 23 $Ca pour les non-membres (11,6 et 14 €). Chambre privée à 69 $Ca

(42 €). Une coquette AJ de 46 lits, en pleine nature, dortoirs de 4 à 7 lits, cuisine et superbe salle commune avec vue sur les reines du roc. Mais le Club Alpin propose surtout des huttes éparpillées dans les *Roc-* *kies* (à partir de 10 $Ca par personne, soit 6,1 €), pour jouer aux vrais trappeurs... Une étape idéale pour préparer son périple avec laverie et accès Internet. Très populaire été comme hiver.

Prix moyens

La liste des *B & B* est disponible sur ● www.bbcanmore.com ● À noter que la flambée des prix de l'immobilier à Canmore rend souvent plus rentable de vendre une propriété que d'y tenir un *B & B*. C'est pourquoi de très nombreux *B & B* de Canmore ont été vendus ces dernières années...

🛏 *A Room with a View B & B :* 711 Larch Place. ☎ 678-6624. ● www.aroomwithaview.ab.ca ● Une chambre simple autour de 87 $Ca et un mini-appartement à 145 $Ca (53 et 88,5 €) parfait pour 2 adultes et 2 enfants. Une nouvelle chambre romantique avec cheminée, bar et vue incroyable est proposée à 195 $Ca (119 €). Jean-Daniel, un menuisier très sympa, est français d'origine mais installé depuis longtemps dans la région, qu'il connaît comme sa poche. Vous avez le choix entre une chambre tout en bois clair, agréable, ou alors le mini-appartement en bas (chambre, salon TV, coin cuisine). Jacuzzi et sauna en prime dans tous les cas. Le luxe, quoi !

🛏 *Avens ReNaissance :* 250 Lady MacDonald Drive. ☎ et fax : 678-1875. ● renaisbb@telusplanet.net ● À partir de 130 $Ca (79,3 €) pour 2. Attirante maison avec cheminée dans un secteur tranquille. Votre hôte, Marie-Joëlle, une artiste québécoise, adore la région et la nature.

Plus chic

🛏 *Lady Mac Do Inn :* 1201 Bow Valley Trail. ☎ 678-3665 ou 1-800-567-3919. Fax : 678-9714. ● www.lady macdonald.com ● À partir de 175 $Ca pour 2 (106,8 €, gratuit pour les moins de 12 ans !), petit dej' inclus. Réservation conseillée. Une magnifique auberge, douillette et chaleureuse comme un grand chalet de famille. Quant aux chambres, lits immenses, édredons à plume, cheminée et fenêtres tournées vers les monts enneigés, parions qu'elles inspireront les romantiques... « Retiens la nuit... »

🛏 *Best Western Green Gables Inn :* 1602 Highway 1A (qui est la Bow Valley Trail). ☎ 678-5488 ou 1-800-661-2133. Fax : 678-2670. ● gga bles@banff.net ● À partir de 169 $Ca (103 €) la nuit l'été. Hôtel de chaîne mais plutôt bien conçu, tout confort (certaines chambres avec cheminée, sauna et jacuzzi intérieurs, petit fitness). Particulièrement réputé pour son chef montréalais qui officie *Chez François* (voir « Où manger ? »).

Où manger ?

Bon marché

🍽 *Rocky Mountain Bagel Co. :* 830 Main Street. ☎ 678-9978. Ouvert tous les jours de 6 h 30 à 22 h. Bagels copieux autour de 5 $Ca, soupes et salades pour 3 $Ca (3,1 et 1,8 €). Une cafet' « bio » pour manger sur le pouce, mais où on prend plaisir à s'attarder. L'endroit est chaleureux, dans les fauteuils autour de la cheminée ou en terrasse, selon l'humeur du temps. Petite musique d'ambiance, accès Internet, journaux. On y est bien, quoi.

🍽 *Bolo Ranchouse :* 830 Main Street (angle 8th Avenue). ☎ 678-5211. Pub et restaurant. Ouvert de

9 h à 22 h. Compter 8 à 22 $Ca (4,9 à 13,4 €) le plat. Chalet de rondins avec une très grande terrasse animée les beaux jours. Intérieur sur le thème de la cabane au Canada. Menus simples dans le pub et plus raffinés dans le resto. Ambiance jeune et décontractée dans le pub (les fumeurs y sont contents), sur fond de musique rock. Offres spéciales tous les jours sur les consos et les plats pour alléger un menu lourdaud côté prix.

Prix moyens

|●| *Zona's* : 710 9th Street. ☎ 609-2000. Ouvert au lunch du lundi au vendredi de 11 h 30 à 13 h 30, tous les jours au dîner de 17 h à minuit, tapas servis de 22 h à minuit. De 16 à 22 $Ca (9,8 à 13,4 €) pour les plats du soir. Populaire et funky, le QG des artistes de passage à Canmore (y'a qu'à voir les murs). Bons plats de poissons, spécialités végétariennes et bons desserts, mais surtout fréquenté pour sa programmation musicale : DJ, blues, jazz-band, etc. Terrasse en conséquence. Sur une petite rue tranquille. Vraiment agréable.

|●| *Sinclairs* : 637 Main Street (angle 6th Avenue). ☎ 678-5370. Ouvert de 11 h 30 à 14 h 30 et de 17 h à 21 h (22 h les vendredi et samedi). Plats entre 16 et 28 $Ca (9,8 et 17,1 €). Déco un peu ringarde, mais c'est un des restos de la ville dont la carte sort de l'habituelle formule burgers-salades-pâtes. Jolie terrasse.

|●| *Chez François* : resto du *Best Western*, Highway 1A (Bow Valley Parkway). ☎ 678-6111. Ouvert de 7 h à 14 h et de 17 h à 22 h. Autour de 10 $Ca (6,1 €) le plat à midi, compter environ le double le soir. Également, un menu 6 plats du soir à 46 $Ca (28 €), une aubaine. Le restaurant gastronomique de la ville, orchestré depuis longtemps par Jean-François, un chef qui adapte les produits locaux (poissons et bœuf de l'Alberta) à la sauce de chez nous (canard à l'orange, coquilles Saint-Jacques, etc.). Un régal... Demandez une table dans la pièce romantique, à l'écart des groupes qui peuvent descendre d'un car à tout moment.

À faire

🎿 *Canmore Nordic Centre Provincial Park* : 1988 Olympic Way (au sud de Canmore). ☎ 678-2400. ● Canmore.NordicCentre@gov.ab.ca ● Sur le site des épreuves de ski nordique des J.O. de 1988. Imaginez-vous, 702 km de pistes, pour VTT ou ski de fond suivant la saison ! Dans un cadre superbe sur les hauteurs de la ville, en pleine forêt. Location de matériel et leçons (ski/VTT) : ☎ 678-6764. ● www.trailsports.ab.ca ●

BANFF
7 000 hab. | IND. TÉL. : 403

À 56 km de Lake Louise, à 128 km de Calgary et à 289 km de Jasper. La station de montagne la plus proche de Calgary. Très populaire et chic. L'activité de cette petite ville se concentre autour de la rue principale, Banff Avenue, toujours très animée l'été. Le développement de Banff au début du XXe siècle est dû à la découverte d'eaux sulfureuses, ce qui incita les autorités à créer le premier parc national du Canada. Le *Banff Springs Hotel,* bâti à cette époque, devint rapidement le lieu de rendez-vous des gens huppé de la région. Possibilités infinies de petites balades et de grandes randonnées. Il n'est pas rare qu'au petit matin, quelques cerfs se promènent non-

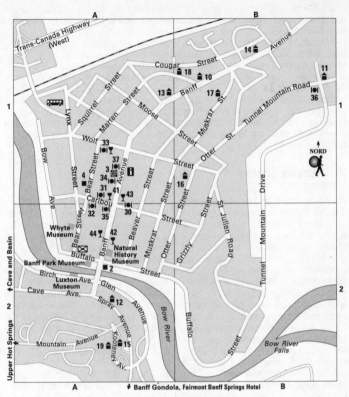

BANFF

chalamment dans les rues, dévorant allègrement les haies de verdure autour des maisons ou créant de mini-embouteillages (parfois, ce sont des wapitis, plus belliqueux !).

L'achat d'une carte d'entrée *(pass)* à la journée est obligatoire à la guérite du parc Banff (mais, si vous faites simplement la route sans vous arrêter dans un parc national, dites-le et vous n'aurez pas à acheter une carte d'entrée). À partir de 7 jours, le *pass* annuel est plus avantageux (7 $Ca par jour, 45 $Ca à l'année, soit 4,3 et 27,5 €, faites le calcul !), d'autant qu'il est valable dans tous les parcs nationaux du Canada. C'est cher, mais quand on voit la qualité du service et de l'organisation, on comprend mieux. Sachez enfin qu'il est possible de camper dans l'arrière-pays si l'on détient un permis (renseignez-vous car le nombre de permis délivrés par jour est limité). Et attention aux ours !

Adresses utiles

Parcs Canada et Banff-Lake Louise Tourism Bureau (plan A1) : 224 Banff Avenue ; à côté d'une église. • www.banfflakelouise.com • Ouvert toute l'année, au moins de 9 h à 17 h, horaires plus longs au printemps et surtout en été. D'un côté, le bureau du tourisme de la région de Banff-Lake Louise (☎ 762-8421) ; de l'autre, les sympathiques rangers des parcs nationaux (☎ 762-1550) qui vous renseignent et vous conseillent. Nombreuses publications très complètes. Le guide *Don't Waste your Time in the Canadian Rockies* cite, par exemple, les balades dans de hautes forêts qui ne laissent rien voir du paysage. Utile ! Prix et disponibilité des hôtels mis à jour sur un tableau. Très pratique, personnel affable et souriant.

Bank of Montreal : 107 Banff Avenue (près de Buffalo Street). ☎ 762-2275. Ouvert de 10 h à 16 h (17 h le vendredi).

Post Office (plan A2) : 204 Buffalo Street, au coin de Bear Street (☎ 762-2586). La seule poste de Banff. Ouverte du lundi au mercredi de 8 h 30 à 17 h 30 (19 h les jeudi et vendredi), et le samedi de 9 h à 17 h.

Book & Art Den (plan A2, 2) : 94 Banff Street. • www.banffbooks.com • Ouvert tous les jours de 9 h 30 à 21 h l'été. Chouette librairie avec toute la doc possible sur les Rocheuses, des cartes et un rayon entier sur nos « amis » les ours. On y croise certaines figures locales : la bibliographie de Bill Peyto's, ou de superbes albums photos signés Bruno Engler. Et plus de livres de rando que vous ne pourrez jamais en faire !

Cyber Web Café (plan A1, 3) : 215 Banff Avenue, au sous-sol de Sundance Hall. ☎ 762-9226. Ouvert de 9 h à minuit (moins cher après 21 h). Pratique car ouvert tard, mais franchement plus cyber que café, il ne donne pas vraiment envie de s'y attarder. Sinon, pratiquement chaque bar de Banff possède une borne Internet, il faut parfois patienter, mais dans un cadre nettement plus chaleureux...

Urgences : ☎ 911.

Mineral Springs Hospital : à l'angle de Bow Avenue et de Wolf Street. ☎ 762-2222.

Gardien du parc : ☎ 762-1470.

Radio francophone officielle du Parc national Banff : 103.3 FM.

Transports, location de matériel

Gare routière (plan A1) : sur Gopher Street. ☎ 762-2286. Cinq bus quotidiens pour Calgary en été, moins l'hiver. Horaires fluctuants. Vérifier.

Greyhound : ☎ 762-1092 ou 1-800-661-8747. Liaisons quotidiennes de Banff à Calgary, Canmore, Lake Louise et Vancouver.

■ **Brewster :** 100 Gopher Street. ☎ 762-6717 ou 1-800-661-1152. ● www.brewster.ca ● Un bus par jour de mai à septembre entre Banff et Jasper.

■ **Transports dans Banff :** *Banff Transit* effectue un circuit passant par les hôtels et les campings (2 $Ca), de 7 h à minuit du 1er mai au 30 septembre.

■ **Bactrax, location de bicyclettes** *(plan A1, 4)* : 225 Bear Street. ☎ 762-8177. Ouvert de 8 h à 20 h. Le moins cher de Banff (environ 30 $Ca par jour, soit 18,3 €) et plutôt sympa. Réductions pour les détenteurs de la carte des AJ.

■ **Mountain Magic Equipment :** 224 Bear Street, toujours même rue, même trottoir. ☎ 762-2591. Excellent rapport qualité-prix, vendeurs très aimables et compétents qui connaissent le coin comme leur poche.

■ **The Ski Stop :** possède deux magasins, l'un au *Banff Springs Hotel,* près de l'entrée (☎ 762-5333), l'autre en ville, au 203 Bear Street (☎ 760-1650).

Où dormir ?

Campings de Parcs Canada

⚐ **Two Jack :** au bord du lac du même nom, à 13 km au nord-ouest de Banff en direction du lac Minnewanka. Ouvert de mi-mai à fin septembre. Compter 17 $Ca (10,4 €) la nuit. Très beau site, on dort sous les sapins, face au lac qui scintille au soleil, au pied des sommets enneigés. Douches, w.-c. et tables en bois. À noter que les espaces y sont petits et peu privés pour des parcs nationaux canadiens. Ce camping de 1 000 emplacements est si grand qu'il n'est presque jamais complet, même en haute saison. Si bien que le trop-plein des campeurs qui vont au Stampede de Calgary finit par atterrir ici...

⚐ **Camping de Tunnel Mountain Village :** à 9 km au nord-est de Banff. À peine plus cher. Prendre Tunnel Mountain Rd jusqu'au bout. Grand camping très bien équipé, mais plutôt bondé. Douches. Navette depuis Banff pour les non-motorisés.

Bon marché

⌂ **Samesun Backpackers** *(plan B1, 10)* : 449 Banff Avenue. ☎ 762-5521 ou 1-877-56-CARVE. ● www.samesun.com ● Très bien situé, à quelques minutes du centre. Compter 28 et 31 $Ca pour les non-membres (17,1 et 18,9 €). Propose 100 lits dans des dortoirs spacieux de 4 à 9 personnes (avec sanitaires) car, comme ils le proclament : « La vie est trop courte pour dormir tout seul. » Également des chambres privées à 75 $Ca pour 2 et 89 $Ca pour 4 (45,8 et 54,3 €). Laverie, cuisine, jacuzzi, barbecue, billard, accès Internet. *Ski pass* et excursions. Atmosphère de grand chalet. Relax et agréable.

⌂ **Banff International Hostel** *(plan B1, 11)* : Tunnel Mountain Rd. ☎ 762-4122 ou 1-866-762-4122. ● www.hihostels.ca ● AJ officielle extrêmement propre. Assez excentré (à 2 km du centre), mais une navette pour le centre-ville toutes les 30 mn. Inscription à partir de 15 h. Compter 28 et 34 $Ca pour les non-membres (17,1 et 20,8 €), quelques chambres privées avec sanitaires communs à partir de 83 $Ca (50,7 €). Belle auberge moderne et très bien équipée, salon avec cheminée, un autre avec piano. Cuisine et machines à laver. Dortoirs de 4 à 6 et chambres familiales. Rafting, excursions et randos. Cuisine et laverie. Cafet' sympa et de bonne qualité, le *Cougar's Pete*. Résa conseillée. Bar. Internet. Activités de groupe tous les soirs.

⌂ **Banff « Y » Mountain Lodge** *(plan A2, 12)* : 102 Spray Avenue. ☎ 762-3560 ou 1-800-813-4138.

Fax : 760-3202. • www.ymountain lodge.com • Compter 26 $Ca (15,9 €) en dortoir, à partir de 79 $Ca (48,2 €) en chambre privée avec salle de bains et 59 $Ca (36 €) en chambre privée sans salle de bains. Bâtiment moderne, très central, sur la gauche après le pont en

venant de Banff. Il est conseillé de réserver. Grand salon agréable. Pas de couvre-feu. Cafétéria ouverte de 7 h à 20 h. Pas de possibilité de cuisiner. Accueille beaucoup de jeunes qui travaillent en ville pour la saison. Les prestations d'un petit hôtel, la chaleur d'une AJ en plus !

Plus chic

🛏 *Red Carpet Inn (plan A1, 13)* : 425 Banff Avenue. ☎ 762-4184 ou 1-800-563-4609. Fax : 762-4894. De 110 à 125 $Ca (67,1 et 76,3 €) en haute saison. Hors du centreville, ce qui est bien car le centre peut être bruyant. Chambres de type motel mais agréables, certaines immenses très intéressantes pour famille ou groupe. Sinon, un peu cher (mais c'est presque moitié prix hors saison). Propreté impeccable en tout

cas. Frigo. AC (rare à Banff).
🛏 *Banff Voyager Inn (plan B1, 14)* : 545 Banff Avenue ; à l'entrée de Banff. ☎ 762-2112 ou 1-800-879-1991. Fax : 760-5043. À partir de 135 $Ca (82,4 €) la chambre, un des motels les moins chers de la ville. Propre et bon accueil. Chambres plaisantes, avec petit balcon, dans un édifice qui fait très *fifties*. Piscine. Réserver en saison.

B.*& B* (de prix moyens à plus chic)

La région étant très touristique, il vaut mieux réserver les *B & B* assez longtemps à l'avance. Liste disponible à l'office de tourisme et sur • www.banf fakelouise.com • Quelques adresses :

🛏 *Cascade Court B & B (plan A2, 15)* : 2 Cascade Court. ☎ 762-2956. Fax : 762-5653. • www.tarchuk.com • ctarchuck@telusplanet.net • À partir de 125 $Ca (76,3 €) de mi-mai à mi-octobre, 30 $Ca (18,3 €) en moins le reste de l'année. Chambres spacieuses avec salle de bains dans une fort belle demeure. Excellent accueil. Copieux petit dej'. Billard. Nonfumeurs.
🛏 *Rocky Mountain B & B (plan B1, 16)* : 223 Otter Street (à l'angle de Wolf). ☎ et fax : 762-4811. • rmbb @telusplanet.net • Ouvert de mai à fin novembre. À partir de 95 $Ca (58 €), un peu plus pour la salle de bains privée ou pour la vue. Chambres sobres, mais joliment décorées. Salle commune accueillante avec TV et cheminée. Très bon accueil.
🛏 *Banff B & B (plan B1, 17)* : 440 Muskrat Street. ☎ 762-8806. • www.banffbb.com • Chambres à 125 $Ca (76,3 €) l'été. Jolie maison récente à quelques blocs à peine du centre-ville. Chambres confortables

avec un ou plusieurs lits, salle de bains commune ou privée. Très bon accueil.
🛏 *A Good Night's Rest Chalet B & B (plan B1, 18)* : 437 Marten Street. ☎ 762-2984. Fax : 762-8883. Autour de 115 $Ca (70,2 €). Certaines chambres avec salle de bains, frigo, TV ; presque de mini-appartements. Accueil très sympa.
🛏 *Eleanor's House B & B (plan A2, 19)* : 125 Kootenay Avenue. ☎ 760-2457. Fax : 762-3152. • www. bbeleanor.com • Ouvert de mai à octobre et pendant la saison de ski (location à la semaine uniquement dans ce dernier cas). À partir de 165 $Ca (100,7 €) la nuit, un des plus confortables de la ville pour routards fortunés. Chambres immenses à thème : la *Turret* (vue magnifique sur les Rocheuses), l'*Artist's View* (pour les romantiques), la *Homestead* (née des souvenirs d'enfance d'Eleanor) et enfin la *Ranger's Cabin*. Grand salon pour les invités avec un coin cheminée. Bref, le grand luxe et, en prime,

BANFF

Eleanor et Rick sont adorables. Mais attention, les chambres doivent être payées à l'avance et toute annula-tion à moins de 30 jours entraîne des frais de 50 $Ca (30,5 €).

Où manger ?

Nous indiquons ci-dessous les établissements qui sont avant tout des restaurants, mais n'oubliez pas qu'il est également possible de grignoter pour pas cher dans la plupart des bars (voir « Où boire un verre ? »).

De bon marché à prix moyens

|●| *Bruno's Bar & Grill* (plan A1-2, 30) : 304 Caribou Street. ☎ 762-8115. Ouvert de 8 h à 2 h. De 9 à 13 $Ca (5,5 à 7,9 €) le lunch, plus cher le soir. Un endroit très populaire, qui tire son nom d'une légende locale, Bruno Engler, un des premiers alpinistes de Banff. La carte ne sort pas beaucoup des sentiers battus, mais chaque jour un *special* différent, des « spaghetti à volonté » au menu mexicain. Menu-enfants. Parfois des groupes le soir.

|●| *Coyotes' Deli and Grill* (plan A1, 31) : 206 Caribou Street. ☎ 762-3963. Ouvert tous les jours de 7 h 30 à 22 h. Cuisine à dominante mexicaine et méditerranéenne, souvent fine et joliment présentée. Moins de 10 $Ca (6,1 €) pour les petits dej' copieux et originaux (exemple : salade de fruits et céréales) et le lunch, quelques dollars de plus le soir. Spécialités végétariennes et plats à emporter.

|●| *Magpie and Stump* (plan A1-2, 32) : 203 Caribou Street, à l'angle de Bear Street. ☎ 762-4067. Ouvert de 12 h à 2 h. Autour de 9 $Ca pour le lunch, 18 $Ca le soir (5,5 et 11 €). Bonne cuisine tex-mex. Déco qui se veut intimiste malgré la taille de la pièce, plantes suspendues et petites bougies sur les tables. Au lunch, *nachos* et *crips, combination platter*. Le soir, tous les classiques tex-mexicains et viandes grillées à la canadienne (pour les moins aventureux, est-il précisé sur le menu !). C'est aussi un bar très fréquenté où les jeunes viennent boire un coup. Groupes certains soirs. Petite terrasse.

|●| *St Jame's Gate* (plan A1, 33) : 207 Wolf Street. ☎ 762-9355. Loin des pubs enfumés de Dublin, ce lointain cousin est clean et spacieux, mais tout aussi chaleureux, avec ces grandes banquettes, coins et alcôves pour dîner tranquille ou taper le carton entre amis. Et pour accompagner l'une des 33 bières pression, très bonne cuisine de pub. Atmosphère chaude et reposante.

Plus chic

|●| *The Grizzly House* (plan A1, 34) : 207 Banff Avenue. ☎ 762-4055. Ouvert de 11 h 30 à minuit. À partir de 20 $Ca (12,2 €) et plus. Dans un cadre très western, entre totem et têtes d'animaux, on déguste des plats onéreux mais savoureux, de l'alligator au caribou en passant par les 2 grandes spécialités de la maison, les viandes sur pierres chaudes (*hot rocks*) et les fondues. Carte de vins impressionnante pour le pays (plus de 100, dont plusieurs canadiens). Proprio suisse. Une institution.

|●| *The Maple Leaf* (plan A2, 35) : 137 Banff Avenue. ☎ 760-7680. Ouvert de 11 h à 23 h (2 h côté bar). De 15 à 35 $Ca (9,2 à 21,4 €) les premiers plats. Fine cuisine régionale, une carte inventive, variation sur le thème de la mer, de viandes semi-sauvages et de bons plats végétariens. Carte de 400 vins. Le service surattentionné et le cadre, assez chic, fait de pierre et de bois, sont une invitation à la détente. D'ailleurs, on est prêt à parier que vous prendrez un dernier verre au bar avant de quitter les lieux...

BANFF

|●| *Buffalo Mountain Lodge* (plan B1, 36) : 1,6 km à l'ouest de Banff, sur Tunnel Mountain Rd. ☎ 762-2400. Plats du soir autour de 22 à 37 $Ca (13,4 à 22,6 €), environ 15 $Ca (9,2 €) le midi. Un peu ex-centré, une salle lumineuse et agréable, assez chic, tout en bois. Ingrédients régionaux. Bison, cari-bou et wapiti élevés dans un ranch avant d'être finement cuisinés aux herbes.

Où prendre le petit déjeuner ?

|●| *Joe BTFSPLK's diner* (plan A1, 37) : 221 Banff Avenue. ☎ 762-5529. Ouvert à partir de 8 h. Le *dinner* classique à l'américaine, ambiance *Happy days* à fond, juke-box et mu-sique des années 1950. Grande sélection de breakfast et de brunch, du simple *pancake* ou super-complet.

Le vrai goût de l'Amérique. Immense petit déjeuner servi jusqu'à 15 h, et qui vous fera déplacer des mon-tagnes.

|●| *Coyotes' Deli and Grill* (plan A1, 31) : 206 Caribou Street. ☎ 762-3963. Ouvert à partir de 7 h 30. Voir « Où manger ? ».

Où boire un verre ?

La plupart des bars de Banff sont en fait des restos-bars : les uns dînent d'un côté tandis que les autres vident des bières en face. Il arrive que le succès du bar éclipse totalement la partie restaurant.

▼ *St Jame's Gate* (plan A1, 33) : 207 Wolf Street. ☎ 762-9355. Très beau pub à l'irlandaise, autour d'un immense bar central, où la *stout* coule à flots. Le choix risque d'être rude : 33 bières pression en tout et 55 *single malts* différents (les 15 pre-miers sont excellents, après on ne se souvient plus !). Incontestable-ment un des endroits les plus sym-pas de la ville, d'où l'affluence. Concerts de temps à autre.

▼ *Wild Bill's Legendary Saloon* (plan A1, 41) : 201 Banff Avenue. Au 1er étage. ☎ 762-0333. En l'honneur de Bill Peyto, figure locale. Restau-ration jusqu'à 23 h. Bar et musique jusqu'à 2 h. Plusieurs salles avec cadre façon saloon ; on peut choisir la piste de danse enfiévrée ou s'ins-taller au calme face aux *Rockies*. Carte fourre-tout sympathique : soupes, salades, pizzas, barbecue, tex-mex, burgers, pâtes, steaks.

▼ *Tommy's* (plan A2, 42) : 120 Banff Avenue. ☎ 762-8888. Ou-vert de 11 h à 2 h. Un autre « spot » des jeunes de Banff, sorte de « pub » à la canadienne, spacieux et tout en bois clair. Également des plats hon-nêtes pour moins de 10 $Ca (6,1 €).

Mini-terrasse pour les beaux jours et parties de fléchettes pour faire connaissance.

▼ *Rose and Crown* (plan A1, 43) : 202 Banff Avenue. Au 1er étage. ☎ 762-2121. Ouvert de 11 h à 2 h (22 h pour les enfants !). Un des bars les plus animés de la ville : la fré-quentation est jeune et l'ambiance y est vraiment sympa. Coin billard. Des concerts tous les soirs en sai-son (sauf si le *band* ne se présente pas, précise le proprio). Terrasse sur le toit pour les fortes chaleurs *(sic)*. Le côté resto est correct, pas trop cher ; la cuisine ferme à 22 h.

▼ *Barbary Coast* (plan A2, 44) : 119 Banff Avenue. Au 1er étage. ☎ 762-4616. Ouvert de 11 h à 2 h. Environ 10 $Ca pour une assiette burger et plus de 20 $Ca (6,1 et 12,2 €) pour un gros steak. Toujours dans le genre pub, mais un peu moins léché : piliers de bar, sol jon-ché de cacahuètes, billards usés. Déco dédiée aux sports d'hiver (vous avez remarqué le nombre de vieux skis sur les murs à Banff ?). Resto à côté, dans un cadre parti-culièrement hétéroclite. Atmosphère très relax.

Achats

Un beau jour, un Belge a décidé de s'installer à Banff pour faire du chocolat et depuis, il a fait des émules. Difficile de résister à toutes les boutiques qui proposent leurs produits faits maison sur Banff Avenue.

◉ *Chocolaterie Bernard Callebaut* : 127 Banff Avenue (près de Buffalo Street). ☎ 762-4106. Du vrai chocolat belge. Des produits très fins, pour les aristos du chocolat. Bernard a obtenu le grand prix du festival international du Chocolat à Roanne.

◉ *The Fudgery* : 215 Banff Avenue (entre Wolf et Caribou Streets). ☎ 762-3003. Pour trouver la boutique, laissez-vous guider par votre odorat. L'atelier de production donne sur la rue et invite à entrer. Il y a tellement de choix que c'est un peu déroutant.

Bon, à Banff, il n'y a pas non plus que du chocolat !

◉ *Canada House* : 201 Bear Street. Ouvert tous les jours de 9 h 30 à 21 h. À mi-chemin entre une galerie d'art indien et une boutique de souvenirs, mais rien à voir avec les boutiques à touristes. Ici, on présente de l'artisanat de qualité, et la qualité, ça se paie !

◉ *Vêtements sportswear :* il suffit de se promener sur Banff Avenue pour se rendre compte que Banff, c'est un peu Chamonix ou Megève. Les prix suivent. N'acheter qu'en été

au moment des soldes et bien comparer les prix.

◉ *Vêtements et souvenirs indiens :* Banff Indian Trading Post, dans le prolongement de Banff Avenue vers le *Fairmont Banff Springs Hotel*, à l'angle de Birch et Cave (☎ 762-2456). Si vous voulez absolument rapporter de l'artisanat indien, c'est ici qu'il faut venir. Ne pas hésiter à marchander un peu car les articles ne sont pas donnés.

À voir

🏃🏃 *Cave and Basin* (hors plan par A2) : 311 Cave Avenue, un peu à l'extérieur de la ville. ☎ 762-1566. Ouvert tous les jours de 9 h à 18 h. Possibilité de tour guidé. Du 1er octobre à la mi-mai, de 13 h à 17 h. Entrée : 4 $Ca (2,4 €) ; réductions.

Sources thermales exploitées depuis la construction du chemin de fer en 1883. C'est ici que le système des parcs nationaux a vu le jour. En 1885, un conflit sur la propriété des sources entre plusieurs « découvreurs » incita le gouvernement à déclarer Banff propriété de tous les Canadiens. C'est ainsi que fut créé le premier parc national. Belle expo de la création du parc à nos jours, intéressant de voir la prise de conscience écologique progressive. On peut voir une piscine aménagée dans les vieux murs de la bâtisse d'époque, aujourd'hui fermée pour des raisons de sécurité. On visite également une petite grotte d'où coule la source d'eau sulfureuse. Cette eau provient des pluies et des chutes de neige de l'autre côté du mont Sulphur. Les eaux plongent à l'intérieur de l'écorce terrestre (plus de 2 km), où elles se réchauffent en entraînant avec elles quantité de sels minéraux dont elles se déchargent en partie en regagnant la surface. L'un de ces sels, le carbonate de calcium, en se durcissant forme le tuf. Auprès des premiers touristes au XIXe siècle, cette eau avait acquis l'étrange réputation de guérir la goutte, la dyspepsie, la dépression et... les blessures par balles !

🏃 *Banff Upper Hot Springs* (hors plan par A2) : au bout de Mountain Avenue. Navette en été depuis le centre. ☎ 762-1515 ou 1-800-767-1611. Ouvert tous les jours de 10 h à 22 h (23 h les vendredi et samedi en haute saison). Température de l'eau à 40 °C. Bain turc *(spa)* et massages. Entrée : 7,50 $Ca environ (4,6 €), location des serviettes et maillot « d'époque » pour les plus courageux ! Quitte à barboter dans l'eau chaude, on aurait préféré une piscine naturelle, mais la vue sur les montagnes est quand même impressionnante. Hélas, lors de notre passage, la piscine était remplie d'eau du robinet, car la source thermale était au plus bas.

🍴 *Banff Gondola* (hors plan par A2) : quand on se dirige sur Spray Avenue vers le *Banff Springs Hotel,* prendre vers la droite Mountain Avenue. C'est indiqué. ☎ 762-2523. Fax : 762-7493. Ouvert de 7 h 30 à 21 h de fin juin à début septembre, parfois en hiver aussi si les conditions météo le permettent. Une télécabine effectue la montée en 8 mn au sommet du mont Sulphur (2 270 m). C'est cher (21,50 $Ca, soit 13,1 € pour un adulte, demi-tarif pour les moins de 15 ans), mais la vue sur les *Rockies* et sur la Bow River, couleur d'émeraude, un peu laiteuse, est grandiose. Sinon, possibilité de monter à pied : compter 2 h de belle randonnée. De l'autre côté, l'étendue infinie de la chaîne montagneuse s'offre à vous. Un petit sentier mène à une ancienne station météo au décor 1930 reconstitué et si le cœur vous en dit, vous pouvez redescendre à pied jusqu'à *Cave and Basin* (8,4 km).

🍴 *Luxton Museum* (plan A2) : après le pont, au bout de Banff Avenue, prendre à droite. ☎ 762-2388. Ouvert de 10 h à 18 h en été (13 h à 17 h en hiver). Compter 6 $Ca (3,7 €) par adulte ; réductions.
Un fort protégé par une grande palissade en bois (genre *Rintintin*) abrite le musée le plus intéressant de la ville. Il retrace la vie des Indiens des Prairies du Nord, dans leur environnement et leurs costumes. Entre autres, le chef indien Crowford, qui signa un des tout premiers traités. Les décors sont édifiants de vérité avec reconstitution de la terrible « Sundance », une des plus importantes cérémonie des tribus des plaines. On comprend mieux la vie de ces Indiens nomades qui changeaient de camp en fonction de la migration des bisons. Mise en valeur avantageuse des bijoux et des objets d'artisanat.

🍴 *Banff Park Museum* (plan A2) : au bout de Banff Avenue, à droite, au bord de la rivière. ☎ 762-1558. Ouvert en haute saison de 10 h à 18 h. Entrée : 4 $Ca (2,4 €). Tours guidés à 11 h et 15 h. Du 1er lundi de septembre au 3e lundi de mai, ouvert de 10 h à 17 h. Au bord d'un petit parc, dans une vaste maison en bois de style pagode aménagée à l'ancienne, on peut voir toute la faune des *Rockies* empaillée.

🍴 *Fairmont Banff Springs Hotel* (hors plan par A2) : sur Banff Avenue depuis le centre, prendre Spray Avenue à gauche et aller jusqu'au bout. C'est l'hôtel qui symbolise l'ouverture des *Rockies* au tourisme. Grands bâtiments en pierre des champs. Structures portantes très impressionnantes pour une construction du XXe siècle. Restaurants et bars de luxe. Parking payant.

🍴 *Bow River Falls* (plan B2) : en traversant Banff Avenue depuis le centre, prendre Spray Avenue à gauche après le petit pont et suivre les flèches. Petite chute d'eau pittoresque. Allez-y plutôt au petit matin en faisant votre jogging. C'est très sympa sans les petits cars de Japonais. La chute est le départ d'une chouette balade le long de la rivière. Mais gare aux moustiques !

🍴 *Whyte Museum of the Canadian Rockies* (plan A2) : 111 Bear Street. ☎ 762-2291. Ouvert de Victoria Day à Thanksgiving, tous les jours de 10 h à 17 h. Entrée : 6 $Ca (3,7 €) ; réductions.
Pour les férus de sports de montagne et d'alpinisme, un intéressant survol de l'histoire de l'homme et de la montagne depuis la nuit des temps. Beaux paysages, souvenirs, photos du passé, vénérable matériel d'alpinisme, objets ayant appartenu à de vieux guides célèbres ou à des personnalités locales. Toiles de Peter et Catherine Whyte. À ne pas rater. On y propose des visites guidées, à pied, du patrimoine bâti de Banff.

🦎 *Natural History Museum* *(plan A2)* : 112 Banff Avenue. ☎ 762-4747. Ouvert de 11 h à 17 h en été. Gratuit. Petit musée sur la formation des Rocheuses. Audiovisuel. Parcours géologique : minéraux, maquettes, diapos. Collection de géodes, fossiles (notamment 4 crânes de dinosaures), pierres en tout genre, etc.

À faire

Vélo

La plupart des loueurs sont sur Bear Street (facile pour comparer les prix), ne pas lésiner sur la qualité du matériel, surtout si vous avez de grandes ambitions (voir « Adresses utiles »). Quelques idées d'itinéraires :

➢ *De Cave and Basin à Sundance Canyon :* boucle de 1 h, le long de la rivière et dans la forêt. Pas de voiture après *Cave and Basin.*

➢ *Lake Minnewanka Trail :* une balade de 3 h qui vous mène au lac Minnewanka au nord de la ville. Emporter de l'eau. Petite épicerie au bord du lac.

➢ *Vermilion Lakes :* à pied ou à vélo. À partir de Mount Norquay Drive, juste avant la Trans-Canada Highway. Ne pas oublier les jumelles pour observer castors, oies sauvages, aigles, rats musqués, aigrettes, etc. Boucle de 1 h, le long de 3 petits lacs.

➢ *Fenland :* sentier d'interprétation au début de la balade précédente. On passe du marais à la forêt. Deux petits kilomètres. Quelques castors et oiseaux aquatiques balisent le parcours.

➢ *Hoodoos Trail* *(sentier des cheminées de fée) :* belle vue sur la vallée de la rivière Bow et le mont Rundle, et sur les intriguantes formations rocheuses que sont les « cheminées de fée ».

➢ *Spray River* et *Goat Creek :* si quelqu'un va vous chercher à l'arrivée, vous éviterez de faire le chemin en sens inverse. Ce serait dommage cependant, car les paysages sont différents et le trajet est aussi difficile dans un sens que dans l'autre. Pour « mollets d'acier », nous conseillons donc l'aller-retour. Compter 6 h (pour 2 fois 19 km), mais quelle balade ! En partant un matin de bonne heure, peut-être aurez-vous la chance de voir traverser le chemin par plusieurs troupeaux de biches, cerfs ou daims, le tout dans la brume matinale. Le rêve, quoi !

Rafting

Au choix, une douzaine d'adresses et 2 formules possibles.

■ Le rafting tranquille : *Rocky Mountain Raft Tours.* À l'angle de Wolf Street et Bow Avenue. ☎ 762-3632. Balades de 1 ou 2 h.
■ Le rafting sportif : *Hydra River Guides* propose des formules à la journée ou à la demi-journée sur la Kicking Horse River; 211 Bear Street. ☎ 762-4554 ou 1-800-644-8888.

Canoë

Possibilité de location à l'heure ou à la journée pour des balades sur les Bow River et Vermilion Lakes.

■ *Rocky Mountain Raft Tours :* ☎ 762-3632.
■ *Kootenay River Runners :* 208 Bear Street (dans *Performance Sports*). ☎ 762-5385 ou 1-800-599-4399. Sympa, tenu par des Indiens.

Équitation

■ *Holiday on Horseback :* Trail Rider Store, 132 Banff Avenue. ☎ 762-4551. ● www.horseback.com ● Balades de 1 h, 2 h ou 3 h.

Pêche

■ Pour la pêche en rivière ou sur le lac, une dizaine d'agences (liste disponible à l'office de tourisme), dont *Banff Fishing Unlimited.* ☎ 762-4936. ● www.banff-fishing.com ●

LE PARC NATIONAL DE BANFF

🎿🎿🎿 Quelques kilomètres après l'entrée (payante), une sortie indique le *lac de Minnewanka* (« le Lac des Esprits de l'eau », 5 km). Suivre la digue-barrage en roches jusqu'aux lacs *Two Jack* et *Johnson.* Belle étendue au pied des montagnes. Le niveau du lac a été relevé artificiellement 2 fois. Sous l'eau se trouvent donc les vestiges du 1er barrage et ceux d'un village englouti. La balade en bateau, de 1 h 30 environ, permet d'évoquer l'histoire de ces tribus indiennes, la faune et la flore ainsi que l'historique de Banff. Canoë également l'été. À découvrir le matin de bonne heure. Superbe diapo sur la barrière rocheuse. Sur la rive gauche du lac de Minnewanka, sentier vers les Stewart Canyon, Aylmer Pass et Devil's Gap.

🎿 Sur la route du lac, peu avant, le *site de Lower Bankhead,* ancienne ville minière qui fut, à une époque, plus importante que Banff. La mine de charbon ouvrit en 1903 pour alimenter les trains et compta jusqu'à 300 ouvriers au fond et 150 en surface. Entrepôts, ateliers, résidences privées, écoles, magasins se construisirent autour. La petite ville, formée d'immigrants du monde entier, dépassa même Banff avec 900 habitants. Mais des problèmes de rentabilité amenèrent sa fermeture en 1922. En 1930, la loi sur les parcs nationaux interdit l'exploitation forestière et minière dans les parcs. Ensuite, tout fut démantelé rapidement. Aujourd'hui, il ne reste guère de vestiges. Pourtant un sentier d'environ 1 km invite à faire revivre cette page ouvrière à l'aide de panneaux explicatifs. Un autre chemin, *Upper Bankhead* (7,8 km, 1 h 30 de marche) passe au-dessus des ruines de la mine supérieure et offre une belle vue sur le lac.

➤ DANS LES ENVIRONS DE BANFF

Randonnées : guides, brochures, informations

➤ Plus de 1 300 km de *sentiers balisés* vous sont proposés. Certaines promenades sont réalisables en une journée, d'autres demandent plusieurs jours.

– Si vous comptez réaliser plusieurs randonnées assez courtes (d'une journée tout au plus) et que vous lisez l'anglais, le guide intitulé *Walks and Easy Hikes in the Canadian Rockies* de Graeme Pole présente en détail une sélection des 95 meilleures randonnées d'une journée dans les Rocheuses canadiennes. Ouvrage incontournable.

– Si vous êtes plus courageux et que vous comptez réaliser des randonnées de plusieurs jours, *The Canadian Rockies Trail Guide* (de Brain Patton et Bart Robinson) peut alors se révéler plus utile. Très bien fait : cartes, descriptions précises, durée, points de repère, photos. On le trouve dans toutes les librairies. Plus de 250 balades y sont décrites à la journée et plus. D'autres très bons guides sont en vente à la boutique du Park Information.

– Achetez impérativement la carte topographique de la région.

– Dans tout le parc, des emplacements pour *camper* sont prévus.

– La brochure *Promenades et excursions à Banff et dans les environs,* en français, est indispensable. Disponible au bureau de Parcs Canada. Lisez-la attentivement. Tout y est expliqué en détail (possibilités, conseils généraux, exemples de promenades à la journée, etc.). Nombreux autres guides et cartes à la boutique de Parcs Canada.

– Procurez-vous, également en français, le *Guide des visiteurs de l'arrière-pays,* bourré de conseils généraux.

– Le petit journal *Banff National Park – Guide des visiteurs* vous donne le calendrier des promenades organisées avec les rangers. Ambiance pédago assurée. On apprend plein de choses, mais certains touristes réussissent toujours à vous gâcher le paysage.

La faune locale

Attention, une soixantaine de gros mammifères sont tués sur les routes de Banff chaque année. Non seulement de braves bébêtes meurent, mais pas mal d'automobilistes sont également blessés ou contusionnés. Il faut donc rouler doucement, encore plus dans les coins signalés et, enfin, encore plus à l'aube et au crépuscule. Voici les animaux les plus courants du parc.

– *Le wapiti* (équivalent nord-américain de l'élan) : on le voit parfois au bord des routes secondaires. Reconnaissable facilement, *wapiti* signifiant « croupe blanche ». Cet élan possède de grands cors ; son cou et ses pattes sont plus foncés que sa robe. Deux périodes où il n'est pas conseillé de lui mettre un *Nikon* sous le nez (garder au moins 30 m de distance !) : au printemps, quand les femelles défendent âprement leurs petits (et gare aux sabots pointus !), et en septembre-octobre où les mâles peuvent être particulièrement belliqueux si on les titille de trop près. On en évalue le nombre à 3 200 au maximum.

– *L'orignal :* l'élan du Canada, reconnaissable à ses bois plats et larges et à sa masse imposante. Pas de croupe blanche. Très solitaire, on le rencontre rarement, à part dans les coins marécageux comme le lac Waterfowl et la montagne Bow. Très agressif au printemps et à l'automne pour les mêmes bonnes raisons que le wapiti. On en dénombre de 50 à 80 maximum.

– *Le cerf mulet :* plus petit, plus commun, s'enhardit parfois dans les rues des villes. Reconnaissable à sa queue blanche étroite, sa croupe blanche et ses longues oreilles.

– *Le chevreuil ou cerf de Virginie :* reconnaissable à sa queue brune sur le dessus et blanche en dessous, qui s'agite comme un drapeau blanc en cas de frayeur. On en compte de 250 à 350.

– *Le connan :* confondu parfois avec le caribou, le connan s'en distingue par sa taille, plus modeste, ainsi que par une odeur corporelle très forte. Cet animal aujourd'hui méconnu et en voie de disparition était autrefois un des plus respectés des Indiens des Prairies.

– *Le mouflon des Rocheuses :* visible en bord de route, souvent en petite bande. Poil court et brun pâle, croupe blanche, queue minuscule. Les nourrir est en fait un très mauvais service car cela les rend dépendants. On en dénombre de 2 000 à 2 600.

– *La chèvre de montagne* (aussi appelée *lemenaheze,* son nom en langue amérindienne cree) : esthétique très originale avec sa longue robe blanche et sa petite tête surmontée de 2 petites cornes acérées comme des dagues. Rarement visible de la route. On en compte environ 800 à 900.

– *Le grizzli :* plus gros que l'ours noir et face plus plate et concave. Possède en général une fourrure de teinte cannelle, mais parfois aussi des teintes tirant sur le noir. Une curiosité : devinez combien pèse un bébé grizzli à la naissance : 3 kg... 10 kg... 30 kg ? Vous avez perdu... de 300 à 500 g seulement. Une vraie petite larve ; étonnant, non ? On en compte de 80 à 100 dans le parc.

– *L'ours noir* : plus petit que le grizzli (vous l'aviez deviné). Face plus étroite et robe noire. Mais ce qui ne rend pas les choses faciles dans l'identification, c'est qu'elle peut virer dans les teintes brune, cannelle ou... blonde. Environ 50 à 60 spécimens.

Pour observer les ours, se procurer d'abord la brochure *Vous êtes au pays des ours* avec des tas de conseils utiles. Puis demander aux rangers leurs lieux habituels.

– *Autres animaux :* les *coyotes,* évalués à 200 spécimens environ dans le parc. Souvent victimes des automobilistes dans un rayon court autour de Banff. Puis les *caribous* au nombre de 25, les *cougars,* entre 10 et 15. Enfin, les *loups* dont on a recensé environ 6 bandes (de 50 à 60 spécimens en tout). Ils font l'objet de beaucoup d'attention de la part des autorités du parc.

Quelques superbes randonnées parmi tant d'autres

Nous ne vous proposons qu'une sélection de balades. Pour l'itinéraire précis, voir avec les rangers. Ne pas oublier cependant que l'intégralité des lacs n'est dégelée qu'à partir de fin juin en général et que beaucoup de balades sont fermées, souvent à cause des risques d'avalanche.

➤ *Bourgeau Lake :* compter une petite journée aller-retour. Pas trop difficile. Lac sauvage entouré d'éboulis et de sapins. Quelques chèvres de montagne.

➤ *Rock Bound Lake :* à faire dans la journée. Randonnée assez sportive. Superbes paysages de type subalpin se reflétant dans un lac d'eaux vertes. Le coup d'œil vaut l'effort.

➤ *Twin Lakes :* compter 3 h à 3 h 30 pour l'aller. Deux trajets possibles. Vue des crêtes impressionnante au pied desquelles un lac repose sagement. Paysages très prenants.

Exemples de randonnées avec une nuit sur place

➤ *Elk Lake :* à la journée. On peut aussi y passer la nuit. Le lac est situé au milieu d'un cirque. Panorama ouvert, très varié. Pas de difficultés majeures.

➤ *Mystic Lake :* compter 6 à 8 h aller. Un classique des randonneurs. Nombreux sites de camping sur le parcours. Possibilité de prolonger la randonnée jusqu'à *Johnston Canyon.* On rencontre de charmants cours d'eau, des paysages de type subalpin, de denses forêts.

➤ *Fish Lakes :* randonnée d'environ 6 h aller. Longue montée longeant une passe. De l'*Upper Fish Lake,* possibilité de balades alentour très agréables. Du lac, paysages ouverts et dégagés. On a envie d'y séjourner quelque temps.

– *Canoë :* dans les environs de Banff, sur les *lacs Vermilion.* Louez un canoë en ville (voir la rubrique « À faire », plus haut). Pas de location sur place.

DE BANFF À LAKE LOUISE (64 km par la 1A)

Après avoir récupéré la transcanadienne à la sortie de Banff, à quelques kilomètres, empruntez la *Bow Valley Parkway* (Highway 1A) qui vous mène à Lake Louise par la route tracée initialement, bien plus pittoresque que la transcanadienne. La route est même superbe par endroits, et vous avez toutes les chances de croiser des wapitis. Cette zone est si cruciale pour la faune qu'elle est parfois fermée à la circulation de 18 h à 21 h au printemps pour que les bébés quadrupèdes ne soient pas frappés par des « quadriroues ». On vous indique ci-dessous quelques belles étapes.

JOHNSTON CANYON

À environ 25 km sur la gauche, *camping* de Johnston Canyon. ☎ 762-1581. Appeler tôt ou tard. Ouvert de juin à septembre, de 7 h à minuit. Compter 17 $Ca (10,4 €). Douches. Un peu plus loin sur la droite, on trouve un *coffee shop* ainsi que le départ d'une chouette balade à pied qui remonte la sinueuse rivière Johnston sur plusieurs kilomètres. À 1 km, en empruntant le sentier goudronné sous les pins, on parvient à une chute d'eau croquignolette qui fouette la roche et a creusé un bassin aux contours arrondis. C'est la chute « inférieure », la chute « supérieure » est 1,6 km plus haut. Encore plus haut, à 5,8 km, on arrive aux *Inkpots* (« Pots d'Encre »), une série de sources qui s'écoulent dans de superbes bassins. Compter tout de même 4 h aller-retour.

CASTLE MOUNTAIN

En poursuivant la route sur la droite apparaît, comme au beau milieu d'un conte de fées, la Castle Mountain, masse rocheuse aux formes pyramidales dressées vers le ciel, harmonieuses comme la pensée d'un sculpteur.

Où dormir? Où manger en cours de route?

Bon marché

🛏 *Castle Mountain Youth Hostel :* en arrivant presque en face de la Castle Mountain, prendre sur la gauche vers *Castle Mountain Village* (petite épicerie et location de bungalows) et tout de suite à gauche vers l'auberge de jeunesse. Réservations à Banff : ☎ 670-7580 ou 1-866-762-4122. ● www.hihostels.ca ● Situé dans les bois, ça va de soi. Inscriptions de 8 h à 10 h et de 17 h à 22 h, mais c'est ouvert tout le temps (sauf le mardi en basse saison). Compter 20 à 24 $Ca (12,2 à 14,6 €) pour les non-membres. Propre ; 28 lits en tout. Salon et cuisine équipée très agréables, grandes fenêtres panoramiques. Sanitaires récents pour les filles ; ceux des garçons laissent à désirer. Bonne ambiance de randonneurs en chaussettes (les chaussures attendent sagement dans le sas d'entrée).

De prix moyens à plus chic

🛏 *Johnston Canyon Resort :* immédiatement après le panneau indiquant le Johnston Canyon, sur la 1A. ☎ 762-2971 ou 1-888-378-1720. Ouvert de mi-mai à mi-octobre. Petits chalets en bois à partir de 120 $Ca pour 2, 150 $Ca pour 4 (73,2 et 91,5 €). Kitchenettes. Rénovation récente sur le thème années 1940 (plutôt agréables et jolies, ici). Aire barbecue à côté du tennis, et petit balcon. Au milieu des sapins, dommage que les chalets soient si proches les uns des autres. Bon accueil. Cafétéria en contrebas.

🛏 *Baker Creek Chalets :* avant d'arriver à Lake Louise Village. ☎ 522-3761. Fax : 522-2270. ● www.bakercreek.com ● Compter 195 $Ca (119 €) pour 2 en pleine saison pour une chambre. Et 225 $Ca (125,1 €) pour un chalet de bois clair, confortable, avec kitchenette et cheminée. C'est cher, mais la vue du joli ruisseau Baker nous réconcilie avec le prix. Avantageux surtout pour les familles ou les groupes. Environnement de charme, au pied des pistes de ski de fond ou de rando, suivant la saison. Restauration au *Bistro* attenant.

🍴 *Baker Creek Bistro :* ☎ 522-2182. Ouvert à partir de 8 h pour le petit dej', tous les jours en saison. Petit resto avec menu le midi autour de 20 $Ca (12,2 €), plats de 16 à 32 $Ca (9,8 à 19,6 €) le soir. Salle à la canadienne chic, sur fond jazzy (ça change du rock). Terrasse agréable.

LAKE LOUISE

IND. TÉL. : 403

On arrive d'abord à un minuscule village où l'on trouve une station-service, des hôtels et un centre commercial. C'est tout. En suivant la route, 4 km plus haut, on parvient à l'un des joyaux des *Rockies,* le Lake Louise et son célèbre hôtel (dont l'architecture, en revanche, ne possède guère de charme). Par temps clair, ses eaux émeraude et sa situation au pied d'un harmonieux décor montagneux, composé, au centre, d'un cirque de glace et, de chaque côté, d'abruptes crêtes rocheuses couvertes de sapins, en font depuis quelques décennies le passage obligé des cars de touristes. Évitez donc les week-ends. Depuis 1980, le lac appartient au patrimoine mondial de l'humanité, classé par l'Unesco. C'est dire si c'est beau ! Une vraie carte postale de rêve.

Adresses utiles

🛈 ***Banff-Lake Louise Tourism Bureau*** et ***Bureau de Parcs Canada :*** adjacent au Samson Mall. ☎ 522-2744. ● www.banfflakelouise.com ● Ouvert au moins de 9 h à 17 h tous les jours de l'année. Prévisions météo affichées pour le jour même et les 2 jours suivants. Petit musée gratuit sur les Rocheuses et leur histoire, et un film fascinant sur les grizzlis.

■ ***Bureaux des gardes :*** ☎ 762-1470 (24 h/24).

🚌 ***Bus :*** au *Depot* du Samson Mall :

➤ ***Pour Banff :*** 4 départs par jour avec ***Greyhound*** (☎ 762-1092). Compter 14 $Ca (8,5 €). Douze départs par jour en minivan avec le ***Rocky Mountain Sky Shuttle*** (☎ 762-5200 ou 1-888-762-8754), mais c'est beaucoup plus cher car c'est la navette de l'aéroport (46 $Ca, soit 28 €).

➤ ***Pour Jasper :*** un bus par jour à 14 h 45 avec ***Sun Dog Tours*** (☎ 780-852-4056 ou 1-888-786-3641). Compter 50 $Ca (30,5 €) aller-retour.

■ ✉ ***The Depot :*** dans le Samson Mall. On y trouve la poste (7 h à 17 h tous les jours), la billetterie des bus *Greyhound* et *Brewster,* le loueur de voitures *National,* une succursale bancaire (de *ATB Financial*) et un distributeur de billets.

@ ***Internet :*** on trouve des postes payants un peu partout. Mais attention, il n'y a pas d'Internet haut débit à Lake Louise.

■ ***Urgences :*** ☎ 911.

■ ***Clinique médicale de Lake Louise :*** ☎ 522-2184.

Où dormir ?

Lake Louise n'existe que par le tourisme, et ne compte pas d'habitants permanents. Vous n'y trouverez donc pas de *B & B,* mais des hôtels ou des *cabins* à louer. Dans tous les cas, vous devrez casser votre tirelire, surtout en haute saison. D'où un nombre plus important de Japonais en bande que de routards en vadrouille...

Camping de Parcs Canada

⛺ ***Camping Lake Louise :*** traverser le village en empruntant la route vers le lac Louise et bifurquer après la voie ferrée à gauche sur Sentinel Fairview Rd ; le camping se trouve sur la droite, le long de la Bow River. Ouvert toute l'année pour le caravaning. Camping seulement de mi-mai à septembre. Compter 22 $Ca (13,4 €) pour un emplacement de camping. Assez grand et très fréquenté, souvent complet l'été. Douches. Abris avec poêle et tables en cas de pluie.

De bon marché à prix moyens

🛌 **The Canadian Alpine Center and International Hostel :** à Lake Louise Village. Sur Village Rd mais bizarrement assez difficile à trouver – juste après le *Post Hotel.* ☎ 522-2200. Fax : 283-6503. • www. hihostels.ca • Complexe hôtelier de Hostelling International pour tous, seul à offrir un logement à prix acceptables. Compter 24 à 27 $Ca (14,6 à 16,5 €) par personne, 78 $Ca (47,6 €) la chambre double, 95 $Ca (58 €) pour 2 adultes et 2 enfants.

Beaux édifices en bois avec 45 chambres de 4 à 6 lits, toutes peuvent être réservées pour couples, selon la disponibilité. Salle de bains privée dans quelques chambres seulement. Conseillé de réserver plusieurs mois à l'avance (au moins 6 mois en haute saison). Huit chambres familiales de type *loft,* immensément populaires (car les enfants dorment sur une mezzanine). Bibliothèque, salle de jeux, sauna, etc. Activités, surtout l'été, toujours gratuites.

Plus chic

🛌 **Deer Lodge :** à quelques kilomètres de Lake Louise Village, juste avant d'arriver au fameux lac. ☎ 522-3747 ou 1-800-661-1595. Fax : 522-4222. • www.crmr.com • Prix vraiment variables, 180 $Ca en pleine saison mais autour de 100 $Ca en mi-saison (109,8 et 39,7 €). Ce *lodge,* construit en 1921, a su garder un petit parfum d'autrefois, à l'époque où il abritait les employés du château Lake Louise. Joliment rénové, il se flatte d'offrir des chambres à l'ancienne, très confortables, sans TV ni téléphone ! Deux restos, l'un décontracté, l'autre plus chic. Superbe parc autour et belle vue sur le glacier Victoria.

🛌 **Paradise Lodge and Bungalows :** 105 Lake Louise Drive (entre le village et le lac Louise). ☎ 522-3595. Fax : 522-3987. • www.para

diselodge.com • À partir de 165 $Ca (100,7 €) pour 2, à peine plus pour 4. Petits chalets situés dans la forêt, pour 2 ou 4 personnes, avec ou sans coin cuisine. L'ensemble est très mignon, presque trop. Ça fait Disneyland canadien.

🛌 **Lake Louise Inn :** 210 Village Rd. ☎ 522-3791 ou 1-800-661-9237. Fax : 522-2018. • www.lakelouise inn.com • Chambres banales à pleurer. Hôtel correct mais surtout conçu pour des groupes. À partir de 159 $Ca pour 2 en haute saison, 99 $Ca en basse saison (97 et 59,8 €). Fitness. Belle piscine intérieure. Trois restaurants, le *Timberwolf café* et l'*Explorer's Lounge* sont abordables ; le *Legends,* lui, est un peu plus cher, mais ses steaks présentent un bon rapport qualité-prix.

Très chic

🛌 **Post Hotel :** 200 Pipestone Rd. ☎ 522-3989 ou 1-800-661-1586. Fax : 522-3966. • www.posthotel. com • De 305 à 650 $Ca (186 à 397 €) en pleine saison, selon la vue. L'extérieur ne rend pas justice à cet hôtel affilié aux *Relais et Châteaux,* de qualité identique au *Château Lake Louise* (au bord du lac), mais avec 1 000 fois plus de charme. Certains soirs, des conteurs

viennent vous narrer la grande histoire des Rocheuses canadiennes ou bien des guides viennent vous apprendre le pourquoi et le comment du respect de l'environnement. Salon bibliothèque avec grande cheminée. Un must abordable seulement en voyage de noces, ou hors saison, en prenant les chambres les plus petites donnant sur l'arrière et non sur la rivière !

Où manger?

Les restos présentent souvent 2 cartes, des prix abordables à midi, mais qui flambent le soir. Quelques cafétérias au Samson Mall pour manger sur le pouce.

De bon marché à prix moyens

|●| *Laggan's Mountain Bakery & Delicatessen :* dans le Samson Mall. Ouvert de 6 h à 19 h. Un genre de boulangerie-snack qui offre sandwichs, pâtisseries et boissons autour de 5 $Ca (3,3 €). Quelques tables. Les pâtisseries sentent si bon qu'un gros grizzli est entré par la porte arrière il y a quelques années. Le nounours gourmand vit depuis au zoo de Calgary (histoire vraie).

|●| *Bill Peyto Café :* situé à la *Canadian Alpine Center and International Hostel* (voir « Où dormir ? »). Ouvert tous les jours de 7 h à 20 h 30. Restaurant le moins cher de Lake Louise. Plats le midi autour de 7 $Ca et le soir jusqu'à 15 $Ca (4,3 et 9,2 €). Cadre agréable tout en bois clair, et cheminée. Pas mal de choix.

Bons petits dej'. Ambiance jeune et conviviale. C'est pas de la grande gastronomie, mais les produits sont de qualité. Bonnes bières pas chères, vins au verre.

|●| *Mountain Restaurant :* situé juste à côté de la station-service *Esso*, à l'entrée du village. Ouvert tous les jours de 7 h à 22 h. Plats de 7 à 17 $Ca (4,3 à 10,4 €). Cuisine sans prétention, service rapide et souriant. Dans une salle lumineuse. Honnête choix de breakfast, lunch et dîner à prix raisonnables pour l'endroit. Bref, c'est pas l'Himalaya, mais on peut s'en satisfaire. D'autant plus que le proprio coréen met au menu un *bul-go-gui* fumant au bœuf de l'Ouest !

Plus chic

|●| *Deer Lodge :* sur Lake Louise Drive. ☎ 522-3747. Deux restos, le plus abordable et le moins guindé, le **Caribou Lounge.** À midi, on y trouve des plats légers, de bonne qualité et surtout un peu de tranquillité. Chouette cadre de bois foncé. Attention, les prix s'envolent le soir. Bonne cuisine des *Rockies* mettant en vedette le bison fumé. Belle carte de vins.

|●| *Lake Louise Station :* au bout de Sentinel Rd, en arrivant de Banff, à droite après être passé sous la voie ferrée. ☎ 522-2600. Autour de 10 $Ca le plat à midi, 30 $Ca le soir

(6,1 et 18,3 €), même si on peut se contenter d'un burger-salade-frites pour bien moins cher. C'est l'ancienne gare ferroviaire, très bien rénovée. Le bureau du chef de gare a même été conservé, avec le téléphone et le télégraphe d'époque. Le cadre est chouette, un peu années 1920, hauts plafonds et grande cheminée en brique. Carte inventive, un peu chère le soir, très bonnes viandes locales. Plats très (trop) simples le midi. Les trains de marchandises passent encore à côté, mais pas sur les anciens rails. Toute une atmosphère le soir.

– *Les restaurants du Fairmont Château Lake Louise* (● www.fairmont. com ●) *:* au bord du lac Louise, ça va de soi !

|●| *Poppy Room :* autour de 23 à 30 $Ca (14 à 18,3 €) le plat le soir. Resto à la déco vaguement tyrolienne, avec vue sur le lac. Carte variée

avec des notes italiennes et autrichiennes. Très européen tout ça ! Menu rigolo pour les enfants.

|●| *Walser Stube :* ouvert le soir

uniquement. De 25 à 40 $Ca (15,3 à 24,4 €) le plat. *Wine bar* assez sympa, où l'on sert une cuisine d'inspi- | ration essentiellement suisse (fondues, raclettes, etc.).

– Les restos du *Château* sont très chers au regard de ce que l'on y sert.

Très chic

|●| **Restaurant du Post Hotel :** voir « Où dormir ? ». Sans discussion possible, le meilleur restaurant de Lake Louise, mais les prix ne sont malheureusement pas à la traîne ! Difficile de s'en sortir à moins de | 70 $Ca (42,7 €) par personne. Spécialités européennes de tradition mitonnées par un chef bavarois. Propositions originales, comme le lapin du Manitoba. Sélection de vins impressionnante.

À voir

🎯🎯🎯 **Lake Louise,** bien sûr, dans son écrin montagneux. Grand parking gratuit à proximité. Nombreuses possibilités de se restaurer au *Fairmont Château Lake Louise.* À noter que le lac n'est dégelé que quelques mois dans l'année, de mi-juin à mi-septembre en général.

🎯 **Galerie Northern Art Impression :** dans le Samson Mall. ☎ 522-2038. Ouverte de 9 h à 22 h l'été. Excellente initiation à l'art inuit dans cette petite galerie qui présente néanmoins de superbes œuvres d'artistes renommés à des prix variables selon la cote de l'artiste et la taille de l'œuvre.

À faire

– Sur les lacs Louise et Moraine, **location de canoës et de barques.** Assez cher.

– Nombreux **sentiers aménagés** à travers les sous-bois d'épinettes tout autour du lac. Procurez-vous la brochure *Promenades et excursions au lac Louise et dans les environs.* La librairie **Woodruff & Blum** du Samson Mall se spécialise dans les cartes et livres de randonnée.

➢ *Paradise Valley* (18 km aller-retour), *Sentinal Pass* (12 km aller-retour) et *Moraine Lake* (25 km aller-retour à partir du *château Lake Louise*) sont de très chouettes balades.

➢ Si vous disposez de peu de temps, en sortant du *château Lake Louise,* prendre à gauche le sentier menant aux *Lake Mirror* et *Lake Agnes.* Selon la saison, on peut accéder au Beehive d'où l'on a une vue éblouissante sur le lac. Compter 45 mn pour atteindre le Lake Mirror et 15 mn de plus (si vous n'êtes pas fatigué) pour le Lake Agnes et sa maison de thé ouverte dès mi-juin.

➢ La ligne de partage des eaux (plus connue ici sous la dénomination *Great Divide*) est située à 7 km à l'ouest de l'intersection entre l'autoroute 1A et Lake Louise Drive. C'est exactement à cet endroit (sommet du col Vermilion à 1 651 m) que l'on trouve le jalon qui marque la ligne de partage des eaux entre les parcs nationaux de Kootenay et Banff, entre les provinces de l'Alberta et de la Colombie-Britannique et entre les bassins hydrographiques de l'océan Pacifique et de l'océan Atlantique. C'est également l'endroit où un grand feu de forêt a balayé le col Vermilion en 1968. Le sentier de l'interprétation de l'Épilobe (boucle de 800 m) vous mène à travers les terres brûlées et vous permet d'observer la forêt en régénération.

– **Bicyclettes et VTT :** location sur la placette du centre commercial Samson Mall (à l'angle de Lake Louise Drive et Village Rd).

■ *Wilson Mountain Sports :* dans le Samson Mall. ☎ 522-3636. Personnel serviable et expérimenté. Service et matériel impeccables.

Compter 35 $Ca (21,4 €) la location de VTT à la journée (39 $Ca en tandem pour les tourtereaux, soit 23,8 €).

➤ *Balade à cheval :* vous avez le choix entre 2 agences.

■ *Brewster Lake Louise Stables :* réservation au *château Lake Louise* au ☎ 522-3511 ou 1608. ● www. brewsteradventures.com ● Nombreux choix possibles entre les balades de 2 h (65 $Ca, soit 39,7 €), d'une demi-journée (95 $Ca, soit 58 €), d'une journée (155 $Ca, soit 94,6 €), voire 3 jours pour les accros, avec nuit sous la tente, cuisine au feu de bois, etc. On vous emmène généralement jusqu'au salon de thé du lac Agnès ou de celui de la Plain of Six Glaciers. Une nuit sous la tente revient beaucoup moins cher qu'à l'hôtel, même en dormant au *Canadian Alpine Center.*

■ *Timberline Tours :* ☎ 522-3743 ou 1-888-858-3388. ● www.banff.net/ timberline ● Tarifs à peine moins chers pour des balades similaires, et d'autres plus abordables sur les bords de lacs des environs. Si vous y succombez, emportez votre chrono car les prix sont calculés à la demi-heure près. Départ du *Coral* situé derrière le *Deer Lodge.*

– *Rafting :* les prix pratiqués sont très similaires d'une agence à l'autre. La réglementation canadienne est encore plus stricte qu'en France. Les mesures prises par les unes et les autres vous garantiront une sécurité absolue.

Pour les adeptes, vous remarquerez que le « rafteur » (ou barreur) ne se situe pas derrière (comme c'est le cas en France), mais au centre, avec deux longues rames. Pour les frileux, sachez que l'on vous remettra du matériel en mousse isolante (ou néoprène) comprenant des combinaisons longues, des chaussons, des gants, mais également un casque et un gilet de sauvetage (avec tout cela, difficile d'avoir froid ou de couler en cas de chute). Descente d'une demi-journée (préférer le départ l'après-midi car l'eau est moins froide).

Parmi la multitude d'agences, deux nous ont paru sortir du lot. *Wild Water Adventures :* ☎ 522-2211 ou 1-888-647-6444; et *Wet'n'Wild Adventures :* ☎ (250) 344-6546 ou 1-800-668-9119, un peu moins cher. Les réservations se font par téléphone dans la plupart des cas. Départ de Banff puis arrêt à Lake Louise pour prendre quelques clients supplémentaires, puis direction Golden. Si, donc, votre voyage passe d'abord par Banff puis se prolonge par Lake Louise, attendre d'être à Lake Louise pour faire votre descente en eaux vives (cela vous évitera un aller-retour Banff-Lake Louise inutile).

– *Lake Louise Sightseeing Gondola :* ☎ 522-3555. Du haut du téléphérique, sur le mont Whitehorn à 2 057 m, partent plusieurs sentiers pédestres. À 3 km de Lake Louise, tout près des « Hot Springs ». Ouvert de 8 h 30 à 18 h de juin à septembre (à partir de 8 h en juillet-août).

MORAINE LAKE

ᘛᘛᘛ À environ 13 km de la jonction avec le lac Louise, plus petit mais beaucoup plus sauvage que celui-ci. D'ailleurs, nous, c'est celui des deux que l'on préfère. Inaccessible l'hiver, il est rarement dégelé avant fin juin. Problème cependant, la route qui y mène est parfois très embouteillée en été, et elle est souvent fermée au printemps à cause des risques d'avalanche. Le lac est bordé de sévères édifices rocheux appelés « la vallée des Dix Pics ». Le spectacle de ces immenses falaises aux couleurs austères, qui s'adoucissent par une toison verte dans leur partie basse avant de plonger dans les eaux bleues éblouissantes du lac, est une image inoubliable. Sur la gauche du lac, on voit le champ d'éboulis qui barra la voie d'eau et forma le lac. Sur la gauche, juste avant d'arriver au lac, la *tour de Babel,* énorme monolithe isolé, dressé droit vers le ciel.

🏠 |●| *Moraine Lake Lodge :* au pied du lac, dans un site grandiose, en pleine nature. ☎ 522-3733. Fax : 522-3719. ● www.morainelake.com ● Forcément pas à la portée de la majorité des bourses (à partir de 330 $Ca, soit 201 €), mais tellement de charme qu'on ne pouvait passer à côté. Chambres immenses et confortables, cheminée. Resto panoramique et café, location de canoës (gratuite), petites conférences sur les *Rockies* par des guides du parc le soir. Trrrès rrromantique...

À faire

Trois randonnées pédestres au départ du lac Moraine, parmi les plus belles de la région. Elles partent du parking. Parfois, si les ours sont signalés dans les parages, Parcs Canada demande de partir par groupe de 6 minimum (se renseigner au bureau du Moraine Lake Lodge). Une bonne occasion pour se faire des potes.

➤ *Sentier de Lake Moraine Rockpille :* 1,4 km aller-retour (30 mn aller-retour).

➤ *Sentier le long de Lake Moraine :* 3 km aller-retour (30 mn jusqu'au bout du lac).

➤ *Sentier pour Consolation Lake :* 5,8 km aller-retour (2 h aller-retour). Sentier très agréable au milieu des bois qui aboutit à un lac superbe au milieu des éboulis, inaccessible aux voitures, donc assez calme. Au fond du lac, un beau glacier. Le retour est en pente descendante.

DE LAKE LOUISE À JASPER (236 km)

La route qui mène de Lake Louise à Jasper (la Highway 93, surnommée Icefield Parkway) traverse une région de toute splendeur, composée de lacs, de glaciers, de crêtes acérées et de forêts. Attention, pendant près de 250 km vous ne trouverez qu'une seule station-service, à *The Crossing* (à 150 km de Jasper et 76 km de Lake Louise). Les sentiers sont sous la neige la plus grande partie de l'année, alors, même en juin, prévoyez de bonnes chaussures de montagne plutôt que les dernières baskets en vogue, et une p'tite laine, vous verrez qu'il ne fait pas chaud sur la route des glaciers !

Toutes les AJ situées sur ce parcours – et elles sont nombreuses – sont en principe ouvertes tous les jours de la semaine, sans exception, de fin mai à mi-octobre. En basse saison, elles ferment toutes un ou deux jours par semaine, de manière aléatoire et variable. Attention, ces périodes d'ouverture peuvent changer d'une année à l'autre suivant les auberges. Bref, il faut impérativement s'informer :

– *Banff International Hostel :* ☎ 762-4122 ou 1-866-762-4122. ● www.hihostels.ca ● Pour les AJ jusqu'à Beauty Creek, puis :

– *Jasper International Hotel :* ☎ 852-3215 ou 1-877-852-0781. Une navette dessert quotidiennement toutes les auberges entre Calgary et Jasper en juillet-août, dans les deux sens. Horaires sujets à variations (voir ● www.sundogtours.com ●).

Si vous êtes plutôt un fan des camps de toile, renseignez-vous auprès des bureaux de Parcs Canada, certains campings ferment si des ours rôdent dans les parages, notamment après leur hibernation.

🏕️🏕️ *Km 16 :* superbe vue sur les eaux émeraude du *lac Hector,* bordé de sapins et d'une langue de neige qui descend des pics montagneux.

🏠 *Mosquito Creek Hostel :* au km 24. Fermé certains jours en basse saison, mais pas pour Noël. Compter 19 et 23 $Ca (11,6 et 14 €) pour les non-membres. Deux chalets-dortoirs de 12 places, et 2 grands chalets familiaux pour 5 personnes (64-70 $Ca pour 2, + 12 $Ca par personne supplémentaire, soit 39-42,7 et 7,3 €). Compter 10 $Ca (6,1 €) la nuit en camping. Cuisine, salon. Très propre. Sauna au feu de bois. Ambiance refuge de montagne, au pied des balades et des pistes de ski de fond.

🏕️🏕️ *Km 34 :* sur la gauche, belle vue sur *Bow Lake* et, avant, sur le glacier qui apparaît au fond d'un cirque *(Crowfoot Glacier).*

🏠 *Simpson's Num-Ti-Jah Lodge :* sur les rives du *Bow Lake.* ☎ 522-2167. Fax : 522-2425. ● www.num-ti-jah.com ● En haute saison, à partir de 195 $Ca avec salle de bains commune, 230 $Ca avec salle de bains privée (119 et 140 €), plus cher avec la vue sur le lac. Chambres adorables. Construit en 1922 par un guide local, Simpson. Aucune route n'arrivait encore jusque-là (faut dire que c'est à plus de 3 000 m d'altitude), le matériel a dû être transporté à dos de cheval. Le *lodge* a été récemment racheté à ses descendants, mais rien n'a changé : trophées de chasse, chaudes moquettes et tapisseries. À notre passage, on a cru rêver : des jeunes en costume de bain d'époque ont piqué une tête sous nos yeux (le lac était encore gelé par endroits) ! C'était la baignade annuelle du staff en juin, une tradition immuable, paraît-il ! Ce *lodge* a une vue imprenable sur des versants de montagnes très sensibles aux risques d'avalanches. Ça donne parfois tout un spectacle.

🏕️🏕️ *Km 46 :* le *lac Peyto.* Magnifique panorama sur ce lac. En haute saison, ne pas hésiter à partir du parking inférieur : une courte balade de 30 mn mène au point de vue. Panneaux explicatifs sur la faune et la flore. Compter 3-4 h de plus pour pousser jusqu'au Belvédère. Ce lac est réputé pour passer du vert au bleu au cours de l'année.

⛺ *Camping de Water Fowl Lake :* au km 57. Compter 13 $Ca (7,9 €) la nuit. Du camping, sentier menant vers 2 beaux lacs (1 h 30 de marche).

🏠 *The Crossing :* au km 80, au croisement de la Highway 93 et de la Highway 11 (d'où le nom !). ☎ 761-7000. Fax : 761-7006. ● www.the crossingresort.com ● À partir de 100 $Ca (61 €) en saison pour 2, intéressant à plusieurs. Chambres suffisamment grandes pour 4 personnes, assez simples. Sauna, jacuzzi, gym. Pour casser la croûte, préférer le pub chaleureux (ouvert de 16 h à 1 h). On peut y faire son propre burger de bison pour moins de 5 $Ca (3,1 €). Billard et cheminée. Le soir, le *dining room* n'est pas géniale (sauf si on adore le formica orange), mais il n'y a pas grand-chose d'autre dans le coin (buffet pour 16 $Ca, soit 9,8 €). Self-service pour le petit dej' dès 7 h 30.

– On trouve ici le seul poste d'essence de la Icefield Parkway, et ô surprise, le litre y coûte environ 0,10 $Ca de plus qu'ailleurs.

– Énorme *gift shop* avec accès Internet, le *Crossing* est clairement conçu pour satisfaire les hordes touristiques.

🏠 *Rampart Creek Hostel :* au km 88, sur la droite. Un peu au bord de la route. 22 et 28 $Ca pour les non-membres (13,4 et 17,1 €). Fermé certains jours en basse saison. Vingt-quatre places. Auberge assez basique, un peu chère pour le confort proposé. Situé dans une clairière, au pied de la montagne, à proximité des sites d'escalade.

⛺ *Wilcox Creek Campground* et *Columbia Icefield Campground :*

LA ROUTE DES GLACIERS

aux km 124 et 125. Compter 10 $Ca (6,1 €) la nuit ; à ce prix-là, pas de douche. Deux petits campings sur la droite de la route. Pour tentes et minivans seulement.

✦✦✦ *Km 127 :* le *glacier Athabasca.* Sur la gauche de la route, il étend sa langue de glace sur 7 km de long, 1 km de large et 400 m d'épaisseur. Ce glacier, tout comme ceux de Saskatchewan et de Columbia, est issu du vaste champ de glace Columbia *(Columbia Icefield),* imposante calotte glaciaire qui couvre plus de 300 km² d'une épaisseur maximale de 900 m. Phénomène assez rare, elle alimente des rivières qui se jettent dans 3 océans. Le glacier Athabasca a reculé de 1,5 km depuis 1878 alors que le glacier Columbia, de l'autre côté du massif (à différencier du champ de glace du même nom), a avancé de 1 km depuis 10 ans. Il y a 20 millions d'années, le refroidissement de la croûte terrestre a provoqué la création des glaciers dans les régions septentrionales et montagneuses. Ces avancées glaciaires ont été interrompues par des périodes interglaciaires plus chaudes. La période interglaciaire dans laquelle nous sommes a débuté il y a environ 10 000 ans.

Pour aller au pied du glacier, laisser la voiture au centre d'information et suivre la route en face sur quelques centaines de mètres. Également un parking. Sur le chemin, des bornes marquent le recul du glacier depuis plus d'un

DE BANFF À JASPER

siècle ; impressionnant. Ne pas s'aventurer sur le glacier même. C'est très glissant. Sauf, évidemment, avec un guide. Départ tous les jours à 11 h, pour 3 à 5 h de marche (renseignements au bureau des Parcs Canada). Balade exceptionnelle. Mieux que la promenade en véhicule à grosses roues pour touristes qui est quand même bien faite.

▣ *Centre d'information du champ de glace* (Icefield Center) : ouvert de mai à la mi-octobre. Sur la droite de la route en venant de Banff, dans un grand complexe tout neuf avec un hôtel, des magasins de souvenirs en sous-sol et, au 1er étage, un self (assez cher) et un restaurant (encore plus cher, le buffet du lunch est à 18 $Ca, soit 11 €). Expo didactique sur la formation des glaciers bien fichue et gratuite au sous-sol.

▣ *Parcs Canada :* poste d'info à l'entrée du Icefield Center. ☎ 852-6288 ou 1-800-505-7547. Ouvert de 9 h à 17 h. Prévisions météo et conseils randos. Randos guidées sur le glacier, à pied ou en autocar des neiges.

🛏 *Columbia Icefield Chalet :* dans le grand complexe, face au glacier. ☎ 852-6550 ou 1-877-423-7433. Fax : 852-6568. ● www.brewster.ca ● Ouvert de mai à mi-octobre. Compter 195 $Ca (119 €) en saison. Chambres confortables, plusieurs avec mezzanine ; certaines d'entre elles donnent sur le glacier, les autres sur la montagne. On peut loger jusqu'à 6 personnes dans les grandes. En mai et octobre, les prix baissent presque de moitié.

🦌 *Km 135 :* passé le glacier, en redescendant dans la vallée, on aperçoit sur la gauche, au loin, le *glacier Stutfield.* Déjà les paysages deviennent moins sévères et spectaculaires, la vallée s'ouvre.

🛏 *Beauty Creek Hostel :* au km 144, sur la gauche dans la vallée, coincé entre la route et une large rivière. Ouvert tous les jours de l'année, mais aux groupes seulement de début octobre à fin avril. De 12 à 17 $Ca (7,3 à 10,4 €). Deux dortoirs mixtes de 8 et 12 personnes. Une « rustic hostel », jusqu'en été 2002, il n'y avait ni électricité, ni douche, ni eau courante, ni w.-c. ! Mais une douche avec eau chaude a été récemment construite. Cuisine. Bon point de départ pour les randonneurs.

⛺ *Jonas Creek Campground :* au km 153. Petit camping à droite de la route. Compter 10 $Ca (6,1 €) la nuit. Pas de douche.

🦌 *Km 175 :* **Sunwapta Falls.** Prendre à gauche, le parking est 1 km plus loin. Un chouette sentier en sous-bois mène rapidement aux chutes, qui coulent et roucoulent dans un mini-canyon adorable.

🛏 *Sunwapta Falls Resort :* à l'embranchement pour les chutes. ☎ 852-4852 ou 1-888-828-5777. Fax : 852-5353. ● www.sunwapta. com ● De 89 à 199 $Ca (54,3 à 121,4 €) la nuit. Accueil sympa et professionnel. Chambres correctes, frigo, cheminée, thé et café offerts. Le meilleur restaurant du coin. Petit magasin à côté.

🛏 *Athabasca Falls Hostel :* au km 198, sur la droite de la route, juste après le poste de secours. De 13 à 18 $Ca (7,9 à 11 €) ; 44 places. Ouvert de 17 h à 23 h. Fermé le mardi en basse saison (sauf à Noël, vous l'aviez deviné). Non loin des chutes, des sentiers de rando et de VTT.

🦌🦌 *Km 199 :* **Athabasca Falls.** Prendre la route 93A à gauche sur quelques centaines de mètres. Les eaux émeraude de l'Athabasca s'enfoncent avec puissance dans un étroit canyon. La fougue de la chute est impressionnante (25 m de haut). Géologiquement, on comprend le travail de l'eau, se frayant au cours des siècles un passage toujours plus grand, sculptant des bassins de plus en plus larges, perçant des cavités toujours plus profondes. Les passerelles en béton rompent cependant un peu le charme. Appréciez le lyrisme du sentier d'interprétation !

🎥🎥🎥 *Mount Edith Cavell :* à 30 km au sud de Jasper, par les routes 93 et 93A. Belle attraction de la région, mais attention : la route sinueuse qui y mène est interdite aux véhicules trop larges (motor-homes, caravanes, bus) et n'est ouverte que quelques mois l'été. Balade d'une vingtaine de minutes pour arriver au magnifique glacier Angel.

🛏 *Mount Edith Cavell Hostel :* prendre la 93A à partir des Athabasca Falls ou de Jasper pour ceux qui viennent du nord, puis grimpette de 13 km par la Mount Edith Cavell Road, très forestière. De 13 à 18 $Ca (7,9 à 11 €). Cette auberge est plus éloignée de l'itinéraire principal que les précédentes, mais l'environnement y est vraiment superbe. Ouvert aux groupes seulement de mi-octobre à mi-juin, et uniquement si l'état de la route qui y mène le permet ; 32 places. Une 3e cabane abrite une cuisine que chauffent 2 beaux poêles. Belles balades alentour et possibilités d'escalade pour les amateurs éclairés.

Randonnées dans le parc national de Jasper

Un permis d'usage du parc est obligatoire pour les excursions de plus d'une journée. Ce permis (payant) permet d'éviter l'encombrement et de protéger le milieu. Il doit être obtenu moins de 24 h avant l'excursion au centre d'information du champ de glace ou au centre d'information à Jasper. On doit y aller en personne, ce qui permet de discuter de l'excursion avec les rangers et de s'informer sur la météo ainsi que sur l'état des sentiers. Pour être sûr d'obtenir un permis, on peut le réserver par téléphone : ☎ 852-6177.

JASPER   4 000 hab.   IND. TÉL. : 780

Petite station balnéaire entourée de crêtes rocheuses impressionnantes. Jasper est moins chic que Banff, plus tranquille, moins commerciale : moins de boutiques aguicheuses, clientèle plus populaire, restos abordables... Elle compte beaucoup de modestes maisons de retraités qui proposent des chambres d'hôtes (les *B & B* sont interdits à Jasper, car les restaurants veulent vendre des petits dej'...). Jasper est constituée de trois rues parallèles dont la principale, Connaught Drive, est bordée sur la droite par la voie ferrée et sur la gauche par les boutiques et restos. Beaucoup d'animaux broutent un peu partout, comme dans un rêve d'enfant. Sur Patricia Street, vieilles demeures de bois aux toits colorés avec de charmants petits jardins aux blanches barrières. Quelques églises, de-ci, de-là. Quelques bâtiments « historiques » : la caserne de pompiers, l'office de tourisme, la poste (en pierre de montagne). Jasper est également un haut lieu de rendez-vous des *mountain bikers* qui organisent des raids assez incroyables dans la montagne. C'est aussi un excellent point de départ de randonnées vers les superbes lacs des environs. On peut y pratiquer le kayak et le rafting.

Adresses utiles

ℹ *Information et bureau de Parcs Canada* (plan B1) : 500 Connaught Drive, au milieu du petit parc, dans le centre-ville. ☎ 852-6177 (24 h/24) ou 6176. ● www.parkscanada.gc.ca ● et ● www.jaspercanadianrockies.com ●

Ouvert de 8 h à 19 h de mi-juin à fin août, de 8 h à 17 h de début mai à mi-juin, et de 9 h à 17 h du 1er septembre à mi-octobre. La maison en pierre et bois est une des plus anciennes de Jasper ; elle date de 1913. Donne des infos et conseils aux randonneurs du parc. Demandez la brochure *L'été sur les sentiers du parc national de Jasper*. Plusieurs circuits y sont décrits avec précision et en français. Pour voir des animaux sauvages, consulter le *Rapport sur les ours*, hebdomadaire, ou le *Wildlife Observation Book*, qui recense toutes les apparitions d'animaux au jour le jour. Lire la brochure *Les ours et les gens*.

■ **État des routes :** pour les routes du parc, appelez le ☎ 852-3311 (messagerie vocale Parcs Canada).

✉ **Poste** (plan B1) : Patricia Street, derrière le centre d'information. Ouvert du lundi au vendredi de 9 h à 17 h.

■ **Urgences médicales :** 518 Robson Street. ☎ 852-3344. Des médecins consultent au 507 Turret Street. ☎ 852-4885.

■ **Urgences :** ☎ 911.

Transports

🚆 🚌 **Gares ferroviaire et routière** (plan B1) : 607 Connaught Drive.

■ **Location de voitures :** *National* se trouve dans la gare ferroviaire. ☎ 852-1117. *Budget* se trouve dans la station *Shell*, 639 Connaught Drive, non loin de la gare (☎ 852-3222). *Hertz* : également dans la gare ferroviaire (☎ 852-3888).

■ **Taxis :** *Jasper Taxi*, ☎ 852-3600. *Heritage Cabs*, ☎ 852-5558.

Cybercafés

@ **Soft Rock Café** (plan B2, 21) : 632 Connaught Drive. ☎ 852-5850. Ouvert de 7 h à 20 h. Une dizaine de postes dans une chaude atmosphère (voir « Où manger ? »). Le proprio est québécois.

@ **More than mail** (plan B2, 1) : 620 Connaught Drive Square Mall. ☎ 852-3151. Ouvert de 9 h à 21 h. Moins « fun » que le précédent mais propose aussi un service de fax et photocopie et, pour les réfractaires aux e-mails, cartes postales et services postaux en tout genre...

Activités sportives

■ **Location de vélos :** *Free Wheel Cycle*, 618 Patricia Street. ☎ 852-3898. Dans le centre. Loue des skis l'hiver. Également chez *On-line Sport & Tackle*, 600 Patricia Street, presque en face du précédent. ☎ 852-3630. Pas cher. Bon choix de vêtements de plein air. Permis de pêche (7 $Ca, soit 4,3 € par jour).

■ **Jasper Raft Tour :** en face de la station de bus, au 604 Connaught Drive, dans le bureau du *Jasper Adventure Center*. ☎ 852-2665. Navigue sur l'Athabasca River. Pour les bleus.

■ **White Water Rafting :** nombreux points de vente en ville, dont *The Niche*, 626 Connaught Drive. ☎ 852-7238 ou 1-800-557-7238. ● www.WhitewaterRaftingJasper.com ● Sur les rivières Athabasca, Sunwapta et Maligne. Ambiance sympa. Organisation impeccable.

■ **Maligne Lake :** 627 Patricia Street. ☎ 852-3370 ou 1-866-MA LIGNE. ● www.malignelake.com ● Beaux programmes sur les Athabasca, Sunwapta et Kakwa Rivers. Croisières, rafting, pêche.

Où dormir à Jasper et dans les environs ?

Les hôtels de Jasper sont assez chers. Préférez les AJ ou les chambres d'hôtes. À partir de 4 personnes, la formule « chalet » peut aussi se révéler intéressante.

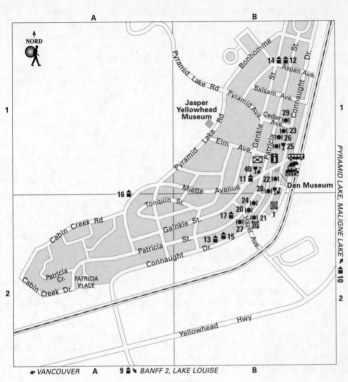

JASPER

Bon marché

⛺ *Camping Whistler de Parcs Canada* (hors plan par A2) *:* prendre la Whistler Rd 3 km avant Jasper, sur la gauche. Ouvert en principe de début mai à mi-octobre. Le plus grand camping et le mieux équipé du parc national Jasper, avec les *Wapiti* et *Wabasso Campings*. Le *Wapiti* ouvre entièrement à la mi-juin et ferme mi-septembre, mais une portion demeure ouverte à l'année. Situé à 4 km au sud de Jasper.

🛏 *Jasper International Hostel* *(hors plan par A2, 9)* : à 7 km au sud-ouest de Jasper, au pied de la Whistler Mountain. ☎ 852-3215 ou 1-877-852-0781. Fax : 852-5560. ● jasper@hihostels.ca ● Si vous arrivez par le sud, prendre à gauche la Whistler Rd, environ 3 km avant Jasper. L'auberge est à 4 km de Jasper (navette gratuite l'été, un taxi coûte 12 $Ca, soit 7,3 €). Ouvert de 12 h à minuit. Compter de 20 à 25 $Ca (12,2 à 9,2 €) par personne. Chouette chalet situé dans un coin sauvage, au pied de plusieurs sentiers de rando. Grand dortoir traditionnel avec lits de bois. Peut loger 84 personnes. Chambres familiales. Très propre. Cuisine dotée de nombreuses plaques chauffantes, petite épicerie de dépannage. Salon agréable. Accès Internet. Réserver.

🛏 *Maligne Canyon Hostel* *(hors plan par B2, 10)* : situé à 11 km à l'est de Jasper, sur Maligne Canyon Rd que l'on prend à droite à environ 4 km après avoir traversé le village. Réservation auprès de *Jasper International Hostel*, ☎ 852-3215 ou 1-877-852-0781. Fax : 852-5560. ● jasper@hihostels.ca ● Ouvert toute l'année. Fermé le mercredi d'octobre à avril. Ne pas arriver trop tôt, le res-

ponsable de l'AJ se pointe à 17 h. Compter 13 $Ca avec la carte des AJ, 18 $Ca sans (7,9 et 11 €). Un petit chalet près de la rivière Maligne, au pied des falaises abruptes du canyon. Quatre dortoirs de 6 places. Cuisine et feux de camp. Plus petit, moins moderne, mais aussi moins cher que la *Whistler Mountain Hostel*. Confort spartiate (pas de douche et toilettes à l'extérieur), mais immersion dans la nature garantie (le son de la rivière bercera vos nuits). Il est d'ailleurs interdit de stocker de la nourriture dans les dortoirs, il n'est pas rare qu'un ours traîne dans les parages...

🛏 *Athabasca Hotel* *(plan B1, 11)* : 510 Patricia Street. ☎ 852-3386 et 1-877-542-8422. Fax : 852-4955. ● www.athabascahotel.com ● À deux pas de la gare et du centre d'infos, c'est l'hôtel historique de la ville. Il vient d'être rénové et les prix ne sont pas au niveau de son attrait. À partir de 79 $Ca avec sanitaires à l'étage et 109 $Ca avec sanitaires privés (48,2 et 66,5 €). Encore moins cher quand on prend une chambre du 1er étage quand un *band* fait sauter la baraque au rez-de-chaussée !

Chambres d'hôtes

Attention, ne vous fiez pas à l'aspect extérieur des maisons d'hôtes... la plupart, magnifiques, proposent des chambres en sous-sol, presque aveugles et parfois d'un confort plus que limité. Si les adresses ci-dessous sont complètes (le week-end ou en période de vacances), l'office de tourisme vous fournira la liste détaillée de la Jasper Home Accommodation Association, mais visitez toujours avant de vous décider. ● www.stayinjasper.com ● Petit dej' jamais inclus (mais thé et café offert), et salle de bains commune le plus souvent.

Les très nombreuses chambres d'hôtes se voient facilement sur Connaught Drive et Patricia Street. On les reconnaît à leur pancarte « Approved accommodation ». Vous pouvez faire un tour sur Geikie Street si vous n'avez rien trouvé. Voici quelques adresses qui nous ont semblé sortir du lot :

De bon marché à prix moyens

🛏 *Seldom In* *(plan B1, 12)* : 123 Geikie Street. ☎ 852-5187. ● seldomin@hotmail.com ● Ouvert toute l'année. À partir de 60 $Ca (36,6 €), 3 chambres à l'étage, coquettes et claires, 2 avec vue sur les mon-

tagnes. Une salle de bains privée, l'autre est à partager. Cuisine à disposition pour le petit dej', et salle commune accueillante, avec poêle et bibliothèque. Sherill et Doug, passionnés de faune et de flore (ils travaillent tous les deux pour le parc national), sont une mine d'infos. Ils improvisent à l'occasion de petites balades à la rencontre des animaux du parc pour les routards de passage. Un accueil exemplaire. Réservation conseillée.

🛏 **Pat Hollenbeck** (plan B2, **13**) : 716 Connaught Drive. ☎ 852-4567. ● hollen@incentre.net ● À quelques minutes du centre-ville. À partir de 45 $Ca (27,5 €) pour 2. On peut ne pas être totalement emballé par la déco des chambres, elles restent néanmoins les moins chères de la ville en 1er étage, avec vue sur les montagnes et terrasse. Chambres propres et spacieuses, 1 lit double dans la première, plus 1 grand lit double (queen) dans la seconde. Entrée indépendante par-derrière, cuisine à disposition (plaques chauffantes, frigo et micro-ondes). Café ou thé à discrétion. Une très bonne affaire.

🛏 **Meadows Inn** (plan B1, **14**) : 302 Aspen Avenue. ☎ 852-3474. Une simple à 45 $Ca et une double à 65 $Ca et une « suite » ravissante, avec cuisine, salle de bains, machine à laver et petit salon autour de 100 $Ca (27,5, 39,7 et 61 €). Une maison récente, intérieur superbe, à dominante de pierre et de bois. Les chambres sont au sous-sol avec fenêtres, lumineuses et vraiment jolies. Si la suite n'est pas louée, on a

libre accès à la cuisine et au petit salon. Accueil charmant de Fay.

🛏 **Gloria Kongsrud** (plan B2, **15**) : 712 Connaught Drive. ☎ 852-3763. À quelques minutes du centre et de la gare. Environ 60 $Ca (36,6 €) pour 2. Chambres en sous-sol mais avec fenêtres, agréables et de bon goût. Réservation conseillée.

🛏 **Alpine Log House** (plan A1-2, **16**) : 920 Pyramid Lake Rd. ☎ 852-4420. Fax : 852-5466. ● patmarrek @hotmail.com ● Compter 100 $Ca (61 €) les 3 chambres avec salle de bains privée, 2 à l'étage et 1 en sous-sol (90 $Ca, soit 54,9 €) avec fenêtre, mais tout aussi charmante. Dans un grand chalet superbement rénové, on peut pique-niquer au pied de la forêt. Entrée indépendante, cuisine-bar aménagée sophistiquée, barbecue et grande salle commune avec baie vitrée. Douillettes à l'européenne. Accueil sympa et très civilisé de Patricia et Franck. Elle est acadienne et il est d'origine allemande.

🛏 **Tassoni Inn** (plan B2, **17**) : 706 Patricia Street. ☎ 852-3427. Fax : 852-5393. ● tassoni@telus.net ● Compter 85 $Ca (61 €) pour une grande chambre double avec entrée privée dotée d'un frigo et d'un four micro-ondes. TV et sanitaires dans chacune des 2 chambres ; une avec bains, l'autre avec douche. Terrasse à disposition. Bruno et Kathy Tassoni sont gentils et pros.

Plus chic : les chalets

Plus séduisants que les motels et hôtels traditionnels. Vivement conseillé de réserver. Ouvert de fin avril au Thanksgiving canadien (2e lundi d'octobre). Ils fonctionnent tous plus ou moins sur 3 saisons et les prix peuvent varier en fonction des options (vue, cuisine, cheminée, etc.).

🛏 **Jasper House Bungalows** : à 3,5 km au sud de Jasper, sur la route de Banff. ☎ 852-4535. Fax : 852-5335. ● www.jasperhouse.com ● Chalets à partir de 140 $Ca pour 2, 195 $Ca pour 4 (85,4 et 119 €). Avec micro-ondes et frigo, quelques-uns avec cuisine complète. Bel emplacement en bord de rivière. Un resto un peu cher le soir, mais bien pratique le matin. L'énorme ours de peluche nommé Jasper vous surprendra à l'arrivée.

🛏 **Bear Hill Lodge** : 100 Bonhomme Street. ☎ 852-3209. Fax : 852-3099. Ouvert de mi-avril à fin octobre. Le plus central, à 3 blocs de Connaught Drive. À partir de 145 $Ca (88,5 €) pour 2, 165 $Ca (100,7 €) avec cheminée et kitchenette. Agréable petit ensemble de chalets près du centre. Quartier tranquille. Accueil sympathique. Sauna, jacuzzi, barbecue.

🛏 **Becker's Chalets** : à 5 km au sud de Jasper, sur la route de Banff.

JASPER

☎ 852-3779. Fax : 852-7202. ● www.beckerschalets.com ● Chambres à 90 $Ca (54,9 €) pour 2. Beaux chalets là aussi (135 $Ca, soit 82,4 €), avec cuisine et cheminée, dommage qu'ils soient un peu les uns sur les autres. Charme et confort. Petit resto mignon de bonne réputation, avec vue sur la rivière.

🛏 *Alpine Village :* sur un bout de route reliant la 93 et la 93A (non fléché à cause des règles draconiennes de Parcs Canada), 2 km avant Jasper (venant de Banff). ☎ 852-3285.

Ouvert de fin avril à mi-octobre. À partir de 150 $Ca pour 2, 180 $Ca pour 4 (91,5 et 109,8 €). Cachés dans les arbres, de ravissants chalets en gros rondins *(log cabins)* et fleuris, à deux pas de l'Athabasca River. Chacun d'eux dispose d'une pelouse avec terrasse au soleil. Décoration intérieure de charme avec cheminée en grosses pierres. Pas de resto, mais cuisine dans la plupart des chalets. Piscine extérieure chauffée. Barbecue à disposition.

Où manger ?

Bon marché

|●| *Truffles & Trout* (plan B2, 20) : 716 Patricia Street (angle Hazel Street), dans le Jasper Marketplace. ☎ 852-9676. Ouvert tous les jours d'été de 8 h à 20 h. Des tables hautes et tabourets de bar pour manger sur le pouce à environ 5 $Ca (3,1 €). Sandwichs et salades, bagels et quelques spécialités grecques revues à la sauce canadienne : houmous, taboulé, tzatziki, etc. Petites pizzas exquises. Très frais et vraiment pas cher.

|●| *Soft Rock Café* (plan B2, 21) : 632 Connaught Drive. Ouvert de 7 h à 20 h. Une chouette petite adresse qui ne désemplit pas, normal le petit dej', du simple bagel au « complet » à 8 $Ca (4,9 €) est servi toute la journée ! Énormes croque-sandwichs, pâtisseries maison et véritable *espresso*, préparés en cuisine par une joyeuse bande de Québécois. Accès Internet et terrasse très convoitée.

|●| *Mountain Food Café* (plan B1, 22) : 606 Connaught Drive. ☎ 852-4050. Ouvert de 8 h à 21 h l'été. Caf' sans prétention mais grand choix de petits dej' autour de 6 $Ca (3,7 €). En plus des 3 « S » (sandwichs, soupes, salades), quelques petites échappées mexicaines (*huevos rancheros, quesadillas,* etc.). Côté « bio » prononcé. Tout est cuisiné sur place. On fait son choix directement sur le tableau noir, et le serveur vous appelle par votre prénom quand c'est prêt. Sympa, non ?

|●| *Jasper Pizza Place* (plan B1, 23) : 402 Connaught Drive. ☎ 852-3225. Ouvert tous les jours jusqu'à minuit. *Tacos,* hamburgers, pizzas, pâtes et poutine pour les fans. Environ 8 $Ca pour une assiette avec burger et 12 $Ca (4,9 et 7,3 €) pour une pizza qui se partage. Rendez-vous de pas mal de jeunes adolescents. Terrasse sur le toit avec vue sur les montagnes.

Prix moyens

|●| *Something Else* (plan B2, 24) : 621 Patricia Street. ☎ 852-3850. Ouvert de 11 h à 23 h. Autour de 10 $Ca à midi, 15 $Ca le soir (6,1 et 9,2 €). Cadre en bois, avec quelques rappels des origines grecques : musique, gousses d'ail, etc. La carte louche vers la Grèce et l'Italie, délicieux souvlakis et pâtes fraîches. Ambiance chaleureuse. Il y a 25 ans, quand les premiers proprios grecs cherchaient à établir un resto à Jasper, ils voyaient que presque tous les restos étaient ici des *dinners* à l'américaine. Alors ils se sont dit : « Il faut ouvrir... *Something Else.* »

|●| *Papa George's* (plan B1, 25) : 404 Connaught Drive, dans l'hôtel *Astoria.* ☎ 852-3351. Ouvert du petit dej' (repas autour de 9 $Ca, soit

5,5 €) au dîner (compter plutôt 20 $Ca, soit 12,2 €). Fermé de mi-octobre à mi-décembre. Une institution depuis 1925, fondée par George Andropoulos et tenue aujourd'hui par son petit-fils. Salades et sandwichs bon marché, mais surtout de nombreux plats, viandes locales (caribou, buffalo, canard) et poisson (très bon filet de flétan, *halibut*), cuisinés et servis avec un certain raffinement le soir.

|●| *Kim Chi House* (plan B1, **26**) : 407 Patricia Street. ☎ 852-5022. Ouvert de 10 h à 23 h l'été. Bonnes spécialités coréennes entre 11 et 21 $Ca (6,7 et 12,8 €). S'il n'y avait pas un grand panneau « Korean Restaurant » à l'extérieur, on ne pourrait pas soupçonner l'existence d'un restaurant dans cette petite maison semblable à toutes les autres. Ambiance familiale, on a l'impression de dîner dans leur salle à manger. Les raviolis et toutes sortes de grillades ont beaucoup de succès.

|●| *L and W Family Restaurant* (plan B2, **27**) : à l'angle de Patricia Street et Hazel Street. ☎ 852-4114. Ouvert de 10 h 30 à 23 h. Compter entre 7 et 13 $Ca le midi, 9 à 18 $Ca le soir (entre 4,3 et 7,9 €, et entre 5,5 et 11 €). Décor un peu chargé mais très vert, de nombreuses plantes lui donnent de la fraîcheur. Beaucoup d'espace et de lumière. Cuisine italienne et grecque servie copieusement : poisson, *pasta, barbecue chicken* et *spare-ribs, Alberta prime ribs, T-bone* grillé au charbon de bois. Bonnes salades. Bon rapport qualité-prix. La propriétaire grecque tient la barre haute depuis plus de 30 ans...

Plus chic

|●| *Fiddle River* (plan B1-2, **28**) : 620 Connaught Drive. ☎ 852-3032. Ouvert de 17 h à 23 h. Plats de pâtes à partir de 15 $Ca, poissons et fruits de mer entre 22 et 30 $Ca (9,2, 13,4 et 18,3 €). Au 1er étage, 20 tables, arriver tôt pour en trouver une près de la fenêtre et bénéficier de la vue sur les monts enneigés. Carte inventive et souvent renouvelée, à base de poissons (saumon de Colombie-Britannique), quelques plats végétariens, des pâtes et quelques viandes. Demander le plat du jour.

Où déguster une bonne pâtisserie ?

|●| *Bear's Paw Bakery* (plan B1, **29**) : 4 Cedar Avenue, pas loin de Connaught Drive. ☎ 852-3233. Ouvert du lundi au vendredi de 6 h à 18 h, jusqu'à 21 h les week-ends. Impossible de ne pas signaler cette boulangerie : pains en tout genre et, surtout, excellentes viennoiseries et pâtisseries. À emporter ou à déguster sur place avec un thé ou un café. Parfait pour le petit dej'. Croissant-œuf pour les amateurs.

Où boire un verre en musique ?

▾ ♪ *Down Stream* (plan B1-2, **28**) : sous le Fiddle River, 620 Connaught Drive. Petit pub en sous-sol, souvent chauffé par les groupes de passage. À déconseiller aux fumeurs, ils doivent s'exiler dans une sorte de box vitré pour griller leur clope, les pauvres ! Possibilité de manger également. Billard.

▾ *De'd Dog Bar & Grill* (plan B1, **25**) : hôtel *Astoria*, 404 Connaught Drive. ☎ 852-4328. Ouvert de midi à 1 h. Accueil de bouledogue qui explique peut-être le nom... Billards et jeux vidéo. Grand bar dédié aux sports, surtout ceux *on TV* à en croire le coin salon plus vrai que nature pour boire des bières entre copains devant les matchs. Nourriture simple, pas chère, souvent « faite maison ».

🍴 🎵 **Atha-B Pub** *(plan B1, 40)* : à l'angle de Miette Avenue et Patricia Street, dans l'*Athabasca Hotel*. Présente des groupes le soir. Beaucoup d'atmosphère. Très beau et grand bar de l'autre côté du lobby.

À voir

🏛️🏛️ **Jasper Yellowhead Museum** *(plan B1)* : 400 Pyramid Lake Rd (en face de la piscine). ☎ 852-3013. Entrée : 4 $Ca (2,4 €) ; réductions. Ouvert en été de 10 h à 21 h, en septembre tous les jours de 10 h à 17 h et mêmes horaires mais du jeudi au dimanche le reste de l'année.

Petit musée d'histoire de la ville et de la région, de la vie des pionniers en quête de fourrures, de l'arrivée du chemin de fer et les débuts du tourisme « de luxe », la dépression et les deux guerres, l'arrivée du ski, etc. De nombreux vieux objets sont exposés, et des photos anciennes illustrent les panneaux explicatifs. Courte vidéo sur les célébrités descendues au *Jasper Lodge,* dont Marilyn, qui se vit refuser l'entrée du restaurant pour tenue « indécente » ! Elle était ici pour le tournage de *River of no Return*.

Activités sportives et balades

– **Kayak :** les amateurs trouveront sur la Maligne River l'un des meilleurs *spots* des *Rockies*. Vraiment de quoi se faire peur. Location de kayaks à Jasper.

– **Rafting :** les rivières de Jasper offrent des possibilités de rafting absolument géniales. L'Athabasca River conviendra mieux aux débutants. Ceux qui connaissent déjà ou n'ont peur de rien iront directement s'éclater dans la Maligne River. Le pied total et ambiance assurée. Une expérience à ne pas manquer. La balade n'est pas donnée mais n'hésitez pas, c'est un chouette souvenir (voir « Adresses utiles »).

– **Mountain bike :** les adeptes de ce sport s'en donneront à cœur joie. Excursions sur des sentiers de randonnée bien tracés. Renseignements à l'office de tourisme. Prenez aussi vos infos auprès des gars qui en reviennent. Il y en a toujours qui traînent avec leur vélo, près de l'office de tourisme, dans le petit parc. Pour louer, voir « Adresses utiles ».

➤ **Balades à cheval :** *Pyramid Riding Stables*. ☎ 852-7433. ● www.pyramid ridingstables.com ● De Jasper, prendre la direction de Pyramid Lake. Les écuries se trouvent à 3,5 km au-dessus de Pyramid Lake Rd. Balades de 1 h à la journée. Poneys pour les enfants. Réservation conseillée.

➤ Les rangers du parc organisent des **balades à thème** tous les jours. *Profil* est un journal gratuit qui décrit ces promenades et en donne des horaires. Une excellente approche pédagogique de la faune et de la flore.

Randonnées de plusieurs jours avec nuit en montagne

Demandez votre *Guide des visiteurs de l'arrière-pays, parc national de Jasper* à l'office de tourisme. N'oubliez pas qu'il vous faut aussi acheter le permis d'accès à cet arrière-pays : 8 $Ca (4,9 €) par nuit, ou alors le permis annuel à 56 $Ca (34,2 €). Limite de 2 ou 3 nuits par lieu de camping.

➤ **2 jours :** la boucle du lac Saturday Night vous donnera sans aucun doute la fièvre. Sentier assez facile.

➤ **3 jours :** parmi toutes les randonnées possibles, celle de la vallée Tonquin vous mettra en présence de paysages merveilleusement sauvages.

➤ Celle du **Skyline** est également à recommander. Mais ce ne sont là que des exemples.

➤ *DANS LES ENVIRONS DE JASPER*

🏃 *Patricia and Pyramid Lakes :* à 10 mn au nord-est de Jasper. On peut y aller facilement à vélo. L'idéal est de pousser jusqu'à Pyramid Lake où on peut faire le tour de la petite île Pyramid qui a été aménagée. On peut y louer canoës et vélos. Environnement boisé et très tranquille.

🏃 *Jasper Tramway :* près de l'AJ. On grimpe au sommet du **mont Whistler** (2 469 m) par un téléphérique (21 $Ca, soit 12,8 €). Prendre la Whistler Rd à 3 km environ au sud de Jasper et poursuivre jusqu'au bout (encore 3 km). ☎ 852-3093. • www.jaspertramway.com • Ouvert de début avril à mi-octobre, de 9 h 30 à 18 h 30, 9 h 30 à 22 h en juillet-août. Vous pouvez aussi monter à pied, mais ça grimpe dur (1 200 m de dénivelé pour 7 km de marche !).
Le mont doit son nom aux sifflements des marmottes que l'on aperçoit par-fois en contrebas de la cabine supérieure du téléphérique. Vue impression-nante sur la vallée, les chaînes montagneuses environnantes, les rivières qui scintillent, les lacs qui se reposent. Un sentier mène au sommet du mont, 200 m plus haut. Panorama grandiose.
🍴 *Resto* au sommet.

🏃🏃 *Lake Edith* et *Lake Annette :* à 5 km de Jasper, sur la route du *Jasper Park Lodge.* Deux petits lacs adorables et très peu fréquentés, dont les eaux sont moins froides qu'ailleurs. L'eau atteint 20 °C en juillet. On peut s'y bai-gner. Assez civilisé (w.-c., parking, aire de pique-nique) mais pas trop (ni resto ni boutique de souvenirs). Parcours de jogging. Une préférence pour le lac Edith, paysage plus doux, éclairé superbement le soir, au soleil cou-chant. Bords sablonneux qui se prennent presque pour une plage. Sentiers de randonnée.

🏃🏃 *Maligne Canyon :* à 11,5 km de Jasper. À 3 km en sortant de Jasper vers le nord, prendre à droite le petit pont en direction de Maligne Canyon. Parking. Chemin balisé *(Interpretative Trail).* Les 6 ponts qui traversent le canyon en forment les étapes les plus importantes. Superbe chute d'eau de 23 m dont les eaux se faufilent le long d'un étroit canyon.

🏃 *Le lac Medicine :* à 27 km de Jasper en poursuivant la route précédente. Il est à sec tout l'hiver et profond d'une vingtaine de mètres seulement l'été. En fait, ses eaux viennent de celles du lac Maligne, par voie souterraine, en s'infiltrant par les couches plus tendres de la roche calcaire. Le lac n'est pas vraiment d'une grande beauté, en revanche les monts qui lui servent de décor sur la gauche *(Queen Elizabeth Range)* présentent des stratifications verticales nettement dessinées qui permettent d'imaginer le bouleversement phénoménal de la croûte terrestre lorsqu'il fallut amener ces blocs à la verti-cale.

🏃🏃 *Le lac Maligne :* à 48 km de Jasper sur la même route que précédem-ment. Une pure merveille (22 km de long). Quelques chances de voir des chèvres de montagne dans le coin. Quand la lumière est douce, le ciel légè-rement nuageux, le spectacle devient éblouissant : d'un côté, une colline arrondie dont les flancs s'élèvent doucement des berges du lac, au fond des sommets enneigés et, au milieu, les eaux du lac qui s'étirent tout en lon-gueur. L'étroitesse du lac lui confère un côté intimiste. Tout au bout, *Spirit Island,* la diapo la plus célèbre du lac. Pour en saisir toute la splendeur, venez-y le matin tôt et louez une barque à l'ancienne remise à bateaux où un guide, pionnier des années 1930, construisait des embarcations. Ouvert de 8 h 30 à 18 h. Possibilité de pêcher. Évitez d'y aller le mercredi, c'est le jour où tous les bus des voyages organisés passent par là. Renseignements à *Maligne Lake Tours.*

JASPER

■ *Maligne Lake Tours* : réservations à Jasper, 627 Patricia Street. ☎ 852-3370. ● www.malignelake.com ● Tours en bateau sur le lac. De mi-mai à mi-octobre, départ chaque heure de 10 h à 16 h (17 h en haute saison) tous les jours. Durée : 1 h 30.

Assez cher tout de même. Possibilité également de louer des canoës (à partir de fin juin seulement). ❙●❙ Grande *cafétéria* ouverte de 9 h à 19 h du 25 juin au 10 septembre ; jusqu'à 18 h le reste de l'année.

🍖 *Miette Hotsprings* : à 61 km de Jasper au nord-est, en prenant la direction d'Edmonton (Highway 16). Tourner à droite de Pocahontas. On passe devant les Punchbowl Falls avant d'arriver aux sources d'eaux chaudes, 17 km plus loin. ☎ 866-3939. Sources thermales ouvertes de 8 h 30 à 22 h 30 de fin juin à début septembre et de 10 h 30 à 21 h de mi-mai à fin juin et en septembre. Deux piscines chaudes (dont une « rafraîchie » à 40 °C, l'eau sortant à 54 °C) et une froide. Aire de pique-nique.

QUITTER JASPER

En bus

🚌 *Gare routière* : 607 Connaught Drive. *Greyhound* et *Brewster* sont situés dans un même bureau dans la gare. ☎ 852-3926. Horaires sujets à changements.

➤ *Pour Banff :* 4 départs dans la journée, avec un express et un bus qui s'arrête partout.

➤ *Pour Edmonton :* 2 départs tôt le matin, 1 l'après-midi, 1 le soir.

➤ *Pour Vancouver :* 1 départ de nuit et 1 de jour.

➤ *Pour Kamloops :* 1 départ de nuit et 1 dans l'après-midi.

En train

🚃 *Gare ferroviaire :* 607 Connaught Drive. Réservations et horaires : ☎ 1-888-VIA-RAIL. ● www.viarail.ca ●

➤ *Pour Vancouver :* les lundi, jeudi et samedi à 15 h 30. Le trajet Jasper-Vancouver traverse les Rocheuses. Les paysages qui défilent devant vos yeux sont vraiment exceptionnels. Les trains canadiens sont un rien rustiques tout en étant très fonctionnels. Un véritable plaisir avec un petit goût rétro.

➤ *Pour Toronto :* les lundi, mercredi et samedi à 12 h 20.

➤ *Pour Prince Rupert :* les mardi, mercredi, vendredi et dimanche à 12 h 45. Arrivée le lendemain soir à Prince Rupert (après une nuit passée à Prince George).

LA COLOMBIE-BRITANNIQUE

On y trouve les paysages les plus diversifiés, les plus grandioses et les forêts les plus prestigieuses du Canada. La côte ouest, déchiquetée en milliers d'îlots, est constituée de hautes montagnes aux sommets enneigés qui plongent brutalement dans l'océan. L'humidité du climat et le niveau des précipitations expliquent cette luxuriance, parfois presque tropicale, de la végétation. La douceur de l'été et les loisirs nautiques y attirent de plus en plus de monde, notamment à Vancouver, ville moderne et multiculturelle nichée dans un site impressionnant où règne un grand respect de la nature. D'ailleurs, la population de la province est amenée à croître de façon significative dans les années à venir, tant et si bien qu'un certain nombre d'aménagements (amélioration des routes, modernisation des ferries) sont d'ores et déjà en phase de réalisation.

Mais la Colombie-Britannique (*biicii* en anglais), c'est aussi, et surtout, les Rocheuses et les parcs nationaux de Yoho et de Kootenay. Un espace infini de lacs et de crêtes de montagnes entre lesquelles se fraie toute une kyrielle de chemins de randonnée. Ne les ratez pas, c'est ici que vous découvrirez le Canada profond et sauvage qui vous trotte sans doute dans un coin de la tête...

VANCOUVER 582 000 hab. (Greater Vancouver : env. 2 millions d'hab.)

> **Pour les plans de Vancouver, voir le cahier couleur.**

Riche de ses paradoxes, Vancouver est un modèle de ville où il fait bon vivre... à la fois vrai melting-pot, avec près de 70 nationalités différentes, et proche de l'héritage amérindien revendiqué à travers d'immenses totems disséminés dans la ville. Sans être transcendante, son architecture arrive à faire cohabiter les lignes ultramodernes du Canada Place, l'embarcadère en forme de vaisseau qui accueille les bateaux de croisière en saison et celles des sculptures totémiques de Bill Reid. Aux antipodes du stress des grandes cités, c'est une ville jeune (à peine plus de 120 ans !), saine (interdiction de fumer dans le moindre lieu public) et dynamique où la rando, le VTT et même la planche à voile se pratiquent communément à deux rues du centre-ville ! De larges avenues, des parcs immenses, bien ordonnés et sauvages tout à la fois (Stanley Park), des quartiers vivants le soir, un climat tempéré, des gens cool qui prennent la vie comme elle vient... La plupart des centres d'intérêt sont regroupés dans Downtown, sur la presqu'île, au nord-ouest. Ici, il ne fait ni trop froid l'hiver (rarement en dessous de 0 °C) ni trop chaud l'été. Et puis Vancouver, c'est aussi une vie sociale et culturelle trépidante, toujours en mouvement. En un mot, une étape indispensable d'un séjour au Canada.

En face, à quelques dizaines de kilomètres, il y a aussi l'île de Vancouver. Complément obligé de la ville, morceau de terre préservé des hommes et par les hommes. Elle fut découverte par le capitaine James Cook, en 1778, avant que George Vancouver n'en prenne possession en 1792 au nom de la Couronne britannique.

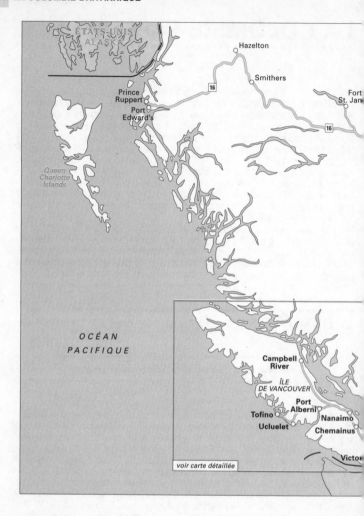

ÉTATS-UNIS
ALASKA

Hazelton

Smithers

16

Fort
St. Jan

Prince
Ruppert
Port
Edward's

16

Queen
Charlotte
Islands

OCÉAN

PACIFIQUE

Campbell
River

*ÎLE
DE VANCOUVER*

Port
Alberni
Tofino
Nanaimo
Ucluelet
Chemainus

voir carte détaillée

Victor

Arrivée à l'aéroport

➤ *L'aéroport international de Vancouver* (hors plan général par C4) :
situé à environ 10 km au sud du centre-ville (Downtown). Vous trouverez des
bureaux de change (taux pas terrible) au niveau des arrivées, ainsi qu'un
comptoir d'*infos touristiques,* ouvert de 8 h 30 à 23 h 30. Intéressant : ce
dernier peut, souvent à des tarifs avantageux, vous dénicher une chambre
d'hôtel en fonction de votre budget et dans le quartier de votre choix.
– *Les agences de location de voitures :* dans le parking situé en face de
la sortie de l'aéroport.
➤ *Pour rejoindre Downtown en bus urbain,* prendre le bus n° 424 au
niveau du *Domestic Terminal* (à droite en sortant) puis, à « Airport Station »,
le bus n° 98 b jusqu'à Downtown. Prévoir 3 $Ca (1,8 €) en tout. Autre possi-

VANCOUVER

LA COLOMBIE-BRITANNIQUE

bilité : l'*Airporter,* un bus vert spécial qui, pour 12 $Ca (7,3 €), vous conduit directement à *Downtown.* Départ juste devant la sortie.

➤ *Taxi :* compter environ 30 $Ca (18,3 €).

Transports en ville

– *La voiture* est le mode de transport le plus approprié pour visiter les quartiers un peu éloignés de *Downtown.* Le centre se fait à pied, évidemment. En voiture, faites gaffe, on n'est pas en France. Si vous vous garez illégalement, d'abord c'est mal, mais surtout leur système de mise en fourrière est très au point. Pas le temps d'aller acheter son journal ! L'addition n'est pas sévère, mais on n'est pas là pour courir après sa bagnole. Si ça vous arrive, appelez le ☎ 685-8181, ils vous diront où aller récupérer votre véhicule.

VANCOUVER

– **Le bus :** système très bien fait et rapide. Ne vaut peut-être pas vraiment le coup à l'intérieur de *Downtown*, mais si vous devez en sortir et que vous disposez de peu d'argent, c'est ce qu'il vous faut. Pour savoir quel bus prendre (et où), cliquez sur ● www.translink.bc.ca ● Sinon, renseignements au : ☎ 604-953-3333. Tickets valables 90 mn, au prix de 2, 3 ou 4 \$Ca (1,2, 1,8 et 2,4 €), selon le nombre de zones traversées. Réductions enfants et seniors. Ayez l'appoint. À noter que vous pouvez aussi, avec ce billet, prendre le *Skytrain* et le *Seabus*. Enfin, il existe également un forfait à la journée, ou *daypass*, à 8 \$Ca (4,9 €), ainsi que des carnets de tickets.

– **Seabus :** ferry reliant, de Waterfront Station *(zoom couleur C2)*, *Downtown* à North Vancouver. Fonctionne tous les jours toutes les 15 à 30 mn. Trajet en 12 mn. Fort belle vue de la ville. Même tarif et mêmes tickets que le bus.

– **Le vélo** est également un excellent moyen de visiter Vancouver. Préférer le *mountain bike*, vu le relief de la ville. En particulier, faire le tour de Stanley Park par le front de mer, une super-balade d'une dizaine de kilomètres qui permet d'admirer les pins géants, le *Lion's Gate Bridge* et les montagnes de North Vancouver. Autre circuit possible : la piste de 15 km qui part d'English Bay (Stanley Park) et se termine à l'*University of British Colombia (plan couleur général A2),* non loin du musée d'anthropologie. Pour louer des vélos :

■ **Spokes Bicycle Rental & Expresso Bar** *(zoom couleur C1) :* 1798 West Georgia St. ☎ 604-688-5141. Pas cher : à partir de 12 \$Ca (7,3 €) pour 6 h.

■ **Bayshore Bicycles & Rollerblade rentals** *(zoom couleur C1) :* 745 Denman St. ☎ 604-688-2453.

– **Le bateau :** pourquoi ne pas louer un petit voilier ? Ce n'est pas trop ruineux et c'est rigolo. Vous en trouverez au *Jericho Sailing Center,* 1300, Discovery Street *(plan couleur général B2).* ☎ 604-224-7245.

– **Skytrain :** métro aérien à propulsion magnétique qui relie Waterfront Station (d'où part le *Seabus* pour North Vancouver) à Surrey, ville satellite de Vancouver à une trentaine de kilomètres au sud-est de Downtown. Les deux lignes (Expo Line et Millennium Line) ne se séparent qu'au bout de quelques stations pour, de nouveau, se rejoindre avant le terminus. Bien pour apprécier la région car la plupart des stations surplombent le réseau routier.

Adresses et infos utiles

Infos touristiques

🗐 **Tourist Info Centre** *(zoom couleur C2) :* Waterfront Center, Plaza Level, 200 Burrard Street. ☎ 604-683-2000. Fax : 604-682-6839. ● www.tourismvancouver.com ● De mai à septembre, ouvert tous les jours de 8 h à 18 h. Le reste de l'année, ouvert de 8 h 30 (9 h le samedi) à 17 h et fermé le dimanche. Personnel extra et matériel touristique en tout genre, tant sur la ville que sur la province. Vend aussi des entrées à prix réduits pour certaines attractions et peut, comme à l'aéroport, vous réserver une chambre d'hôtel à des tarifs parfois plus bas qu'en s'adressant directement aux établissements. Également un bureau de change.

Poste, Internet, change

✉ **Post Office** *(zoom couleur C2) :* 349 Georgia Street W. ☎ 604-662-5722. Ouvert du lundi au vendredi de 8 h à 17 h 30.

@ **Centres Internet :** ce n'est pas ce qui manque à Vancouver, mais tous n'appliquent pas les mêmes tarifs. Voici quelques adresses parmi

les moins chères :
– 1221 Thurlow Street *(zoom couleur C2, 1)*. Ouvert tous les jours 24 h/24. À peine 1,50 $Ca (0,9 €) de l'heure !
– 1690 Robson Street *(zoom couleur C1, 2)*. Ouvert tous les jours 24 h/24. Compter 2 $Ca (1,2 €) pour une heure.
– *Student Center :* 616 Seymour Street *(zoom couleur C2, 3)*. Ouvert tous les jours de 10 h à 22 h. Téléphones, vente de cartes téléphoniques et scanner. Un rien plus cher que les deux autres.

■ *Change :* on trouve des distributeurs de billets acceptant les principales cartes de paiement un peu partout en ville, ainsi que de nombreux bureaux de change, et même des machines qui changent les billets étrangers. Aucun souci, donc, pour faire le plein de dollars canadiens. À noter tout de même qu'il y a de petites différences de commissions et de taux entre les bureaux de change. Oh ! rien de bien sérieux, mais si vous devez changer une somme importante, autant prendre la peine d'en comparer deux ou trois.

■ *American Express (zoom couleur C2, 4) :* 666 Burrard Street. ☎ 604-669-2813. Ouvert du lundi au vendredi de 8 h 30 à 17 h 30 et le samedi de 10 h à 16 h. Change sans commission les chèques de voyage *American Express.*

Représentations diplomatiques

■ *Consulat de Belgique (plan couleur général B2) :* 25-15 Alma Street, dans le *West Side.* ☎ 604-684-6838. Ouvert du lundi au mercredi de 9 h à 13 h. Pour les urgences : ☎ (416) 9444-1422 (consulat général de Belgique à Toronto).

■ *Consulat de France (zoom couleur C2, 5) :* 1130 Pender Street W, à l'angle de Thurlow, au 11e étage. ☎ 604-681-4345. ● www.consulfrance-vancouver.org ● Ouvert du lundi au vendredi de 9 h à 12 h 50, ou sur rendez-vous. Le consulat peut, en cas de difficultés financières, vous indiquer la meilleure solution pour que des proches puissent vous faire parvenir de l'argent, ou encore vous assister juridiquement en cas de problèmes.

■ *Consulat de Suisse (zoom couleur C2, 6) :* 999 Canada Place, suite n° 790. ☎ 604-684-2231. Ouvert du lundi au vendredi de 9 h à 13 h.

■ *Consulat des États-Unis (zoom couleur C2, 7) :* 1095 Pender W. ☎ 604-685-4311. Ouvert du lundi au vendredi de 8 h à 16 h 30.

Santé, urgences

■ *Urgences :* ☎ 911.

■ *Traveller's Medicentre (zoom couleur C2, 9) :* 1055 Dunsmuir Street. ☎ 604-683-8138. En plein centre. Ouvert de 8 h à 17 h. Centre médical pour voyageurs et étudiants, où l'on reçoit sans rendez-vous. Pratique !

■ *Saint Paul Hospital (zoom couleur C2, 10) :* 1081 Burrard Street. ☎ 604-682-2344. Dans le centre.

■ *Pharmacies :* surtout dans les magasins du genre *Safeway* ou *London Drug* qu'on voit un peu partout. Celle du *Shoppers Drug Mart (zoom couleur C2, 11),* au 1125 Davie Street, est ouverte 24 h/24. Sinon, vous trouverez un *London Drug* au 1187 de Robson Street *(zoom couleur C2, 12),* ouvert tous les jours de 9 h à 23 h (22 h le dimanche), ainsi qu'un *Safeway* à l'angle de Robson et Denman *(zoom couleur C1, 13),* ouvert jusqu'à 22 h en semaine et 18 h le week-end.

Transports

▭ *Translink (transports publics intra-urbains) :* ☎ 604-953-3333. ● www.translink.bc.ca ●

▭ *Greyhound Bus Terminal (bus interurbains ; zoom couleur D2) :* voir « Quitter Vancouver ».

🚉 **Gare Via Rail** (zoom couleur D2) : voir « Quitter Vancouver ».
■ **BC Ferries** (pour l'île de Vancouver) : voir « Quitter Vancouver ».
■ **Air Canada :** ☎ 1-888-247-2262.
■ **Air France :** ☎ 1-800-667-2747.
■ **Lufthansa :** ☎ 1-800-563-5954.
■ **Air Transat :** ☎ 1-877-872-6728.

■ **Taxis :** Black Top & Checker Cabs, ☎ 604-731-1111. Yellow Cab, ☎ 604-681-1111.
■ **Limousines :** Limo Jet Gold, ☎ 604-273-1331. Pour ceux qui, de l'aéroport, voudraient arriver en grande pompe dans Downtown. Pas encore si cher : environ 40 $Ca (24,8 €).

Location de voitures

■ **Thrifty** (zoom couleur C2, 14) : Century Plaza Hotel, 1015 Burrard Street. Également au 1400 Robson Street, ainsi qu'à l'aéroport. Même numéro de téléphone pour tous : ☎ 604-606-1666. ● www.thrifty.com ●
■ **Budget** (zoom couleur C2, 15) : 501 Georgia Street W (et Richards). Autres agences au 99 Pender Street W et à l'aéroport. Un seul numéro : ☎ 604-668-7000. ● www.budget.com ●
■ **Alamo** (zoom couleur C2, 16) : 1132 Georgia W (à côté de National). ☎ 604-684-1401. À l'aéroport : ☎ 604-231-1400. ● www.alamo.ca ●
■ **National** (zoom couleur C2, 16) :

1130 Georgia W. ☎ 604-609-7150. À l'aéroport : ☎ 604-207-3730. ● www.nationalcar.ca ●
■ **Rent-a-Wreck** (zoom couleur C2, 17) : 1349 Hornby Street. ☎ 604-688-0001. ● www.rent-a-wreck.ca ● En principe, moins cher que les grosses agences car leurs véhicules, quoiqu'en bon état, peuvent avoir plusieurs années (wreck signifie épave, carcasse en anglais !).
■ **Lo-Cost** (zoom couleur C2, 18) : 1105 Granville Street. ☎ 604-689-9664. Ou 1835 Marine Drive. ☎ 604-986-1266. ● www.locost.com ● Là encore, l'un des moins chers, comme son nom l'indique.

Librairies et médias

– Les principaux quotidiens pour les nouvelles locales et régionales sont le Vancouver Sun et The Province. Pour savoir où sortir, voir un spectacle, « magasiner » ou faire des rencontres, il y a le mensuel Vancouver, en vente à 4,50 $Ca (2,7 €), ou le Georgia Straight et le magazine Where, deux hebdomadaires gratuits qu'on trouve un peu partout.

■ **Sofia Books** (zoom couleur C2, 19) : 492 Hastings Street W. ☎ 604-684-0484. Ouvert de 9 h (10 h le samedi) à 19 h et le dimanche de 12 h à 18 h. La seule librairie de Vancouver qui vend des livres et des journaux en français, y compris Le Monde... du jour (capté par satellite !).
■ **Chapters** (zoom couleur C2) :

788 Robson Street. ☎ 604-682-4066. Ouvert tous les jours de 9 h à 22 h. Grande chaîne de librairies au Canada. Vous y trouverez une section géographique avec de nombreux guides et cartes en tout genre. Plusieurs autres adresses en ville.
■ **Radio en français :** CBUF-CBC sur 97.7 FM.

Sites web

● **www.tourismvancouver.com** ● Site de l'office de tourisme de Vancouver. Proposition d'itinéraires, infos sur tout ce qu'il y a à voir et à faire dans la ville et autour, actualité culturelle, liste d'endroits où loger,

où manger, où sortir, etc. Bien fait.
● **www.allianceforarts.com** ● Calendrier et infos générales sur tous les événements artistiques à Vancouver.

Où dormir ?

Important : les prix que nous vous indiquons sont ceux de la haute saison touristique qui va, *grosso modo,* de mai à octobre. Pour cette période, PEN-SEZ À RÉSERVER à l'avance, quel que soit l'établissement que vous choisissez. En revanche, si vous visitez Vancouver de novembre à avril, non seulement vous paierez moins cher, mais vous n'aurez en principe pas de difficultés à trouver une chambre ou un lit sans réservation.

N'hésitez pas non plus à vous adresser à l'office de tourisme, ils pourront vous dégoter une chambre à des tarifs parfois avantageux ! Pour ceux qui font le tour de la province, il y a aussi le *British Columbia Accomodation Guide,* disponible gratuitement à l'office de tourisme, qui reprend une bonne partie des hôtels, *B & B* et campings de Colombie-Britannique. Enfin, au cas où tout ce qui suit ne suffirait pas, il existe les associations suivantes :

■ *Western Canada B & B Inkee-pers Association :* ☎ 604-255-9199. ● www.wcbbia.com ●
■ *Best Canadian B & B Network :* 1064 Balfour Avenue. ☎ 604-738-7207.

■ *Emerald Park V Management :* 5-328 2nd Street E, North Vancouver. ☎ 604-878-1328. ● www.travel suites.com ● Plutôt pour des appartements.

Campings

Les campings des abords de Vancouver n'ont rien de bien folichon. Voici cependant quelques adresses, pour les inconditionnels des parcs à caravanes et autres mobile homes.

⚕ *Capilano RV Park (plan couleur général C1) :* 295 Tomahawk Avenue, North Vancouver. ☎ 604-987-4722. ● www.capilanorvpark.com ● Le plus proche de *Downtown,* juste après le Lion's Gate Bridge. Il suffit de traverser le pont pour être dans Stanley Park, l'appendice vert du centre-ville. Compter 30 $Ca (18,3 €) pour 2 personnes, une voiture et une tente. Laverie, piscine, jacuzzi. Seul inconvénient, assez bruyant à cause de la circulation. Tenu par des Indiens Squamish.

⚕ *Richmond RV Park and Campground :* 6200 River Rd, Richmond. ☎ 604-270-7878. Fax : 604-244-9713. ● www.richmondrvpark.com ● Sur Lulu Island, juste au sud de l'aéroport, mais bus (n° 401 ou 407) à 5 mn à pied pour rejoindre *Downtown.* En voiture, prendre la première sortie après le Oak St Bridge. Ouvert toute l'année. Compter 17 $Ca (10,4 €) pour 2. Quelques

arbres qui donnent de l'ombre, et vue sur les montagnes. Accueil super-sympa !

⚕ *Dogwood Campgrounds and RV Park :* 15151 112th Avenue, Surrey. ☎ 604-583-5585. Fax : 604-583-4725. À une trentaine de kilomètres au sud-est, à gauche de la Highway 1 en venant de Vancouver (prendre la 1re sortie après le *Port Mann Bridge*). Autour de 22,50 $Ca (13,4 €) pour 2. Un peu bruyant durant la journée.

⚕ *Peace Arch RV Park :* 14601 40th Avenue, Surrey. ☎ 604-594-7009. ● www.peacearchrvpark.com ● À une quarantaine de kilomètres au sud-est de Vancouver, un peu en marge de la Highway 99. Bus du *Skytrain* au camping. Environ 22,50 $Ca (13,7 €) pour 2. Emplacements sous des grands sapins (de Noël). Piscine chauffée et minigolf. Dommage, de nouveau, que l'autoroute s'entende.

Bon marché

🛏 *New Backpackers Hostel (zoom couleur C2, 20) :* 347 Pender

Street W. ☎ 604-688-0112. Presque 20 ans que les prix n'ont pas changé :

10 \$Ca (6,1 €) la nuit en chambre de 4 ou 6 ; 25 \$Ca la chambre simple et 35 \$Ca la double (15,3 et 21,4 €) ! Peut-être l'auberge la moins chère d'Amérique du Nord, mais seulement pour une nuit et pour les fauchés, car vraiment limite (les salles de bains datent de l'arrivée des premiers pionniers !). Ambiance très routarde, pas de couvre-feu. Cuisine, salle TV et billard. Dortoirs non mixtes.

▲ *Hostelling International Vancouver Central* (zoom couleur C2, 21) : 1025 Granville Street. ☎ 604-685-5335 ou 1-888-203-8333. Fax : 604-685-5351. ● www.hihostels.ca ● Selon que vous êtes membre ou non, lits en dortoir de 24 à 28 \$Ca (14,6 à 17,1 €) ou chambres doubles privées, avec ou sans salle de bains, de 57 à 78 \$Ca (34,8 à 47,6 €). Crêpes gratuites le mercredi matin. Toute nouvelle AJ officielle au beau lobby brun d'où part, vers les dortoirs, une élégante rampe d'escalier noire. Espaces communs de style baroque, très plaisants, à l'étage. Excellente tenue générale. À noter que les chambres avec salles de bains sont mieux finies et mieux arrangées que les autres. Navette gratuite pour divers endroits de la ville (gare, aquarium...), pas mal d'offres d'excursions et *free shot* au pub d'à côté, très animé le week-end. Une super-AJ !

▲ *Global Village & Samesun Backpacker Lodge* (zoom couleur C2, 22) : 1018 Granville Street, en face de l'AJ *HI Vancouver Central.* ☎ 604-682-8226 ou 1-877-562-2783. ● www.samesun.com ● De 20 à 23 \$Ca (12,2 et 14 €) la nuit en dortoir. Quelques chambres individuelles aussi à 50 ou 55 \$Ca (30,5 et 33,6 €), avec ou sans salle de bains. Situation on ne peut plus centrale, au cœur de la folle animation nocturne de Granville Street. Lors de notre dernier passage, l'endroit allait subir d'importantes transformations, mais sûr que le cadre va rester pareil (couleurs pétantes, mobilier dépareillé) et l'ambiance très, très cool.

▲ *C & N Backpackers Hostel* (zoom couleur D2, 23) : 927 Main Street. ☎ 604-682-2441. ● www.cn

nbackpackers.com ● À deux pas de la gare. Lits à 16 \$Ca (9,8 €) ou chambres doubles à 40 \$Ca (24,4 €). Dans un bâtiment en brique un peu isolé, près d'une voie rapide surélevée. Pas très engageant de l'extérieur, mais ne vous y fiez pas : l'intérieur est tout à fait charmant et très bien tenu ! Couloirs aux tons chauds, parquet, chouettes petites chambres avec évier et lits superposés à armature métallique... le tout baignant dans une atmosphère conviviale, agrémentée de petits extras comme la possibilité de jouer gratuitement au tennis ou de visionner un des 1 000 DVD de la collection du patron. Parking gratuit aussi, ce qui est rare dans cette partie de la ville, et location de vélos. Un excellent rapport qualité-prix !

▲ *Hostelling International Vancouver Downtown* (zoom couleur C2, 24) : 1114 Burnaby Street. ☎ 604-684-4565 ou 1-888-203-4302. Fax : 604-684-4540. ● www.hihostels.ca ● À *Downtown,* mais dans un coin assez calme, non loin du Nelson Park. Compter 20 à 24 \$Ca (12,2 à 14,6 €) la nuit en dortoir si vous êtes membre, 24 à 28 \$Ca (14,6 à 17,1 €) dans le cas contraire. Également des chambres privées à partir de 55 \$Ca (33,6 €). Auberge officielle moderne sans déco particulière. 220 lits en chambres de 4 surtout. Courette, salons, cuisine bien équipée, salle à manger, laverie, petite bibliothèque, salle de jeux et location de vélos. Accueille pas mal de groupes.

▲ *Hostelling International Vancouver Jericho Beach* (plan couleur général B2, 15) : 1515 Discovery Street. ☎ 604-224-3208 ou 1-888-203-4303. Fax : 604-224-4852. ● www.hihostels.ca ● Situé dans le parc de Jericho, à 5 mn des plages de Jericho et Locarno, au sud de *Downtown.* Pour y aller, prendre le bus n° 4 sur Granville Street, direction UBC. Le bus s'arrête à 5 mn à pied de l'auberge. Compter 18 \$Ca (11 €) par personne pour les membres, ou 22 \$Ca (13,4 €) si vous n'avez pas la carte des AJ. Ouvert de mai à septembre. Grande maison blanche aux fenêtres vertes. Deux étages de dortoirs un peu spartiates, divisés en petites sections de 4 lits, et 4 chambres individuelles. Cafétéria, *laundry* et coin cuisine. Possibilité d'y prendre ses repas. Tennis, pistes cyclables (location de vélos à l'auberge), sentiers de promenade, planches à voile et kayaks à proximité. En un mot, bien pour ceux qui, sans s'éloigner de la ville, désirent pouvoir faire un peu de sport.

🛏 *Cambie International Hostel (zoom couleur C2, 26 et C2, 27) :* 300 Cambie Street et 515 Seymour Street. ☎ 604-684-6466 ou 1-877-395-5335. ● www.cambiehostels.com ● À quelques rues l'une de l'autre,

deux auberges aménagées dans des *heritage buildings* en brique et en bois. Sur Cambie Street, compter 18,5 $Ca (11,3 €) la nuit en dortoir et 20 $Ca (12,2 €) en chambre double. Café et muffin inclus. Des deux AJ, c'est celle qu'on préfère, pour sa bonne ambiance et l'état général des chambres. De plus, grand pub attenant où la bière est particulièrement bon marché. La deuxième auberge, sur Seymour, est plus petite et propose essentiellement des chambres doubles, assez sommaires, à 22,50 $Ca (13,7 €) par personne (café et muffin inclus). Plutôt si la première est complète.

Prix moyens

🛏 *Greystone B & B (plan couleur général C2, 28) :* 2006 14th Avenue W. ☎ 604-732-1375 ou 1-866-518-1000. Fax : 604-731-1015. ● www.greystone.com ● À 2 km au sudouest de *Downtown,* dans le quartier des *B & B.* Compter 95 à 135 $Ca (58 à 82,4 €) pour 2. Petit dej' compris. Dans une jolie maison en bois de 1910, une suite et deux magnifiques chambres équipées, chacune, de sanitaires étincelants. Graham, amateur de vin, vous proposera sûrement un petit coup vers 17 h. Tâchez d'être là. Sinon, il ne vous restera plus qu'à profiter des pâtisseries maison, du jus d'orange pressé et du plat chaud servis le lendemain matin, au petit dej' !

🛏 *Buchan Hotel (zoom couleur C1, 29) :* 1906 Haro Street. ☎ 604-685-5354 ou 1-800-668-6654. Fax : 604-685-5367. ● www.buchanhotel. com ● Chambres avec ou sans salle de bains de 75 à 95 $Ca (45,8 à 58 €). Hôtel de 3 étages entouré d'arbres dans un quartier résidentiel calme, à 2 blocs de Stanley Park. Accueil sympathique. Petites chambres sans tralala, mais peu chères. Café le matin dans le lobby.

🛏 *YWCA Hotel-Residence (zoom couleur C2, 31) :* 733 Beatty Street. ☎ 604-895-5830 ou 1-800-663-1424. Fax : 604-681-2550. ● www.ywcahotel.com ● Doubles avec ou sans salle de bains de 69 à 113 $Ca (42,1 à 68,9 €). Le YWCA de Vancouver, sis dans un bâtiment moderne, à deux pas du quartier rénové de Yaletown. Chambres pour 1 à 5 personnes, la plupart avec TV. Plusieurs cuisines, laverie, borne Internet dans le lobby. Comme dans la plupart des YWCA, l'ensemble reluit de propreté, on a l'impression que le mobilier sort tout droit de son emballage. Bon accueil. Petit avantage sur les hôtels : l'accès gratuit au centre de remise en forme (piscine, salle de gym, etc.), situé à 15 mn à pied.

🛏 *Barclay (zoom couleur C2, 32) :* 1348 Robson Street. ☎ 604-688-8850. Fax : 604-688-2534. ● www.barclayhotel.com ● Central. Chambres doubles de 95 à 125 $Ca (58 à 76,3 €). Immeuble bas à façade blanche. L'ensemble de l'établissement (y compris les chambres) n'a rien de particulièrement folichon, mais les tarifs demeurent raisonnables.

De prix moyens à plus chic

🛏 *Sylvia Hotel (zoom couleur C2, 33) :* 1154 Gilford Street. ☎ 604-681-9321. Fax : 604-682-3551. ● www.sylviahotel.com ● Chambres doubles à partir de 90 $Ca (54,9 €). Suites, avec cuisine, plus chères. En lisière d'English Bay, avec sa jolie plage, ses pelouses, etc. (et à deux pas de Stanley Park). Reconnaissable à sa noble façade couverte de lierre, cet hôtel fut considéré en 1912 comme le plus bel édifice du West End et, jusqu'en 1950, comme le plus haut. Tout y est resté un peu vieillot (hormis les salles de bains, qui ont été refaites) mais, allez savoir pourquoi, le lieu ne désemplit pas. Est-ce l'affabilité du patron niçois, l'agréable restaurant donnant sur la baie ou la dimension historique de l'établissement qui attire la clientèle ? Ce qui est sûr, c'est qu'il faut réserver.

🏠 *The Kingston Hotel* (zoom couleur C2, 34) : 757 Richards Street, à l'angle de Robson et Richards. ☎ 604-684-9024. Fax : 604-684-9917. ● www.kingstonhotelvancouver.com ● Chambres doubles avec ou sans sanitaires de 78 à 145 $Ca (47,6 à 88,5 €), petit dej' compris. À quelques blocs à peine des magasins de Robson Street. Chambres sans prétention mais plutôt bien finies. Certaines viennent d'être rénovées. Sauna et laverie. Parking payant à proximité.

🏠 *The Manor* (plan couleur général D2, 35) : 345 13th Avenue W. ☎ 604-876-8494. Fax : 604-876-5763. ● www.manorguesthouse.com ● À 2 km au sud de *Downtown*. Compter 85 à 190 $Ca (51,9 à 115,9 €) pour 2, selon la période et le type de chambres. Petit dej' compris. Demeure édouardienne dans un quartier résidentiel verdoyant, avec décor intérieur fait d'élégantes boiseries. L'hôtesse parle le français. Neuf chambres avec ou sans salle de bains dont, au dernier étage, une superbe suite familiale, très claire, avec cuisine, balcon et vue sur Downtown. Parking privé. Dommage que l'accueil soit moyen.

🏠 *The Penny Farthing Inn* (plan couleur général B2, 36) : 28556th Avenue W. ☎ 604-739-9002. Fax : 604-739-9004. ● www.pennyfarthinginn.com ● Chambres doubles à 120 $Ca, suites à 180 $Ca (73,2 et 109,8 €).

Ravissant *B & B* dans un quartier agréable, à deux blocs des restos ethnico-branchés de la 4th Avenue. Jardin très fleuri. Fumeurs, enfants de moins de 12 ans et allergiques aux chats, s'abstenir. La maison, avec véranda surélevée à l'avant, date de 1910. Décoration adorable, faite de dentelles et de mobilier choisi. De quoi vous sentir une âme de collégienne anglaise, surtout dans les chambres, baptisées *Lucinda* et *Sophie*, ou dans les superbes suites d'*Abigail* et de *Bettina* (avec salon ou véranda). Bon accueil, qui plus est, et copieux petit dej'. Réservation très conseillée.

🏠 *Camelot Inn* (plan couleur général C2, 37) : 2212 Larch Street, entre MacDonald et Arbutus. ☎ 604-739-6941. Fax : 604-739-6937. ● www.camelotinnvancouver.com ● Chambres doubles de 140 à 185 $Ca (85,4 à 112,9 €), avec petit dej'. Toujours dans le quartier des *B & B*. Là encore, très belle maison d'hôtes de style anglais, avec fauteuils et canapés d'époque, cristallerie sous vitrines, jeu d'échecs... Les chambres, confortables et pourvues de superbes salles de bains, sont arrangées avec un goût très sûr (parquet, belles boiseries, lit épais...). Petit dej' particulièrement soigné aussi, composé, notamment, de sept fruits servis sur porcelaine. Un sans-faute sur toute la ligne !

🏠 *Pacific Palisades Hotel* (zoom couleur C2, 38) : 1277 Robson Street. ☎ 604-688-0461 ou 1-800-663-1815. Fax : 604-688-4374. ● www.pacificpalisadeshotel.com ● Compter 130 à 200 $Ca (79,3 à 122 €) pour 2. C'est l'une des hautes tours de Robson Street. C'est aussi un excellent choix pour ceux qui désirent s'élever au-dessus de la catégorie moyenne sans, pour autant, y laisser tout leur budget ! Chambres luxueuses, bien finies et sympathiquement arrangées, dans les tons verts et jaunes, loin du style qu'on trouve dans la plupart des hôtels. Beau lobby orné d'œuvres d'art abstrait, avec comptoir en mosaïques. Chose rare : on vous y offrira du vin, et à volonté, entre 17 h et 18 h ! Parking cher, en revanche.

🏠 *River Run Cottages (hors plan couleur général par C4, 39)* : 4551 River Rd W, à **Ladner**. ☎ 604-946-7778. Fax : 604-940-1970. ● www.riverruncottages.com ● Au sud de l'île de Richmond, non loin du terminal de Tsawwassen (bateaux pour Victoria). En venant de Vancouver par la Highway 99, prendre la première sortie après le tunnel sous la Fraser River. Compter 170 à 210 $Ca (103,7 à 128,1 €) pour 2, petit dej' compris. À 30 mn de *Downtown* en voiture, mais si vous êtes motorisé, pas trop serré financièrement et que vous cherchez une adresse qui sort des sentiers battus, alors ne faites ni une ni deux, offrez-vous (au moins) une nuit dans ce havre de paix au bord de la rivière Fraser. Vous y serez logé dans une des 3 maisonnettes sur pilotis que la famille Watkins a su aménager avec beaucoup de goût et d'originalité, ou encore dans une magnifique cabine flottante, baptisée *Waterlily*. En plus d'être vraiment confortable, chaque unité dispose d'une cheminée à feu de bois et d'un ponton privé où prendre, presque dans l'air du large, le petit dej' aux beaux jours... Sans oublier les activités que vos hôtes vous encourageront à pratiquer, comme les balades en kayak ou la découverte, à vélo, de la petite réserve ornithologique de Reifle, non loin de là. On le dit tout net, ici, vous ferez plus que passer la nuit.

De chic à très chic

🏠 *The West End House (zoom couleur C2, 41)* : 1362 Haro Street. ☎ 604-681-2889 ou 1-888-546-3327. Fax : 604-688-8812. ● www.westendguesthouse.com ● À un bloc de l'animation de Robson Street et à 600 m du Stanley Park. Chambres de 140 à 250 $Ca (85,4 à 152,5 €), petit dej' compris. Très jolie maison rose fuchsia du début du XXᵉ siècle, qui respire le charme victorien. Accueil et service stylés, lits en cuivre et mobilier ancien dans les chambres. La *Grand Queen Room* (la plus chère) est un ravissement ! Terrasse agréable. Non-fumeurs, bien sûr, et réservation quasi obligatoire.

🏠 *Best Western Sands (zoom couleur C2, 42)* : 1755 Davie Street. ☎ 604-682-1831 ou 1-800-663-9400. Fax : 604-682-3546. ● www.rpbhotels.com ● Compter 150 à 240 $Ca (91,5 à 146,4 €) pour 2, selon la période. Petit dej' inclus. Hôtel de luxe à l'américaine à 100 m d'English Bay, non loin de Stanley Park. Bon accueil et bonnes chambres, classiques mais bien réalisées, dans des coloris variables. Certaines, un rien plus chères, bénéficient d'une belle vue sur la mer et d'un petit balcon. Prix en rapport avec la qualité globale du lieu.

🏠 *Wedgewood Hotel (zoom couleur C2, 43)* : 845 Hornby Street. ☎ 604-689-7777 ou 1-800-663-0666. Fax : 604-608-5348. ● www.wedgewoodhotel.com ● Chambres doubles à partir de 295 $Ca (180 €). En plein cœur de la ville, le grand luxe allié au charme anglais. Lobby feutré avec gros fauteuils et cheminée, chambres superbes et ultra-confortables, avec mobilier d'époque, lits à rideaux. Bien sûr, c'est très cher.

Location de studios, *suites* ou appartements pour une ou plusieurs nuits

Formule assez économique si vous êtes 4. On vous proposera une chambre avec kitchenette, un studio tout équipé ou un véritable appart'. Les prix sont donnés pour 2 personnes, auxquels il faut généralement ajouter 10 à 15 $Ca (6,1 à 9,2 €) par personne supplémentaire. Bien pour les groupes qui veulent leur indépendance.

Prix modérés

🛏 *English Bay Apartment Hotel* *(zoom couleur C2, 45)* : 1150 Denman Street; à l'angle de Pendrell Street. ☎ 604-685-2231. Fax : 604-685-2291. Appartements à 80 $Ca (48,8 €) pour 2 et à 130 $Ca (79,3 €) pour 5 à 6 personnes. À 2 mn de la plage d'English Bay, dans une des rues les plus riches en restos de toutes sortes. Tenu par un Chinois plutôt sympathique. Ne propose que des appartements tout équipés, sans aucun charme, mais parmi les moins chers de la ville.

Prix moyens

🛏 *Robsonstrasse Hotel & Suites* *(zoom couleur C2, 46)* : 1394 Robson Street. ☎ 604-687-1674 ou 1-888-667-8877. Fax : 604-685-7808. ● www.robsonstrassehotel.com ● Compter 110 à 140 $Ca (67,1 à 85,4 €) pour 2. Presque à côté du *Barclay Hotel,* bâtiment en béton peu engageant mais qui, ô surprise, dissimule des chambres, suites ou studios soignés et bien finis ! La déco est standardisée mais, pour le prix, y'a vraiment rien à redire.

Plus chic

🛏 *Sunset Inn & Suites (zoom couleur C2, 47)* : 1111 Barnaby Street. ☎ 604-688-2474 ou 1-800-786-1997. Fax : 604-669-3340. ● www.sunsetinn.com ● Compter, pour 2 personnes, 128 à 168 $Ca (78,1 à 102,5 €) pour un petit studio, et 148 à 218 $Ca (90,3 à 133 €) pour une suite avec chambre séparée. La version chic de ce type d'hébergement ! 50 studios ou appartements très confortables... et pleins de charme. Tous peuvent accueillir au moins 4 personnes. Super-vue aussi, à partir du 5e étage, sur les gratte-ciel de Vancouver. La bonne adresse pour nos lecteurs plutôt à l'aise dans leur budget.

Où manger ?

On se restaure fort bien à Vancouver, vous vous en doutiez peut-être. Cuisine multiethnique, à l'image de la ville. En outre, vous ne vous y ruinerez pas. Les « Bon marché » le sont vraiment et, en fin de parcours, vous pourrez vous offrir un « chicos » sans commettre d'attentat au portefeuille. Nous avons divisé ce chapitre en différents secteurs géographiques bien marqués (bien que, pour ceux qui ont un véhicule, les distances se révèlent vite abattues !). Nous distinguerons d'abord les différents quartiers de Downtown, puis nous irons au-delà des Granville et Cambie Bridges, notamment sur 4th Avenue, l'artère un peu bohème (autrefois peuplée de hippies) de Vancouver.

Downtown, dans Chinatown

Chinatown possède pas mal de petits restos où l'on mange plutôt bien, copieusement et pour pas très cher. Toutefois, ni l'accueil ni le cadre de ces espèces de cantines ne vous donneront, en général, envie de vous y attarder. À signaler aussi que le quartier souffre un peu de la proximité de Hastings, une des rares rues à éviter à Vancouver, en particulier le soir.

Bon marché

🍴 *Hon's Wun-Tun House (hors zoom couleur par D2, 50)* : 108-268 Keefer Street. ☎ 604-688-0871. Ouvert de 8 h 30 à 21 h (22 h le week-end). Plats de 5 à 12 $Ca (3,1 à 7,3 €), thé compris. Ferme un peu plus tard que d'autres. Grande cantine sans déco particulière, l'endroit où se remplir (et plutôt bien) la panse à peu de frais. Service expéditif.

I●I *Kam Gok Yuen* (*zoom couleur D2, 51*) : 142 Pender Street E ; au cœur de Chinatown. ☎ 604-683-3822.

Ouvert de 10 h 30 à 20 h. Plats entre 5 et 10 \$Ca (3,1 et 6,1 €). Salle avec quelques éventails aux murs, serveuses en costume bleu. Copieux, pas cher et beaucoup de choix. Également une rôtisserie. Mieux vaut savoir maîtriser les baguettes ! On paie à la sortie, au comptoir.

Downtown, dans Gastown

Bon marché

I●I *The « ONLY » Fish and Oyster Café* (*zoom couleur D2, 53*) : 20 Hastings Street E. ☎ 604-681-6546. Ouvert tous les jours de 11 h à 20 h. À la lisière de Chinatown, la rue est plutôt mal famée, d'où la fermeture de bonne heure le soir. Plats autour de 10 \$Ca (6,1 €). Resto asiatique. On ne vient pas ici pour la déco (attendez de franchir le seuil

de la porte) ni pour la frime, ni même pour aller aux toilettes (il n'y en a pas !) mais pour avaler toutes sortes de poissons pas chers. Oh ! ce n'est pas de la grande cuisine, toutefois le *clam chowder,* à base de tomate, est plutôt bon, de même que les huîtres frites avec des frites ! Incontestablement, une institution à Vancouver.

Prix moyens

I●I *The Old Spaghetti Factory* (*zoom couleur D2, 54*) : 53 Water Street ; entre Abbott et Carrall Streets. ☎ 604-684-1288. Ouvert de 11 h 30 à 22 h (23 h 30 le week-end). Plats de 10 à 14 \$Ca (6,1 à 8,5 €). Le pionnier de la bonne vieille *Spaghetti Factory* qui fait recette tant aux États-Unis qu'au Canada. Moquette à fleurs, mobilier en bois autour de l'incontournable tram 1900, murs ornés de vieilleries, vraies ou fausses, peu importe. C'est chaleureux, les serveuses sont charmantes, la nourriture, assez basique, ne déçoit pas trop et l'addition reste légère (salade, glace et café compris avec chaque plat). D'ailleurs, il y a toujours du monde.

I●I *Water Street Café* (*zoom couleur C2, 55*) : 300 Water Street (à l'angle de Cambie, en face de l'horloge à vapeur). ☎ 604-689-2832. Ouvert de 11 h 30 à 22 h. Compter 13 à 20 \$Ca (7,9 à 12,2 €) pour un plat. Installé dans les murs de l'ancien hôtel *Régina,* l'un des seuls à avoir résisté à l'incendie de 1886. Choix de poissons, volailles, viandes et, surtout, de pâtes à toutes les sauces ! Sans surprise, mais bien cuisiné. Deux spécialités parmi d'autres : les gnocchi de pommes de terre et le *west coast crab cake.* Les grandes baies vitrées qui donnent sur l'horloge à vapeur rendent la salle très lumineuse, et une petite terrasse vous accueille même aux beaux jours. Ambiance assez yuppie.

Plus chic

I●I *Al Porto Ristorante* (*zoom couleur C2, 56*) : 321 Water Street. ☎ 604-683-8376. Ouvert de 11 h 30 (17 h 30 le samedi) à 22 h 30. Plats de 12 à 26 \$Ca (7,3 à 15,9 €). Un peu moins cher à midi. Belle façade de brique rouge. Au choix, la douceur toscane de la salle du bas, ou,

à l'étage, la vue sur North Vancouver et ses monts enneigés, garantis presque toute l'année (on les a vus en juin). Le rendez-vous des yuppies du quartier. Cuisine italienne finement préparée, assortie d'un grand choix de vins américains, français et locaux. Accueil très prévenant.

Downtown, dans le centre et le quartier de West End

Bon marché

⏚ **Bread Garden** (zoom couleur C2, 57) : 1040 Denman Street. ☎ 604-685-2996. Un autre sur Robson Street (au niveau de Bute), ainsi qu'à Kitsilano. Ouvert de 6 h à 23 h (minuit le week-end). Sandwichs et wraps (thaï, cajun...) entre 5 et 7 $Ca (3,1 et 4,3 €), jus de fruits, cappuccino, desserts et cookies tout frais. Une de ces chaînes de cafés-sandwicheries dont les Canadiens ont le secret... De bons produits, un cadre tout en bois et une terrasse chauffée super-sympa. Parfait pour faire un break avant de partir à la découverte du Stanley Park.

⏚ **Great Wall Mongolian BBQ** (zoom couleur C1, 58) : 717 Denman Street. ☎ 604-688-2121. Ouvert de 11 h 30 à 15 h et de 17 h à 22 h. Buffet mongol à 8 $Ca (4,9 €) le midi et 10 $Ca (6,1 €) le soir. Pour ceux qui ne connaissent pas la formule, c'est simple : en plus d'un bol de soupe et d'un bol de riz, on reçoit un bol vide... qu'on va remplir soi-même de viandes et de légumes à un buffet. On y ajoute une sauce, et on donne le tout à cuire, sur une plaque. En 20 secondes, c'est prêt. Sympa et économique.

⏚ **Capers** (zoom couleur C1, 59) : 1675 Robson Street. Ouvert de 8 h à 22 h (21 h le dimanche). Sandwichs autour de 5 $Ca (3,1 €). On le reconnaît de loin, d'un vert en accord avec la philosophie des lieux. Avant tout un petit supermarché de produits naturels et biologiques, mais on peut aussi y manger sur des tables hautes ou à une terrasse chauffée et protégée. Très bonnes salades, sandwichs savoureux, excellents jus de fruits frais, rien que ça ! Sans oublier les étalages, très appétissants, de fruits et légumes. Idéal pour préparer un bon pique-nique. Pensez aussi à y repasser pour vos cadeaux de voyage. Le 1er mercredi du mois, 10 % sur tous les articles et tous les 3 mois, 5 % de la recette sont versés à une œuvre de charité. Un bravo unanime pour cette initiative !

⏚ **Stepho's** (zoom couleur C2, 60) : 1124 Davie Street. ☎ 604-683-2555. Ouvert de 11 h 30 à 23 h 30. Assiettes pitta, fruits de mer, slouvakia (viande, riz, pommes de terre et salade), moussaka et autres spécialités à moins de 10 $Ca (6,1 €). Le resto grec connu à Vancouver. Une taverne agréable et des plats plus que copieux (la version small est déjà un challenge pour l'estomac !) pour un rapport qualité-prix tout à fait honorable. Malheureusement, cette popularité auprès des locaux se paie souvent par une bonne file d'attente. Bref, arrivez tôt !

⏚ **Hamburger Mary's** (zoom couleur C2, 61) : 1202 à l'angle de Bute et Davie Streets. ☎ 604-687-1293. Ouvert de 8 h à 3 h du mat' (4 h le week-end). Cadre typique de dinner américain, avec banquettes et tables fixées au sol. Réputé pour ses petits dej', des simples pancakes aux menus plus consistants tels que le West Coast (œufs au saumon fumé) à 9,3 $Ca (5,7 €). Mention particulière pour le Bute Street Express (œuf, bacon, saucisse, pommes de terre et toast) à 6 $Ca (3,7 €) seulement. Pour un quick lunch, le Soup'n sandwich, en semaine, avec soupe du jour pour environ 8 $Ca (4,9 €). Bien sûr, on peut aussi s'y rendre le soir ou la nuit pour goûter aux multiples burgers, ou siroter une margarita sur la petite terrasse.

Prix moyens

⏚ **Cactus Club Café** (zoom couleur C2, 62) : 1136 Robson Street. ☎ 604-687-3278. Ouvert de 11 h 30 à 1 h. Bonne cuisine, tendance burgers améliorés aux alentours de 10 $Ca (6,1 €). Viandes plus chères. Une formule qui marche, puisqu'ils sont 13 Cactus Club à être implantés au Canada. Au cœur de l'animation. Grande salle animée un peu sombre, avec des têtes d'animaux et une vraie collection de faux tableaux Renaissance. Accueil très dynamique. Vivant et bruyant toute la journée.

|●| Poncho's Mexican Restaurant (zoom couleur C1, **63**) : 827 Denman Street. ☎ 604-683-7236. Ouvert de 17 h à 23 h. Fermé le lundi. Compter 10 à 15 $Ca (6,1 à 9,2 €) pour un plat. Bonne et copieuse nourriture mexicaine. Quelques spécialités : pollo (poulet) a la poblana, huachinango (poisson) a la veracruzana, enchiladas verdes, burritos et tostadas avec riz et haricots. Le cadre simple mais chaleureux, avec des sombreros en guise d'abat-jour, et la margarita maison vous mettent de suite en appétit. Accueil très sympa.

Plus chic

|●| Café de Paris (zoom couleur C1, **58**) : 751 Denman Street. ☎ 604-687-1418. Ouvert du lundi au vendredi de 11 h 30 à 14 h, et tous les soirs de 17 h 30 à 22 h (21 h le dimanche). Plats de 12 à 20 $Ca (7,3 à 12,2 €) le midi, de 20 à 27 $Ca (12,2 à 16,5 €) le soir. Établi depuis plus de 25 ans, ce restaurant attire tous les amateurs du « bon goût » français. Cuisine de type bistrot (cassoulet toulousain, bouillabaisse provençale), parfois un peu adaptée, comme le bison fumé sur céleri rémoulade. Bien sûr, plateau de fromages et chariot de desserts. Prix spécial pour la cave.

|●| Liliget Feast House (zoom couleur C2, **64**) : 1724 Davie Street, entre Denman et Bidwell. ☎ 604-681-7044. Ouvert de 17 h à 22 h. Plats de 15 à 30 $Ca (9,2 à 18,3 €). Le seul restaurant native de Vancouver. À peine visible de la rue, seul un panneau vous indique le petit escalier vers le restaurant en sous-sol. Décor ethnique original, on s'assoit sur des socles de pierre disposés autour de tables en bois fixées au sol. Ambiance tamisée, musique autochtone. Cuisine aux accents amérindiens, fraîche et bien préparée, du saumon du Pacifique aux viandes locales comme la pintade ou le caribou. Service lent, prix un peu élevés mais cela reste une expérience culinaire unique !

|●| Joe Fortes (zoom couleur C2, **65**) : 777 Thurlow Street. ☎ 604-669-1940. Ouvert de 11 h à 23 h. Compter 20 à 30 $Ca (12,2 à 18,3 €) pour un poisson du jour. Moins cher le midi. Du lundi au jeudi, 2 entrées et 2 plats pour le prix de 2 entrées et 1 plat. Joe Seraphin Fortes fut l'une des plus grandes figures locales : ancien marin puis barman, il passa sa retraite à enseigner la natation à des milliers d'enfants et à sauver des vies. En 1923, il eut droit, pour son enterrement, au plus important cortège de l'histoire de Vancouver. Immense salle haute de plafond, bruyante et animée. Un gros escalier conduit à une agréable terrasse (couverte et chauffée si nécessaire). Très réputé pour son poisson, ses huîtres et ses fruits de mer. Clientèle yuppie qui, parfois, se tient au bar en sirotant un whisky (belle sélection de marques). Réservez ou préparez-vous à une bonne file d'attente.

|●| Delilah's (zoom couleur C2, **66**) : 1789 Comox Street. ☎ 604-687-3424. À côté du Coast Plaza Hotel. Fermé à midi. Menu à 26,50 $Ca (16,2 €) comprenant une entrée et un plat principal, ou menu complet avec soupe, entrée, plat de résistance et dessert pour 38 $Ca (23,2 €). Ce resto chic et cool tout à la fois, sachant allier la douce lumière des chandelles et un côté populaire bien à lui, est très apprécié des yuppies et de la population gay de Vancouver. Cocktails à base de Martini sur les tables, moquette et sièges rembourrés, bref, on est dans un décor un peu théâtral auquel contribue la fresque d'anges au plafond. Cuisine originale et d'une extrême finesse, pas si chère que ça, vu la qualité. La carte est saisonnière mais, pour vous donner une idée (et vous faire saliver !), sachez qu'on peut y trouver des ailes de raie aux câpres, du canard à la mousse de champignons ou du carpaccio de caribou au citron confit !

Downtown, dans le quartier de Yaletown

De bon marché à prix moyens

⏸️ Café S'il Vous Plaît (*zoom couleur C2, 70*) : 500 Robson Street, à l'angle de Richards. ☎ 604-688-7216. Ouvert de 10 h (12 h le week-end) à 22 h (19 h le dimanche). Soupes et sandwichs autour de 5 \$Ca (3,1 €), petits plats autour de 7,50 \$Ca (4,6 €). Mêmes prix au comptoir ou sur les banquettes. Petit snack sans prétention, calme, complètement décalé dans le quartier maintenant branché de Yaletown. Petite restauration très correcte.

⏸️ The Elbow Room Café (*zoom couleur C2, 71*) : 560 Davie Street. ☎ 604-685-3628. Ouvert de 8 h à 16 h. Fermé le soir. Compter 7 à 10 \$Ca (4,3 à 6,1 €) pour un plat. Probablement le seul endroit à Vancouver où vous risquez de vous faire insulter par les serveurs si vous ne finissez pas votre assiette (et elles sont plutôt copieuses) ! Bref, mieux vaut venir avec un gros creux à l'estomac... La spécialité du lieu, c'est les petits dej' servis jusqu'en fin d'après-midi. Des œufs surtout, mais préparés de maintes façons : pochés, brouillés, sur croissant à la sauce hollandaise, aux fruits, façon mexicaine... sans oublier les omelettes... au saumon, aux crevettes, à la sauce tomate, au lard, champignons, camembert, etc. Vous l'avez compris, si on vient ici, c'est presque autant pour l'expérience que pour se sustenter !

⏸️ Subeez (*zoom couleur C2, 72*) : 891 Homer Street, à l'angle de Smith. ☎ 604-687-6107. Ouvert de 11 h à 1 h. Petits dej' servis toute la journée autour de 9 \$Ca (5,5 €). Sinon, petites assiettes, sandwichs, burgers et salades autour de 10 \$Ca (6,1 €), pâtes autour de 14 \$Ca (8,5 €) et plats divers autour de 16 \$Ca (9,8 €). Un des endroits tendance de Yaletown. Vaste intérieur aux murs de béton et conduites en cuivre, style ancien hangar avec, çà et là, des formes en carton-pâte, des papillons géants et des peintures noir et blanc. L'ambiance est bonne, la musique un peu planante et la clientèle plutôt *trendy*. Cuisine parfois un peu chiche mais résolument fine et imaginative, comme ce ragoût thaï de fruits de mer aux épices, la tajine d'aubergines ou encore l'escalope de poulet aux artichauts. Arrosé, par exemple, d'un bon cabernet sauvignon californien, vous nous en direz des nouvelles !

Chic

⏸️ C Restaurant (*zoom couleur C2, 73*) : 1600 Howe Street. ☎ 604-681-1164. Ouvert de 11 h 30 à 14 h 30 et de 17 h 30 à 22 h (23 h le week-end). Fermé à midi d'octobre à avril. Compter 30 à 40 \$Ca (18,3 à 24,4 €) pour un plat. Moins cher le midi. Entrée discrète au fond de Howe Street (attention de ne pas louper la rue, sinon vous vous retrouvez sur le Grandville Bridge), mais ne vous y fiez pas, tout Vancouver connaît l'adresse. Dans un décor à la japonaise du meilleur goût, c'est ici que se signent les gros contrats. Cher, mais une cuisine à la hauteur de son coût. « C » comme *sea*, poissons locaux et du monde entier. Intéressante sélection de vins. Terrasse agréable.

Au sud de Downtown

Bon marché et ouvert 24 h/24

⏸️ Naam (*plan couleur général B2, 79*) : 2724 4th Avenue W, à l'angle de Stephens. ☎ 604-738-7151. Ouvert tous les jours 24 h/24. Compter 7 à

11 $Ca (4,3 à 6,7 €) pour un plat. On adore ce resto chaleureux où s'imbriquent sans heurts vieux et néo-babas, étudiants, écolos, employés du coin. Bois dominant dans le décor, bonnes fragrances épicées. Musique folk. Sur le côté, aux beaux jours, terrasse verdoyante avec quelques tables au soleil. Remarquable nourriture végétarienne qui démontre, là encore, qu'elle peut fort bien ne pas rimer avec ennui. Carte bien fournie aussi : salades, *enchilada* aux épinards, *chili burrito, naam burgers, Thai noodles, dragon bowl*). Succulents gâteaux (au chocolat ou aux noix de pécan, entre autres). Musique live tous les soirs de 19 h à 22 h.

De bon marché à prix moyens

|●| ***Sophie's Cosmic Café*** (plan couleur général C2, *75*) : 2095 4th Avenue W ; au nord de Broadway, à l'angle d'Arbutus. ☎ 604-732-6810. Ouvert de 8 h à 21 h 30. Compter 8 à 14 $Ca (4,9 à 8,5 €) pour un plat. Cadre rigolo, décor farfelu (salle aux murs jaunes couverts de bibelots colorés). Un vieux de la vieille à Vancouver, l'endroit « où commencer ou finir un régime », disent-ils. Ce qui est sûr, c'est que la formule attire toujours autant de monde. Des familles, groupes de jeunes du coin et couples de tous les âges viennent s'écraser sur les banquettes de moleskine, créant ainsi, malgré eux, une atmosphère surchauffée. Au tableau noir, les spécialités du jour. Dans l'assiette, burgers, sandwichs, succulentes (et gargantuesques !) omelettes à toutes les sauces, *fresh oyster stew*, porc aux pommes, *quesadillas* végétariennes, très bonne salade d'épinards à la feta et au bacon, et on en passe... Si vous venez le dimanche pour le brunch, préparez-vous à faire la queue.

|●| ***Sala Thai*** (plan couleur général C3, *76*) : 3364 Cambie Street. ☎ 604-875-6999. Ouvert de 11 h 30 à 14 h 30 du lundi au vendredi, et tous les soirs de 17 h jusqu'à 22 h. Fermé à midi le week-end. Plats de 8,5 à 13 $Ca (5,2 à 7,9 €). Intérieur dans les gris et rose, avec des colonnes corinthiennes. Excellente cuisine thaïe. Plats particulièrement copieux. Deux sortes de *tom yam* (délicieuse soupe épicée). Salades diverses. Bœuf sauce d'huîtres, porc à l'ail, *Sala Thai ruam mitr* (crevettes, palourdes, seiche et poisson), *noodles and rice*. La file d'attente peut s'avérer parfois longue, surtout le samedi soir !

|●| ***Nyala*** (plan couleur général B2, *77*) : 2930 4th Avenue W ; à l'angle de Bayswater. ☎ 604-731-7899. Ouvert de 17 h à 23 h (2 h les jeudi, vendredi et samedi). Vous ne pouvez passer à côté de ce petit resto *flashy* aux couleurs de l'Afrique. Salades autour de 5 $Ca (3,1 €), tabouté à 3,75 $Ca (2,3 €), plats plus consistants de 12 à 15 $Ca (7,3 à 9,2 €). Les mercredi et dimanche (jusqu'à 21 h), buffet végétarien pour 11 $Ca (6,7 €). Sympathique et goûteuse initiation à la cuisine éthiopienne. Quelques plats typiques bien corsés : le *yedoro watt* (poulet mariné au citron, ail et gingembre), le *yedoro kay watt* (agneau sauce au poivron rouge), le *yasa watt* (poisson frais sauce berbère), le *kitfo* (steak tartare éthiopien), le chevreau sauce berbère, etc.

|●| ***Accord Seafood Restaurant*** (plan couleur général D3, *78*) : 4298 Main Street ; près de la 27th Avenue, à hauteur du Queen Elizabeth Park. ☎ 604-876-6110 ou 3963. Ouvert de 17 h à 3 h. Plats autour de 10 $Ca (6,1 €). Assez excentré. N'intéressera que les routards motorisés amateurs de cuisine chinoise et du hors-piste. Ici, pas de chichis ni lampions ou autres dragoneries. Murs presque nus et clientèle asiatique. On vient en famille se régaler d'une authentique nourriture servie généreusement. C'est vraiment festif. Concernant les soupes, bols de nouilles et autres *pho*, entre *large, medium* et *small*, toujours choisir la *small* (presque pour 2 déjà !). Longue carte avec de goûteux plats de *seafood*, des *sizzling hot pots* et des *tappans*.

Prix moyens

|●| **Bridges Bistro** *(zoom couleur C2, 80)* : 1696 Durenleau Street, Granville Island. ☎ 604-687-4400. Ouvert de 11 h à 22 h. De 12 à 20 $Ca (7,3 à 12,2 €) le plat. Au rez-de-chaussée de ce restaurant chicos, on trouve un genre de brasserie avec une nourriture locale type burgers, *seafood*, pâtes et pizzas. Mais surtout l'une des plus séduisantes terrasses de Vancouver, face au port de plaisance et au pont de Burrard, avec le cri des mouettes en prime. Les yuppies s'y ruent dès la sortie des bureaux. Très chouette d'aller y boire un verre le soir.

|●| **Tama Sushi** *(plan couleur général C2, 81)* : 1595 Broadway W. ☎ 604-738-0119. Ouvert de 11 h 30 à 14 h (de 12 h à 14 h 30 le week-end) et de 17 h à 22 h 15 (22 h 45 les vendredi et samedi). Compter 15 à 25 $Ca (9,2 à 15,3 €) pour manger le soir. Moins cher à midi. Oubliez l'immeuble sans grâce et son banal environnement et montez au 1er étage pour découvrir ce sympathique antre du *sushi*. Salle claire assez classique mais où l'on peut, si on le souhaite, manger sur des tatamis dans de petites pièces isolées par de minces cloisons. Beau choix de *sushi* donc, ainsi que de *sashimi combo, chicken teriyaki*, coquilles Saint-Jacques et steak *tempura*. À noter : les *Tama* (poisson cuit) ou *Bento* (poisson cru) *Box*, pour moins de 10 $Ca (6,1 €), et le *seafood boat* pour 2 ou 3... Prix tout à fait raisonnables vu la qualité des produits.

De prix moyens à plus chic

|●| **Vij's** *(plan couleur général C2, 82)* : 1480 11th Avenue W. ☎ 604-736-6664. Ouvert le soir seulement, de 17 h 30 à 22 h. Compter 18 à 24 $Ca (11 à 14,6 €) pour un plat. En quête d'une expérience culinaire peu commune ? La réponse tient en un mot : *Vij's*. Attention, c'est plein tous les soirs ! Décor sobre mais très réussi (admirez la lourde porte en bois sculpté face à l'entrée !). La cuisine, à dominante indienne, est tout simplement exquise. Même le rouge de la maison, à la fois doux et corsé (et généreusement servi dans un grand verre), est excellent ! Que demander de plus ? Le patron viendra sûrement vous saluer, pour faire votre connaissance et s'assurer que tout se passe bien...

|●| **Seasons in the Park** *(plan couleur général C3, 83)* : 33rd Avenue et Cambie Street, dans le Queen Elizabeth Park, à côté du Bloedel Floral Conservatory. ☎ 604-874-8008 ou 1-800-632-9422. Ouvert de 11 h 30 (10 h le dimanche) à 14 h 30 et de 17 h 30 à 21 h 30. Plats de 16 à 32 $Ca (9,8 à 19,5 €). Moins cher le midi. Mais où Bill (Clinton) et Boris (Eltsine) ont-ils mangé lorsqu'ils se sont rencontrés en 1993 lors du sommet de Vancouver ? Ici, bien sûr ! Et qu'ont-ils pris ? Du crabe avec des raviolis aux épinards, entre autres mets délicats et raffinés ! Envie de faire comme eux ? Venez ici, la vue sur Vancouver, avec les jardins au premier plan et les montagnes à l'arrière, est merveilleuse.

Où boire un verre ? Où écouter de bons concerts ?

Comme sa voisine américaine Seattle, Vancouver est réputée pour le dynamisme de sa vie musicale. Bien sûr, le festival folk de l'été attire les foules, mais sa scène rock et blues reste aussi certainement la plus vivante du Canada. De nombreux groupes de qualité naissent et se font connaître à Vancouver, gloires locales plus ou moins éphémères, parfois plus grosses « pointures ». Tous ont enflammé et enflamment encore les petites mais chaudes estrades des divers clubs et pubs. Poussez la porte de ces lieux enfiévrés et les nuits de Vancouver deviennent furieusement rock ! Et si les défoulements nocturnes ne vous suffisent pas, si vous voulez faire trembler vos enceintes de ce *Vancouver sound,* rendez-vous chez les bons disquaires de Seymour Street, entre Dunsmuir et Pender, ou branchez-vous sur C-Fox (99.3 FM) et CITR (101.9 FM), la radio de l'université. La plupart des clubs sont payants, mais pas ruineux. Petite sélection des clubs, pubs musicaux, pubs « sociologiques ». Pour tous les goûts...

🍷 ♪ **The Yale** *(zoom couleur C2, 90)* : 1300 Granville Street, à l'angle de Drake, bar de l'hôtel du même nom. ☎ 604-681-9253. Peu après Granville Bridge. Ouvert jusqu'à 1 h 30 en semaine et 4 h le week-end. L'un des endroits les plus réputés du Canada pour le blues et le *R & B,* un passage obligé pour bon nombre de musiciens, même de la Nouvelle-Orléans ! Excellente atmosphère en fin de semaine, grâce, notamment, aux *open jams* (impro).

🍷 **Irish Heather** *(zoom couleur D2, 91)* : 217 Carrall Street. ☎ 604-688-9779. À Gastown, dans un bâtiment en brique des années 1890. Ouvert de midi à minuit. Pub irlandais tenu par des Irlandais. Pour les amateurs de *Guinness,* bien sûr. Propose aussi, outre une cuisine très appréciée des locaux, le plus grand choix de whiskies de toute la province !

🍷 **Soho Café et Billiards** *(zoom couleur C2, 92)* : 1144 Homer Street. ☎ 604-688-1180. Ouvert de 11 h (12 h le week-end) jusque tard le soir. Dans un entrepôt aux briques apparentes, vieil édifice historique. Atmosphère très relax et clientèle composite. Affiches de films culte collées aux murs. On y vient aussi pour faire une partie de billard ou de baby-foot.

🍷 ♪ **DV-8** *(zoom couleur C2, 93)* : 515 Davie Street. Ouvert de 17 h à 3 h (4 h le week-end). Un endroit où on aime bien débarquer avant ou après une virée en boîte. Toujours une petite expo d'art sur les murs. *Live music* le mercredi ; sinon, régulièrement un DJ qui fait dans l'*underground,* les 80 s' ou la *house.* Pour un peu plus d'intimité, installez-vous dans l'un des sombres recoins de la mezzanine...

🍷 ♪ **Bar None** *(zoom couleur C2, 94)* : 1222 Hamilton Street. ☎ 604-689-7000. Fermé les mercredi et dimanche. Entrée : 5 $Ca (3,1 €). Tenue correcte exigée. Grande salle avec boule en alu et images mouvantes sur toiles tendues. Clientèle dans la vingtaine, assez *upper class.* Musicalement, ça oscille surtout entre le *live funk* (les lundi et mardi) et le *hip-hop.*

🍷 **Yale Town Brewing Company** *(zoom couleur C2, 95)* : 1110 Hamilton et 1111 Mainland. ☎ 604-681-2739. Ouvert jusqu'à 1 h. Bar bourré de monde. Clientèle jeune tendance B.C.B.G. Beau linge même ! Six bières de fabrication maison, de la blonde légère à la brune plus dense. Fait aussi resto (pizzas, pâtes, poisson et viande grillés).

🍷 **The Ivanhoe Pub** *(zoom couleur D2, 96)* : à l'angle de Main et National, tout près de la gare. Immense pub avec un comptoir en coude au milieu. Clientèle variable suivant les heures de la journée. On aime bien l'après-midi pour ses habitués de tout poil, éthyliques notoires, p'tits vieux du coin, employées et yuppies, réunis autour d'une bière plutôt bon marché. C'est aussi l'un des rares endroits où l'on peut fumer... dans une petite salle annexe prévue à cet effet.

🍷 ♪ **Railway Club** *(zoom couleur C2, 97)* : 579 Dunsmuir Street. ☎ 604-681-1625. À l'angle de Seymour. Environ 10 $Ca (6,1 €) l'entrée. Salle au 1er étage. Petits groupes tous les soirs à partir de 22 h. Le samedi dès 16 h 30, rock des années 50 ! Faune assez alternative, saupoudrée de quelques habitués échappant à toute classification. Très bon enfant.

🍷 **Loose Moose** *(zoom couleur C2, 98)* : 724 Nelson Street. Avec un nom pareil (*moose* signifie élan), pas d'oublier où on se trouve ! Ce bar n'a pourtant rien d'extraordinaire, si ce n'est sa petite superficie qui facilite énormément les rencontres avec son voisin, ou sa voisine ! Ambiance détente, on aime y venir pour regarder le hockey ou le savoir-faire du barman, digne de celui de Tom Cruise dans *Cocktail* !

🍸 ♪ **The Backstage Lounge** (zoom couleur C2, **99**) : 1585 Johnston Street, Granville Island. Petite entrée à payer. Salle chaude et décontractée à l'américaine, qui s'anime selon les concerts. Soirée étudiants le mardi, avec *drinks specials,* et DJ le samedi. Jeunesse hétéroclite. Table de billard. Petite terrasse quasiment sur l'eau très agréable. Accueille notamment certaines prestations du Jazz Maurier Festival fin juin.

Plusieurs *cafés-restos* à la décoration parfois étrange sur Commercial Drive, entre William Street et 1ᵉʳ Avenue :

🍸 **Joe's Café** (plan couleur général D2, **100**) : à l'angle de Commercial Drive et de William Street. Ouvert de 8 h 30 à 1 h du mat'. Assez excentré. Dans un quartier populaire. Tenu par un Portugais, ancien torero, qui a raccroché après une blessure. Très relax. L'été, les consommateurs débordent sur le trottoir pour prendre le soleil en buvant les très bons *espressos* de Joe. Également de succulents sandwichs de charcuterie latine. L'établissement dispose de plusieurs tables de billard ; on paie à l'heure.

🍸 ♪ **Café Deux Soleils** (plan couleur général D2, **101**) : 2096 Commercial Drive, à l'angle de 5ᵗʰ Avenue. ☎ 604-254-1195. Ouvert de 8 h à 1 h du mat'. Dans le même quartier que *Joe's Café,* un *coffee shop* au cadre très dépouillé. Seules quelques œuvres d'artistes locaux se battent en duel sur les murs. Surtout un café à fréquenter en soirée pour y écouter de la musique live. Concerts de reggae tous les mercredis soir. Différents artistes les autres soirs de la semaine. Programme annoncé sur un tableau noir au-dessus de la porte. Également des soirées poésie, etc. Pour les amateurs de bohème !

🍸 **Waazubee Café** (plan couleur général D2, **102**) : 1622 Commercial Drive. ☎ 604-253-5299. Entre 1ᵉʳ Avenue et Graveley. Ouvert de 11 h 30 (11 h le week-end) à 1 h environ. Dans un chouette décor, ambiance ésotérique pour une population de tout poil ! Fait aussi resto, bons desserts.

🍸 ♪ **Bukowski's** (plan couleur général D2, **103**) : 1447 Commercial Drive. L'écrivain de la *Beat Generation* aurait sans doute trouvé l'endroit un peu *clean* à son goût, mais l'adresse attire déjà pas mal de monde. DJ et musique (blues, jazz, rock) 3 ou 4 fois par semaine. Quelques écrits et photos de l'artiste sur les tables. Belle terrasse.

Où danser ?

La plupart des boîtes fonctionnent de 21 h à 3 h et demandent un droit d'entrée d'environ 10 $Ca (6,1 €).

♪ **The Roxy** (zoom couleur C2, **110**) : 932 Granville Street. ☎ 604-331-7999. Qui, à Vancouver, ne connaît pas le *Roxy* ? Cette boîte de concerts plutôt rock n'a pas changé depuis 15 ans et fait salle comble tous les soirs. On s'y rend pour descendre une pinte, voire plusieurs, se défouler sur la piste ou même, pourquoi pas, faire un billard... Quoi qu'il en soit, ça déménage, impossible de ne pas se laisser gagner par l'agitation intense qui règne entre les murs !

♪ **The Commodore** (zoom couleur C2, **111**) : 870 Granville Mall. ☎ 604-739-4550. Entrée comprise entre 15 et 60 $Ca (9,2 à 36,6 €). En plein centre. Énorme salle de spectacles accueillant surtout des concerts de rock mais pas seulement. Également, de temps en temps, de la musique africaine, une soirée DJ et, même, un spectacle genre *comedy show.* Se renseigner sur la programmation.

♪ **Stone Temple Cabaret** (zoom couleur C2, **112**) : 1082 Granville Street. ☎ 604-488-1333. Fermé les mardi, mercredi et dimanche. Ouvert depuis une dizaine d'années, l'endroit est désormais très coté auprès des jeunes. On y passe, dans deux salles garnies de quelques fresques et de grands miroirs muraux, de la pop, du *R & B* et du *hip-hop*. Et ça fait du bruit! *Drink specials* différents tous les soirs.

♫ *Atlantis (zoom couleur C2, 113)* : au sud de Richards Street. ☎ 604-662-7707. Ouvert le mercredi et le week-end. Grande salle style hangar avec images mouvantes sur toiles carrées. *Hip-hop* le week-end, plus calme le mercredi. Beaucoup d'étudiants.

♫ *Richard's on Richards (zoom couleur C2, 114)* : 1036 Richards Street. ☎ 604-687-6794. Dans le même quartier que les précédents.

Ouvert le week-end seulement, à partir de 22 h. Pas la peine de s'y pointer avant minuit. Appelé également *Dick on Dick*. Ambiance *meat market*, très yuppie, tendance « m'as-tu-vu ». Tenue correcte exigée. Sélection un peu sévère à l'entrée. Bons groupes de temps à autre.

♫ *Sonar Cabaret (zoom couleur D2, 115)* : 66 Water Street. ☎ 604-683-6695. Deux salles avec brique, parquet et sièges en moleskine. On s'y dépense du mercredi au samedi à partir de 21 h, principalement au rythme de la house, du *hip-hop* ou de toute autre musique électronique.

Où voir un *comedy-show* ou une pièce de théâtre?

Nullos in ingliche, s'abstenir!

∞ *Yuk Yuk's (zoom couleur C2, 120)* : 1015 Burrard Street, dans le *Century Plaza Hotel*. ☎ 604-696-9857. ● www.yukyuks.com ● Ouvert du mercredi au samedi. Plusieurs comiques différents tous les mois. L'un des meilleurs théâtres de ce genre à Vancouver. Préférable de réserver.

∞ *Vancouver Playhouse Theatre Company (zoom couleur C2, 121)* : à l'angle d'Hamilton Street et Dunsmuir Street. Renseignements : ☎ 604-731-2428. ● www.city.vancouver.bc.ca/

theatres ● C'est le théâtre de la ville, et le plus important de Colombie-Britannique. Présente 6 pièces par saison, classiques et contemporaines.

∞ *Arts Club Theatre (zoom couleur C2, 122)* : 1585 Johnston Street. Renseignements : ☎ 604-687-1644. ● www.artsclub.com ● Sur Granville Island, juste avant le *Backstage Lounge* (voir « Où boire un verre? »). Une institution à Vancouver pour ses thèmes de société. Deux salles et un bar sympa pour prolonger la soirée.

À voir

Les musées

🏃 *Museum of Anthropology (plan couleur général A2)* : 6393 NW Marine Drive. ☎ 604-822-3825. ● www.moa.ubc.ca ● Situé en bordure de l'université (UBC). En voiture, prendre 4th Avenue, qui devient Chancellor Bvd, jusqu'au bout. C'est indiqué. En bus, prendre le n° 17 de Granville Street. Ouvert tous les jours de 10 h à 17 h de mi-mai à début septembre, et du mardi au dimanche de 11 h à 17 h le reste de l'année. Nocturne jusqu'à 21 h le mardi. Entrée : 9 \$Ca (5,5 €); réductions.

Bel exemple d'architecture moderne, inspiré des habitations indiennes traditionnelles, où place est faite à la lumière et à l'espace. Le musée présente un ensemble assez riche d'objets artistiques, cérémoniels, ou tout simplement utilitaires des premiers peuples *(First Nations)* de Colombie-Britannique.

– Le clou en est la *collection de totems indiens,* dans la grande salle *(Great Hall)* éclairée par une immense baie vitrée. Ces hautes pièces de bois travaillées étaient le plus souvent érigées devant les habitations indiennes. Elles étaient le symbole de fierté d'une famille, ou simplement élevées en l'honneur d'un défunt. Leurs formes sont souvent empruntées à la nature et leur symbolique, très complexe, peut se lire à différents niveaux. Certains desseins de l'artiste sont évidents, d'autres ne l'étaient que pour lui ou sa famille. On retrouve souvent la grenouille, le castor, le loup et l'ours dans les formes sculptées. Certains sont dotés de longs becs, rompant le rythme vertical de l'œuvre.

Sur la droite, dans le *Great Hall* toujours, notez la « vaisselle de festin », énormes plats creusés, accrochés les uns aux autres et dotés de roulettes. Deux têtes de serpent sculptées, avec cuillère en bouche, en forment les extrémités. Ces plats contenaient du sucre, distribué comme cadeau pendant les *potlatches* du début du XXe siècle. Pendant ces cérémonies, les invités, par leur présence, se portaient garants de la pérennité des traditions, lors de mariages, hommages aux défunts, etc.

– L'autre temps fort du musée se situe dans *La Rotonde,* où l'on peut admirer, immense, au centre, la plus célèbre sculpture de Bill Reid (grand artiste indien) : *The Raven and the first men (La Légende du corbeau et des premiers hommes).* Né à Victoria en 1920, Reid révolutionna l'art Haida en utilisant les techniques européennes de fonte de l'or et de l'argent. Grâce à ces fusions, il maria les métaux et le bois ainsi que l'art européen et les formes d'expression Haida pour créer une nouvelle ère dans la tradition artistique de son peuple.

– Le reste du musée abrite des expos temporaires sur l'Asie et les civilisations du Pacifique, ainsi qu'une *réserve* de quelque 15 000 objets des cultures amérindiennes et asiatiques. Présentation assez touffue. En gros, seuls les spécialistes s'y retrouveront. À noter quand même : les masques coréens et les superbes porcelaines de jade de Chine.

– Enfin, ne pas manquer, à gauche du hall d'entrée, la salle des céramiques européennes du XVe au XIXe siècle (poêle allemand polychrome de 1560, bouteilles des anabaptistes d'Ukraine, majolicas italiennes).

🖌 *Maritime Museum (plan couleur général C2) :* 1905 Ogden Avenue, près du Vannier Park. ☎ 604-257-8300. ● www.vmm.bc.ca ● Bus n° 2 ou 22 de Burrard Street. Ouvert de 10 h (12 h le dimanche hors saison) à 17 h. Fermé le lundi de septembre à fin mai. Non loin du planétarium. Entrée : 8 \$Ca (4,9 €) ; réductions.

Petit musée doté de très belles maquettes. Reconstitution d'une cabine de pilotage et d'un *sloop of war.* Belles estampes, gravures, uniformes. Toutes les 45 mn, on peut visiter le *Saint-Roch*, 1er vaisseau à avoir traversé les eaux de l'Arctique, d'Halifax à Vancouver. Le bateau a été restauré. Remarquables expos temporaires. À 200 m, dans la crique, un petit *Heritage Harbour* avec une jonque, 2 steamers (l'*Ivanhoé* et le *Master*). Une petite salle didactique et ludique est consacrée aux enfants.

🖌 *Vancouver Museum (zoom couleur C2) :* 1100 Chestnut Street, à l'ouest du Burrard Bridge, dans le Vannier Park. ☎ 604-736-4431. ● www.van museum.bc.ca ● Bus n° 2 ou 22 de Burrard Street. Ouvert de 10 h à 17 h, jusqu'à 21 h le jeudi. Fermé le lundi. Entrée : 10 \$Ca (6,1 €) ; réductions.

Une sympathique exposition sur l'histoire de Vancouver aux XVIIIe, XIXe et début du XXe siècles. On peut y observer des photos de la ville à ce moment-là. Quelques objets européens et amérindiens sont aussi exposés dans la première salle. Mais la visite devient surtout intéressante lorsque l'on traverse les reconstitutions de scènes de la vie quotidienne de l'époque : des conditions de vie à bord de bateaux remplis d'immigrants aux balbutiements de l'industrie dans la région, en passant par l'évolution de l'habitat européen classique. Également, outre une petite section sur les années 1950, des expos temporaires touchant, de près ou de loin, à l'histoire de la ville et de la région.

🖌 *Mac Millan Space Center (zoom couleur C2) :* 1100 Chestnut Street. Dans le même bâtiment que le Vancouver Museum. ☎ 604-738-7827.

● www.hrmacmillanspacecentre.com ● Ouvert de 10 h à 17 h. Fermé le lundi, sauf en juillet-août. Entrée : 13,50 $Ca (8,2 €) ; réductions.

Pour ceux que taraudent les questions d'ordre cosmique. On se met dans le bain avec une petite expo permanente sur la conquête spatiale, puis on passe aux 3 attractions : une simulation de vol interplanétaire (avec sièges qui bougent, etc.), un show multimédia sur tel ou tel aspect du cosmos (animé par un présentateur) et le planétarium, à l'étage. Le week-end (tous les jours en juillet et août), un spectacle différent toutes les heures. À l'entrée, ne ratez pas la photo satellite de New York prise le 12 septembre 2001.

★★ **Art Gallery** (zoom couleur C2) **:** 750 Hornby Street, à l'angle de Robson Street. ☎ 604-662-4719. ● www.vanartgallery.bc.ca ● Située dans l'ancienne Court House, au cœur de la ville. Ouvert de 10 h à 17 h 30 (21 h le jeudi). Entrée : 12,50 $Ca (7,6 €) ; réductions. Contribution libre le jeudi à partir de 17 h.

La galerie présente essentiellement des expos temporaires d'art visuel (au sens large). La seule expo permanente est celle d'*Emily Carr* qu'on vous conseille fortement. C'est la plus grande collection de ses œuvres dans le monde.

Emily Carr (1871-1945) s'est employée à peindre des totems et des paysages de Colombie-Britannique, en particulier de l'île de Vancouver, tels qu'elle les ressentait. Les Indiens la surnommaient « Celle qui vit ». Pas étonnant que nombre de ses œuvres reflète parfaitement cette sensation qu'elle avait d'aller au-delà de la sculpture indienne, par la peinture. De même, certains paysages de forêt, froids au premier abord, s'éclairent peu à peu. On y trouve un relief créé par la profondeur des verts et un mouvement qui fait ressortir, de façon assez étrange, la force des éléments. À noter que la sélection de ses toiles change, elle-même, de temps à autre.

★★ **Bloedel Floral Conservatory** (plan couleur général C3) **:** dans le Queen Elizabeth Park, un poumon vert de 53 ha situé 33rd Avenue et Cambie Street. ☎ 604-257-8584. Pour s'y rendre, bus n° 15 sur Burrard (ou Robson). En été, ouvert de 9 h à 20 h du lundi au vendredi et de 10 h à 21 h le week-end ; le reste de l'année, ouvert tous les jours de 10 h à 17 h. Entrée : 4 $Ca (2,4 €) ; réductions.

Des essences rares, des fleurs superbes. Un musée végétal vivant. Sous un dôme composé de multiples alvéoles, de superbes plantes tropicales s'épanouissent. On est surtout fasciné par les oiseaux étranges et bigarrés qui voltigent librement au-dessus de nos têtes. De la plate-forme avant, magnifique panorama sur la ville. Profitez-en pour découvrir aussi le parc, son splendide *Quarry Garden*, sa roseraie et son arboretum, qui offre une vue d'ensemble de tous les arbres qu'on peut trouver au Canada.

★ **Van Dusen Botanical Garden** (plan couleur général C3) **:** 37th Street et Oak Street. ☎ 604-878-9274. ● www.vandusengarden.org ● Pas très loin du Queen Elizabeth Park. Du centre-ville (Cambie Street), prendre le bus n° 17 et descendre à 37th Street. Ouvert tous les jours de 10 h au coucher du soleil. En saison, visite guidée gratuite tous les jours à 14 h. Entrée : 7,50 $Ca (4,6 €) ; réductions.

Grand espace de 22 hectares de jardins fleuris à thème, très joliment aménagés, avec des mares et des petits ponts. On y recense quelque 7 500 espèces de plantes issues des 6 continents. Une bonne période pour le voir est le printemps, lorsque les rhododendrons embrasent les bords des sentiers.

Stanley Park (plan couleur général C1)

Le poumon de Vancouver. Vraiment fantastique. Situé à la pointe ouest de la presqu'île, face à l'océan. Ce vaste parc, aussi grand que le *Downtown*, donne du charme à la ville et contribue, notamment, à lui conférer son petit caractère californien. Espaces verts dégagés, piscines, sculptures, pistes cyclables, balades à dos de poney, golf, points de vue sur l'océan, animaux sauvages, tout cela à 10 mn à pied du cœur de la ville (vous pouvez aussi vous y rendre par le bus n° 19 West, de Pender Street).

Génial : on peut y voir, noyés dans une épaisse végétation, d'énormes pins de Douglas. Si vous êtes sportif, il y a plusieurs années, d'on conseille vivement de louer un vélo et de vous y balader un après-midi. Sinon il existe, en saison (tous les jours de 10 h à 18 h), une navette gratuite qui s'arrête aux endroits les plus intéressants du parc. Les amateurs de faune aquatique seront pour leur part heureux d'apprendre qu'on y trouve également l'*aquarium* de Vancouver. En fin de journée, revenez par le *seawall,* une promenade qui longe tout le front de mer occidental du parc. Animation assurée et superbes couchers de soleil sur la baie.

Vers la porte de Brockton, très beaux totems indiens. Beaucoup d'Asiatiques viennent s'y faire photographier. À l'entrée du *Lion's Gate Bridge,* panorama imprenable sur la baie de Prospect Point. À propos, le vénérable pont avait fait l'objet, il y a plusieurs années, d'un sérieux débat chez les *Vancouverites,* on parlait en effet de le remplacer, les autorités s'avouant incapables d'assurer le trafic grandissant des voitures. Mais pour beaucoup de gens, la perte de ce *landmark,* l'un des plus célèbres de Vancouver, aurait été un désastre. Le vieux pont sur sa baie représente une telle image de la ville ! Finalement, le pont a été élargi et rénové en 2000-2001 mais, apparemment, les problèmes de circulation ne sont pas complètement résolus pour autant !

Vers *Third Beach,* quelques pins géants. Belle plage de sable. Piste cyclable traversant la presqu'île d'est en ouest, longeant le Beaver Lake et ses grands arbres. En été, de juin à septembre, les plages, comme l'ensemble du parc, sont surveillées par des *rangers.*

L'aquarium *(plan couleur général C1) :* dans le Stanley Park, côté est. ☎ 604-659-3474. ● www.vanaqua.org ● Pour s'y rendre, bus n° 19 de West Pender Street. Ouvert tous les jours, de 9 h 30 à 19 h en juillet-août, de 10 h à 17 h 30 le reste de l'année. Entrée : 16 $Ca (9,8 €) ; réductions.

Poissons de toutes les mers, présentés dans de larges aquariums. L'entrée n'est pas donnée, mais les fonds servent aux commandants Cousteau du coin. La plupart de ces aquariums sont de vrais chefs-d'œuvre. Quelques requins et de gigantesques poissons d'Amérique du Sud. La section la plus intéressante est celle consacrée aux *beluga whales* (petites baleines blanches) qui vivent en grands groupes et remontent très loin le Saint-Laurent ; leur tête, bizarrement dessinée, et leur grand sourire les rendent tout de suite sympathiques. Depuis peu, l'aquarium n'a plus de *killer whale* (orque). En effet, le dernier, qui souffrait d'une infection pulmonaire, fut envoyé à l'aquarium de San Diego où il mourut. Sûr que c'est un peu dommage pour l'aquarium, mais ces grosses bêtes ne sont-elles pas mieux dans la nature ? Au sous-sol, chouette expo sur les autres mammifères marins. Enfin, pour clore la visite, la section tropicale, où l'on se balade dans une grande serre chauffée entre tortues, serpents et crocos. Levez les yeux, vous y apercevrez sûrement un paresseux... en train de dormir ! Un des aquariums les plus intéressants et les plus beaux d'Amérique du Nord.

Robson Square

En plein cœur de la ville. Cette large esplanade à plusieurs niveaux, agrémentée de fontaines, de restaurants, de terrasses, de promenades, est l'un des lieux de rendez-vous des yuppies à midi. Il n'y a pas grand-chose à faire, mais le quartier vaut le coup d'œil, architecturalement. Les anciens immeubles ont été conservés. Ils ne sont pas écrasés par les constructions récentes, au contraire, les architectures se mêlent harmonieusement, laissant les espaces ouverts et le soleil percer. À noter, le nouveau *palais de justice,* coiffé d'une immense verrière inclinée à 45° et réfléchissant la lumière. Étonnant d'audace et de sobriété. Plus loin, l'ancien palais de justice dresse ses colonnes austères. Tout autour du grand espace vert, des banques aux lignes modernes et des hôtels du début du XXᵉ siècle se côtoient. Cela dit, peu d'animation en soirée. Mieux vaut se rabattre sur Davie, Robson ou Denman Streets.

Le quartier de Denman et Davie Streets, près de la mer

Un des quartiers les plus animés de la ville, de jour comme de nuit. C'est aussi un repaire de la communauté gay. Sur Denman, ambiance très *easy-going,* avec ses boutiques chic, terrasses de cafés, petits restaurants de tous les coins du monde. Les rues qui montent et qui descendent au gré du relief rappellent San Francisco à bien des égards. Vous y verrez, les soirs d'été, pas mal de jeunes draguer au volant de leur bagnole.

➢ Au bout de Denman Street, avant de tourner dans Davie Street, on arrive à l'***English Bay Beach,*** la plage la plus fréquentée de Vancouver. Atmosphère de vacances : parterres de verdure, cyclistes, vendeurs de glaces... Le soir, les amoureux viennent voir le soleil se coucher sur les bateaux ancrés dans la baie.

Gastown *(zoom couleur C-D2)*

Le plus vieux quartier de la ville, situé sur Water Street. Depuis quelques années, on a remis cet ensemble d'entrepôts et de vieilles bâtisses au goût du jour. Boutiques chic, restos et commerces en tout genre ont permis de sauver quelques charmantes maisons de brique du XIXᵉ siècle, ainsi que de beaux édifices de pierre grise, ornés de frises harmonieuses, voués à la destruction. Toutefois, le quartier n'a pas su éviter complètement le genre surfait et faux chic.

🗡 On peut quand même y faire un tour, ne serait-ce que pour jeter un œil à l'***horloge à vapeur*** sur Water Street, à l'angle de Cambie Street. On y verra également, sur Mapple Tree Square, la ***statue de Gassy Jack*** (Jack le Bavard) qui donna son nom au quartier. John Deighton (de son vrai nom) avait ouvert un saloon en 1867 pour les bûcherons qui travaillaient dans les environs. Il acquit rapidement une grande notoriété auprès d'eux et devint Gassy Jack. Aujourd'hui, on est allé jusqu'à lui élever une statue pour relancer (un peu artificiellement) le quartier. De mémoire d'alcoolique, on n'avait jamais vu ça !
On vous déconseille les quelques rues de Skidrow, coincées entre Gastown et Chinatown, où se concentrent SDF et clochards. Quartier pas très sûr. Évitez également de vous y garer.

Chinatown *(zoom couleur D2)*

Dans East Pender Street, entre Carrall et Gore. Pour s'y rendre, bus n° 22 North de Burrard ou n° 19 East sur Pender Street. Bien moins esthétique mais beaucoup plus vrai que Gastown, le quartier de Chinatown n'a pas besoin de légende pour vivre, son histoire et son présent suffisent.
On y trouve la troisième communauté chinoise d'Amérique du Nord après celles de San Francisco et de New York. Les Chinois débarquèrent lors de la ruée vers l'or et surtout, 10 ans plus tard, en 1881, pour la construction du chemin de fer (voir votre collection de *Lucky Luke*). Arrivés par centaines, ils travaillèrent d'arrache-pied pour accumuler un petit magot qui, une fois de retour en Chine, leur aurait permis de faire vivre aisément leur petite famille. Mais tel ne fut pas le cas, et la plupart d'entre eux s'installèrent sur place, conservant leurs coutumes et surtout leur esprit communautaire. Les

Visages pâles ne voyaient pas cela d'un très bon œil et les Chinois eurent à affronter nombre de brimades, tant sociales qu'économiques (expéditions punitives, salaires de misère, etc.). Rien, cependant, n'eut raison de la vénérable communauté et la fin de la Seconde Guerre mondiale vit une nouvelle vague d'immigrants redonner de la vigueur au quartier.

Depuis, environ 110 000 Asiatiques se sont constitué une base de repli à Vancouver, mais leur emprise immobilière et financière n'est, de nouveau, pas toujours très bien perçue par les Blancs. Surtout lorsqu'ils rasent les maisons de bois et les arbres pour les remplacer par des tours en béton (appelées *monster houses* !). En outre, ils ont tendance à se passer de l'anglais grâce à leurs 2 chaînes de TV, leurs 3 radios et autant de journaux en cantonais.

Ici plus qu'ailleurs, les Chinois montrent leur capacité à vivre à l'étranger tout en conservant leurs coutumes, leurs tenues vestimentaires et bien souvent leur mystère. Pour vous en rendre compte, allez vous balader dans les rues bordées d'échoppes curieuses telles qu'herboristerie, commerce de K7 du hit-parade chinois, petits restos en général hyper-copieux, objets religieux, etc. Mais attention, la nuit, certaines rues ne sont pas sûres, notamment le coin autour de Hastings Street, particulièrement mal famée.

À noter enfin que le quartier s'est offert, au cours de l'été 2002, une belle porte (juste avant le *Sam Kee Building*). Il faut dire que pour une *Chinatown* d'une telle envergure, cela devenait nécessaire !

🌿 **Dr Sun Yat-Sen Classical Chinese Garden** (*zoom couleur D2*) : 578 Carrall Street, à la hauteur de Pender Street. ☎ 604-662-3207. • www.vancouverchinesegarden.com • De mi-juin à fin août, ouvert tous les jours de 9 h 30 à 19 h. Horaires un peu plus restreints le reste de l'année, et fermeture le lundi en hiver. Entrée : 8,25 $Ca (5 €) ; réductions. Visite guidée (incluse dans le ticket) 4 à 8 fois par jour, selon la saison.

Adorable oasis en pleine ville avec un kiosque au milieu et un petit lac couvert de nénuphars où barbotent des tortues. Le vendredi, en été, concerts de musique du monde et asiatique. Une fidèle reproduction d'un jardin de la dynastie Ming, le premier, en fait, à avoir été construit à cette échelle hors de Chine, avec des matériaux importés à cet effet. Si vous êtes fauché, sachez que vous pouvez en voir l'essentiel depuis le parc. En revanche, si vous faites cette sympathique visite, n'oubliez pas de déguster le thé au jasmin gracieusement offert avant la sortie.

🌿 **Le building Sam Kee** (*zoom couleur D2*) : à l'angle de Carrall et Pender Streets, en face du Chinese Garden. Pas vraiment spectaculaire, mais révélateur de ce qu'est l'Amérique. En 1913, le propriétaire d'un immeuble amputé par l'élargissement de la rue ne renonça pas à faire du business pour autant. Sur la mince bande de terrain qui lui restait, il reconstruisit un building commercial de 1,80 m de large sur 33 m de long, avec boutiques au rez-de-chaussée et bureaux à l'étage. Depuis, il s'enorgueillit de figurer dans le livre des Records (comme immeuble commercial le plus étroit du monde).

– Le dimanche matin, allez voir les Chinois faire leur gym par centaines au *Queen Elizabeth Park*. Impressionnant, d'autant qu'il y a aussi pas mal de manieurs de sabres et de bâtons (*kendo*).

Granville Street (*zoom couleur C2*)

Quartier de banques et de grands magasins le jour (Bay Center, à l'angle de Georgia Street), Granville Street est plutôt hantée par une foule bigarrée, faite de clochards et de prostituées le soir. C'est aussi le coin des boîtes de nuit et des cinémas, très fréquenté les vendredi et samedi soir. La plupart des lignes de bus passent par cette rue.

Granville Island *(zoom couleur C2)*

Ancien secteur industriel rénové, situé exactement sous le Granville Bridge. Pour s'y rendre, le bus n° 50 (False Creek) s'arrête à l'entrée de l'île. Possibilité également d'utiliser le traversier du bas de Hornby Street. Liaison aussi avec le Musée maritime par le *Granville Island Ferry*. Enfin, à pied ou à vélo, c'est encore le mieux ! Centre d'information ouvert de 9 h à 18 h, sur Cartwright Street. ☎ 604-666-5784.

Nombreuses attractions et restos divers parmi les ateliers de réparations et les magasins d'accessoires de bateaux.

C'est un endroit de plus en plus branché, avec des maisons flottantes sur pontons, une allure bohème et des ateliers, galeries, boutiques de créateurs originaux, studios... On a presque l'impression d'être dans un décor de ciné !

🍴 Une chose intéressante : le *Public Market* (marché), ouvert tous les jours de 9 h à 18 h. Bâti en 1917. Ancienne usine de câbles qui brûla dans les années 1950. Très coloré. Étals de fruits frais, vraiment pas chers. Des stands de nourriture proposent également d'excellents fruits de mer.

☻ Une autre curiosité : le *Kids Market,* consacrée aux mômes. Ouvert de 10 h à 18 h (21 h le vendredi). Attention, c'est un piège pour le portefeuille !

🍴 Ne pas manquer non plus de visiter la *Granville Island Brewing Company* : 1441 Cartwright Street. ☎ 604-687-2739. Ouvert de 10 h à 19 h (20 h les vendredi et samedi, 18 h tous les jours en hiver). Visites guidées (payantes) à 12 h, 14 h et 16 h.

– Vie culturelle loin d'être absente, avec 2 bons *théâtres.*

🍷 Pour se reposer la tête et les gambettes, 2 superbes terrasses : le *Bridges* et le *Backstage Lounge* (voir « Où manger ? », « Où boire un verre ? »).

À voir à North Vancouver

🍴 *Capilano Suspension Bridge :* 3735 Capilano Rd. ☎ 604-985-7474. ● www.capbridge.com ● En voiture : prendre Georgia Street, traverser le Stanley Park puis le Lion's Gate Bridge jusqu'à Marine Drive. Prendre à droite puis à gauche sur Capilano Rd. C'est à quelques kilomètres sur la gauche. En bus, prendre le n° 246 Highland West sur Georgia Street ; descendre sur Ridge Wood et Capilano, puis marcher. Autre possibilité : le *Seabus* jusqu'à North Vancouver puis le bus n° 236 jusqu'au pont. En saison, ouvert de 8 h 30 au coucher du soleil ; le reste de l'année, de 9 h à 17 h. Entrée (chère) : 21,95 $Ca (13,4 €) ; réductions ; gratuit pour les moins de 6 ans.

Pont suspendu à 70 m de hauteur, traversant une gorge profonde sur 137 m. Excitant et flippant à la fois de se sentir ballotté par ses vibrations et ses balancements. Cela dit, n'y allez pas exprès. Après la visite, on a un peu le sentiment de s'être fait avoir. Allez plutôt à *Lynn Canyon,* un autre pont suspendu, certes moins impressionnant, mais il y a moins de monde et, surtout, c'est gratuit.

🍴 *Grouse Mountain :* en poursuivant sur Capilano Rd, après le pont suspendu. Un téléphérique vous conduit au sommet de Grouse Mountain. ☎ 604-980-9311. ● www.grousemountain.com ● Pour s'y rendre en bus, n° 236 (Grouse Mountain) du terminal du *Seabus* à North Vancouver ; sinon, n° 246 Highland West sur Georgia Street, puis correspondance à Edgemont Village pour le n° 232. Le téléphérique fonctionne de 9 h à 22 h toute l'année. Départ toutes les 15 mn. Coût : 27 $Ca (16,5 €) ; réductions.

Au sommet, animation sur le thème du bois, belles sculptures. On y skie aussi, bien sûr, et même de nuit (pistes ouvertes jusqu'à 23 h !), jusqu'en avril. C'est certain, la vue sur Vancouver y est magnifique, mais franchement, pour le prix, offrez-vous plutôt un bon repas à notre santé.

Où prendre un bain d'eau de mer ?

▵ *Jericho Beach :* à 5 mn à pied de l'AJ (voir « Où dormir ? »), à la pointe est de Jericho Park. Peu fréquenté. Possibilité de louer des dériveurs et des planches à voile.

▵ *Kitsilano Beach* (plan couleur général C2) : appelée *Kits Beach*. Très populaire. Beaucoup de monde. La Côte d'Azur de Vancouver.

▵ *Wreck Beach* (plan couleur général A2) : plage de nudistes. Pour s'y rendre, prendre le sentier à droite de l'entrée du musée d'Anthropologie, sur le campus de UBC, puis bifurquer à gauche après avoir contourné les totems, pour rejoindre un chemin qui s'enfonce dans le sous-bois.

Fêtes et manifestations

On en dénombre plus de 40 chaque année, du festival dédié aux enfants à celui du vin, en passant par les parades nautiques et, bien sûr, les très nombreux festivals de musique. En voici une petite sélection :

– *Polar Bear Swim :* une bande d'allumés se baignent le 1er janvier sur l'English Bay Beach.

– *Nouvel An Chinois :* 15 jours de fêtes dans le quartier chinois, notamment autour du Dr Sun Yat Sen Park. La date varie d'une année à l'autre : le 9 février en 2005, le 29 janvier en 2006 et le 18 février en 2007. Au programme : parades, concerts... et diseuses de bonne aventure.

– *Bard on the Beach Shakespeare Festival :* de juin à septembre. Forcément pour ceux qui maîtrisent la langue de Shakespeare... et qui savent faire face aux aléas climatiques. Pièces jouées sous des tentes, sur la plage d'English Bay. Programme disponible à l'office de tourisme, dans les kiosques ou sur ● www.bardonthebeach.org ●

– *Festival d'été francophone de Vancouver :* mi-juin. ☎ 604-736-9806. ● www.ccfv.bc.ca ● Attention, francophone ne veut pas dire français, et vous serez surpris de voir la diversité des spectacles proposés, des tempos africains au folklore québécois...

– *The International Jazz Festival :* fin juin-début juillet. Les salles de jazz de Vancouver accueillent quelques grands noms de la scène internationale. À ne pas manquer. ● www.jazzvancouver.com ●

– *Vancouver Folk Music Festival :* sur Jericho Beach, près de *University of BC*. ● www.thefestival.bc.ca ● Groupes folk canadiens et américains en juillet.

– *Celebration of Light :* fin juillet-début août. Toute la ville est alors tournée vers la mer pour suivre cette compétition internationale de feux d'artifice sur l'English Bay Beach. Foule énorme. ● www.celebration-of-light.com ●

– *Vancouver International Film Festival :* fin septembre-début octobre. Avec la venue de 50 pays et environ 300 films présentés, ce festival commence à faire parler de lui. Informations : ● www.viff.org ●

– Pour le programme complet des différentes festivités qui peuvent se dérouler à Vancouver, cliquer sur ● www.ticketstonight.ca ●

– Vous pouvez aussi, pour des informations sur les spectacles, appeler le *Vancouver's free Arts Hot Line :* ☎ 604-684-2787.

Achats

Si vous demandez à un Vancouverois où faire du shopping, il vous enverra direct sur Robson Street, où s'étalent les grandes marques telles que *DNKY, Gap, Guess, Banana Republic*, ou la petite dernière, *Bebe*, ultra-tendance. Pas pour toutes les bourses, mais une leçon gratuite de mode à l'œil : pour connaître la mode de l'année prochaine, il vous suffit de suivre les Japonaises très branchées ! Dans un autre registre, on y trouve les librairies et les grands disquaires, idéal pour faire le plein de CD à moindres frais qu'en France. Enfin, l'art inuit se contemple (voire s'achète) du côté de Gastown, sur Water Street notamment, tandis que les boutiques de mieux-être, de soins ou de produits bio se rassemblent autour de 4th Avenue, l'ancienne artère hippie au sud de Downtown.

☸ **Pacific Center** (*zoom couleur C2, 150*) : 700 Georgia Street W. Une galerie marchande relie le centre commercial de Vancouver Center aux grands magasins d'Eaton et de Bay, situés de part et d'autre de Georgia Street. Pour l'habillement essentiellement, mais sans grand intérêt ni pour le choix ni pour les prix.

☸ **Art et sculpture inuit** (*zoom couleur C2, 151*) : Marion Scott Gallery, 481 Howe Street (à l'angle de Pender). ☎ 604-685-1934. Bonne sélection d'œuvres d'artistes divers (dont certains majeurs tels George Tataniq ou Oviloo Tunnillie). Possibilité de marchander.

☸ **Spirit Wrestler Gallery** (*zoom couleur D2*) : 8 Water Street. ☎ 604-669-8813. Sculptures, masques, dessins, peintures et autres œuvres, quelques-unes de grands maîtres tels que Robert Davidson.

☸ **Inuit Gallery** (*zoom couleur C2*) : 206 Cambie Street (à l'angle de Water Street). ☎ 604-688-7323. Très belle sélection de masques et de sculptures notamment. Marchander ferme.

☸ **Hill's Native Art** (*zoom couleur C2, 152*) : 165 Water Street, dans Gastown. ☎ 604-685-1828. Ouvert de 9 h à 21 h. Magasin d'artisanat réalisé par des Indiens de la côte

nord-ouest. Bien moins cher que les galeries, évidemment. Totems, masques, beaux lainages (tricotés par les Cowichans). Également des sculptures inuits.

☸ **Canadian Maple Delights** (*zoom couleur C2, 153*) : 769 Hornby Street. ☎ 604-682-6175. Ouvert de 7 h 30 (8 h le week-end) à 23 h. Vous connaissiez forcément le sirop d'érable, mais le chocolat, la confiture, la moutarde d'érable ? Des souvenirs de voyage dans des bouteilles stylisées ou des coffrets en bois qui feront leur petit effet au retour. On peut aussi y prendre un café et consommer crêpes, quiches, salades... au sirop d'érable.

☸ **Lush** (*zoom couleur C2, 154*) : 1025 Robson Street (entre Thurlow et Burrard). Ouvert tous les jours de 9 h 30 à 20 h (21 h le week-end). Venue de Londres, cette boutique fait fureur (Madonna en raffole) : savons et crèmes de toutes les couleurs, vendus à la coupe, comme du fromage.

☸ **True Value Vintage** (*zoom couleur C2, 155*) : 710 Robson Street. ☎ 604-685-5403. Ouvert de 11 h à 20 h (22 h le week-end). Fringues tendance *rock* de seconde main de 1920 à 1970 ! Pas particulièrement bon marché, cela dit.

– Pour les CD : 2 magasins se font la guerre, pour le plus grand bonheur des clients :

☸ **Virgin Megastore** (*zoom couleur C2, 156*) : 788 Burrard Street. ☎ 604-669-2289. Ouvert tous les jours de 10 h à 23 h (minuit le week-end).

☸ **A & B Sound** (*zoom couleur C2*) : 556 Seymour Street. ☎ 604-687-5837. Ferme à 18 h (21 h les jeudi et vendredi). Également au 3433 East Hastings Street (à East Vancouver) et au 732 Marine Drive (West Vancouver).

➤ *DANS LES ENVIRONS DE VANCOUVER*

🦌 Toujours plus vers le nord, le **Mount Seymour Provincial Park** offre de très belles balades.

🦌 **Vers Horseshoe Bay** : en empruntant Marine Drive, vers l'ouest, depuis North Vancouver, on longe la côte à travers les sous-bois sauvages. Quand

la toison forestière se fait moins dense, on découvre des criques cro-
quignolettes et quelques villas surplombant la baie. Cette agréable balade
mène à Horseshoe Bay, petit port reculé encadré de monts verdoyants et de
nombreux îlots. C'est de là que l'on prend le ferry pour Nanaimo, sur l'île de
Vancouver (voir le circuit dans la rubrique « Quitter Vancouver »).

🐾 ***Vers Whistler*** et ***le parc Garibaldi :*** après Horseshoe Bay, très belle
route jusqu'à Whistler. Au passage on peut voir le *BC Museum of Mining,*
situé à 52 km. ☎ 604-896-2233 ou 1-800-896-4044. Ouvert tous les jours
de mai à mi-octobre (uniquement du lundi au vendredi le reste de l'année).
Entrée : 12,95 $Ca (7,9 €) ; réductions.
Outre un camion de 235 t, on peut y voir une expo sur l'industrie minière
dans la province et visiter un tunnel de 1910 (dernier départ à 16 h 30). Vous
aurez même droit à un tamis pour tenter de trouver un peu d'or !

🐾 Juste après, on peut aller voir les ***Shannon Falls,*** impressionnantes cascades, et les ***Brandywine Falls,*** baptisées ainsi par 2 employés du chemin
de fer qui y jetèrent 2 bouteilles de brandy et de vin ! Nombreux campings
bien aménagés dont celui de *Porteau Cove* où se retrouvent les plongeurs,
les fonds étant réputés.

🐾 ***Squamish :*** à 67 km au nord de Vancouver, avant le Garibaldi Park.
Squamish est une destination connue des grimpeurs de tout poil, car on y
trouve le *Stawamus Chief,* le second plus grand monolithe de granit au
monde. Les bûcherons y viennent aussi au mois d'août pour le championnat
du monde de *Logger's Sports.* Mais ce qui attire le plus de monde à Squamish, ce sont les aigles à tête blanche *(bald eagles).* Ils viennent se susten-
ter de saumons de fin novembre à mi-février, avec un pic en janvier (mois du
festival, avec décompte des aigles – 3 701 en 1994 –, expéditions, expositions...). Le site d'observation le plus célèbre se trouve à *Brackendale,* à
quelques kilomètres au nord de Squamish.

À faire

Depuis le petit port d'Horseshoe Bay, il est possible de louer un voilier avec
skipper et d'aller se balader autour du *Howe Sound* (ensemble de fjords
entre Horseshoe Bay et Squamish). Un moyen ultrasympa de découvrir les
îles de *Bowen, Anvil* ou *Gambier.* Ce n'est pas donné, mais quelle évasion !
■ ***Orca Wind Sail Charters :*** ☎ 604-729-7245. ● www.orcawindsailchar
ters.com ●

QUITTER VANCOUVER

En voiture

Trois directions majeures pour quitter Vancouver.
➢ La Highway 99, vers le nord, autoroute gratuite qui conduit à ***Whistler*** en
moins de 2 h.
➢ La même vers le sud, pour rejoindre l'Interstate 5 vers ***Seattle.***
➢ Enfin la transcanadienne, la Highway 1, pour partir explorer les ***parcs*** et
le reste du Canada.

En avion

✈ ***L'aéroport*** se situe à une dizaine de kilomètres au sud de la ville *(hors
plan couleur général par C4).* Informations générales : ☎ 604-207-7077.
Attention, l'aéroport de Vancouver étant privé, des « frais d'amélioration »

d'un montant de 15 $Ca (9,2 €) sont demandés à l'embarquement (*Visa* ou *Mastercard* acceptées). Pour s'y rendre de *Downtown*, bus n° 98b (sur Burrard) puis, à « Airport Station », le n° 424 (compter 3 $Ca en tout). Autre possibilité : l'*Airporter*, bus vert qui, pour 12 $Ca (7,3 €) par passager, fait la navette entre l'aéroport et la plupart des grands hôtels du centre. Renseignements : ☎ 604-946-8866, 1-800-668-3141 ou sur ● www.yvrairporter.com ● Pour un taxi enfin, prévoir environ 30 $Ca (18,3 €).

En train

🚆 **Gare Via Rail** *(zoom couleur D2)* **:** 1150 Station Street, à l'est de *Downtown*. Renseignements : ☎ 1-800-824-7245 ou ● www.viarail.ca ● Vous trouverez un bureau de change dans la gare mais évitez d'y recourir (mauvais taux).

➤ **Pour Seattle :** 1 train et 4 bus quotidiens avec la compagnie américaine **Amtrak.** ☎ 1-800-USA-RAIL. ● www.amtrak.com ●

➤ Trois **liaisons transcanadiennes** par semaine (les mardi, vendredi et dimanche) à bord du *Canadian,* un train aménagé pour permettre aux passagers de faire une « croisière terrestre » plutôt qu'un simple déplacement. C'est donc plus cher que l'avion, surtout si vous allez jusqu'à **Toronto** (le terminus). Les principaux arrêts sont **Kamloops, Jasper, Edmonton, Saskatoon** et **Winnipeg.** Durée totale du voyage : 3 jours, mais on peut, par exemple, ne faire que Vancouver-Jasper puis, de là, prendre un autre train « touristique » (le *Skeena*) jusqu'à Prince George ou Prince Rupert.

En bus

🚌 **Greyhound Bus Terminal** *(zoom couleur D2)* **:** à la gare ferroviaire. ☎ 604-482-8747 ou 1-800-661-8747. ● www.greyhound.ca ● Point de départ pour toutes les destinations vers les États-Unis et tout le Canada.

➤ **Vers Seattle :** 5 départs par jour. Compter plus de 4 h de trajet.

➤ **Vers Calgary :** 6 départs par jour. Au moins 15 h de trajet.

➤ **Vers Toronto :** 4 départs par jour. Environ 70 h de voyage. Certains bus poussent jusqu'à Montréal. Avec un billet valable 30 jours, on descend où l'on veut.

➤ **Vers Jasper :** 2 départs par jour. 11 h de trajet.

➤ **Vers White Horse :** 3 départs par semaine (en principe les mardi, jeudi et dimanche). Plus de 40 h de trajet.

🚌 **Pacific Coach Line** *(zoom couleur D2)* **:** à la gare ferroviaire. ☎ 604-662-7575 ou 1-800-661-1725. ● www.pacificcoach.com ● Transport en bus et ferry pour **Victoria,** sur l'île de Vancouver. Un départ par heure en saison. Compter un peu plus de 30 $Ca (moins de 20 €) pour un aller simple.

En bateau vers l'île de Vancouver

⛴ Pour les ferries (ceux qui prennent les voitures), il y a 2 points de départ. Le principal, qui dessert Victoria et Nanaimo, est à **Tsawwassen,** à environ 45 mn de voiture au sud de Downtown Vancouver. L'autre, qui dessert seulement Nanaimo, est à **Horseshoe Bay,** à moins de 30 mn au nordouest du centre. Dans un cas comme dans l'autre, compter 1 h 30 à 2 h de traversée.

■ Depuis peu, le **Harbour Lynx** *(zoom couleur C2)*, un bateau pour passagers seulement, relie 3 fois par jour le centre de Vancouver au centre de Nanaimo, la 2e ville de l'île de Vancouver. Plus cher que les *BC Ferries* (voir ci-dessous), mais embarcadère plus facile d'accès. Ce peut être une bonne solution pour les non-motorisés qui désirent faire une petite excursion à Tofino, sur la côte ouest de l'île. Départ de Waterfront *(zoom couleur C2)*. Durée du trajet : 1 h 20. Coût : 25 $Ca (15,3 €). Réservations : ☎ 1-866-206-5969 ou sur ● www.harbourlynx.com ●

VANCOUVER

■ **BC Ferries :** infos sur ● www.bcferries.com ● Si vous avez un véhicule, mieux vaut réserver : ☎ 604444-2890 ou 1-888-724-5223.

➤ **À partir de Tsawwassen :** si vous n'avez pas de voiture, il y a deux possibilités. Soit vous prenez le forfait bus-ferry de *Pacific Coach Line* (voir « Quitter Vancouver en bus ») qui vous conduit de la gare ferroviaire (ou de l'aéroport international) de Vancouver au centre de Victoria ; soit vous vous rendez en bus ordinaire jusqu'à Tsawwassen, achetez votre billet sur place, et prenez le bus de Swartz Bay (débarcadère) jusqu'au centre de Victoria (environ 30 km).

La première solution coûte deux fois plus cher que la seconde, mais prend presque deux fois moins de temps. À vous de voir si l'argent gagné vaut le temps perdu. Si vous optez pour la seconde solution, prendre le bus n° 601 à l'intersection de Granville Avenue et de Broadway (au sud de *Downtown*) jusqu'au terminus de Ladner Exchange ; de là, prendre le bus n° 620 jusqu'à l'embarcadère de Tsawwassen. En été, 1 ferry par heure de 7 h à 22 h. Arrivé sur Vancouver Island, prendre le bus n° 70 jusqu'à Victoria.

En voiture, arriver 30 mn avant le départ. On paie avant d'embarquer (*Visa* et *MasterCard* acceptées).

➤ **En ferry de Horseshoe Bay vers l'île de Vancouver :** prendre, Georgia Street, les bus n° 250 ou 257. À noter que ce dernier est un express qui fait le trajet en 40 mn alors qu'il vous faudra compter une petite heure avec le premier. En revanche, la route du n° 250, le long de la côte, est superbe ! Départs des ferries vers Nanaimo de 6 h 30 à 21 h. Environ 12 ferries par jour en été.

➤ Si vous avez une *voiture,* vous pouvez également faire le chouette circuit suivant : de Horseshoe Bay à Langdale en bateau, puis route de Langdale à Earl's Cove d'où on reprend le ferry jusqu'à Saltery Bay. De là, route jusqu'à Powell River avant de prendre le ferry pour Comox sur l'île de Vancouver et de descendre la côte jusqu'à Nanaimo. Possibilité, ensuite, de revenir sur Horseshoe Bay ou de poursuivre vers Victoria (d'où vous pourrez, au choix, revenir sur Vancouver ou aller à Seattle, aux États-Unis). Cet itinéraire est sauvage et peu fréquenté. Nombreux campings sur tout le parcours. Pour entreprendre ce petit tour, il vaut mieux avoir du temps devant soi, aimer prendre le bateau, bien entendu, et avoir plaisir à se retrouver là où les autres ne vont pas. Carte de la région indispensable.

WHISTLER

La grande station de ski de Vancouver devient en été La Mecque du VTT et du golf. Pour ceux qui n'auraient pas le temps de visiter la Colombie-Britannique, cette station chic à la canadienne, donc assez décontractée, offre un beau condensé de mer (la route de Vancouver à Squamish est superbe !) et de montagnes. Très fréquentée en toutes saisons et relativement chère, mais comme dans toutes les stations de sports d'hiver, n'oubliez pas qu'ici la basse saison correspond à l'été. Envahi d'ados durant cette période.

Né avec le tourisme, le domaine de Whistler n'est pas grand, mais morcelé. De Vancouver, on arrive d'abord sur Whistler Creekside et le lac Alta, puis plus haut dans le cœur de la station, Whistler Village et Village North. Au-dessus, Blackcomb Mountain complète la station. Méfiez-vous donc des distances et vérifiez bien où vous voulez vous rendre avant de sortir.

Adresses utiles

🛈 *Whistler Visitor's Centre :* Gateway Drive, au centre du village. | ☎ 604-932-5922. ● www.whistler chamber.com ● Ouvert tous les jours de 9 h à 20 h (18 h du dimanche au mercredi en hiver).

🚌 *Autobus :* avec la compagnie *Greyhound,* qui assure une demi-douzaine de liaisons quotidiennes entre Whistler et Vancouver (compter 2 h 30 de trajet). Les cars s'arrêtent devant le *Visitor's Centre.* Renseignements : ☎ 1-800-661-TRIP ou sur ● www. whistlerbus.com ●

■ *Location de vélos :* voir plus loin la rubrique « À faire ».
■ *Taxis :* ☎ 604-932-3333.
@ *Electric Daisy :* au *Town Plaza,* un petit complexe de boutiques et de restos au centre du village. ☎ 604-938-9961. Ouvert de 10 h à 23 h. Possibilité de surfer à la minute, contrairement au *Hot Box,* un autre cybercafé tout près.

Où dormir ?

Bon marché

🛏 *Hostelling International Whistler :* 5678 Alta Lake Rd. ☎ 604-932-5492. Fax : 604-932-4687. ● www.hi hostels.ca ● Réception ouverte de 7 h à 11 h et de 16 h à 22 h. Environ 6 km avant Whistler, prendre à gauche la direction « Alta Lake Westside » et continuer sur 5 km. L'auberge est sur la droite. Nuitée de 20 à 24 \$Ca (12,2 à 14,6 €), selon la saison, et 4 \$Ca (2,4 €) de plus pour les non-membres. Réductions importantes pour les enfants. Chalet tout en bois au bord du lac, avec les montagnes en toile de fond. Excentré, mais quelle vue, une vraie carte postale ! Et puis, ça repose un peu de l'agitation incessante du village. Petits dortoirs de 4 équipés de lits verts. Grand salon chaleureux avec cheminée, billard, piano et canapé moelleux. Accès Internet, prêt de canoës, location de VTT et de kayaks. Sauna. Quatre à 5 bus par jour aller-retour pour Whistler Village. Agréable !

🛏 *UBC Whistler Lodge :* 2124 Nordic Drive. ☎ 604-822-5851. Fax : 604-822-4711. ● www.ubcwhistler lodge.com ● Environ 3 km avant d'arriver au village, tourner à droite, de nouveau à droite, puis à gauche ; le chalet est un peu plus loin dans la rue, sur la gauche. En été, nuitée à 21,25 \$Ca (13 €). Draps non compris, mais possibilité d'utiliser son sac de couchage. Sorte de refuge aux lits calés dans des espèces de renfoncements séparés des couloirs par un rideau. Atmosphère plutôt chaleureuse, cela dit. Cuisine équipée, salon avec cheminée, machines à laver, billard, flipper, fléchettes et Internet. Pour les fauchés prêts à se passer d'intimité.

🛏 *The Shoestring Lodge :* 7124 Nancy Greene Drive. ☎ 604-932-3338 ou 1-877-551-4954. Fax : 604-932-8347. ● www.shoestringlodge. com ● Dépasser Whistler Village en venant du sud, c'est sur la droite, attenant au *Boot Pub.* Selon la saison, nuitée en dortoirs de 19 à 31 \$Ca (11,6 et 18,9 €) et chambres doubles avec TV de 50 \$Ca à 125 \$Ca (30,5 et 76,3 €). Récemment rénové. Très propre. Chaque dortoir possède sa propre salle de bains. En été, les chambres privées offrent même un bon rapport qualité-prix. Ambiance sympa. Bus-navette vers les pistes.

Plus chic

🛏 *Chalet Luise :* 7461 Ambassador Crescent. ☎ 604-932-4187 ou 1-800-665-1998. Fax : 604-938-1531. ● www.chaletluise.com ● Prendre, comme pour le *Shoestring Lodge,* Nancy Greene Drive ; continuer jusqu'au bout et tourner à droite. En été, compter 125 à 150 \$Ca (76,3 à 91,5 €) pour 2, petit dej' copieux compris. Reconnaissable à sa façade de chalet suisse. Il faut dire que la propriétaire, anglaise d'origine, a vécu 10 ans chez les Helvètes. Elle en a visiblement gardé une façon européenne de concevoir l'hébergement. Chambres standard ou supérieures, mais toutes très soignées et arrangées comme... en

Suisse ! Belles suites avec *Bay window* et cheminée pour les amoureux. Bon accueil. Qui plus est, thé, café et tranche de cake offerts, sauna, jacuzzi et parking gratuit. Que demander de plus ?

🛏 *Edgewater Lodge :* 8841 Highway 99. ☎ 604-932-0688 ou 1-888-870-9065. Fax : 604-932-0686. ● www.edgewater-lodge.com ● À environ 4 km après le village. Chambres doubles autour de 200 $Ca (122 €) en été, petit dej' compris. Moins cher au printemps et en automne. Un peu perdu au bord du lac Green, cet hôtel en bois conviendra aux routards en quête d'un peu de tranquillité et d'aventures autres que celles des boîtes de nuit de Whistler ! Les chambres, agréables, disposent d'une entrée privée et de grandes fenêtres offrant une belle vue sur le lac et les montagnes. À signaler aussi, le *Edgewater Outdoor Center,* juste à côté, qui propose une kyrielle d'activités, que ce soit l'été avec la pêche, la randonnée, le vélo, le kayak, le canoë, la voile et l'équitation, ou l'hiver avec les balades en traîneau hippomobile ou encore en ski de fond. Et pour ceux qui ont vraiment les moyens, il est également possible de s'envoler de Vancouver et d'amerrir directement sur le lac, en face de la chambre !

🛏 *Whistler Cascade Lodge :* 4315 Northlands Bvd. ☎ 604-905-4875 ou 1-866-580-6643. Fax : 604-905-4089. ● www.whistler-cascade lodge.com ● À l'entrée du village. Compter environ 150 $Ca (91,5 €) pour 2. Plus cher en hiver. Architecture typique de la station. Rien de bien original donc, mais les chambres, bien arrangées, dans des tons plutôt chauds, avec édredon, sont d'un bon rapport qualité-prix. Régulièrement des offres spéciales sur Internet.

Où manger ?

Bon marché

▐●▌ *Hot Buns :* 4322 Sunrise Alley, à deux pas de Village Square (la place principale). Ouvert à partir de 8 h. Pas vraiment un resto, plutôt un bistro où il fait bon s'installer le matin pour déguster un croissant au beurre. Parquet, baie vitrée, banquettes avec dossiers couverts des coupures de journaux. Bien aussi pour un sandwich à midi ou une crêpe (préparée sous vos yeux) sur le coup de 16 h.

Prix moyens

▐●▌ *Caramba ! :* sur Village Stroll (la rue piétonne qui traverse le village), de l'autre côté du Village Gate Bvd par rapport au centre. ☎ 604-938-1879. Ouvert tous les soirs jusqu'à 22 h, ainsi que le midi du lundi au vendredi. Compter 10 $Ca (6,1 €) pour une entrée et 15 $Ca (9,2 €) pour un plat. Grande salle avec, au milieu, des cuisines bien ouvertes où s'affaire une demi-douzaine de gaillards en casquette. Le ton est donné, non ? Atmosphère pleine des vapeurs qui s'échappent des fourneaux, musique espagnole rythmant le pas décidé des sympathiques serveurs. Essayez les *calamari a la plancha,* vous vous en lécherez les doigts ! Sinon, salades, pâtes, pizzas et grillades façon ouest-canadienne, c'est-à-dire aux parfums et saveurs de tous les continents. Ne pas hésiter à prendre 2 entrées à la place d'un plat, ça permet de varier les plaisirs, et c'est très copieux !

▐●▌ *La Bocca :* 4232 Village Stroll, à Village Square. ☎ 604-932-2112. Cuisine jusqu'à 23 h. Même propriétaire que *La Brasserie des Artistes,* à côté. Pâtes et plats chinois de 15 à 20 $Ca (9,2 à 12,2 €), fondue savoyarde à 21 $Ca (12,8 €), plats de viande ou de poisson un peu plus chers. Meilleur marché à midi. Déco farfelue et colorée (murs ondulants, banquettes aux couleurs vives). N'hésitez pas à vous y engouffrer, la cuisine est franchement bonne, soignée et bien présentée. Carte de vins plus longue que le menu.

|●| *Old Spaghetti Factory :* 4154 Village Green, dans le *Crystal Lodge,* à Whistler Village. ☎ 604-938-1081. Ouvert de 12 h à 21 h. De 10 à 14 $Ca (de 6,1 à 8,5 €) le plat. Une chaîne que vous avez peut-être déjà croisée au Canada (ou aux *States*). Sans surprise, mais le décor 1900 reste sympa et la formule plat-soupe-salade-café-glace plutôt avantageuse.

|●| *The Brewhouse :* 4355 Blackcomb Way. ☎ 604-905-2739. Le soir, pizzas, pâtes et plats chinois de 11 à 19 $Ca (6,7 à 11,6 €). Grillades plus chères. Menu plus simple et meilleur marché à midi. Sympathique avec sa brasserie (au sens technique du terme !) visible au-dessus de la rôtisserie... car oui, ici, mis à part la bière, les spécialités ce sont les *ribs* et le *roast chicken,* servis avec de la purée. Quelques bons sandwichs à la viande cuite au feu de bois aussi, à midi. Sans oublier la *Dirty Miner,* une bière brune maison.

Où boire un verre ? Où sortir ?

Whistler dort peu la nuit, et la journée de ski se prolonge souvent dans les nombreux bars et boîtes éparpillés dans le village. C'est un tout petit monde, alors n'hésitez pas à demander au bar des entrées gratuites pour les boîtes et les concerts du soir.

▮ Pour prendre un verre (mais rien d'autre car nourriture pas terrible), installez-vous à l'*Amsterdam Pub,* sur Village Square, ou à la *Brasserie des Artistes,* juste à côté. Toujours du monde.

▮ ♪ *Boot Pub :* 7124 Nancy Greene Way. ☎ 604-932-3338. Un peu au nord du village, en continuant sur la Highway 99. Scène reconnue pour ses concerts de blues notamment.

▮ ♪ *Maxx Fish :* salle en sous-sol à côté de l'*Amsterdam Pub.* Hip-hop, top 40, concerts, DJ, blues et funk.

▮ ♪ *Moe Joe's :* quasiment sur Village Square. Même style que le précédent.

▮ ♪ *Buffalo Bill's :* 4122 Village Green. À 50 m du *Moe Joe's.* Brasse une foule un peu plus âgée que les autres. Soirées à thème, concerts de rock ou de pop, musique des *seventies, r'n'b,* new age... Beaucoup de groupes, désormais reconnus, y ont fait leurs débuts.

▮ ♪ *Garfinkel's :* sur Village Stroll, au Town Plaza. Grande boîte, la plus grande de Whistler, avec un bar en forme de square au milieu. Faune de tout poil pour une ambiance effervescente. Concerts, soirées à thème. Tournez la roue au bar pour un *shot* « maison ». Assez décoiffant !

À faire

Whistler constitue l'un des plus grands domaines skiables du Canada. Bien sûr, en été, on délaisse le ski (qui reste toutefois possible à une certaine altitude) pour s'adonner à un tas d'autres activités :

– *Rafting :* plusieurs formules en fonction de l'âge et de l'expérience, de quelques heures à une journée entière. Inclut parfois un pique-nique et une séance d'observation des oiseaux, d'aigles notamment. *C3 Rafting :* ☎ 604-905-2777 ; *Wedge Rafting :* ☎ 932-7171 ; *Whistler River Adventures :* ☎ 604-932-3532.

– *Canoë-kayak :* pour une expérience relax, le *lac Alta* offre des balades sans aucun danger dans un site magnifique. Ceux qui cherchent à mouiller leur chemise iront, plus haut, se frotter aux rapides du *Green Lake. Whistler Outdoor Experience :* location de canoës et de kayaks, balades guidées, à côté du *Edgewater Lodge* (voir plus haut « Où dormir ? »). ☎ 604-932-3389.

– *VTT :* l'activité la plus pratiquée l'été à Whistler, si bien qu'il est conseillé de réserver son VTT à l'avance. Nombreux chemins aménagés, guides et cartes disponibles au *Visitor's Centre* et dans les magasins de location. *Fanatyk Co* (excellent accueil !) : 4433 Sundial Pl. ☎ 604-938-9455. *Glacier Shop* : 4573 Chateau Boulevard. ☎ 604-938-7744. *Wild Willie's* : ☎ 604-938-8036. *Whistler Blackcomb rentals* : ☎ 604-932-3434.

➤ *Randos :* de superbes balades à faire autour de Whistler. Pas si peinard qu'il y paraît... Et méfiez-vous des ours ! L'hiver, certains descendent jusqu'au village, vous avez donc toutes les chances de faire de sympathiques rencontres. *Glacier & Hiking Tours,* randos guidées de 4 h à 3 jours à la découverte, notamment, des glaciers. ☎ 604-938-9242. Pour une simple balade, prenez le *Lost Lake Trail,* un des nombreux chemins aménagés, qui conduit jusqu'au lac où se trouvent des aires de pique-nique et de baignades.

Achats

◈ *Cow's Whistler :* 102-4295 Blackcomb Way, dans le village. Pour ceux qui aiment les vaches, représentations du bovidé sur toutes sortes de vêtements et d'objets (pantoufles, pyjamas, tasses, crayons, jouets...). Également des glaces... au lait, bien sûr ! Boutique identique à Banff.

◈ *Nester's square :* un peu au nord du village, le long (côté gauche) de la Highway 99. Ouvert de 8 h à 22 h. Connu par les habitués pour son magasin d'alimentation le moins cher de la station. On y trouve également des laveries automatiques.

L'ÎLE DE VANCOUVER

Terre de contrastes, cette île, d'une superficie de 34 000 km² qui protège les côtes sud de la Colombie-Britannique, n'est réellement développée que dans sa partie sud, où l'on trouve Victoria, la coquette capitale aux allures un peu *british* bordée de jardins soigneusement entretenus.

À quelques dizaines de kilomètres au nord, l'île n'est déjà plus qu'une immensité sauvage qui, pour sa majeure partie, est restée inexploitée. La densité de la végétation, le gigantisme de ses arbres, la quasi-absence d'infrastructure routière et la faune sauvage qui la peuple font de l'île un des derniers bastions naturels non foulés par l'homme. Les endroits les plus éloignés se résument à de petits villages qui raviront les amateurs d'authenticité, ainsi que les adeptes de pêche et de randonnées sans fin. C'est également sur cette île que les plus grosses fortunes de Vancouver ont installé leur résidence secondaire.

UN PEU D'HISTOIRE

Propriété de la *Compagnie de la baie d'Hudson* au moment de la fondation du fort Victoria en 1843, l'île devint colonie de la Couronne en 1848 avant d'être rattachée à la Colombie-Britannique en 1866. Deux ans plus tard, Victoria en devenait la capitale et voyait fleurir un bouquet d'édifices publics ainsi que de splendides jardins pour la promenade des notables.

VICTORIA 75 000 hab. (Greater Victoria : 325 000 hab.) IND. TÉL. : 250

Ville principale de l'île et capitale de la Colombie-Britannique, Victoria semble vivre à l'anglaise avec ses jardins fleuris, ses maisons victoriennes, ses entrepôts et autres *warehouses* à la belle architecture de brique. Ici, le tracé des rues échappe un tout petit peu à l'éternel damier, parce qu'il suivait à l'époque l'emplacement des fermes. Son côté tranquille et son climat tempéré attirent évidemment beaucoup de retraités, de riches Américains et de touristes, même si les adeptes de l'*afternoon tea* se font plutôt rares, et que, au bout du compte, la proximité de l'université empêche la ville de s'endormir au coucher du soleil. Depuis une dizaine d'années, de plus en plus d'anciens entrepôts ou magasins s'aménagent en de chaleureux bars et restaurants, qui se remplissent le soir venu. Vous l'avez compris, Victoria constitue un bon point de départ pour une balade dans l'île, de même qu'un agréable point de chute pour les routards fatigués.

Début juillet, le festival Ica Folk Fest, très populaire, attire des musiciens du monde entier.

Adresses et infos utiles

Infos touristiques

🏠 *Tourism Victoria* (zoom B2) : 812 Wharf Street. Au-dessus du petit port, pratiquement en face de l'*Empress Hotel*. ☎ 953-2033. Pour les réservations de logement : ☎ 1-800-663-3883. Fax : 382-6539. ● www. tourismvictoria.com ● En saison, ouvert tous les jours de 8 h 30 à 17 h 30. Comme à Vancouver, service impeccable et documentation quasi exhaustive sur l'île et la ville de Victoria.

Services, urgences

📧 *Poste* (zoom B2) : 714 Yates Street. Ouvert du lundi au vendredi de 8 h à 17 h. Les opérations courantes peuvent aussi s'effectuer dans les pharmacies, laveries ou toute autre boutique portant le logo *Canada Post*.

@ *Stain Cafe* (zoom B2, 1) : 609 Yates Street. ☎ 382-3352. Ouvert tous les jours de 10 h à 2 h du matin. Pas très cher : 3,50 $Ca (2,1 €) de l'heure.

■ *Royal Jubilee Hospital* (hors plan général par D2, 2) : 1900 Fort Street. ☎ 370-8000. Urgences : ☎ 370-8212.

■ *Consigne :* au bureau d'informations (Information Desk) du *Bay Center* (zoom B2, 100). Ouvert, en saison, de 9 h 30 à 21 h (19 h le samedi et 18 h le dimanche).

Transports en ville

■ *Location de vélos et scooters :* Cycle BC Rentals, 747 Douglas Street (derrière l'hôtel *Empress* ; zoom B2) et 950 Wharf Street (à côté des hydravions ; zoom B2). ☎ 380-2453. À partir de 6 $Ca (3,7 €) pour les vélos, 12 $Ca (7,3 €) pour les scooters.

■ *Tours de ville en bus :* Gray Line Victoria (zoom B2, 3), 700 Douglas Street. ☎ 388-5248. Tours dans Victoria (1 par heure en saison, de 10 h à 16 h) mais aussi dans les environs. Achat des billets possible à l'office de tourisme. Départ devant l'hôtel *Empress*.

⛴ *Victoria Harbour Ferry* (petits bateaux-taxis) : sur le port, plusieurs arrêts, dont l'*Empress Hotel*, l'*Ocean Pointe Resort* ou le *Coast Harbourside Hotel*. ☎ 708-0201. En service tous les jours de 9 h à 21 h (en saison), ces drôles de petites embarcations couvertes (genre *Fiat 600* sur l'eau) font trois sauts de puce le long de Victoria Harbour pour à peine plus cher qu'un ticket de bus : 3,50 $Ca (2,1 €). Propose aussi des tours du grand port de Victoria et des allers-retours jusqu'à Gorge Park.

🚌 *BC Transit* (bus urbains) : ☎ 382-6161. Vous pouvez vous procurer leur brochure dans les bus pour 0,75 $Ca (0,50 €).

VICTORIA

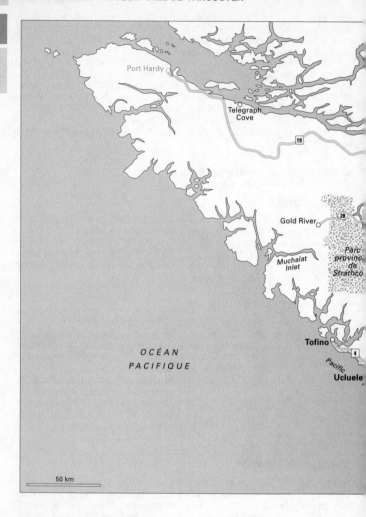

Location de voitures

■ *Budget Rent-a-Car (zoom B2, 4)* : 757 Douglas Street. ☎ 953-5300.
■ *Avis Rent-a-Car :* 843 Douglas Street, un bloc plus haut que le précédent. ☎ 386-8468.
■ *Thrifty Car Rental (hors plan général par B1) :* 625 Frances Avenue. ☎ 383-3659.

Où dormir ?

Comme pour Vancouver, les prix que nous vous indiquons sont ceux de la pleine saison touristique, à savoir, ici, les mois d'été. Vous pouvez donc vous attendre à payer moins si vous voyagez en dehors de cette période.

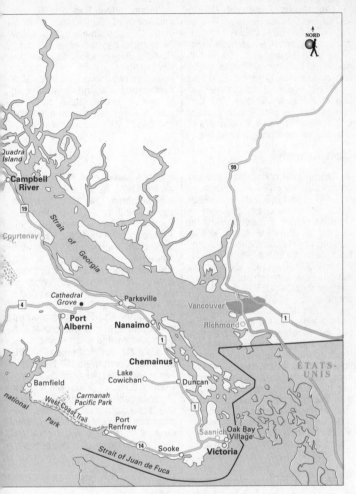

L'ÎLE DE VANCOUVER

Campings

⚊ ***Fort Victoria RV Park :*** 340 Island Highway. ☎ 479-8112. Fax : 479-5806. ● www.fortvicrv.com ● À environ 6 km au nord-ouest de Victoria. Prendre Douglas Street N qui devient la Highway 1. Ensuite, prendre Helmcken Rd sur la gauche, puis la Highway 1A sur la droite et suivre le fléchage. Bus n° 14. Ouvert toute l'année. Compter 30 $Ca (18,3 €) pour 2 personnes, une tente et la voiture. Sanitaires impeccables.

⚊ ***Thetis Lake Campground :*** 1-1938 West Park Lane. ☎ 478-3845. Fax : 478-6151. Non loin du précédent. Emplacements pour tentes disponibles uniquement de mi-juin à mi-septembre. Compter 18 $Ca (11 €) pour 2. Ombragé, avec un lac pas loin. Machines à laver. Sentiers de randonnée.

🏕 **Goldstream Provincial Park :** 2930 Trans Canada Highway. ☎ 478-7411 ou 1-800-689-9025. À une douzaine de kilomètres à l'ouest de Victoria, par la Highway 1. Tourner à gauche à Ice Cream Mountain. Ouvert toute l'année. Compter 18,50 $Ca (11,3 €) pour 2 personnes et une tente. Sauvage et isolé, dans une épaisse forêt de pins. Environnement très agréable ! De plus, belle rivière et chemins de randonnée à proximité.

🏕 **Island View Beach :** N. Homathko Drive, Saanichton. ☎ 652-0548. À mi-chemin entre Swartz Bay (le terminal des ferries) et Victoria. Prendre Blanshard Street qui devient ensuite la Highway 17, continuer pendant une douzaine de kilomètres jusqu'à Island View Rd, puis tourner à droite juste après la grange rouge. 40 places à environ 25 $Ca (15,3 €), à 3 km de la plage.

Bon marché

🏠 **Ocean Island Backpackers Inn** (zoom C2, 20) : 791 Pandora Avenue. ☎ 385-1788 ou 1-888-888-4180. • www.oceanisland.com • Dans le centre. Réception ouverte 24 h/24. Nuitée en dortoir à 20 $Ca (12,2 €) pour les étudiants ou détenteurs de la carte Hostelling International, à 22 $Ca (13,4 €) pour les autres. Pour une chambre privée, compter 27 $Ca (16,5 €) pour 1 personne et 35 à 60 $Ca (21,4 à 36,6 €) pour 2. Un peu plus cher les weekends et jours fériés. Parking à 5 $Ca (3,1 €). Ambiance surf et piercing. Sympathiques espaces communs. Petits dortoirs tout à fait convenables mais chambres, avec ou sans sanitaires, assez sommaires. Les moins chères ne disposent que d'un Futon. Petit bar convivial, cuisine et salle à manger. Organise aussi un tas d'excursions.

🏠 **HI Victoria Hostel** (zoom B2, 21) : 516 Yates Street. ☎ 385-4511 ou 1-888-883-0099. Fax : 385-3232.

• www.hihostels.ca • Réception ouverte 24 h/24. Nuitée à 20 $Ca pour les membres, 24 $Ca pour les autres (12,2 et 14,6 €). Propose aussi 2 chambres privées pour 2 ou 3 personnes à 44 $Ca (26,8 €). Très sympa. En plein centre. L'une des premières warehouses de la ville (1882), joliment rénovée. Petit salon, cuisine. Vous y trouverez 3 dortoirs de 4 à 8 lits, 2 autres pour filles de 16 et 20 places et 1 grand pour les mecs, de 44 lits ! Quelques produits de dépannage (rasoirs, brosses à dents...) en vente à la réception.

🏠 **Daffodil Inn** (plan général B1, 22) : 680 Garbally Rd. ☎ 386-8351. Fax : 386-8318. Au nord du centre. De 55 à 60 $Ca (33,6 à 36,6 €) pour 2 personnes. Motel sans âme dans une zone sans charme, mais aux chambres vraiment pas chères, avec ou sans kitchenette. Pour ceux qui cherchent un toit pour la nuit et basta. Parking gratuit.

Prix moyens

🏠 **Selkirk Guesthouse** (hors plan général par A1, 23) : 934 Selkirk Avenue. ☎ et fax : 389-1213 ou 1-800-974-6638. • www.selkirkguesthouse.com • Un peu excentré mais facile d'accès. Du centre-ville, en voiture, traverser le pont Johnson et tourner à droite dans Tyee qui devient Skinner puis Craigflower ; tourner alors à droite dans Arcadia et, enfin, plus à gauche dans Selkirk. Sinon, bus n° 14 Craigflower de Douglas et Yates. Descendre à l'arrêt Tillicum. Cela peut sembler long mais, en fait, le centre est à 10 mn en bus, 30 mn à pied... et à peu près pareil en kayak ! Compter 80 à 105 $Ca (48,8 à 64,1 €) pour 2. Également un petit dortoir de 6 lits, à 22 $Ca (13,4 €) la nuit. Petit dej' à 5 $Ca (3,1 €). Accueil très décontracté. Sept chambres personnalisées, avec ou sans sanitaires, kitchenette, etc. Certaines sont un peu plus modernes que d'autres mais toutes se révèlent très convenables pour le prix. On a un faible pour la Loft Room. Quant au jardin, c'est un vrai petit paradis pour enfants : animaux, barbecue, jacuzzi, trampoline. Une course à faire ? Hop, on saute dans un canoë et le tour est joué. Téléphoner avant de venir, car c'est vite complet !

🛏 **Dominion Hotel** (zoom C2, 24) : 759 Yates Street. ☎ 384-4136 ou 1-800-663-6101. Fax : 382-6416. • www. dominion-hotel.com • Un ancien bâtiment de la ville rénové, en plein centre. Compter 100 $Ca (61 €) pour une chambre double standard et 150 à 250 $Ca (91,5 à 152,5 €) pour une luxueuse suite. Petit dej' et, chose très rare, déjeuner ET dîner (3 services, au bar-restaurant *Hunter's* du rez-de-chaussée) inclus ! Dans ces conditions, vous pouvez faire le calcul comme vous voulez, vous faites une super-affaire ! D'autant que les chambres standard, sans regorger de charme, sont convenables, et que les suites, elles, sont absolument ravissantes. De plus, les tarifs hors saison sont encore plus bas ! À se demander, vraiment, comment ils font...

🛏 **Helm's Inn** (zoom B2, 25) : 600 Douglas Street, à l'angle de Superior. ☎ 385-5767 ou 1-800-665-4356. Fax : 385-2221. • www.helms inn.com • Au pied du Beacon Hill Park, à quelques blocs à peine du port. À partir de 125 $Ca (76,3 €) pour 2, petit dej' compris. Derrière le Royal BC Museum, un motel haut de gamme quoique sagement tarifé. Les chambres, avec ou sans kitchenette, sont jolies, de belle taille et très confortables. Accès Internet gratuit et café avec biscuits offerts sur le coup de 16 h. Compter 5 $Ca (3,1 €) pour le parking. Non-fumeurs.

🛏 **Taj Mahal Agra House** (zoom B2, 26) : 679 Herald Street. ☎ 383-4662 ou 1-888-522-7999. Fax : 380-1099. À la lisière de Chinatown, pas loin à pied du centre. Autour de 90 $Ca (54,9 €) pour 2, petit dej' léger compris. Curieux petit hôtel reproduisant l'architecture moghole. À part ça, rien de bien folichon à l'intérieur : il n'y a pas vraiment de réception et les chambres (10 en tout) sont un peu ternes. Deux d'entre elles, un peu plus chères, possèdent cependant une décoration indienne avec ameublement cossu et plantes vertes. Certaines ont aussi une kitchenette. Accueil sympathique et parking gratuit.

B & B

Victoria possède un joli bouquet de *B & B* de charme ! Bien sûr, nombre d'entre eux ne sont pas donnés, mais si vous êtes prêt, pour une nuit, à desserrer un peu les cordons de votre bourse, sachez qu'en principe vous ne le regretterez pas. Et si, par hasard, vous ne trouviez pas votre bonheur dans les (excellentes !) adresses qui suivent, n'hésitez pas à vous adresser à l'*office de tourisme,* ou même aux 2 bureaux de réservation de *B & B* que voici :

■	**Adresse utile**	**44**	Moxie's
	2 Royal Jubilee Hospital	**47**	Spinnakers
🛏	**Où dormir ?**	☕	**Où prendre le thé ?**
	22 Daffodil Inn		
	23 Selkirk Guesthouse	**42**	James Bay Tea-Room and Restaurant
	30 Marketa's	**61**	White Heather
	31 Annabelle's Cottage		
	32 Ashcroft House	🍸 ♪	**Où boire un verre ?**
	33 Ryan's *B & B*		**Où sortir ?**
	34 Andersen House		
	35 Dashwood Manor	**47**	Spinnakers
	36 Oak Bay Beach Hotel	**75**	Cambie
🍴	**Où manger ?**	🎭	**À voir**
	41 Barb's Place		
	42 James Bay Tea-Room and Restaurant	**94**	Maison d'Emily Carr
		96	Art Gallery of Greater Victoria

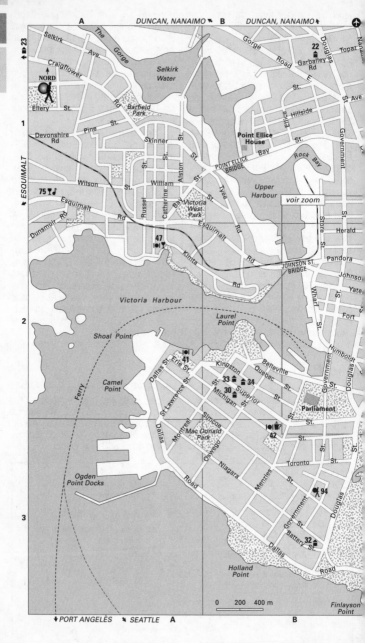

voir zoom

VICTORIA (PLAN GÉNÉRAL)

VICTORIA

■ *Western Canada B & B Inkeepers Association :* ☎ 604-255-9199. ● www.wcbbia.com ●

■ *5 Star Vacation Accomodation & Holiday Home Rentals Ltd. :* ☎ 479-8600. Fax : 385-9541. ● www.bcacc.com ●

De prix moyens à plus chic

🛏 *Marketa's (plan général B2, 30) :* 239 Superior Street. ☎ 384-9844. Fax : 384-9848. ● www.marketas.com ● Chambres doubles avec ou sans salle de bains de 85 à 135 $Ca (51,9 à 82,4 €), petit dej' compris. Marketa, c'est le nom de la proprio, une artiste tchèque qui a fait son nid à Victoria. C'est aussi elle qui a décoré les chambres. Bien sûr, ce sont les plus chères, mais on vous recommande celles du 1er étage, vraiment originales et réussies, avec leur mobilier en bois, leur lustre, parquet, cheminée et jacuzzi. Les chambres du rez-de-chaussée, quoique convenables, sont plus ordinaires. Petit salon cosy pour les hôtes, et agréable véranda pour le petit déjeuner.

🛏 *Annabelle's Cottage (plan général C3, 31) :* 152 Joseph Street. ☎ 384-4351 ou 1-866-212-4022. ● www.annabellescottage.com ● Compter 145 $Ca (88,5 €) pour 2, petit dej' inclus. Au sud-est du centre, à deux pas de l'océan, jolie petite maison entourée de fleurs. Une entrée séparée donne accès à deux superbes studios, très soignés et tout équipés. Idéal pour un court séjour au calme. Le petit dej', composé notamment de pâtisseries et de confitures maison, est servi dans les studios.

■ **Adresses utiles**

- 🛈 Tourism Victoria
- ✉ Poste
- 🚂 Gare Via Rail
- @ 1 Stain Cafe
- 🚌 3 Gray Line Victoria
- 4 Budget Rent-a-Car
- 🚌 5 Island Coachlines, Pacific Coach Lines
- ⛴ 6 Black Ball Transports
- ⛴ 7 Victoria Express
- ⛴ 8 Victoria Clipper

🛏 **Où dormir ?**

- 20 Ocean Island Backpackers Inn
- 21 HI Victoria Hostel
- 24 Dominion Hotel
- 25 Helm's Inn
- 26 Taj Mahal Agra House

🍽 **Où manger ?**

- 40 John's Place
- 43 Milestone's
- 45 Pagliacci's
- 46 Don Mee
- 48 Café Mexico
- 50 The Keg
- 51 Chandlers
- 52 Camille's
- 53 Pescatore's

☕ ☕ **Où prendre le thé ? Où acheter de merveilleux chocolats ?**

- 60 The Fairmont Empress
- 62 Rogers'

🍷 ♪ ♫ **Où boire un verre ? Où sortir ?**

- 24 Hunter's Steakhouse & Lounge
- 70 Legends
- 71 The Sticky Wicket
- 72 Swan's
- 73 Süze et Lucky Bar
- 74 Hugo's

🎥 **À voir**

- 60 Fairmont Empress Hotel
- 90 Royal British Columbia Museum
- 91 Maritime Museum of British Columbia
- 92 Royal London Wax Museum
- 93 Parliament Building
- 95 Helmcken House
- 97 Market Square

🛍 **Achats**

- 100 The Bay Centre
- 101 Christmas Village

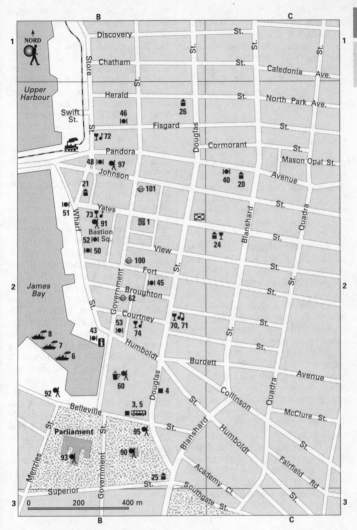

VICTORIA (ZOOM)

De plus chic à très chic

🏠 *Ashcroft House* *(plan général B3, 32)* : 670 Battery Street. ☎ 385-4632 ou 1-866-385-4632. ● www.ashcrofthousebandb.com ● Chambres doubles à 170 $Ca (103,7 €), petit dej' compris. Vénérable maison de 1898 avec un long balcon. Quelques poiriers dans le jardinet. Vient d'être rénové par un couple d'Anglais assez à cheval sur la qualité. Du coup, on y trouve 4 chambres très confortables et fort bien décorées, dans les tons clairs et bordeaux. Véranda avec jeux et gros fauteuils pour se détendre. Petit dej' très copieux bien sûr, vu l'origine des proprios. À un bloc seulement de la mer et du Beacon Hill Park.

🛏 *Ryan's B & B (plan général B2, 33)* : 224 Superior Street. ☎ 389-0012 ou 1-877-389-0012. • www.ryansbb.com • Compter 150 à 230 $Ca (91,5 à 140,3 €) pour 2, avec le petit dej'. Ici, en entrant, on tombe presque nez à nez avec un salon de musique. Il faut dire qu'on est chez Sheila Ryan, une cantatrice irlandaise qui joue aussi de la harpe et de la guitare. Ça donne le ton, non ? Le reste est d'ailleurs à l'avenant, beaucoup de classe et plein de charme. Les chambres, toutes différentes mais toutes très réussies, sont garnies de mobilier d'époque. Certaines possèdent un jacuzzi ou une kitchenette.

🛏 *Andersen House (plan général B2, 34)* : 301 Kingston Street. ☎ 388-4565 ou 1-877-264-9988. • www.andersenhouse.com • À deux pas de *Ryan's B & B*. Compter 195 à 275 $Ca (119 à 167,75 €), petit dej' compris. Cher mais exceptionnel ! Demeure victorienne plus que centenaire qui a conservé tout son cachet. Au programme : façade colorée, véranda, hauts plafonds, cheminées anciennes, décor de stuc, beau mobilier et, croyez-nous, on en passe. Magnifiques (le mot n'est pas trop fort) chambres, très confortables, toutes avec entrée indépendante. L'une dispose d'un vaste balcon, les 3 autres d'un double jacuzzi. Les grandes ont aussi un coin salon. Décoration très personnalisée, notamment avec les œuvres d'un artiste mexicain. Plusieurs pe-

tites terrasses. Petit dej' essentiellement bio. Réservation impérative.

🛏 *Dashwood Manor (plan général C3, 35)* : 1 Cook Street. ☎ 385-5517 ou 1-800-667-5517. Fax : 383-1760. • www.dashwoodmanor.com • Suites de 195 à 325 $Ca (119 à 198,25 €). Grande demeure de style Tudor au bord du Beacon Hill Park, à 10 m du bord de mer. Bel ameublement ancien, décor raffiné, objets choisis, atmosphère très Old England, comme le rappelle le nom des chambres (c'est l'occasion ou jamais de dormir à *Buckingham* ou à *Windsor* !). Certaines sont de vrais petits appartements, avec leur table à manger déjà dressée pour le petit dej' (que vous trouverez dans le frigo). Toutes ont au moins un bout de vue sur l'océan. Enfin, cerise sur le gâteau, dégustation de vin et de fromage offerte tous les jours dans le petit salon, histoire de réunir les hôtes.

🛏 *Oak Bay Beach Hotel (hors plan général par D3, 36)* : 1175 Beach Drive. ☎ 598-4556 ou 1-800-668-758. Fax : 598-6180. • www.oakbaybeach hotel.bc.ca • À environ 6 km à l'est du centre, par le bord de mer. Chambres à partir de 200 $Ca (122 €), suites à partir de 345 $Ca (211 €). Petit dej' compris. Fière demeure de style Tudor surplombant la mer. Le jardin, qui descend en terrasses jusqu'à la plage, est un petit coin de paradis. Lobby rustique, avec ses poutres en bois et sa cheminée. Chambres chaleureuses et pas standardisées pour un sou. Quant aux suites, elles sont carrément superbes ! Bon accueil. On s'y prendrait presque pour un lord anglais...

Où manger ?

Le saviez-vous, Victoria est la ville où le nombre de restos par habitant est le plus élevé d'Amérique du Nord... avec San Francisco !

Bon marché

🍽 *John's Place (zoom C2, 40)* : 723 Pandora Avenue. ☎ 389-0711. Ouvert de 7 h à 21 h en semaine et de 8 h à 22 h le week-end. Compter 6

à 9 $Ca (3,7 à 5,5 €) pour un plat à midi, un peu plus le soir, et 7 à 10 $Ca (4,3 à 6,1 €) pour le brunch du week-end (servi de 8 h à 16 h). Décor sympa à l'américaine, bois clair, banquette de moleskine et vieilles photos aux murs. Lieu voué au sport, ou plutôt à ceux d'Amérique du Nord. Clientèle hétérogène, service décontracté. La cuisine est copieuse et pas chère avec des spécialités comme, pour le brunch, les œufs *Benedict*, le *chicken burrito*. Au petit dej', les populaires *waffles*. Petit tour du côté de la Méditerranée avec les *Jerusalem Falafels*, les slouvakis et autres plats grecs. Enfin, quelques mets thaï et, bien sûr, pas mal de burgers.

|●| **Paradiso di Stelle** *(zoom B2)* : 10 Bastion Square. ☎ 920-7266. Ouvert de 8 h à 17 h (18 h le weekend). Un café italien très populaire pour ses véritables glaces, ses pâtisseries et ses sandwichs. On y trouve également de vrais cafés serrés et, à notre connaissance, le meilleur *ice-tea* de la ville. Aux beaux jours, le square fait office de terrasse.

|●| **Barb's Place** *(plan général A2, 41)* : Fisherman's Wharf, 310 Erie Street. ☎ 384-6515. Au bout d'Ontario. Si vous n'êtes pas motorisé, le *Victoria Harbour Ferry* (voir « Adresses utiles ») vous y conduira. Ouvert tous les jours de mars à octobre de 10 h au coucher du soleil, *weather permitting*. Petit dej' à 3 ou 4 $Ca (1,8 à 2,4 €) jusqu'à 11 h. Ensuite, poisson frais et frites, éventuellement empaquetés dans du journal comme dans le temps, pour 8 $Ca (4,9 €) environ. *Halibut* (flétan), huîtres, *seafood chowder*, *fish burger*, moules et salades qu'on mange dehors sur de grosses tables prises d'assaut aux beaux jours, où à même le ponton. En profiter pour aller voir les curieux *house-boats* plus loin. Très populaire le week-end. Un endroit romantique pour les routards pas forcément pleins aux as.

|●| **James Bay Tea-Room and Restaurant** *(plan général B3, 42)* : 332 Menzies Street, à l'angle de Superior Street. Derrière le Parlement. ☎ 382-8282. Ouvert de 7 h (8 h le dimanche) à 17 h. Sandwichs et plats autour de 7 $Ca (4,3 €). Petite maison blanche et fleurie au toit pentu. À l'intérieur, atmosphère bien *british*, avec des portraits de la famille royale et de Churchill. Dentelles aux fenêtres. Contrairement aux usages des sujets de Sa Majesté, on y prend l'*afternoon tea* toute la journée ! À part ça, petit dej' le matin (compter environ 8 $Ca, soit 4,9 €) suivi, un peu après, des plats anglais traditionnels : *steak and kidney pie*, *Welsh rarebit*. Bons gâteaux : *home made scones*, *sherry triffle*, *cheese cakes*. Service très agréable.

Prix moyens

|●| **Milestone's** *(zoom B2, 43)* : 812 Wharf Street, sous l'office de tourisme, face au port. ☎ 381-2244. Ouvert à partir de 11 h du lundi au vendredi, de 10 h le samedi et 9 h le dimanche (pour le petit dej'). Le soir, compter environ 12 $Ca (7,3 €) pour un plat. Un peu moins cher le midi. Resto de chaîne très apprécié pour sa terrasse au bord de l'eau. On peut aussi manger dans la grande salle, sur de grosses banquettes en moleskine. Cuisine internationale délicieuse, avec des plats asiatiques ou caribéens style *cheese quesadillas*, *cajun prawns*, *Shanghai noodles* et *Hawaian Teriyaki chicken*. Service souriant.

|●| **Moxie's** *(plan général C2, 44)* : 1010 Yates Street. ☎ 360-1660. À l'angle de Vancouver Street. Ouvert de 11 h à 23 h (minuit les vendredi et samedi et 22 h le dimanche). De 8 à 23 $Ca (4,9 à 14 €) le plat. Un ancien magasin de tapis transformé en une belle salle haute de plafond qui baigne dans une atmosphère tamisée. Fontaine près de l'entrée et grande fresque un peu bizarre au-dessus des fourneaux, tout au fond. La carte affiche des plats à tous les prix, du simple burger au *peppercorn NY Steak* en passant par les pizzas (aux asperges, *tandoori*, hawaïenne...), les salades diverses, les plats de pâtes, de riz ou de nouilles. On nage dans la *fusion food* et... c'est très bien comme ça car c'est très bon. Service efficace et souriant. Le jeudi soir, 7 $Ca (4,3 €) de moins sur la bouteille de vin ! Grande et belle terrasse (chauffée pour les frileux)

avec cheminée au milieu.

|●| *Pagliacci's* (zoom B2, *45*) : 1011 Broad Street, petite rue entre Government et Douglas. ☎ 386-1662. Ouvert de 11 h 30 à minuit pour le déjeuner, le goûter, le dîner puis la musique live (du dimanche au mercredi). Brunch le dimanche de 10 h à 15 h. Plats autour de 10 $Ca (6,1 €) à midi et de 12 à 20 $Ca (7,3 à 12,2 €) le soir. Déco jeune, colorée : tables les unes sur les autres, peinture murale de New York, photos posées sur un long rebord, éclairage à la bougie. L'été, c'est souvent complet (tâchez d'arriver tôt car ils ne prennent pas de réservation !). Atmosphère animée, bruyante. Lumière très tamisée, au point qu'on ne voit plus bien ce qu'on a dans l'assiette. Bah, la masse de clients plaide en faveur de la qualité de la cuisine. Plats rigolos aussi, comme le *Mae West* (veau au vin blanc et citron), le *hot travestite* (poulet sauté aux artichauts), les *prawns al Capone*. Prix tout à fait abordables à midi et encore acceptables le soir. Très bonne adresse.

|●| *Don Mee* (zoom B2, *46*) : 538 Fisgard, entre Store et Government. ☎ 383-1032. Au 1er étage. Ouvert de 11 h à 22 h (minuit le week-end). Menu assez avantageux à 14 $Ca (8,5 €). Sinon, plats entre 10 et 20 $Ca (7,8 et 10,4 €). Resto chinois réputé, notamment pour ses *dim sum* à midi. Les petits chariots *(carts)* virevoltent alors entre les tables. Arriver de bonne heure, car nombre de délicates petites douceurs partent vite, comme ces *clams* doucement parfumées,

les petits poulpes frits, les *spare-ribs*, les *dumplings*. À la carte : crabe en bassin grillé ou à la vapeur avec cuisson de son choix, *Don Mee's assorted cold platter*, etc. Beaucoup de familles chinoises, c'est bon signe !

|●| *Spinnakers* (plan général A2, *47*) : 308 Catherine Street. ☎ 386-2739. Ouvert de 7 h à 23 h. Plats de 10 à 20 $Ca (6,1 à 12,2 €). À la fois une brasserie (au sens premier du terme !), un pub et un restaurant, le tout dominant les flots face aux côtes américaines et au port de Victoria. On peut même y venir le matin pour goûter à l'appétissante pâtisserie maison ou pour un petit dej' plus sérieux. Le midi ou le soir, place à une cuisine variée et fort bien réalisée, avec pas mal de produits frais : très bonnes pâtes aux coquillages, *turkey pot pie*, *seafood salad*, *fish and chips* ou encore *grilled chicken focaccia*. Bien aussi pour boire un verre, vu la situation du lieu et le large choix de bières (maison) à la pression.

|●| *Café Mexico* (zoom B2, *48*) : 1425 Store Street. Autre entrée par le 1er étage de Market Square. ☎ 386-1425. Ouvert midi et soir. Compter 8 à 17 $Ca (4,9 à 10,4 €) pour un plat, selon la quantité désirée. Bonne cuisine mexicaine à prix doux. Pour chaque plat, vous avez le choix entre une portion *grande* et une portion *not so grande*. Déco très chaleureuse, tout en couleur, qui abrite de petits recoins tranquilles. La petite terrasse sur Market Square invite au cocktail. Possibilité de *take away*.

Plus chic

|●| *The Keg* (zoom B2, *50*) : 500 Fort Street. ☎ 386-7789. Ouvert de 16 h 30 à 22 h 30 du dimanche au jeudi, jusqu'à 23 h les vendredi et samedi. Plats copieux entre 18 et 28 $Ca (11 et 17,1 €). Le resto relax à l'américaine, pour ceux qui ne jurent que par les steaks de plus de 200 g. Musique parfois envahissante, 1er étage moins bruyant, avec des coins et recoins partout. Service

efficace. Excellents cocktails. *House wine* à prix raisonnable.

|●| *Chandlers* (zoom B2, *51*) : 1250 Wharf Street, à l'angle de Yates. ☎ 385-3474 ou 386-3232. Ouvert uniquement le soir. Compter 20 à 30 $Ca (12,2 à 18,3 €) pour un plat. Quelques plats de pâtes un peu moins chers. Installé dans un ancien entrepôt en brique qui était à la fin du XIXe siècle le siège du Yuken

Gold Rush Trade, et situé sur le circuit des cars asiatiques, le resto ne fait plus beaucoup d'efforts au niveau des prix, mais la cuisine à base de poisson et fruits de mer tient toujours la route. Grand choix de saumons et *halibut* (flétan) grillé de première qualité, crabe d'Alaska, homard et bouillabaisse maison.

|●| *Camille's* (zoom B2, *52*) : 45 Bastion Square, en face du Maritime Museum. ☎ 381-3433. Salle en sous-sol. Ouvert le soir seulement, à partir de 17 h 30. Réservation recommandée. Plats autour de 25 $Ca (15,3 €). Un des restos chic de Victoria, cuisine côte ouest très fine et grande sélection de vins régionaux. Ne paie pas de mine comme ça, mais a été élu le meilleur

endroit de la ville pour un premier rendez-vous... c'est dire !

|●| *Pescatore's* (zoom B2, *53*) : 614 Humboldt Street. ☎ 385-4512. Tout près du croisement avec Government. Ouvert de 11 h 30 à 23 h. Fermé le dimanche midi. Réservation fortement conseillée. Le soir, peu de plats à moins de 20 $Ca (12,2 €). Moins cher à midi. Vous êtes ici dans un des restaurants de poissons et fruits de mer les plus appréciés de la ville. Murs ocre, ventilo au plafond, sirène en suspension au-dessus du bar et grand aquarium, voilà pour le décor. Côté cuisine : *halibut tempura, seafood salad,* beignets de saumon, burgers de thon, cannelloni de crabe et de homard, truite au brie... On peut également dîner au bar.

Où prendre l'*afternoon tea*? Où acheter de merveilleux chocolats?

☕ *The Fairmont Empress* (zoom B2, *60*) : 721 Government Street. ☎ 384-8111. Tout le charme d'une gracieuse dame née au début du XXe siècle. Au choix : le *Tea Lobby,* la *Empress Room Harbour Side* ou la *Library,* trois salles d'époque majestueuses. Réservation indispensable en saison ! Mais bon, bien peu de « routards », en fait, se bousculent pour l'*afternoon tea.* Non pas à cause de la tenue correcte exigée, là encore on peut faire un effort, mais parce que le coût de cette douce collation s'élève maintenant à 50 $Ca (30,5 €) !

☕ *James Bay Tea-Room and Restaurant* (plan général B3, *42*) : voir « Où manger ? ».

☕ *White Heather* (hors plan général par D2, *61*) : 1885 Oak Bay Avenue. ☎ 595-8020. À l'entrée d'Oak Bay Village. Ouvert du mardi au samedi de 9 h 30 à 17 h 30. Si vous êtes déçu de ne pas retrouver l'esprit *british* à Victoria, poussez jusqu'à *Oak Bay Village,* un quartier d'irréductibles à 10 mn en voiture du centre-ville. Même si l'appellation de « village » peut être trompeuse (inutile de chercher la place de l'église ou le café

d'en face), Oak Bay s'enorgueillit de perpétuer la tradition de l'*afternoon tea,* comme au *White Heather,* un salon de thé tenu par une Écossaise qui rit fort ! Dans une petite salle aux murs vert tendre, avec des fleurs fraîches sur les tables, on y prend le *wee tea,* ou « petit thé », pour 10 $Ca (6,1 €), ou le *not so wee tea,* à 14,25 $Ca (8,7 €). Pour les affamés, il y a encore le *Big Muckle Giant Tea for two* ! Tout, ou presque, est fait maison.

☕ *Rogers'* (zoom B2, *62*) : 913 Government Street. ☎ 384-7021. En saison, ouvert tous les jours de 9 h à 21 h. Au début du XXe siècle, parce qu'il avait des difficultés à faire venir ses friandises de San Francisco, Charles W. « Candy » Rogers décida, un beau jour, de les fabriquer lui-même ; notamment les célèbres *Victoria creams,* commandées depuis par la Maison-Blanche et la famille royale d'Angleterre. En entrant dans la boutique, vous serez tout de suite saisi par l'odeur puissante et enivrante de ce chocolat. Les petites dernières, les *classic truffles,* sont roulées et peintes à la main ! Dur, vraiment, de résister à la tentation de s'offrir une boîte de ces merveilleuses douceurs...

VICTORIA

Où boire un verre ? Où sortir ?

La plupart des bars et des *clubs* se situent dans d'anciens entrepôts ou magasins désaffectés. Bien que répétitif, le résultat est plutôt sympa, avec de hauts plafonds et une certaine ambiance. Cela étant, Victoria n'a rien d'une Mecque de la vie nocturne.

Les boîtes *(clubs)* ferment en général vers 2 h, les bars un peu plus tôt. Elles demandent souvent aussi un petit droit d'entrée. Arriver de bonne heure (entre 21 h et 22 h) pour avoir de la place et éviter les longues files d'attente. Enfin, on vous rappelle que, comme dans toute la Colombie-Britannique, on ne peut plus fumer dans aucun endroit public, quel qu'il soit.

♫ *Legends* (zoom B2, *70*) : 919 Douglas Street. ☎ 383-7137. Immense salle, c'est la plus grande discothèque de l'île. Le week-end, ambiance folle. DJ en orbite dans sa capsule au milieu. Fluos tapageurs, néons et postes TV. Fait surtout dans la *top 40*.

♫ *The Sticky Wicket* (zoom B2, *71*) : 919 Douglas Street. À côté du *Legends*. Ici encore, ça déménage ! Nombreuses salles et bars dans tous les coins. Riche décor d'acajou sculpté et de glaces gravées. *Gameroom* (*darts, pools,* etc.). Tout au fond, petite piste de danse animée. Grande terrasse sur le toit, couverte et chauffée l'hiver, et l'été, sur cette même terrasse, jeux de volley-ball sur sable ! Communique avec le *Club House* et surtout le *Big Bad John's*. Ce dernier possède une atmosphère bien à lui. Pour les *peanuts' addicts*.

♪ *Swan's* (zoom B2, *72*) : 506 Pandora Street, à l'angle de Store Street. ☎ 361-3310 ou 1-800-668-7926. Ouvert de 7 h à 2 h. Musique live tous les soirs sauf le vendredi. Bel exemple de restauration d'un ancien magasin de 1913 ; les murs de brique rouge donnent un certain cachet. Quelques jeunes, mais clientèle plutôt autour de la quarantaine. En été, patio agréable et fleuri, réservé au restaurant. Possibilité d'y manger midi et soir, petit dej' le dimanche jusqu'à 14 h. Bon *halibut and chips*. Au bar, bières brassées sur place et vins locaux.

♪ *Spinnakers* (plan général A2, *47*) : 308 Catherine Street. ☎ 386-2739. Situé de l'autre côté du port, pub-resto-brasserie où l'on vient autant pour le petit dej' que pour le bon choix de bières à la pression. Voir aussi la rubrique « Où manger ? ».

♪ *Süze* (zoom B2, *73*) : 515 Yates Street. L'un des bars les plus populaires du moment. Réputé pour ses cocktails Martini aux noms d'insectes, faites vos choix entre *Frog Beetle, Locust* (sorte de sauterelle), *Full Mosquito,* entre autres ! Fait aussi restaurant, mais la pénombre ambiante permettant peu de juger du contenu des assiettes, il ne reste, en gros, que les papilles gustatives ! La musique, parfois forte, et l'odeur d'huile persistante qui émane des cuisines peuvent monter à la tête et, pourtant, on a du mal à trouver une chaise libre, la formule plaît et re-plaît aux Victoriens !

♪ *Lucky Bar* (zoom B2, *73*) : à côté du *Süze*. Autre endroit très fréquenté de Victoria. Salle tout en longueur avec une petite scène tout au fond. Faune un peu alternative et concerts de rock, mais aussi de *house* (le samedi) et de *hip-hop* (le mercredi). Visez l'abat-jour chinois au-dessus du bar.

♪ *Hugo's* (zoom B2, *74*) : 625 Courtney Street, sous l'hôtel *Magolia*. DJ tous les soirs. À mesure que s'écoule la soirée, la lumière faiblit tandis que la musique augmente. Plutôt chic et branché. Le jeudi, *jug* (pot) de *honey brown ale* pour 7,50 $Ca (4,6 €), qu'on descend accoudé à de hautes tables. Curieux : une ligne directe pour appeler un taxi en fin de soirée. À quand le concept dans les boîtes françaises ?

♪ *Hunter's Steakhouse & Lounge* (zoom C2, *24*) : 759 Yates Street, dans le *Dominion Hotel* (voir « Où dormir ? »). ☎ 384-7494. À deux pas des cinémas, c'est ici que se retrouvent les jeunes de Victoria avant ou après la séance. Atmosphère tamisée, ferronneries végétales et musique ibérique. Ambiance sympa pour commencer la soirée. Et si la faim se fait sentir, gril et tapas honorables.

🍽 ♪ *Cambie* (plan général A1, *75*) : 856 Esquimalt Rd. ☎ 382-7161. Spécialiste du *country and western*, royaume des santiags et des bérets à pompons. Groupes rock le week-end à partir de 21 h. Pintes peu chères. Pour les motorisés qui se sentent proches de cet univers.

À voir

🐾🐾🐾 *Royal British Columbia Museum* (zoom B2, *90*) : 675 Belleville Street, dans le centre. ☎ 356-7226 ou 1-888-447-7977. ● www.royalbcmuseum.bc.ca ● Ouvert tous les jours de 9 h à 17 h. Entrée : 11 \$Ca (6,7 €) ; réductions. Possibilité de ticket combiné avec l'*IMAX,* situé dans le même bâtiment.

Riche musée retraçant l'évolution du milieu physique et l'histoire humaine de l'île au travers, notamment, de dioramas géants. Didactiques et vivants, les commentaires, en voix off ou sur panneaux, résument bien les épreuves successives qu'ont subies les premiers peuples *(First Nations)*. Certaines sections sont presque magiques (notamment la ferme reconstituée).

– *1er étage :* section d'histoire naturelle. Mammouth, faune, flore. Dioramas du littoral et de la forêt côtière, avec les *Douglas firs,* les *Western red cedars,* et tous les géants de la forêt. Tout est mis en scène de façon très réaliste et dans un grand souci de pédagogie.

– *2e étage :* la 1re partie est consacrée à la culture indienne. Artisanat, techniques de pêche, tissages, rituels, cosmogonie, figures haidas (haut lieu du chamanisme). Arrivée des Blancs et ses conséquences, maquette d'un village skédan, magnifiques vêtements de cérémonie kwakiutl et tsimshian, totems traditionnels, masques. Section consacrée aux divers traités, promesses, doléances des Indiens qui ne furent jamais respectés par les Blancs. Expo d'objets d'art sculptés ou ciselés dans l'argilite (minerai carbonifère) dans lequel les Haidas créèrent un art tout à fait original.

L'autre partie de l'étage abrite la remarquable reconstitution d'une petite ville de l'Ouest canadien (1870-1920). Avec tous les bruitages, on s'y croirait ! Grande qualité des dioramas et des objets présentés. Reconstitution également des industries de bois et d'une conserverie de poisson, d'une mine d'or et son moulin à eau, d'une ferme (paysage poétique superbement rendu), etc. Pour finir, section sur les sciences, les explorateurs et autres aventuriers, la colonisation... et visite du *Discovery,* navire d'époque reconstitué.

Le musée abrite aussi, au rez-de-chaussée, l'*IMAX* de Victoria.

🍽 ☕ *Tea room* et *gift shop*.

🐾 *Maritime Museum of British Columbia* (zoom B2, *91*) : 28 Bastion Square. Entre Yates et Fort. ☎ 385-4222. ● www.mmbc.bc.ca ● Ouvert tous les jours de 9 h 30 à 17 h (16 h 30 hors saison). Entrée : 8 \$Ca (4,9 €) ; réductions. Abrité dans la 1re BC Provincial Court House (de 1899). Petit musée sans prétention mais pas mal en son genre.

– *Rez-de-chaussée :* section sur les premiers explorateurs, maquettes, instruments de bord, l'odieux canon de baleinière, le *28-foot skiff* des pêcheurs locaux, salle des machines, etc.

– *1er étage :* on y accède par le plus vieil ascenseur à cage ouverte, encore en état de marche, d'Amérique ! Salles consacrées aux grands steamers et autres navires, belles maquettes là encore. Collection de phares, balises de la marine de guerre, et partie consacrée à la compagnie *BC Ferries,* qui constitue tout de même l'une des plus importantes flottes de ferries au monde !

🐾 *Royal London Wax Museum* (zoom B2, *92*) : 470 Belleville Street, à l'angle de Menzies. ☎ 388-4461. ● www.waxworld.com ● Ouvert de 9 h à 21 h 30 de mi-mai à fin juin, de 9 h 30 à 19 h 30 en juillet et août, et de 9 h 30 à 18 h ou 17 h le reste de l'année. Entrée : 9 \$Ca (5,5 €) ; réductions.

Bien moins cher que celui de Londres, et pourtant on peut y voir quelque 300 bonshommes. Outre les quelques illustres Canadiens que le musée se devait de représenter, on tombe rapidement sur les grandes figures qui transcendent les frontières. À commencer par la famille royale anglaise, au grand complet. En vedette aussi : une belle brochette de présidents américains (dont *Bush* junior), saupoudrée d'une poignée d'explorateurs genre Cook, Vancouver ou Alexander MacKenzie, le premier Européen à avoir traversé le Canada d'est en ouest. Arrivent alors les indémodables : Einstein, Bach, Shakespeare et Napoléon, pour ne citer qu'eux. Enfin, en guise de dessert, vous aurez droit à la « mine des 7 nains », la conquête spatiale ou encore l'incontournable Cène.

🦐 *Parliament Building* (zoom B2, 93) : ☎ 387-3046. Ouvert uniquement la semaine, de 8 h 30 à 17 h. Visites guidées fréquentes à partir de 9 h en été et 10 h le reste de l'année. Durée : environ 30 mn. Gratuit.

L'édifice est d'une architecture classique, caractéristique des constructions symétriques et austères de la fin du XIXe siècle avec des réminiscences de styles roman, victorien et Renaissance italienne. Seuls les dômes de cuivre réveillent un peu l'ensemble. Au sommet du dôme central, on a placé George Vancouver, qui fut le premier à faire le tour de l'île. La statue de cuivre de l'illustre marin s'oxyda et tourna au vert comme toute toiture de cuivre qui se respecte. Mais les habitants de Victoria s'offusquèrent qu'on puisse le présenter de cette couleur : « A-t-on déjà vu un marin avoir le mal de mer ? », disait-on alors. La statue fut recouverte d'or. Éclairé de loupiotes la nuit, il ressemble au magasin Harrod's de Londres !

Pendant votre visite, vous remarquerez le vitrail du jubilé de la reine. Réalisé par un membre du clergé, il n'avait pas eu le temps d'être vu par la famille royale avant les cérémonies. Il fut donc présenté mais immédiatement refusé. On y voit le soleil se coucher sous le drapeau de Sa Majesté. *Shocking !* Le soleil ne se couche jamais sur l'Empire. On renversa donc le symbole.

🦐 Faites un petit tour dans le *Fairmont Empress Hotel* (zoom B2, 60), au 721 Government Street, en plein centre. ☎ 384-8111. Construit en 1908 par la *Canadian Pacific Railway,* au temps des certitudes engendrées par la conquête ferroviaire. Énorme masse de style victorien qui fut bâtie sur un marais boueux, l'hôtel repose sur des centaines de piles en bois allant jusqu'au fond rocheux. Au pied, le port de plaisance avec beaucoup d'animation sur les quais.

🦐 *La maison d'Emily Carr* (plan général B3, 94) : 207 Government Street, entre Simcoe et Toronto. ☎ 387-4697. Ouvert de mi-mai à mi-octobre, tous les jours de 10 h à 17 h. Entrée : 5,35 $Ca (3,3 €) ; réductions.

C'est dans cette adorable demeure, au milieu d'un grand jardin, que naquit Emily Carr en 1871. Vous visiterez sa chambre à coucher, la salle à manger avec ses objets familiers, et vous l'entendrez expliquer ce qu'était un *Sunday dinner* à la maison. Au cours du processus de restauration de la maison, on redécouvrit le papier peint d'origine, vieux de 130 ans.

🦐 *Helmcken House* (zoom B2, 95) : 10 Elliott Street Square. ☎ 361-0021. À côté du *Royal BC Museum.* Ouvert de mai à octobre, tous les jours de 10 h à 17 h. Entrée : 5 $Ca (3,1 €) ; réductions.

La plus vieille maison de Victoria à être restée sur son site d'origine ! Le Dr Helmcken, chirurgien de son état, fut l'un des artisans du rattachement de la Colombie-Britannique au Canada. Vous verrez sa chambre laissée intacte par sa fille, les objets domestiques d'époque, les malles du grenier et, surtout, son impressionnant attirail médical. Visite audio-guidée.

🦐 *Art Gallery of Greater Victoria* (plan général C2, 96) : 1040 Moss Street. ☎ 384-4101. ● www.aggv.bc.ca ● Ouvert de 10 h à 17 h (21 h le jeudi). Entrée : 6 $Ca (3,7 €) ; réductions.

Le musée présente en permanence des œuvres d'Emily Carr qui tournent selon des thèmes (totems, arbres, etc.). Il abrite aussi le seul sanctuaire shinto d'Amérique du Nord, qui fut acheté avec les fonds de la loterie de Colombie-

Britannique. Petite collection de peintures et de meubles européens. Sinon, expositions temporaires, parfois très bien.

🍴 Si vous avez une voiture, descendez Douglas Street ou Government Street vers le sud, jusqu'à **Dallas Road** (la route côtière). Enfilades de belles demeures classiques ou modernes devant lesquelles de charmants parterres de fleurs sont aménagés. Divers beaux points de vue sur la baie. Balade agréable en fin de journée. Superbe coucher de soleil. En poussant vers l'est, on rencontre le charmant petit cimetière historique de *Ross Bay*. Particulièrement romantique en automne.

🍴 **Market Square** (zoom B2, 97) : entre Johnson et Pandora. Pas loin de la *HI Victoria Hostel*. Ensemble d'harmonieux bâtiments de brique autour d'une cour carrée, avec de nombreux passages et passerelles. Sympathiques magasins écolos, librairies (ah, la *Wimsey Book, Mystery and Crimes* !), boutiques de cadeaux... On en trouve même une assez insolite : *The Rubber Rainbow*, spécialisée dans les... préservatifs. Pas moins de 135 sortes ! Le plus original étant sûrement celui qui luit dans le noir...

🍴 **Chinatown** (zoom, C2) : rendez-vous à la belle porte chinoise sur Fisgard (appelée la « porte de l'Intérêt harmonieux »). C'est la deuxième plus ancienne ville chinoise d'Amérique. Longtemps appelée la « cité interdite » à cause des trafics qui s'y déroulaient, des fumeries d'opium, salles de jeu clandestines, ruelles coupe-gorge. De faux murs et des passages secrets permettaient aux voyous et aux gangs d'échapper à la police. Arpenter la *Fan Tan Alley* (entre Pandora et Fisgard) pour s'en convaincre. Elle fut l'une des plus dangereuses. Aujourd'hui, elle n'est plus considérée que comme la ruelle la plus étroite du Canada.

À faire

– **Balade en mer à la rencontre des orques :** il existe deux ou trois colonies de *killer whales* autour de Victoria, que les bateaux utilisés pour permettre aux curieux de les observer trouvent généralement sans trop chercher, entre avril et octobre. L'excursion, proposée par une multitude d'agences dont vous trouverez les prospectus à l'office de tourisme, dure 3 h et coûte environ 60 $Ca (36,6 €) par personne. Peut être sympa si, comme nous, vous fûtes jadis impressionné par le film *Orca*. Pour voir les autres types de baleines (grises, à bosse, bref, à fanons), il faut aller à Tofino, sur la côte ouest.

Les choses qu'on ne vous conseille pas de voir

– Une poignée d'attractions mineures dont l'**Undersea Garden** (petit et pas donné), le **Crystal Garden** (cher et pas exaltant) et le **Craigdarroch Castle** (grande maison victorienne de style écossais construite par un riche industriel, visite ennuyeuse).

Achats

⊚ **The Bay Centre** (zoom B2, 100) : à l'angle de Government et Fort. ☎ 952-5690. En saison, ouvert de 9 h 30 à 21 h (19 h le samedi et 18 h le dimanche). Plus de 120 boutiques s'ouvrant sur un gigantesque atrium de style victorien, dominé par une

énorme horloge du temps de l'Empire. Pas mal de charme avec ses plantes vertes, sa promenade, ses fontaines, etc.

⊚ **Christmas Village** (zoom B2, 101) : 1323 Government Street. Tout, mais alors vraiment tout, pour décorer un sapin de Noël. D'ailleurs ce doit être un business rentable puisque d'autres magasins se sont spécialisés dans ce créneau. Boules, guirlandes et personnages à gogo...

◈ *A & B Sound* (zoom B2) : 641 Yates Street, entre Government et Douglas. Prix aussi attractifs qu'à Vancouver.

◈ *Antique Row* : sur Fort Street, entre Douglas et Blanshard. Plusieurs magasins d'antiquités en enfilade. Plus original que le faux totem comme souvenir de voyage.

◈ *Munro's Book* : 1108 Douglas Street, en face du Bay Centre. En été, ouvert de 9 h à 19 h 30 du samedi au mercredi, jusqu'à 21 h les jeudi et vendredi. Les habitants de Victoria affectionnent cet ancien bâtiment de caractère, ses vitraux et ses rayonnages en bois. Outre des bouquins en français, vous y trouverez de beaux livres sur l'île de Vancouver ainsi que sur les artistes du coin.

➤ DANS LES ENVIRONS DE VICTORIA

🎎 *The Butchart Gardens* : 800 Benvenuto Avenue. ☎ 652-4422. • www.butchartgardens.com • À 20 km au nord de Victoria. Prendre la Highway 17 et tourner, au bout d'une quinzaine de kilomètres, à gauche dans Keating X Rd ; c'est tout droit, à environ 5 km. Ouvert tous les jours de l'année à partir de 9 h. L'heure de fermeture varie selon le mois. Entrée : 21 $Ca (12,8 €) ; réductions. Un peu moins cher d'octobre à mi-juin. Pas donné, il est vrai, mais il s'agit là, avec le *Royal BC Museum,* de l'attraction de Victoria la plus populaire auprès des visiteurs.

Nés en 1904 de la désaffectation d'une carrière de pierre à chaux, ces 22 hectares de jardins superbement fleuris et aménagés raviront les routards sensibles aux charmes de la nature, en particulier l'été, lorsque la floraison a atteint son apogée. C'est aussi en cette saison que, tous les samedis soir, le parc s'embrase d'un joli feu d'artifice ! Prévoir au moins 1 h pour en faire le tour.

🎋 *Sooke :* l'East Sooke Regional Park peut être une chouette excursion d'une journée à faire au départ de Victoria. Accessible en voiture (compter 40 mn), le parc ne se découvre qu'à pied, le long d'un sentier bien balisé, d'environ 15 km, qui longe la côte. Au programme, forêt humide, petites criques et plages vierges.

QUITTER VICTORIA

En bus

🚌 *Island Coachlines* (zoom B2, 5) : 700 Douglas Street (gare routière). ☎ 385-4411. Liaisons régulières avec Nanaimo, Parksville, Port Alberni, Tofino. De Nanaimo pour Courtenay et Port Hardy.

🚌 *Pacific Coach Lines* (zoom B2, 5) : 700 Douglas Street. ☎ 385-4411 ou 1-800-661-1725. • www.pacificcoach.com • Transport en bus et ferry pour le centre (ou l'aéroport) de Vancouver. 1 départ par heure en saison. Compter un peu plus de 30 $Ca (moins de 20 €) pour un aller simple. Comme lorsqu'on vient de Vancouver, cela revient moins cher de prendre le bus n° 70 de Victoria à Swartz Bay, d'acheter son billet de ferry sur place puis de prendre des bus urbains jusqu'à Downtown (voir « Quitter Vancouver en ferry »), mais c'est nettement plus fastidieux. Plutôt pour les fauchés.

En train

🚆 *Gare Via Rail* (zoom B2) : 450 Pandora Avenue. ☎ 1-888-842-7245. • www.viarail.ca • Il s'agit d'un autorail climatisé reliant Victoria à Courtenay via Chemainus, Nanaimo et Parksville. Quelques passages très *scenic* ! S'arrête partout.

En bateau

🚢 *BC Ferries pour Vancouver :* départ de Swartz Bay, à environ 30 km au nord de Victoria. Infos : ● www.bcferries.com ●

🚢 *Black Ball Transports* *(zoom B2, 6)* : 430 Belleville Street. ☎ 386-2202. ● www.ferrytovictoria.com ● Ferry reliant Victoria à Port Angeles, aux États-Unis. 4 départs quotidiens de fin mai à fin septembre. Compter 1 h 35 de trajet.

🚢 *Victoria Express* *(zoom B2, 7)* : même adresse que le *Black Ball Transports.* ☎ 361-9144. ● www.ferrytravel.com/portangeles ● Autre bateau pour Port Angeles mais uniquement pour passagers. 3 trajets quotidiens en été. Durée : 1 h.

🚢 *Victoria Clipper* *(zoom B2, 8)* : même adresse que les deux précédents. ☎ 382-8100. À Seattle : ☎ (206) 448-5000 ou 1-800-888-2535. ● www.clippervacations.com ● Vedette rapide pour Seattle. Possibilité d'acheter le billet à l'office de tourisme. 3 départs quotidiens de mi-mai à début septembre. Durée de la traversée : 2 h.

🚢 *Washington State Ferries :* de Sidney (non loin de Swartz Bay, le terminal des *BC ferries*) à Anacortes, aux États-Unis. ☎ 1-888-808-7977. ● www.wsdot.wa.gov/ferries ● 2 départs quotidiens en saison.

En avion

✈ *Victoria International Airport :* situé à Sidney, 22 km au nord de Victoria. Bus par *Airporter Service* : ☎ 386-2526.
➤ Vols pour *Vancouver* (15 mn) et *Seattle*.

PETIT TOUR DANS L'ÎLE DE VANCOUVER

Si vous restez plusieurs jours sur l'île, partez vers Tofino, la route à elle seule vaut vraiment le voyage. Des paysages de montagne à couper le souffle et, à l'arrivée, le superbe parc national du Pacific Rim. L'île s'étend sur 500 km, alors prévoyez du temps pour couvrir les distances, d'autant que la vitesse autorisée sur autoroute est de 100 km/h et que les contrôles ne sont pas rares... Voici quelques temps réels :

Victoria → Nanaimo :	110 km	1 h 40
Victoria → Port Alberni :	195 km	3 h
Victoria → Tofino :	316 km	4 h 50
Victoria → Campbell River :	264 km	5 h
Victoria → Port Hardy :	502 km	8 h
Campbell River → Gold River :	91 km	1 h 30

CHEMAINUS   4 500 hab.   IND. TÉL. : 250

À 1 h 15 de route de Victoria, un peu au nord de Duncan, Chemainus a 2 facettes. Le vieux village encore préservé, et une rue commerçante, succession de *gift shops* et autres attrape-touristes. Chemainus, c'est l'histoire d'un petit village de bûcherons transformé volontairement en « attraction touristique » par souci de diversification. Pour faire face au déclin de l'industrie du bois, un programme de revitalisation a été lancé en 1980 : l'histoire de la ville a été peinte sur les murs des principaux bâtiments. Et depuis, le festival des Murales est né... Aujourd'hui, cela donne 35 peintures réalisées par de nombreux artistes nord-américains, éparpillées dans tout le village, et qui racontent pour la plupart des scènes de la vie locale et industrielle passée. On aime ou on n'aime pas !

Adresses utiles

Chemainus Infocentre : 9796 Willow Street. ☎ 246-3944. Sur la route principale en venant du sud, tourner à droite dans Cypress Street ; c'est un peu plus loin sur la gauche, à l'angle de Willow Street. En saison, ouvert tous les jours de 9 h à 17 h. Demandez le prospectus qui détaille sur un plan les différentes fresques murales.

Island Coach Lines : bus pour Victoria, Nanaimo, Parkville, Port Hardy. ☎ 246-3341 ou 1-800-318-0818.

Où dormir ? Où manger ?

Castlebury : 9910 Croft Street. ☎ 246-9228. Fax : 246-2909. • www.castleburycottage.com • Compter 105 $Ca (64,1 €) pour 2, petit déjeuner compris. Si vous cherchez un gîte un peu féerique, c'est ici qu'il faut venir ! Trois chambres très originales, en particulier la *Blue Bird,* au plafond bas en carton. Et puis, que dire du petit dej' ? Il vous laissera un souvenir aussi visuel que gustatif... Attendez, il y a encore la petite maison médiévale, à côté de la maison principale. Nettement plus cher que les chambres, mais vous aurez pour vous tout seul un véritable petit château décoré et arrangé comme au Moyen Âge ! Assurément l'un des B & B les plus étonnants qu'on ait vus.

Olde Mill House B & B : 9712 Chemainus Rd. ☎ 416-0049 ou 1-877-770-6060. Fax : 246-4457. • www.oldemillhouse.ca • Deux très belles chambres avec salle de bains à 105 $Ca (64,1 €) plus une superbe suite avec jacuzzi et terrasse à 150 $Ca (97,5 €). Petit dej' compris. Sur la route principale, un peu avant le village. Petite maison en bois, blanche et fleurie, au charme d'antan. Pour une étape romantique. Allergique aux toutous, s'abstenir.

Willow Street Café : 9749 Willow Street. ☎ 246-2434. Ouvert tous les jours de 9 h à 17 h. Sandwichs et autres petits plats autour de 7 $Ca (4,3 €). Charmante petite salle avec parquet, lambris et meubles en bois, le tout orné çà et là de fleurs séchées. Très agréable pour une pause à midi, d'autant qu'il y a aussi une terrasse. On vous conseille, s'ils l'ont ce jour-là, le *smoked salmon and cream cheese bagel,* délectable !

NANAIMO
76 000 hab.   IND. TÉL. : 250

Deuxième ville de l'île après Victoria, Nanaimo n'est pourtant pas très touristique. Plutôt une ville-étape, si vous devez y passer la nuit à l'arrivée du ferry. Les plongeurs ne négligeront toutefois pas ses fonds marins (jadis portés aux nues par le commandant Cousteau !) et pourront aussi y découvrir... le plus grand récif artificiel au monde.

Adresses utiles

Tourism Nanaimo : 2290 Bowen Rd. ☎ 756-0106 ou 1-800-663-7337. • www.tourismnanaimo.com • En saison, ouvert tous les jours de 8 h à 19 h. À 4 km du centre, mais bien indiqué. Tenu par des volontaires qui pourront vous aider dans vos réservations. Accès Internet (2 $Ca, soit 1,2 €, pour 20 mn).

■ *Location de voitures :* *Budget,* 33 Terminal Avenue S (la route principale). ☎ 1-888-368-7368. Et *Rent-* *a-Wreck*, 227 Terminal Avenue. ☎ 1-800-327-0116.

🚌 *Island Coach Lines :* bus pour Victoria et Port Hardy. ☎ 753-4371 ou 1-800-318-0818.

Où dormir ?

🛏 *Nicol Street Hostel :* 65 Nicol Street (la route principale). ☎ 753-1188. Fax : 753-1185. ● www.nanaimohostel.com ● Compter 17 $Ca (10,4 €) en dortoir et 34 $Ca (20,7 €) pour une chambre double. On peut aussi y planter sa tente pour 10 $Ca (6,1 €). Plusieurs maisonnettes pouvant, en tout, héberger 40 personnes. Voir, à droite en entrant, le mur couvert des inscriptions de ceux qui sont passés par ici ! L'ensemble est sommaire mais sympa et convivial, avec plein de petits plus comme cette cuisine où traînent parfois des victuailles, le salon TV avec vidéo et accès Internet gratuit. Vue sur le port depuis le jardin.

🛏 *Cambie Hostel :* 63 Victoria Crescent. ☎ 754-5323 ou 1-877-754-5323. Fax : 754-5582. ● www.cambiehostels.com ● Compter 20 $Ca (12,2 €) par personne, café et muffin inclus (mais pas les serviettes de bain). 5 $Ca (3,1 €) de rabais si la réservation est faite par Internet. On vous demandera aussi 10 $Ca (6,1 €) de caution pour la clé. Petits dortoirs de 4 à 6 lits, avec salle de bains. Un peu poussiéreux. Salle TV, Internet et laverie. Le rez-de-chaussée abrite un *coffee-shop* d'un côté et un bar avec billards de l'autre. Accueil assez indifférent.

B & B

🛏 *Beach Drive B & B :* 1011 Beach Drive. ☎ 753-9140. Bien situé non loin de *Departure Bay,* le terminal des *BC Ferries.* Une chambre simple et une chambre double, à 35 et 50 $Ca (21,4 et 30,5 €) respectivement. Bien tenu et vraiment bon marché. Salle de bains commune. Le petit dej' se prend dans une véranda. Accueil chaleureux. La bonne affaire, secrète, de Nanaimo.

🛏 *Carey House B & B :* 750 Arbutus Avenue. ☎ 753-3601. Du centre, prendre Terminal Avenue vers Parksville puis, à gauche, Townsite Rd ; Arbutus Street est sur la droite. Compter 45 $Ca (27,5 €) pour 1 personne et 55 à 65 $Ca (33,6 à 39,7 €) pour 2. Petit dej' écossais complet compris. Oui, l'endroit est tenu par une Écossaise. Ce n'est pas le grand luxe, mais c'est, avec le précédent, l'un des moins chers de la ville. Deux chambres : une simple et une double au rez-de-chaussée, qui se partagent une salle de bains et un petit salon avec bibliothèque et globe terrestre. La suite, en sous-sol, est un vrai petit appartement avec tout ce qu'il faut. Ne pas être allergique aux chats ni aux chiens !

Où manger ?

🍴 *Cactus Club Café :* sur la *highway* vers Parsville, à 10 km du centre. Ouvert jusqu'à minuit (1 h le week-end). Un peu loin mais, en voiture, la route est vite faite. Plats de 10 à 14 $Ca (6,1 à 8,5 €). Grande salle avec grosses banquettes et un élan empaillé au-dessus de la cheminée. Même concept que celui de Vancouver : de la viande de première qualité, un service tonique et une atmosphère très cool. C'est aussi une des rares adresses ouvertes le soir pour prendre un verre.

À voir

🔻 *Nanaimo District Museum :* 100 Cameron Rd, dans le centre. ☎ 753-1821. Ouvert de 10 h à 17 h. Fermé les dimanche et lundi hors saison. Petit musée intéressant sur la ville et la région. Sections sur l'industrie minière (la première activité de Nanaimo, avec la pêche) et les peuples indigènes. On apprend aussi qu'il y eut plusieurs Chinatown à Nanaimo, le dernier ayant brûlé en 1960.

➤ DANS LES ENVIRONS DE NANAIMO

🔻 *Parksville :* petite ville mignonne et paisible, sauf pendant quelques jours, début août, lors du fameux concours... de châteaux de sable. La ville devient alors méconnaissable, les étrangers affluent et la bière coule à flots. Une année, Parksville connut même un record de 30 000 visiteurs ! Pour ceux qui désirent faire étape ici, quelques petits hôtels le long de la rue principale, au bord d'une grande et belle plage.

🔻 *MacMillan Provincial Park :* ce parc, traversé par la route reliant Parksville à Port Alberni, possède une étonnante partie dénommée **Cathedral Grove.** Peu après le *Cameron Lake,* avant d'arriver à Port Alberni, ne pas manquer de s'arrêter à cet endroit qui représente le dernier vestige de la célèbre forêt qui couvrait l'île il y a plus de 1 000 ans. Au parking, venant de Nanaimo, 2 itinéraires. Commencer par celui à gauche de la route (plus de lumière). L'arbre le plus vieux de cet itinéraire a été évalué à 800 ans. Une grande partie de cette forêt brûla il y a 3 siècles. Le *Douglas fir* (type de pins) y domine, ainsi que le *Western red cedar.* Ce sont les plus grands et les plus vieux arbres du Canada. Une curiosité : ces arbres géants semblent ne reposer que sur des racines aériennes. L'explication est simple : une graine a poussé sur un tronc mort *(nurse log),* les racines ont progressivement enserré le tronc jusqu'à terre, puis le tronc a pourri jusqu'à se désagréger complètement. Résultat : cette extraordinaire impression de géant suspendu dans le ciel. Plusieurs arbres immenses abattus (l'un d'eux sert même de pont). C'est vraiment un écosystème génial impliquant plusieurs centaines d'espèces de plantes, champignons et animaux. Ainsi, cette *Devil Club,* plante aux feuilles très larges se donnant les moyens de capter un maximum de la lumière concédée par les géants, et l'*Oplomax Horridum* (arme abominable) nommée ainsi à cause de ses épines venimeuses. Beau spectacle quand les rayons du soleil jouent avec les lichens et les mousses en filaments qui pendent des arbres. Quelques animaux : le célèbre *woodpecker* (pivert), l'écureuil, le cerf. Sentiers de promenade aménagés (de 15 à 30 mn). Vraiment super !

PORT ALBERNI　　　　19 000 hab.　　　　IND. TÉL. : 250

Passage obligé entre Victoria et Tofino, Port Alberni est aussi le point de départ vers le parc national Pacific Rim (le fameux *West Coast Trail*). N'y perdez pas trop de temps (de toute façon, il n'y a rien à faire), la route jusqu'à la côte ouest est magnifique, et il vous faudra 2 h environ pour la rejoindre.

Adresses utiles

🔳 *Infos touristiques :* à l'entrée de la ville en venant de l'est. ☎ 724-6535. Ouvert toute l'année.

🚌 *Island Coach Lines :* bus quotidiens entre Victoria, Ucluelet et Tofino. ☎ 724-1266.

Où dormir ?

 Port Alberni Hostel : 39788th Avenue. ☎ 723-6511. Tout près du centre. Ouvert toute l'année. Compter 20 \$Ca (13 €) en dortoir et à peine 30 \$Ca (18,3 €) pour une chambre double, café et 3 toasts compris. Sinon, petit déjeuner à 3 \$Ca (1,8 €), *lunch* à 5 \$Ca (3,1 €) et *dinner* à 7 \$Ca (4,3 €) ! Petite pension moderne, sans âme, mais vraiment pas chère, en particulier les chambres. Idéal pour ceux qui cherchent un toit pour la nuit à Alberni.

➤ *DANS LES ENVIRONS DE PORT ALBERNI*

WEST COAST TRAIL

West Coast Trail est une superbe randonnée pédestre de 75 km le long de la côte ouest (avec beaucoup de passages difficiles, mieux vaut le savoir !) qui vous prendra 5 à 7 jours, du village de *Bamfield* (au nord) à *Port Renfrew* (au sud). À l'origine, ce sentier fut tracé pour permettre aux naufragés rescapés de rejoindre la civilisation. Paysages très diversifiés, couchers de soleil inoubliables, soirées au coin du feu dans des endroits que peu d'hommes ont foulés... Facile dans sa partie nord-ouest, la randonnée devient nettement plus dure dans sa partie sud-est. Sachez aussi qu'il n'est pas possible de quitter le WCT une fois qu'on s'y est engagé, à moins de revenir sur ses pas...

Toutefois, une version plus courte (de Pachena à Nitinat) est possible.

ATTENTION : en raison du succès de la randonnée et des problèmes de pollution et de dégradation du sol que cela entraîne, les autorités du parc ont décidé de limiter le nombre de randonneurs quotidiens. Du coup, il est vivement conseillé de réserver sa place (et ce, 2 ou 3 mois à l'avance !) entre le 15 juin et le 15 septembre (pic de fréquentation du sentier). Le reste de la saison (qui va du 1er mai au 15 juin et du 15 au 30 septembre) il n'y a, en principe, pas de problème.

Comment y aller ?

En voiture

Selon que l'on part du nord ou du sud...

➤ *Du point de départ nord :* de Port Alberni à Bamfield, 100 km de route non bitumée. Compter 2 h. On peut aussi aller de Port Alberni à Bamfield par le ferry qui descend l'Alberni Inlet. Durée : 4 h.

➤ *Du point de départ sud :* de Victoria à Port Renfrew, 107 km de route bitumée. Compter au moins 2 h. On peut aussi passer par Cowichan Lake, puis faire la route jusqu'à Port Renfrew par une route non bitumée.

En bus

➤ De début mai à fin septembre, le *West Coast Trail Express* relie quotidiennement *Victoria* à *Port Renfrew* ou *Bamfield* (via Nanaimo et Port Alberni). Départ à 6 h 40 (pour les 2 destinations) de la gare routière de Victoria (700 Douglas Street). Durée du voyage : environ 2 h 30 pour Port Renfrew et plus de 5 h pour Bamfield. Retour de Port Renfrew à 16 h 30 et de Bamfield à 13 h. Réservation (recommandée !) au : ☎ (250) 477-8700 ou 1-888-999-2288.

L'ÎLE DE VANCOUVER

Infos pratiques

Deux **centres d'infos** (ouverts tous les jours de 9 h à 17 h de mai à fin septembre) sont situés aux extrémités du sentier :
– *Au nord :* à 5 km de Bamfield, à Pachena Bay. ☎ 728-3234.

– *Au sud :* à Gordon River (près de Port Renfrew). ☎ 647-5434.
■ *Park Administration Office :* 2185 Ocean Terrace Rd, à Ucluelet. ☎ 726-7721. ● www.pc.gc.ca/pacifi crim ●

Si vous comptez entreprendre cette randonnée, il vous faudra faire le plein de nourriture (de préférence ailleurs qu'à Bamfield ou Port Renfrew), ainsi qu'une halte au centre d'infos de Pachena Bay ou Gordon River. Là, on vous donnera toutes sortes de consignes et d'infos sur votre voyage... avant de vous demander 90 $Ca (54,9 €) pour le permis. N'oubliez pas non plus d'y acheter la carte *Map of the West Coast Trail.* Indispensable ! Elle vous indique les sites de camping, les points de source, les dangers, etc. Enfin, notifiez votre date de départ auprès des rangers. Si vous ne réapparaissez pas, au moins on organisera des recherches afin de récupérer le guide... De toute façon, évitez de partir seul.

Planter sa tente

Des sites de camping sont indiqués tout le long du parcours et sur la carte. Ils sont en général proches d'une petite rivière. Eau potable, mais mieux vaut la purifier ou la faire bouillir. Feux autorisés sur les plages uniquement. Apportez une longue cordelette pour suspendre votre nourriture dans un sac fermé et en hauteur, hors de portée des ours. Au moment de quitter les lieux, emportez avec vous TOUTES vos ordures, ne laissez rien traîner derrière vous.

UCLUELET   1 800 hab.   IND. TÉL. : 250

Une fois arrivé à Ucluelet (prononcer « You-clou-let »), on ne peut plus aller qu'à Tofino, à 40 km de là. Ucluelet est un mot indien voulant dire « Port sûr ». Longtemps liée à l'industrie de la pêche, elle se tourne désormais surtout vers le tourisme. Certes, on n'y trouvera pas la même ambiance qu'à Tofino, plus développée, mais le coin est joli et les hôtels pas encore trop onéreux. Il y a même, depuis peu, une petite AJ privée pour les fauchés. De plus, le village s'est doté d'une nouvelle attraction : la *Wild Pacific Trail,* une charmante balade d'un peu plus de 8 km le long de la côte déchiquetée et sauvage.

Adresse utile

■ *Infos touristiques :* à la *Chamber of Commerce,* au bout de Main Street, sur le port. ☎ 726-4641. ● www.uclueletinfo.com ● Ouvert du lundi au vendredi de 9 h à 17 h. Informations sur les possibilités de pêche et de visites des îles voisines, dont *Broken Group Islands.*

Où dormir ?

Les prix indiqués sont ceux pratiqués durant les mois d'été. Si c'est pendant cette période que vous voyagez, pensez aussi à réserver.

Camping

⛺ **Ucluelet Campground :** à l'entrée du village, prendre sur la gauche. ☎ 726-4355. Ouvert d'avril à septembre. En bordure du bras de mer. Compter environ 25 \$Ca (15,3 €) pour un emplacement.

De bon marché à prix moyens

🛏 **Gimme Shelter :** 2081 Peninsula Rd. ☎ 726-7416. Un peu avant d'arriver au village, sur la gauche. Nuitée à 15 \$Ca (9,2 €), draps et serviette compris. L'endroit le moins cher et le plus relax d'Ucluelet. Tout le monde y est le bienvenu, y compris les « marginaux » *(queer friendly)* ! Dans une grande maison construite des mains du proprio, 18 lits dont 12 en dortoirs et 6 en chambres doubles. Confort minimum mais bonne tenue générale. Salle commune tout en bas, donnant sur le jardin arrière, avec cuisine et quelques sculptures loufoques. Curieux : les deux toilettes, avec lavabo, possèdent chacune deux w.-c. posés l'un à côté de l'autre...

🛏 **Suzie's Seaview B & B :** 249 Albion Crescent, PO Box 302. ☎ 726-1281. À environ 5 km d'Ucluelet, sur la droite en allant vers Tofino. Chambres doubles avec salle de bains à 75 \$Ca (45,8 €). La maison ne paie pas de mine, mais l'intérieur est vraiment confortable et la vue sur la mer superbe. Suzanne parle le français et prépare des petits dej' gargantuesques.

🛏 **Pacific Rim Motel :** 1755 Peninsula Rd (la rue principale). ☎ 726-7728. Fax : 726-4456. De 85 à 95 \$Ca (51,9 à 58 €) pour 2. Au cœur du village, un motel sans histoires. Bon accueil et chambres convenables.

🛏 **Burley's apartments :** 1801 Bay Street. ☎ 726-4444. ● burleys@telus. net ● Compter 140 \$Ca (85,4 €) pour 2, 160 \$Ca (97,6 €) pour 4. Réduction de 5 % si paiement en liquide. Téléphoner avant d'y aller (la proprio est québécoise et parle le français). Petite bâtisse rouge presque en face du *Pacific Rim Motel*. Propose 2 grands appartements de 2 chambres, tout équipés. On aperçoit un petit bout de mer du salon. Bien pour les groupes de 4 qui cherchent plus d'indépendance.

🛏 **Thornton Motel :** 1861 Peninsula Rd. ☎ 726-7725. Fax : 726-2099. ● www.thorntonmotel.com ● Dans la rue principale. Environ 100 \$Ca (61 €) pour 2. À peine 8 \$Ca (4,9 €) par personne supplémentaire. Jolie façade fleurie, couleur coquille d'œuf. Chambres très nettes et bien finies. Certaines possèdent une kitchenette.

🛏 **Little Beach Resort :** 1187 Peninsula Rd, au bout du village. ☎ 726-4202. Fax : 726-7700. ● www.littlebea chresort.com ● Chambres de 100 à 120 \$Ca (61 à 73,2 €) ou suites avec jacuzzi à 150 \$Ca (91,5 €). Des petites maisons en bois fraîchement rénovées, quelques-unes avec kitchenette et salon. Les suites sont aménagées avec goût. C'est aussi le seul hôtel d'Ucluelet d'où l'on aperçoive l'océan.

🛏 **Canadian Princess :** 1943 Peninsula Rd, sur le quai, dans le port. ☎ 726-7771 ou 1-800-663-7090. Fax : 726-7121. Ouvert de mi-avril à fin septembre. Ici, pour environ 100 \$Ca (61 €) pour 2, vous dormirez à bord du *Canadian Princess*, un bateau à la retraite avec un grand salon et un pont où se promener. Fait aussi restaurant. Les cabines sont petites et sans salle de bains privée mais authentiques. Propose aussi des formules comprenant une ou plusieurs nuits et des excursions de pêche en mer. Sinon, le motel à côté dépend de la même direction, mais il faut alors compter 145 \$Ca (88,5 €) la chambre.

🛏 **West Coast Motel :** sur le port. ☎ 726-7732. De 85 à 180 \$Ca (51,9 à 109,8 €) pour 2. Encore un motel. Celui-ci possède, outre des chambres très bien tenues et pas trop standardisées, une piscine intérieure, une salle de gym et un sauna. Dommage que l'accueil soit moyen.

🛏 **Ocean's Edge B & B :** 855 Barkley Crescent. ☎ 726-7099. Fax :

726-7090. ● www.oceansedge.bc.ca ● Autour de 120 $Ca (73,2 €) la chambre double. Bill et Suzan vous reçoivent dans leur petit paradis. Leur maison moderne en bois est perchée au bord de l'océan. Le thème ici, c'est l'harmonie avec la nature. Nid d'aigle dans le jardin et petits sentiers qui partent des chambres pour aller observer les phoques et les baleines, du haut des rochers. On se sent au bout du monde ! Les 3 chambres aux doux noms d'*Ocean*, *Rainforest* et *WestCoast* ont chacune une entrée privée et une petite terrasse pour écouter, le soir, les vagues se briser contre la falaise... Quant au petit dej', il est digne d'un grand restaurant, et la baie vitrée offre une vue somptueuse sur l'océan ! Bill est guide et naturaliste et vous indiquera les plus belles randonnées du coin ou organisera même pour vous une sortie en mer.

Plus chic

🛏 *Tauca Lea Resort :* 1971 Harbour Drive. ☎ 726-4625 ou 1-800-979-9303. ● www.taucalearesort.com ● Suites à partir de 230 $Ca (140,3 €). Prendre à gauche à l'entrée du village (c'est indiqué). Isolé sur une petite presqu'île d'Ucluelet, sympathique complexe de maisons abritant chacune quelques très jolies suites de 1 ou 2 chambres avec salon, cuisine et balcon donnant sur le lagon. Déco sobre et soignée de pin et d'érable. Parfait pour une petite retraite romantique. Restaurant *The Boat Basin* audessus de la réception, un peu cher mais réputé.

Où manger ?

|●| *The Matterson House :* 1682 Peninsula Rd. ☎ 726-2200. Ouvert de 7 h 30 à 20 h 30. Burgers autour de 7 $Ca (4,3 €), pâtes autour de 12,50 $Ca (7,6 €) et viandes, poissons ou *seafood* de 15 à 20 $Ca (9,2 à 12,2 €). Carte plus simple et moins chère à midi. Fait aussi des petits dej'. Au centre du village, sur la route principale, resto familial dans une petite maison en bois. On s'y régale à toute heure du jour. La salle n'est vraiment pas grande, mais se double d'une petite terrasse si le temps le permet. La meilleure adresse, dans cette catégorie, d'Ucluelet.

|●| *Eagle's Nest Pub :* 1990 Bay Street. Descendre la rue entre le *Thornton Motel* et le *Pacific Rim Motel*, c'est tout en bas à gauche. Cuisine jusqu'à 21 h. Compter 8 à 13 $Ca (4,9 à 7,9 €) pour un plat. Plus un bar où l'on vient jouer au billard devant les grands matchs TV qu'un restaurant, mais une chaleureuse ambiance. Cuisine de pub proposant sandwichs, burgers et plats du genre *beef stew* et *fish and chips*. Choix de bières à la pression.

Plus chic

|●| *Wickaninnish :* presque à mi-chemin entre Ucluelet et Tofino, sur la plage du même nom. ☎ 726-7706. Parking gratuit pour les clients du restaurant. Plats de 9 à 14 $Ca (5,5 à 8,5 €) le midi et de 17 à 35 $Ca (10,4 à 21,4 €) le soir. Ouvert de 11 h à 22 h en saison, mais on vous conseille de venir ici avant le coucher du soleil pour vous promener le long de l'immense plage, puis d'aller manger des fruits de mer en regardant le soleil enflammer le Pacifique depuis la salle aux grandes baies vitrées. À côté se trouve le centre d'orientation du parc national Pacific Rim.

Fêtes et manifestations

– *Pacific Rim Summer Festival :* musique classique la dernière semaine de juillet et la première semaine d'août, à Ucluelet et à Tofino.

– *Pacific Rim Whale Festival :* en mars. Parades et petits spectacles divers.

TOFINO
1 300 hab.   IND. TÉL. : 250

Véritable petit coin de paradis situé à 5 h de route de Victoria et un peu plus de 3 h de Nanaimo, ce petit port de pêche possède de charmantes *coves* (petites baies) où les jours semblent trop courts. Plus touristique qu'Ucluelet pour son excellente situation de péninsule, tout au bout des plages de Tonquin Beach et MacKenzie. Son climat tempéré lui permet d'attirer les voyageurs tout au long de l'année, en particulier les jeunes, qui en ont fait un spot de surf très recherché.

Adresses utiles

🛈 *Office de tourisme :* 1426 Pacific Rim Highway. ☎ 725-3414. ● www.tofinobc.org ● À 6 km avant Tofino. En été, ouvert tous les jours de 10 h à 18 h. Si vous n'avez rien réservé, ils sauront vous orienter vers les logements encore disponibles.

🚌 *Tofino Bus :* 564 Campbell Street. ☎ 725-2871 ou 1-866-986-3466. ● www.tofinobus.com ● Bus (plus rapides que ceux d'*Island Coach Lines* !) pour le terminal *Harbour Lynx* de Nanaimo (voir la rubrique « Quitter Vancouver ») ainsi que pour Victoria. Fait aussi, en saison, la navette entre Tofino et Ucluelet 4 fois par jour.

🚌 *Island Coach Lines :* ☎ 725-3431. Liaisons avec Nanaimo et Victoria via Ucluelet et Port Alberni.

■ *Budget Rent-a-car :* 1850 Pacific Rim Highway. ☎ 1-888-368-7368.

Où dormir ?

Très conseillé de réserver en été car il y a beaucoup de monde pour un potentiel de logements quand même limité, malgré la construction constante de nouveaux hôtels. Les prix indiqués sont ceux de la haute saison.

Campings

⅄ Outre l'aire de camping de *Greenpoint,* dans le parc national Pacific Rim (entre Tofino et Ucluelet), on trouve 2 campings tout près de Tofino et un troisième plus loin, accessible uniquement en bateau :

⅄ *Crystal Cove Beach Resort :* 1165 Cedarwood, à 2 km avant Tofino. ☎ 725-4213. Fax : 725-4219. ● www.crystalcove.cc ● Compter 37 $Ca (22,6 €) pour 2 personnes, une tente et la voiture, bois pour faire du feu compris. Jolis petits emplacements sous les pins avec la plage à deux pas. En saison, café à la réception. Également de luxueux cottages à louer (voir plus loin « De prix moyens à plus chic »).

⅄ *Bella Pacifica Campground :* 400 Makenzie Beach, à 4 km environ de Tofino. ☎ 725-3400. ● www.bellapacifica.com ● De 29 à 41 $Ca (17,7 à 25 €) pour 2. Site sauvage, en bordure d'une plage superbe. On plante sa tente face à l'océan. Table en bois et *fire pit* sur chaque emplacement, laverie. Deux nuits minimum. Réservation indispensable.

⅄ *Hot Springs Cove Campground :* à 2 h de bateau au nord-ouest de Tofino. ☎ 1-888-781-9977. Pour ceux qui cherchent l'aventure. Compter quand même 70 $Ca (42,7 €) pour le bateau (départ de Tofino tous les jours à 15 h, retour le lendemain à 7 h 30) et 20 $Ca (12,2 €) pour camper.

Bon marché

🛏 ***Whalers on the point Guesthouse :*** 81 West Street. ☎ 725-3443. Fax : 725-3463. ● www.tofino hostel.com ● Tout au fond du village, au bord de l'océan. Nuitée en dortoir à 24 $Ca (14,6 €) pour les membres, 26 $Ca (15,9 €) pour les autres. Également des chambres privées (pour 1 ou 2 personnes) à partir de 70 $Ca (42,7 €). Réception ouverte de 7 h à 23 h. Une AJ très conviviale, avec de super-espaces communs et une belle cheminée en pierre, du parquet et de chouettes canapés pour se détendre face à l'océan. Réservation obligatoire. Une adresse en or !

De prix moyens à plus chic

🛏 ***Wilp Gybuu*** *(Wolf House)* **B & B :** 311 Leighton Way, à 5 mn à pied du centre. ☎ 725-2330. Fax : 725-1205. ● www.tofinobedandbreakfast. com ● Au bout de la rue principale, prendre First Street sur la gauche, puis, tout au bout, Arnet Street à droite. Le *B & B* est dans la première rue à gauche, sur une butte. Ouvert toute l'année. Compter 95 à 120 $Ca (58 à 73,2 €) pour 2. Wendy et Ralph se sont installés dans cette maison récente, en bois, qui ne paie pas de mine de l'extérieur mais dont l'intérieur est fort bien arrangé. Chambres très agréables et salon à disposition avec vue spectaculaire sur la mer. Ralph est indien et fabrique des bijoux en argent. Réserver. Non-fumeurs.

🛏 ***Tides Inn Bed & Breakfast :*** 160 Arnet Rd. ☎ 725-3765. Fax : 725-3325. ● www.vancouverisland-bc.com/TidesInnBB/ ● Dans le même coin que *Wilp Gibuu B & B.* De la poste, descendre 1ˢᵗ Street puis tourner à droite dans Arnet. C'est presque au bout. Ouvert toute l'année. De 125 à 145 $Ca (76,3 à 88,5 €) pour 2. Minimum 2 nuits en saison. Jolie maison avec, là encore, une superbe vue du salon sur la baie. Ne manque qu'un dauphin joueur qui y ferait des pirouettes pour les hôtes. Accueil très sympa de Val et James Sloman. Chambres confortables, une avec balcon, une autre avec cheminée et *steambath* et une troisième avec jacuzzi. *Seaside deck* pour admirer le paysage et *hot tub* dans le jardin pour se relaxer. Beau petit dej'. Réserver car l'adresse est assez convoitée.

🛏 ***Penny's Place*** **(B & B) :** 565 Campbell Street. ☎ 725-3457. Fax : 725-3407. ● www.island.net/~penny spl/ ● Ouvert d'avril à octobre. Chambres doubles de 90 à 120 $Ca (54,9 à 73,2 €). Dans une maison soignée, 3 chambres simplement mais agréablement décorées. Deux d'entre elles se partagent la salle de bains du bas. Quant à la troisième, avec sanitaires privés, elle peut recevoir 3 personnes. Bon accueil et petit dej' copieux.

🛏 ***Tofino Motel :*** 542 Campbell Street. ☎ 725-2055. Fax : 725-2455. ● www.alberni.net/tofino-motel ● Autour de 135 $Ca (82,4 €) la double. Petit motel bleu au bord de la route principale (du côté droit lorsqu'on va vers le bout du village). Les chambres, standardisées mais bien finies, sont décorées d'une carte de la région et donnent toutes sur la mer. Parking gratuit.

De plus chic à très chic

🛏 ***Red Crow on the Oceanfront :*** un peu avant d'arriver à Tofino, sur la droite (c'est indiqué par une pancarte). ☎ 725-2275. Fax : 725-3214. ● www.tofinoredcrow.com ● De 175 à 195 $Ca (106,8 à 119 €) pour 2, avec le petit dej' (servi dans les chambres). Situation exceptionnelle, au bord de la lagune de Tofino, que l'on peut s'amuser à voir se vider et se remplir au gré des marées ! Repos assuré. On peut même se détendre dans un *hot tub* en pleine végétation dominant tout le pay-

PLANS ET CARTES EN COULEURS

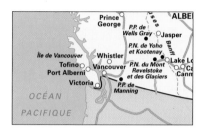

SOMMAIRE

LE CANADA

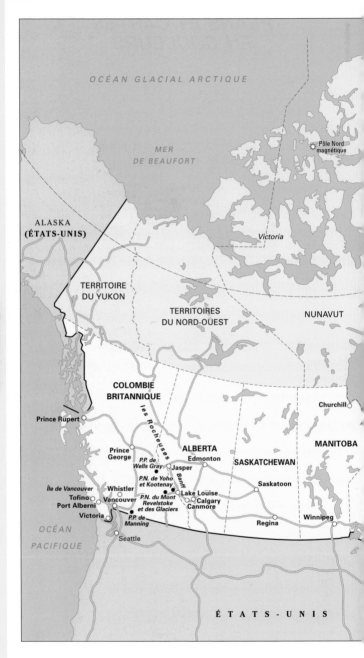

OCÉAN GLACIAL ARCTIQUE

MER
DE BEAUFORT

Pôle Nord
magnétique

ALASKA
(ÉTATS-UNIS)

TERRITOIRE
DU YUKON

TERRITOIRES
DU NORD-OUEST

NUNAVUT

Victoria

COLOMBIE
BRITANNIQUE

les Rocheuses

Churchill

Prince Rupert

Prince
George

ALBERTA

MANITOBA

SASKATCHEWAN

*P.P. de
Wells Gray*

Edmonton

Jasper

*P.N. de Yoho
et Kootenay*

Banff

Saskatoon

Île de Vancouver

Whistler

Tofino

Vancouver

Port Alberni

*P.N. du Mont
Revelstoke
et des Glaciers*

Lake Louise

Calgary

Canmore

Victoria

*P.P. de
Manning*

Seattle

OCÉAN

PACIFIQUE

Regina

Winnipeg

É T A T S - U N I S

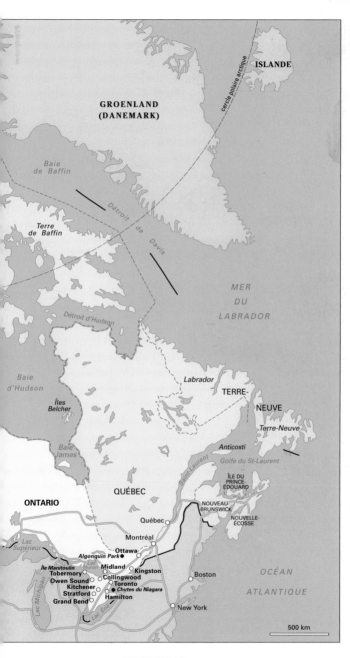

ISLANDE

GROENLAND
(DANEMARK)

cercle polaire arctique

*Baie
de Baffin*

Détroit de Davis

*Terre
de Baffin*

Détroit d'Hudson

MER
DU
LABRADOR

*Baie
d'Hudson*

*Îles
Belcher*

Labrador

TERRE-
NEUVE

Terre-Neuve

*Baie
James*

Anticosti

Golfe du St-Laurent

ÎLE DU
PRINCE-
ÉDOUARD

QUÉBEC

St-Laurent

NOUVEAU-
BRUNSWICK

ONTARIO

Québec

NOUVELLE-
ÉCOSSE

Montréal

*Lac
Supérieur*

Ottawa

Algonquin Park

OCÉAN

Kingston

Île Manitoulin
Tobermory
Owen Sound
Kitchener
Stratford
Grand Bend

*Lac
Huron*

Midland
Collingwood
Toronto
• *Chutes du Niagara*
Hamilton

Boston

ATLANTIQUE

Lac Michigan

Lac Érié

New York

500 km

LE CANADA

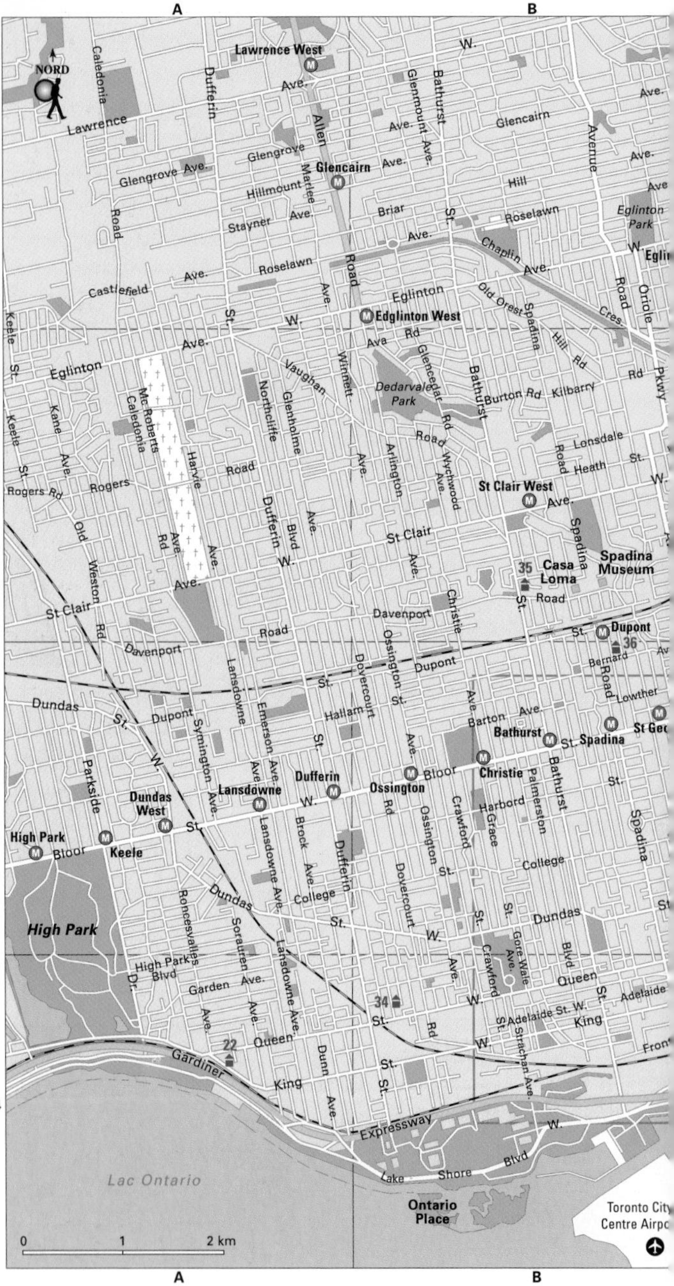

A
B
1
2
3
4
NORD
Lawrence West
Lawrence
Caledonia
Dufferin
Allen Road
Glenmount Ave.
Bathurst
Glencairn
Avenue
Glengrove Ave.
Glencairn
Hillmount
Marlee
Hill
Briar
Roselawn
Stayner Ave.
Eglinton Park
Chaplin Ave.
Castlefield
Roselawn Ave.
Eglinton
Old Orest
Spadina
Edglinton West
Oriole
Keele St.
Eglinton Ave.
Ava Rd
Glencedar Rd
Hill Rd
Rd
Pkwy
Vaughan
Winnett
Northcliffe
Glenholme
Dedarvale Park
Burton Rd
Kilbarry
Mc Roberts
Harvie Ave.
Kane Ave.
Rogers Rd
Rogers Road
Wychwood Ave.
Arlington
Lonsdale
Heath
St Clair West
Old Weston Rd
Dufferin Blvd
St Clair
Casa Loma
Spadina Museum
35
Christie
Davenport
Road
Dupont
36
Bernard
Lowther
Ossington
Dovercourt
Lansdowne
Emerson Ave.
Hallam
Dundas St. W.
Dupont
Symington Ave.
Barton Ave.
Bathurst
Spadina
St George
Parkside
Dundas West
Lansdowne
Dufferin
Ossington
Bloor
Christie
Palmerston
Harbord
Grace
Crawford
High Park
Keele
Bloor St. W.
Brock Ave.
College
Roncesvalles
Sorauren
Dundas St. W.
High Park
High Park Blvd
Dr.
Garden Ave.
Gore Vale Ave.
Queen
Adelaide
34
Adelaide St. W.
King
Strachan Ave.
22
Queen
Gardiner
Dunn Ave.
King
Front
Expressway
Lake Shore Blvd
Lac Ontario
Ontario Place
Toronto City Centre Airport
0
1
2 km

TORONTO – PLAN GÉNÉRAL

voir zoom

TORONTO – PLAN GÉNÉRAL

TORONTO – ZOOM

8

TORONTO – REPORTS DU PLAN GÉNÉRAL

⌂ Où dormir?

22 The Rosa Tourist House
23 Leslieville Home Hostel
29 YWCA
34 Beaconsfield *B & B*

35 Terrace House
36 Annex House

☿ Où boire un verre?

84 Chick'n'Deli

TORONTO – REPORTS DU PLAN ZOOM

■ Adresses utiles

🛈 1 Centre d'information touristique de l'Ontario
🚃 Union Station
🚍 Bus Terminal
2 Clinique médico-sociale communautaire
3 Location de vélos
5 Maison de la Presse internationale
6 Royal Alexandra Theater
@ 7 Cyber Space
8 Pharmacie-drugstore ouvert 24 h/24
@ 9 Cyberland Café

⌂ Où dormir?

20 Hostelling International Toronto
21 Canadiana Backpackers Inn
24 Global Village Backpackers
25 The Planet Traveler's Hostel
26 University of Toronto
27 Neill Wycik College Hotel
28 Tartu College
32 Les Amis
33 Global Guesthouse
37 Travelodge Motor Hotel
38 Beverley Place
39 Fairmont Royal York
40 The Strathcona Hotel

|●| Où manger?

50 Saigon Le Lai Restaurant
51 Tung Hing Bakery
52 Saigon Palace Restaurant
53 Dessert Sensation Café
54 John's Italian Café
55 Tortilla Flats
56 Le Rivoli
57 Bouchon
58 Restaurant Marché Mövenpick

59 Café Bar Masquerade
60 Le Papillon
61 Shopsy's
62 Mercurio Bar
63 Country Style
64 Madison Avenue Pub
65 Swiss Chalet
66 Dynasty Chinese Cuisine
67 Pilot Tavern
68 Hemingway's
69 Spring Rolls
70 Souvlaki House
71 Salad King
72 CME Grill
73 The Second City
74 Shoeless Joe's
75 Le Saint-Tropez

☿ Où boire un verre?

80 Amadeus Bar
81 Lettieri
82 Bovine Sex Club
83 Canoe
85 Future Bakery Café

☿ ♪ Où boire un verre en écoutant de la musique?

90 The Orbit Room
91 Velvet Underground
92 Horseshoe Tavern
93 Lee's Palace

♫ Où danser?

94 Big Bop

⚙ Achats

100 Honest Ed's
101 The World's Biggest Bookstore
102 Eaton Center
103 The Bay

OTTAWA – REPORTS AU PLAN

OTTAWA

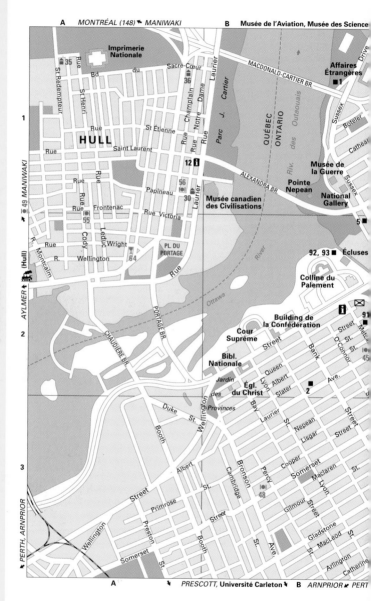

Imprimerie
Nationale

Affaires
Étrangères
1

MACDONALD-CARTIER BR.

Sacré-Cœur
36

Bd   du

Rue

St-Rédempteur

St-Henri

35

Rue

Laurier

Parc J. Cartier

Champlain

Notre Dame

QUÉBEC
ONTARIO

Sussex

Boteler

des   Outaouais

1

HULL

St Étienne

Rue

Saint Laurent

Rue

12

ALEXANDRA BR.

Riv.   des

Cathéar

Musée de
la Guerre

Sussex

Rue

Rue

Papineau

56

Musée canadien
des Civilisations

Pointe
Nepean

National
Gallery

Rue

30

Laurier

Frontenac

Rue Victoria

Rue

55

5

Cody

Leduc

Wright

Ottawa

River

92, 93   Écluses

R.   Wellington

64

PL. DU
PORTAGE

Colline du
Palement

Rue

Montcalm

91

AYLMER   (Hull)

2

CHAUDIÈRE BR.

PORTAGE BR.

Building de
la Confédération

Street

Melca

Cour
Suprême

Street

Bank

O'Connor

St.

St.

45

Bibl.
Nationale

Queen

Lyon

Albert

2

Ave.

Jardin
des

Égl.
du Christ

Slater

Provinces

Duke   St.

Bay

Wellington

Laurier

St.

Street

Booth

Nepean

Lisgar

St.

Street

3

Albert

St.

Cooper

Somerset

MacLaren

St.

Street

Bronson

Cambridge

Percy

48

Lyon

Street

PERTH, ARNPRIOR

Primrose

Street

Gilmour

Street

Gladstone

St.

Wellington

Preston

Booth

Ave.

MacLeod

St.

Somerset

St.

Arlington

Catherine

OTTAWA

VANCOUVER – PLAN GÉNÉRAL

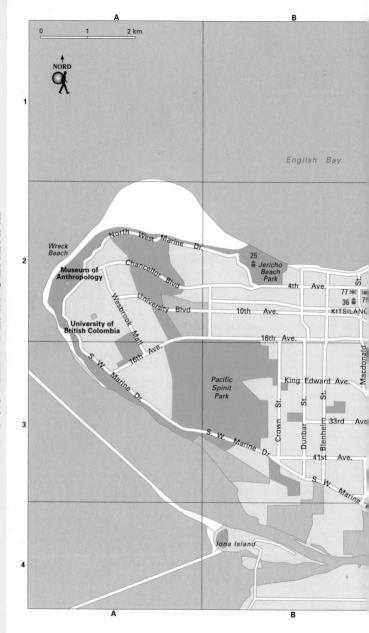

NORD

English Bay

Wreck Beach

North West Marine Dr.

Chancellor Blvd

Museum of Anthropology

University Blvd

Westbrook Mall

University of British Colombia

16th Ave.

S. W. Marine Dr.

25

Jericho Beach Park

4th Ave.

77

36

75

KITSILANO

St.

Macdonald

10th Ave.

16th Ave.

Pacific Spirit Park

King Edward Ave.

Crown St.

Dunbar St.

Blenheim St.

33rd Ave

S. W. Marine Dr.

41st Ave.

S. W. Marine

Iona Island

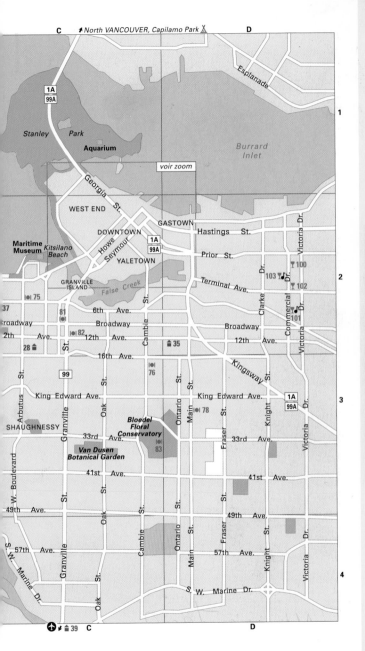

North VANCOUVER, Capilamo Park

Esplanade

Stanley Park

Aquarium

Burrard Inlet

voir zoom

Georgia St.

WEST END

GASTOWN

DOWNTOWN

Hastings St.

Maritime Museum

Kitsilano Beach

Howe

Seymour

Prior St.

YALETOWN

Victoria Dr.

103

100

102

GRANVILLE ISLAND

False Creek

Terminal Ave.

Clarke Dr.

37

75

6th Ave.

81

Broadway

Broadway

101

Commercial Dr.

roadway

82

12th Ave.

12th Ave.

Victoria St.

2th Ave.

28

35

16th Ave.

Cambie St.

99

76

Kingsway

King Edward Ave.

King Edward Ave.

Arbutus St.

SHAUGHNESSY

Granville St.

Oak St.

Bloedel Floral Conservatory

Ontario St.

Main St.

78

Fraser St.

Knight St.

Victoria Dr.

33rd Ave.

33rd Ave.

Van Dusen Botanical Garden

83

W. Boulevard

41st Ave.

41st Ave.

49th Ave.

49th Ave.

S. W. Marine Dr.

57th Ave.

Cambie St.

Ontario St.

Main St.

57th Ave.

Fraser St.

Knight St.

Victoria Dr.

Oak St.

S. W. Marine Dr.

39 C

D

VANCOUVER – PLAN GÉNÉRAL

VANCOUVER – ZOOM

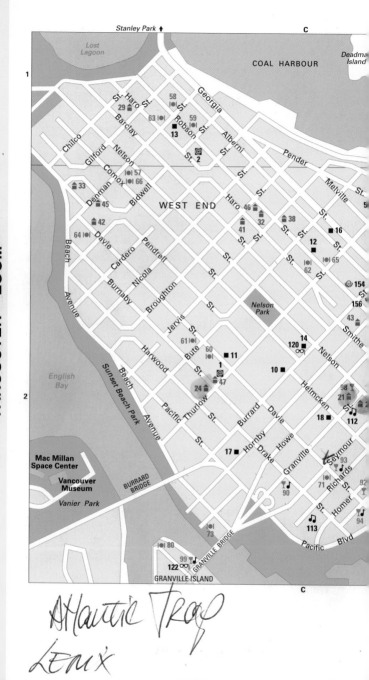

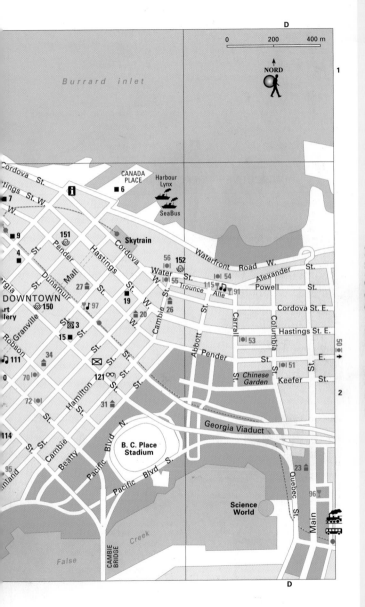

VANCOUVER – REPORTS DU PLAN GÉNÉRAL

VANCOUVER – REPORTS DU PLAN ZOOM

sage. Propose 3 chambres plaisantes et, un peu à l'écart, une petite maison tout équipée. Un *B & B* vraiment à part !

🛏 *Ocean Village Beach Resort :* 555 Hellesen Drive. À 3 km avant Tofino. ☎ 725-3755 ou 1-866-725-3755. • www.oceanvillageresort.com • À partir de 145 $Ca (88,5 €) pour 2. Gratuit pour les enfants (même d'un certain âge !) accompagnant leurs parents. Réservation impérative et ce, le plus longtemps possible à l'avance. Sur la plage de MacKenzie, spacieux cottages en cèdre, en forme de carène de navire renversée pouvant loger de 2 à 6 personnes. Tous ont vue sur les flots. Cuisine équipée dans chacun d'eux, mais pas de TV car les proprios considèrent qu'il y a mieux à faire que de croupir devant une petite boîte à images. D'ailleurs, ils ont fait installer un vaste barbecue au milieu du complexe, histoire d'encourager la vie au grand air ! Piscine et laverie. Un des meilleurs rapports qualité-prix de Tofino.

🛏 *Middle Beach Lodge :* 400 MacKenzie Beach Rd. ☎ 725-2900. Fax : 725-2901. • www.middlebeach.com • Prendre la dernière à gauche avant le village de Tofino, c'est tout au bout. De 115 à 165 $Ca (70,2 et 100,7 €) pour 2. Hôtel entre la forêt et la plage, avec, à la réception, un très agréable salon (divans en rondins, musique douce...) donnant sur l'océan. Chambres de différents types, avec ou sans vue ou balcon, mais toutes très belles (boiseries et lavabo en céramique). Également des maisonnettes *(cabins)* pour les familles (les chambres sont réservées aux adultes), mais plus chères. À l'entrée, le fameux ciré jaune et les bottes de marin pêcheur à emprunter !

🛏 *Crystal Cove Beach Resort :* 1165 Cedarwood. Pas loin de l'*Ocean Beach Village*. ☎ 725-4213. Fax : 725-4219. • www.crystalcove.cc • Compter 270 $Ca (164,7 €) pour 2 et 20 $Ca (12,2 €) par personne supplémentaire. Bungalows en rondins, genre chalets suisses, dans un bel environnement boisé non loin de la plage. Excellent confort, et bel ameublement, mais pour 2, c'est plutôt cher. Mieux vaut être au moins 4. Accès Internet, librairie et vidéothèque gratuits à la réception.

🛏 *Best Western Tin Wis :* peu avant Tofino, sur la gauche. ☎ 725-4445 ou 1-800-661-9995. Fax : 725-4447. • www.tinwis.com • Chambres autour de 200 $Ca (122 €). Construction moderne en bois avec, à l'arrière, une pelouse donnant sur la plage. Le site au bord du Pacifique est superbe, et les baies vitrées s'ouvrant sur la mer font oublier le mobilier plutôt quelconque des chambres ainsi que l'arrivée, un peu trop bitumée, devant l'hôtel.

🛏 *Pacific Sands Beach Resort :* 1421 Parc Rim Highway, à 7 km avant Tofino. ☎ 725-332 ou 1-800-565-2322. Fax : 725-3155. • www.pacificsands.com • À partir de 200 $Ca (122 €) pour 2. En face d'une superbe baie, avec une pelouse donnant sur la plage, un *resort* plutôt agréable. Les chambres, avec cheminée et kitchenette, n'ont pas un charme fou mais offrent une très belle vue.

🛏 *Days Inn Weigh West :* 634 Campbell Street. ☎ 725-3277 ou 1-800-665-8922. Fax : 725-3234. • www.weighwest.com • Chambres à partir de 140 $Ca (85,4 €). Motel de chaîne donnant sur le port, à côté du *Blue Heron*. Récemment rénové mais, pour le prix, vous n'y trouverez rien de transcendant. Chambres plus ou moins grandes ou bien équipées, certaines avec cheminée et cuisine.

Encore plus chic

🛏 *Wickaninnish Inn :* à environ 4 km avant le village, sur la gauche. ☎ 725-3100 ou 1-800-333-4604. Fax : 725-3110. • www.wickinn.com • Chambres à partir de 480 $Ca (292,8 €) de juin à septembre, environ moitié prix en hiver. Le grand, grand jeu romantique. Tout y est réalisé avec un goût et un soin extrêmes. En fait, on vous l'indique au cas où vous passeriez par ici en hiver... lorsque les tarifs sont tout juste abordables et que, justement, les vagues se brisant sur les rochers par grande tempête offrent un fabuleux spectacle depuis les chambres. En été, n'y pensez même pas...

Où manger ?

Bon marché

|●| *The Common Loaf :* au bout du village, presque en face de la poste. Ouvert de 8 h à 18 h. Petit snack-boulangerie bien agréable pour le petit dej', à l'intérieur ou en terrasse. Bons muffins, müesli maison et salade de fruits. Point de chute des routards et des surfeurs locaux.

|●| *Caffé Vincenté :* 441 Campbell Street. Ouvert de 7 h à 18 h. Là encore, joli petit café-snack pour le matin (pâtisseries alléchantes et beau choix de cafés !) ou pour le midi. Excellents sandwichs autour de 8 \$Ca (4,9 €). On peut aussi y surfer sur Internet, mais c'est assez cher.

|●| *The Coffee Pod :* à deux pas du *Caffé Vincenté,* sur le même trottoir. Même style d'endroit. Bien pour engloutir des gaufres au sirop d'érable après une balade en mer auprès des cétacés. Accès Internet.

De prix moyens à plus chic

|●| *The Blue Heron Restaurant & Dockside Marine Pub :* Campbell Street. ☎ 725-3277. Compter 16 à 22 \$Ca (9,8 à 13,4 €) pour un plat. Un resto sur le port, doublé d'un pub, rendez-vous connu des Français. Excellente cuisine, fine et bien présentée, avec du pain aux céréales fait maison. Essayez le *West Coast salmon,* le *Dungeness crab,* la bouillabaisse, etc. Les amateurs de crustacés se régaleront. Au pub, possibilité de snacks, sandwichs divers et de plats moins chers qu'au resto. Belle vue sur la baie et les montagnes en toile de fond.

|●| *Sea Shanty Restaurant :* 300 Main Street. ☎ 725-2902. Fermé en hiver. Cuisine jusqu'à 21 h. Plats autour de 10 \$Ca (6,1 €) le midi, de 14 à 36 \$Ca (8,5 à 22 €) le soir. Resto tout en bois, terrasse agréable d'où l'on peut observer le va-et-vient des hydravions et la vue sur Clayoquot Sound. Parmi les plats pas trop chers, salades, crabe, *fish and chips,* ainsi que de très bonnes pâtes aux fruits de mer !

|●| *The Schooner :* 331 Campbell Street. ☎ 725-3444. Pour un plat, compter 9 à 13 \$Ca (5,5 à 7,9 €) à midi et 20 à 28 \$Ca (12,2 à 17,1 €) le soir. Dans une belle maison rouge. Décor en bois du parquet au plafond, avec des cartes marines aux murs et une proue de navire devant les cuisines ! Ici, la spécialité (ne pas oublier que le homard, c'est à l'autre bout du pays qu'on le trouve), c'est le *Captain's Plate,* assortiment de grosses crevettes, coquilles Saint-Jacques, huîtres et poissons grillés. On a aussi aimé le *seafood chowder* (à midi seulement), particulièrement agréable après une virée en mer. En dessert, on garde un bon souvenir du *pecan pie* aux framboises.

À voir. À faire

– *Pêcher un saumon* à Tofino est assurément un grand souvenir pour tout pêcheur fier de l'être, mais ça revient très cher (achat du permis + 5 h de pêche minimum à 85 \$Ca, soit 51,9 €, de l'heure !). Des guides embarquent les lève-tôt pour une longue matinée de pêche au large, en quête de ce noble poisson qui baigne dans ces eaux fraîches. La plupart de ces guides ont leur « bureau » sur la rue principale, des panneaux les indiquent.

– *Aller à la rencontre des baleines :* si vous souhaitez en voir autrement qu'en aquarium, il est temps d'embarquer sur l'un des bateaux qui vous les fera approcher dans leur milieu naturel. Il s'agit surtout des baleines grises qui remontent toute la côte ouest du continent entre mars et octobre. Pendant cette période, vous êtes presque assuré à 100 % d'en voir, d'autant que les différentes compagnies se communiquent par radio les endroits où elles ont été repérées. L'excursion dure environ 2 h 30 et se fait soit en Zodiac, soit en bateau couvert. Nous, on préfère le Zodiac. Ça mouille un max mais, rassurez-vous, on enfile avant d'embarquer une grosse combinaison d'astronaute, à l'épreuve du froid et de la flotte. À noter qu'en route, vous verrez aussi des lions de mer, des phoques et des aigles dits « chauves », à cause de leur tête blanche. La plupart des agences sont installées le long de la rue principale. Inutile de marchander, les prix sont alignés, c'est 65 $Ca (39,7 €) par personne (réduction enfants). Elles proposent généralement 2 à 3 départs par jour : le matin, en début et en fin d'après-midi. Vous pouvez vous pointer juste avant le départ mais, en saison, il peut être prudent de réserver.

– *Aller voir les ours :* de mai à mi-octobre, les ours noirs arpentent les rivages de *Clayoquot Sound* en quête de crabes, de saumons et de baies diverses. Là encore, on peut aller les observer à bord d'une embarcation. Même tarif et même durée, à peu près, que les *whale watching tours*.

– *Excursion à Hot Springs Cove :* pour ceux qui veulent se faire la totale. Au programme : les baleines, les ours, la découverte (à pied) de la forêt humide du *Maquinna Provincial Park* et 2 h de relaxation dans les sources chaudes de *Hot Springs Cove*. Compter 6 h en tout.

– Possibilité aussi de faire un tour de quelques heures en **kayak** le long de la côte et autour des îles avec un guide. Là encore, plusieurs agences, notamment *Paddle West Kayaking,* 305 Campbell Street. ☎ 725-4253.

– *Survol en hydravion :* pas encore si cher et certainement inoubliable. Renseignements et réservations sur le port au bout du village. *Tofino Air :* ☎ 725-4454.

LE PARC NATIONAL PACIFIC RIM

Il comprend en fait 3 parties distinctes : la bande côtière entre Ucluelet et Tofino *(Long Beach)*, *Broken Group Islands*, à l'est d'Ucluelet, et le fameux *West Coast Trail,* accessible uniquement aux randonneurs, entre Bamfield et Port Renfrew (voir la section « À voir dans les environs de Port Alberni »). Ensemble, ces 3 parties offrent un superbe échantillon de la forêt pluviale, des plages vierges et de la faune de l'île.

🚶🚶 Entre Tofino et Ucluelet, une navette s'arrête 4 fois par jour aux différents sentiers de randonnée qui permettent de découvrir le parc : le « Tofino Beach Bus », en service de mi-mai à octobre.

🛈 *Centre d'information :* à l'intersection des routes Ucluelet-Tofino-Port Alberni. ☎ 726-4212. Fax : 726-7721. Ouvert tous les jours de 8 h à 20 h en saison. Horaires plus restreints le reste de l'année. Vous y trouverez tous les renseignements nécessaires (demandez la *Long Beach Map*) et même une excellente documentation en français.

🚶 *Wickaninnish Interpretative Center :* à peu près à mi-chemin entre Tofino et Ucluelet, sur la plage du même nom. Ouvert de mi-mars à mi-octobre de 10 h 30 à 18 h. Tout sur la faune, la vie sous-marine locale. Audiovisuels toutes les heures et expos (de mai à septembre) présentées par un membre du personnel.

Il y a plein de balades à faire, soit le long de l'océan, soit au cœur de la forêt humide, soit dans la tourbière. Nous en avons sélectionné deux (les plus belles bien sûr !).

➤ *Balade le long de l'océan :* en fin de journée, 2 h avant le coucher du soleil, allez vous promener sur *Frank Island* (située entre Chesterman Beach et Cox Bay). En voiture, en quittant Tofino, juste après *The Dolphin Motel* (sur la gauche), prenez la petite route sur la droite (Lynn Rd) menant à un parking. Puis, marchez jusqu'à la plage et partez vers la gauche. Vous longez la côte en découvrant de superbes villas largement espacées les unes des autres, perdues dans la végétation, et toutes d'un style différent, avant d'arriver à Frank Island, accessible uniquement à marée basse (prévoir de revenir avant la marée haute !). Environnement sauvage et superbe à souhait. Un moment calme, simple et pur. La vraie sérénité...

➤ *Balade au cœur de la forêt humide :* deux sentiers d'un peu plus de 1 km chacun, situés de part et d'autre de la route Tofino-Ucluelet (à mi-chemin entre les deux), offrent un excellent aperçu de la forêt pluviale qu'on trouve dans toute cette partie de l'île. La promenade, aménagée sur des passerelles en bois, est jalonnée de panneaux explicatifs en français. S'il fait beau, tâchez d'y aller dans la matinée, lorsque la lumière filtre doucement à travers les lichens et la mousse filandreuse des pins... Spectacle sublime garanti !

CAMPBELL RIVER   29 000 hab.   IND. TÉL. : 250

À 5 h de route de Victoria, on est encore pourtant seulement à la moitié de l'île. Pour arriver là, il faut être poussé soit par le démon de la pêche, soit par celui de la marche. Campbell River est en effet reconnue comme capitale de la pêche au saumon, alors tous à vos cannes... Si vous n'êtes pas amateur, le parc provincial de Strathcona, à 30 mn de là, est l'un des plus sauvages de l'île et offre de superbes balades.

Adresses utiles

■ *Campbell River & District Chamber of Commerce :* 1235 Shoppers Row. ☎ 287-4636. Fax : 286-6490. ● www.vquest.com/crchamber ●

@ *Cybercafé On Line Gourmet :* voir « Où manger ? Où prendre le petit déjeuner ? Où surfer sur Internet ? ».

Où dormir ?

🛏 *Rivers Ridge B & B :* 2243 Steelhead Rd. ☎ 286-9696. ● www.bbca nada.com ● Chambres avec salle de bains à 65 $Ca (39,7 €). Accueil chaleureux de June et Frank. Copieux petit dej', pain maison, *scones,* muffins et confiture. Cuisine et barbecue à disposition sur demande. Piscine. Réserver à l'avance.

🛏 *Passage View Motel :* 517 Island Highway. ☎ 286-1156 ou 1-877-286-1156. Fax : 286-1139. Compter de 59 à 84 $Ca (36 à 51 €) la chambre, 5 $Ca (3,1 €) de plus avec kitchenette. Classique motel en bois gris et bleu, en bord de mer, à 10 mn à pied du centre de Campbell River. Calme et belle vue sur le Discovery Passage.

🛏 *Ramada Suites :* 261 Island Highway. ☎ 286-1131 ou 1-800-663-7227. Fax : 287-4055. Nettement plus cher, à partir de 139 $Ca (85 €) la nuit. Donne sur l'océan. Organise des sorties de pêche (cher). Piscine et jacuzzi.

Où manger ? Où prendre le petit déjeuner ?
Où surfer sur Internet ?

|●| @ **On Line Gourmet :** 970 Shoppers Row, un peu avant la chambre de commerce, sur la gauche. ☎ 286-6521. Ouvert du lundi au vendredi de 8 h à 17 h et de 8 h à 16 h le samedi. Internet : 5 $Ca de l'heure, 3,25 $Ca les 30 mn (3 et 2 €). Le jeudi de 15 h à 17 h 30, accès gratuit au Web. Simple et accueillant, couleur vert et bois, un café chaleureux pour prendre un petit dej'. Formules traditionnelles ou simplement muffins et bagels, sandwichs variés autour de 6 $Ca (3,7 €).

|●| **Moxie's :** 1360 Island Highway. ☎ 830-1500. Dans le nouveau complexe commercial. Restaurant familial très prisé des habitants de Campbell River. Copieux sandwichs et soupes pour moins de 7 $Ca (4,3 €). Le resto du dimanche midi, où les enfants s'attaquent à des glaces plus grosses qu'eux. On s'y bouscule pour le brunch.

|●| **Sushi Bar :** dans une aile de l'*Anchor Inn,* surplombe la mer. Spectacle tout aussi fascinant à l'intérieur, puisque les sushis sont créés sous vos yeux. Assortiment de *sashimis* pour 19 $Ca, *sushis* 15 $Ca, *tempuras* 4 $Ca (11,6, 9,2 et 2,4 €). S'il vous restait des réticences à manger du poisson cru, celui-ci est si frais qu'il fond dans la bouche. Élu meilleur *sushi bar* (par nos soins !).

À voir. À faire

🎣 **Discovery Pier :** un pont en bois qui s'avance dans la mer, gratuit pour les curieux, 2 $Ca (1,2 €) pour pouvoir pêcher pendant 2 h. Possibilité de louer le matériel de pêche et même de participer au concours du plus gros saumon (le pari est lancé !). Jusqu'à présent, le plus gros faisait 50 livres. Excellents *wraps* à la gargote sur le *pier.*

➤ DANS LES ENVIRONS DE CAMPBELL RIVER

🎣 **Quadra Island :** ferry toutes les heures environ, compter 15 mn et 0,5 $Ca (0,3 €) pour la traversée.
Beaucoup de possibilités de locations (Zodiac, bateau de pêche) ou de tours organisés (pêche, balades à la rencontre des baleines et des ours ou tout simplement pour aller admirer la faune). Renseignez-vous à la chambre de commerce pour trouver la meilleure formule selon ce que vous recherchez.

🎣🎣 **Le parc provincial de Strathcona :** à 50 km de Campbell River. Le plus grand parc de l'île, avec ses lacs, ses glaciers, ses forêts et les *Della Falls* (les plus hautes chutes du Canada, 440 m, mais à plusieurs jours de marche), demeure parfaitement sauvage. On y trouve un superbe *lodge* qui est plus qu'un hôtel : un esprit. Lorsque Jim Boulding hérita de cette terre, il pensa faire fortune comme son père en coupant tout. Puis il se ravisa et décida d'y construire un *lodge* pour que les gens puissent découvrir la nature. David, malgré son accent québécois, vient de Lille. C'est lui qui s'occupe de toutes les activités nature. Du *lodge* on peut louer des kayaks, escalader les glaciers, partir à la découverte de la faune, etc.

➤ Plan des **randos** disponible au *Strathcona Park Lodge.* Ne soyez pas effrayé par la longueur des balades : pour les *Lupin Falls,* estimée à 20 mn, nous avons compté 5 mn de marche, 5 autres pour reprendre son souffle, 5 mn pour la photo souvenir et les 5 dernières pour le retour... Soit les Canadiens marchent lentement, soit ils nous sous-estiment !

🛏 *Strathcona Park Lodge :* à 40 km de Campbell River, à l'entrée du parc. ☎ 286-3122. Fax : 286-6010. ● www.strathcona.bc.ca ● Des petits chalets disséminés le long du lac avec des chambres simples et confortables : de 40 à 125 $Ca (24,4 à 76,2 €) avec salle de bains commune ; de 108 à 124 $Ca (65,9 à 75,6 €) avec salle de bains privée ; 20 $Ca (12,2 €) de plus en bord du lac. Locations de chalets : de 149 à 295 $Ca (90,9 à 180 €), très intéressant à plusieurs. Possibilité de package (repas, activités, etc.). Également ment des lits en dortoir. Le petit dernier, l'*Alpine Chalet* sur le mont Washington, est idéal pour le ski de rando en hiver ou l'escalade en été.

Encore plus au nord

🐾 Les explorateurs férus d'histoire monteront bien plus au nord, jusqu'à *Gold River* (village moderne de bûcherons, sans intérêt), à l'ouest de Campbell River, puis poursuivront la route vers *Muchalar Inlet.* Un bateau les conduira là où le capitaine Cook débarqua pour la première fois.

🐾 *Telegraph Cove :* tout à fait au nord de l'île, avant Port Hardy. Le plus joli village de l'île a été construit dans les années 1920 et 1930. En tout et pour tout, une dizaine de maisons sur pilotis, chacune avec sa plaque racontant l'histoire de ses habitants. L'un des meilleurs lieux de la côte pour voir les orques.

QUITTER VANCOUVER ISLAND PAR LE NORD

➤ *De Victoria à Port Hardy :* environ 10 h de bus.
➤ *Port Hardy-Prince Rupert :* en ferry. Compter 15 h de voyage particulièrement agréable. Possibilité d'observer orques et dauphins. Paysages similaires à ceux des fjords de Norvège. Le bateau (1 départ tous les 2 jours) part très tôt le matin, vers 7 h 30. Il faut donc dormir à Port Hardy. En été, si vous êtes en voiture, une réservation pour le ferry est indispensable. Méfiez-vous, celle-ci n'est valable que lorsque vous avez payé le prix de votre passage. Compter environ 420 $Ca (256,2 €) pour une voiture et 2 passagers. Pour plus d'infos : ☎ (604) 444-2890 ou 1-888-223-3779. Fax : 381-5452. ● www.bcferries.bc.ca ●
➤ *Prince Rupert-Prince George :* en bus. Retour à Vancouver en train et bus. Train recommandé. Un peu plus long, mais paysages plus sauvages et meilleurs arrêts photo !

DE PRINCE RUPERT À PRINCE GEORGE

IND. TÉL. : 250

Il s'agit surtout d'un parcours de liaison vers les Rocheuses, même si la route est parfois très belle, surtout au début lorsqu'elle longe la rivière Skeena. Pensez à faire le plein car c'est le grand désert et les stations-service sont espacées de 100 km et plus. Évitez de dormir à Prince George, une grande ville industrielle (et ça se sent !). Les 2 villes-étapes les plus agréables sont Smithers pour ses *B & B* et Fort Saint James pour son lac, mais les hébergements y sont rares. Essayez de réserver.

PRINCE RUPERT

Ville-étape obligée, le ferry arrivant très tard et partant très tôt. Sans grand intérêt même si le site est beau.

Adresses utiles

ℹ Travel Info : 1st Avenue et Mac-Bride Street. ☎ 624-5637 ou 1-800-667-1994.

🚌 Greyhound Lines : 822 3rd Avenue W. ☎ 624-5090 ou 1-800-661-8747.

🚢 BC Ferries : l'embarcadère est à 3 km du centre. Ferries tous les 2 jours pour Port Hardy (nord de l'île de Vancouver) et pour les îles de la Reine-Charlotte. ☎ 624-9627 ou 1-800-663-7600. N'oubliez pas, si vous êtes motorisé, de réserver et de payer votre billet pour que la réservation soit valable. Ces ferries sont le plus souvent complets.

Où dormir ?

Plein de motels mais impersonnels. Parmi les mieux situés sur le bord de mer à prix corrects :

🛏 Inn on the Harbour : 720 1st Avenue. ☎ 624-9107 ou 1-800-663-8155. Fax : 627-8232. De 65 à 84 $Ca (39,7 à 51,2 €).

🛏 Pioneer Rooms : 167 3rd Avenue. ☎ 624-2334. Dans une maison bleue d'un autre siècle, des chambres à tout petits prix avec cuisine commune et commodités à l'extérieur. Ambiance assez *strange*. À vous de voir...

🛏 Pacific Inn : 909 3rd Avenue W. ☎ 627-1711. Fax : 627-4212. Hôtel confortable à prix modérés. Chambres doubles de 85 à 145 $Ca (51,9 à 88,5 €). Accueil sympa.

FORT SAINT JAMES

Petit village situé près du superbe lac Stuart. On y verra surtout le **fort**. Ouvert de 9 h 30 à 17 h 30 en été ; de 10 h à 17 h de mi-juin à fin septembre. Le **fort** a été reconstitué dans son état de 1896 lorsque la *Compagnie de la baie d'Hudson* y commerçait. En juillet-août, des comédiens font revivre la vie d'antan.

Où dormir ?

🛏 Stuart Lodge : à 5 km après Fort Saint James. ☎ 996-7917. Chambres équipées avec balcon donnant sur le lac. Gerhard, qui est charmant, pourra vous prêter un canoë ou vous louer un bateau à moteur.

SMITHERS

Où dormir en cours de route ?

🛏 Glacier B & B : avant Smithers en venant de Prince Rupert, en direction du glacier Gulch. ☎ 847-2020. ● www.bbcanada.com/1503 ● Compter entre 55 et 70 $Ca (33,5 et 42,7 €). L'un des plus agréables B & B de Colombie-Britannique. Dans une jolie maison en bois entourée d'un jardin et d'une mare avec jet d'eau et canoë. Le tout face au glacier. Salle de séjour avec billard. De plus, Barbara est charmante et ses 3 chambres sont à des prix très modérés...

🛏 *Lakeside B & B :* à 1 km de Smithers en venant de Prince Rupert. ☎ et fax : 847-9174. Magnifique vue sur le glacier et ponton donnant directement sur le lac. Chambres à prix doux.

🛏 *The Ptarmigan B & B :* prendre la route vers le glacier Gulch juste avant Smithers en venant de Prince Rupert, et c'est juste à droite. ☎ 847-9508. Un peu moins agréable que les précédents car il lui manque la vue. Mais les chambres de ce chalet perdu dans les bois sont incomparablement plus conviviales que les motels de la ville. De plus, Margaret et Dave sont charmants.

LES PARCS DE COLOMBIE-BRITANNIQUE

LE PARC PROVINCIAL DU MONT ROBSON

IND. TÉL. : 250

Avec ses 3 954 m, le mont Robson est le point culminant des Rocheuses canadiennes. Une montagne massive et superbe lorsqu'elle ne se perd pas dans les nuages. Un parc moins fréquenté que les autres, on apprécie d'autant plus la balade.

Adresse utile

ℹ️ *Travel Info :* au pied du mont Robson. Ouvert de début mai à fin septembre de 8 h à 17 h. C'est là que vous devez vous faire enregistrer si vous voulez camper près du lac Berg. Les ours viennent parfois traîner autour, alléchés par l'odeur du pique-nique.

Où dormir ?

Peu de choix à l'intérieur du parc, si vous ne trouvez rien, continuez vers le nord sur une vingtaine de kilomètres, jusqu'à Tête Jaune, une toute petite ville où les campings et *B & B* se développent pour accueillir le trop-plein du parc.

Campings

⛺ *Robson Meadows* et *Robson River :* ces 2 campings sont situés à proximité du Travel Info du parc. Compter 17,50 $Ca (10,7 €) la nuit ; 125 places dans le 1er, une vingtaine dans le 2e, qui est bordé par une rivière de couleur émeraude. Douches, w.-c. et bois à disposition dans les deux. Bon point de départ de randonnées.

⛺ *Robson Shadows Campground :* à 6 km avant l'entrée ouest du parc, sur la Highway 16. ☎ 566-4821 ou 1-888-566-4821. Fax : 566-9190. Il y a 25 places, au bord de la rivière Fraser. Compter 14,50 $Ca (8,8 €) avec douche, 6 $Ca (3,7 €) de plus pour le bois. Vous y trouverez un minisnack et la possibilité de faire du rafting facile ou trépidant avec *Mount Robson Whitewater Rafting Co* (☎ 566-4879 ou 1-888-566-7238) ou d'autres activités. Ambiance sympa.

⛺ Pour camper près du *lac Berg,* ou sur le chemin où plusieurs campements sont aménagés, il faut payer un petit droit et se faire enregistrer au Travel Info. Deux refuges, non équipés de lits, se trouvent au bord du lac. Idéal pour rencontrer d'autres courageux.

Cabins

🛏 ***Mount Robson Lodge :*** même endroit, mêmes coordonnées et mêmes services que le *Robson Shadows Campground.* Environ 80 $Ca pour 2, 90 $Ca pour 4 (48,8 et 54,9 €). Une vingtaine de bungalows entièrement équipés. Confort correct.

🛏 ***Mount Robson Mountain River Lodge :*** à 1 km avant l'entrée ouest du parc. ☎ et fax : 566-9899 ou 1-888-566-9899. ● www.mtrobson ● Quelques chambres en *B & B,* joliment décorées, à partir de 85 $Ca (51,9 €), terrasse et vue pour 20 $Ca de plus, soit 12,2 €. Sinon, formule chalet tout équipé, à partir de 125 $Ca (76,3 €). Un cadre paisible en pleine forêt, en surplomb de la rivière. Réservation conseillée.

Où manger ?

🍽 ***Café Mount Robson :*** mêmes horaires et même endroit que le Travel Info. Autour de 6 $Ca (3,7 €). Self-service agréable et bien tenu, sandwichs, fruits et boissons à emporter, ou plats chauds à consommer sur place sur les quelques tables de pique-nique.

À faire

➤ Passer d'abord au Travel Info, en début de saison certains chemins peuvent être fermés pour cause d'avalanche ou d'enneigement. En plus, pas moins de 6 balades partent de là. La plus belle consiste à monter vers les lacs qui entourent le mont Robson. Pour le ***lac Kinney,*** 2 h 30 suffisent pour faire l'aller-retour. La vue est magnifique. En revanche, le ***lac Berg*** est à 22 km. Quelques portions du chemin sont un peu rudes pour un citadin, mais la nature superbe fait vite oublier les petites douleurs musculaires et le poids du sac à dos. Le paysage montagneux est grandiose, riche de sous-bois très denses, de torrents franchis par des ponts suspendus, de cascades jaillissant d'à-pics impressionnants, de moraines... pour enfin arriver au lac Berg avec ses glaciers dont des morceaux se détachent parfois, donnant au lac coloration turquoise. On peut y camper.

■ ***Robson Helimagic :*** à Valemount, ☎ 566-4700 ou 1-877-454-4700. ● www.robsonhelimagic.com ● Si vous êtes paresseux et riche, vous pouvez toujours vous faire déposer en hélicoptère près du lac tous les lundi et vendredi (175 $Ca par personne, 135 $Ca si vous êtes plus de 8 ! soit 106,8 et 82,4 €). Départ de Valemount. D'autres « tours » rapides mais plus abordables, à partir de 65 $Ca (39,7 €) par personne pour avoir un aperçu de la vallée vue du ciel.

■ ***Mount Robson Whitewater Rafting :*** situé au Mount Robson Lodge. ☎ 566-4879 ou 1-888-566-7238. ● www.mountrobsonwhitewater.com ● Descentes plus ou moins mouvementées de la Fraser River, de 2 h à 3 h, assez cher (49 à 65 $Ca, soit 30 à 39,7 €).

LE PARC PROVINCIAL DE WELLS GRAY

IND. TÉL. : 250

Situé à 40 km au nord de Clearwater et de la route 5, ce parc provincial (accès gratuit) n'est pas très fréquenté, du coup on a toutes les chances de faire de belles rencontres (beaucoup d'ours noirs). On peut y faire des dizaines de randonnées, y compris à cheval, à VTT et en canoë, et y voir les plus belles chutes de Colombie-Britannique. Quelques ranchs en pleine nature, une bonne raison pour y rester 1 jour ou 2, avec un bon antimoustiques.

Adresse utile

Clearwater-Wells Gray Information Centre : à Clearwater, à 40 km de l'entrée du parc Wells Gray. ☎ 674-2646. Fax : 674-3693. ● www.ntvalley.com/clearwaterchamber ● Ouvert de mai à octobre de 10 h à 16 h du lundi au vendredi, tous les jours jusqu'à 18 h en pleine saison. Horaires limités en hiver. Comme d'habitude, on y trouve toutes les infos possibles sur le parc et sa région. Accès Internet.

Où dormir ?

La formule la plus originale, ce sont les ranchs, souvent tenus par des Suisses allemands ou des Autrichiens. En général, ils proposent soit un toit (des *cabins* le plus souvent), soit un emplacement de camping. Ne choisissez pas forcément l'hébergement le plus près de l'entrée du parc, la plupart des restos sont à Clearwater (toutes les adresses qui suivent sont sur la route du parc Wells Gray).

Campings

Dans le parc de Wells Gray

⊠ Il existe 3 *campings* accessibles en voiture dans le parc. Ouverts de mai à septembre environ, renseignements au bureau d'accueil du parc à Clearwater. ☎ 674-2646. Pas de douche.

À l'extérieur

⊠ **Wells Gray Ranch et camping :** à 27 km de Clearwater, sur la route du parc Wells Gray. ☎ 674-2792. Fax : 674-3997. ● www.wellsgrayranch.com ● Ouvert de mi-mai à octobre. Dans un « tourist ranch » de cow-boys, 14 $Ca (8,5 €) pour 2 sous une tente, et 30 $Ca (18,3 €) pour ceux qui préfèrent jouer aux Indiens sous le tipi. Resto et balades assez chers.

⊠ **Trophy Mountain Buffalo Ranch et camping :** à 20 km de Clearwater. ☎ 674-3095. Fax : 674-3131. ● www.buffaloranch.ca ● Ouvert de mai à octobre. À partir de 16 $Ca (9,8 €) la nuit, douches gratuites, w.-c. et tables de pique-nique. Bois gratuit pour le barbecue. Balades à cheval.

⊠ **Helmcken Falls Lodge :** à l'entrée du parc. ☎ 674-3657. Fax : 674-2971. ● www.helmckenfalls.com ● Environ 18,50 $Ca (11,3 €) par tente. Quelques emplacements en contrebas du *lodge,* en bordure du golf. Douches chaudes et w.-c. Pas mal de camping-cars également. La petite cafet' du golf peut dépanner pour le petit déj', un snack ou un repas chaud le soir.

Prix moyens

🛏 **Wooly Acres :** à 5 km de Clearwater sur la route du Parc, prendre à droite et continuer sur 1,6 km, fléché. ☎ 674-3508. Fax : 674-2316. ● www.bbcanada.com/woolyacres ● Chambres à partir de 60 $Ca avec salle de bains commune, 75 $Ca avec salle de bains privée (36,6 et 45,8 €). Très propre, terrasse et véranda accueillantes. Chris fait des petits dej' « à la carte » avec pain et céréales maison. Jim, lui, se consacre à ses moutons et à ses chiens, mais il est toujours partant pour une partie de pêche. Ce *B & B* est le plus éloigné du parc, mais proche des restos de Clearwater. Accueil adorable de Chris et Jim et de toute leur arche de Noé.

🛖 *Trophy Moutain Buffalo Ranch :*

Plus chic

🏕 🛖 *Wells Gray Ranch et camping :* à 27 km de Clearwater. ☎ 674-2792. Fax : 674-3997. • www.wells grayranch.com • Aux alentours de 120 $Ca la chambre, soit 73,2 € (pour 2 avec kitchenette ou 4 personnes sans). Ambiance western, les chambres en rondins de cèdre (mieux que le pin habituel) donnent sur un enclos où galopent les chevaux. Une minuscule chapelle et des tipis complètent l'ambiance. Repas dans le *Black Horse saloon,* chers mais de qualité (buffet le soir à 22 $Ca par personne, soit 13,4 €), aussi petit dej'-buffet à 12 $Ca (7,3 €) et lunch à emporter à 10 $Ca (6,1 €). Balades à cheval et en canoë si vous en avez les moyens.

🛖 *Nakiska Ranch :* à une trentaine de kilomètres de Clearwater. ☎ 674-3655. Fax : 674-3387. Complètement entouré de montagnes. Envi-

☎ à 20 km de Clearwater. 674-3095. Fax : 674-3131. • www.buffaloranch. ca • Ouvert de mai à octobre. Chambres de 40 à 65 $Ca (24,4 et 39,7 €). Confort et propreté un peu sommaires, mais c'est le seul ranch pour les cow-boys à petit budget. Petit dej' (inclus) sur la terrasse, un œil sur les bisons d'élevage, avant la longue balade à cheval.

ron 115 $Ca la chambre, 135 $Ca avec cuisine et cheminée (70,2 et 82,4 €). La vraie petite maison dans la prairie, le confort et le charme en plus. Cabanons et chambres en pleine nature. Tenu par des Suisses allemands. Très coquet.

🛖 *Helmcken Falls Lodge :* juste avant l'entrée du parc. ☎ 674-3657. Fax : 674-2971. • www.helmcken falls.com • Ouvert de début mai à mi-octobre. Pas moins de 125 $Ca la nuit, 155 $Ca pour les 2 chambres « de luxe » (76,3 et 94,6 €). Un peu l'arnaque quand même, seulement 2 chambres en rondins, situées dans le chalet d'époque, les autres sont plutôt de type motel, avec heureusement une jolie vue sur le golf. Jolie salle à manger avec terrasse, mais petit dej' et dîner pas terribles et chers (autour de 9 $Ca le matin, 23 $Ca le soir, soit 5,5 et 14 €).

Où manger ?

Très peu d'adresses sur la route du parc de Wells Gray, pour les campeurs. La dernière épicerie est celle de la station-service en face du bureau d'information à Clearwater.

Bon marché

🍴 *Flour Meadow Bakery & Cafe :* à Clearwater, prendre la route qui mène au Wells Gray Park. La cafétéria est 400 m plus loin, sur la droite. ☎ 674-3654. Ouvert du lundi au vendredi de 5 h à 18 h (17 h le samedi), fermé le dimanche. On y trouve muffins, *buns,* bagels, cookies et toutes sortes de pains. Idéal pour le petit dej' ou le pique-nique, à midi, salades, soupes et sandwichs

frais et légers. À emporter ou à déguster sur place, terrasse agréable aux beaux jours.

🍴 *Wells Gray Golf Course :* non loin de l'entrée du parc, juste avant le *Helmcken Falls Lodge.* ☎ 674-0072. Ouvert de 7 h 30 jusqu'au dernier golfeur le soir... Une solution sympa pour éviter de faire la route jusqu'à Clearwater. Le club-house propose petit dej', snacks et sandwichs, et même un excellent steak (10 $Ca, soit 6,1 €) le soir si vous arrivez tôt. Accueil adorable, que vous soyez ou non un habitué des greens.

⦿ Clearwater Country Inn : au Country Inn de Clearwater, comme son nom l'indique. ☎ 674-3455. Ouvert de 5 h (!) à 22 h. Entre le fast-food et le resto, pas le grand luxe, mais vous ne trouverez pas grand-chose d'autre dans le coin. Tentez également le **Old Caboose** (☎ 674- 2945), de l'autre côté de la route, ouvert de 7 h à 21 h. Moins de 6 $Ca le petit dej', 8 $Ca pour le repas complet du midi ou un plat du soir (3,7 et 4,9 €). Une adresse économique appréciée des locaux. Ou le **Little Marten** (748 Clearwater Village Rd, ☎ 674-3828), dans le village de Clearwater. Ambiance très sympa de l'arrière-pays. Nourriture home made par une famille d'origine allemande.

Prix moyens

⦿ Seuls **Helmcken Falls Lodge** et **Wells Gray Ranch** proposent des repas à plat unique le soir autour de 23 $Ca (14 €). C'est cher, mais ça évite un aller-retour jusqu'à Clearwater. Le vendredi soir, soirée cowboys et barbecue au Wells Gray.

À voir. À faire

L'entrée du parc (gratuite) se situe à une quarantaine de kilomètres de Clearwater. Une fois à l'intérieur, vous pouvez encore avancer avec votre véhicule sur un certain nombre de routes, notamment jusqu'au lac. Certaines routes secondaires ne sont accessibles qu'aux 4x4. Puis des dizaines de sentiers de randonnées vous invitent à la marche. À vous de choisir. Quelques sites à ne pas manquer tout de même :

🐾 **Helmcken Falls :** à 5 mn de marche, on a déjà une vision spectaculaire des chutes (141 m). La balade de 20 mn se poursuit le bord du canyon jusqu'au point de rencontre des rivières Murtle et Clearwater. À faire le soir de préférence, la lumière est superbe !

🐾 **Bailey's Falls :** fin août-début septembre, on peut voir des saumons de 15 kg tenter en vain de franchir ces chutes. Magique.

🐾 **Le lac Clearwater :** vous pouvez y louer un canoë et passer une ou plusieurs nuits sur les campements établis au bord du lac. Retour à la nature très apaisant et dépaysement garanti. Sinon, balade en bateau jusqu'aux Rainbow Falls. Magnifique, mais un peu long (4 h).

■ **Clearwater Lake Tours :** ☎ 674-2121. • www.clearwaterlaketours. com • Compter 50 $Ca pour la balade en bateau de 4 h (100 km sur la rivière avec repas et baignade en cours de « route »), 40 $Ca la journée pour les canoës (30,5 et 24,4 €), incluant taxes et tout le matériel de sécurité.

LES PARCS NATIONAUX DU MONT REVELSTOKE ET DES GLACIERS
IND. TÉL. : 250

REVELSTOKE (8 300 HAB. ; IND. TÉL. : 250)

Revelstoke (la ville) constitue une étape très agréable sur la route des Rocheuses, qui passe par les parcs du mont Revelstoke et des Glaciers. Ici encore, l'histoire de la ville est étroitement liée à celle de la Canadian Pacific

Railways, le musée principal lui est d'ailleurs dédié. Elle fait encore tourner la ville, les autres activités étant liées au tourisme et à la production du barrage hydroélectrique.

Mais surtout, Revelstoke se targue d'être une ville centenaire : autour de Victoria Rd, une vingtaine de maisons du début XXe siècle ont été restaurées. Bon, même si ça manque de patine pour l'œil d'un Européen, c'est vrai que le centre-ville dégage un certain charme. Pas très animée le soir, mais sympathique dans la journée, Revelstoke offre un bon port d'attache pour les sportifs.

La route qui va de Clearwater à Revelstoke est magnifique, le long de la rivière Thompson. Sa vallée attirait les chercheurs d'or du XIXe siècle. Plusieurs se sont établis à Kamloops dont la végétation de couleur sauge recouvre d'étonnants paysages sablonneux. Les forêts des environs ont été dévastées par de terribles incendies en 2003. Plusieurs kilomètres carrés d'arbres calcinés en témoignent tristement.

Adresses utiles

🛈 **Visitor Information :** au *Avalanche Center* du 110 MacKenzie Avenue. ☎ 837-3522. Ouvert au moins de 8 h 30 à 18 h de mai à octobre. Accès Internet.

🛈 **Parcs Canada :** 301 3rd Street W. ☎ 837-7500. • www.parcscanada. gc.ca/revelstoke • Ouvert de 8 h à 12 h et de 13 h à 16 h 30 toute l'année, sauf les week-ends et jours fériés. Il existe également un autre bureau dans le parc des Glaciers, mais celui-ci est moins sollicité, donc plus disponible.

🛈 **Chambre de commerce :** 204 Campbell Avenue (angle 1st Avenue), en centre-ville. ☎ 837-5345 et 1-800-487-1493. • www.seerevelstoke. com • Ouvert toute l'année, du lundi au vendredi, de 8 h 30 à 16 h 30. Plan de la ville et quelques brochures. Accès Internet.

✉ **Poste :** 301A 3rd Street W. ☎ 837-3228. Ouvert du lundi au vendredi de 8 h 30 à 17 h.

Où dormir ?

Bon marché

🛏 **Samesun Hostel :** 400 2nd Street W (angle Boyle Avenue, près du centre). ☎ 837-4050 ou 1-877-56-CARVE. Fax : 837-6410. • www. samesun.com • À partir de 20 $Ca par personne (dortoirs de 4 ou 6), 59 $Ca pour une chambre double, petit dej' avec *pancakes* compris (12,2 et 36 €). L'hiver, forfaits ski + logement ; 83 lits, dont 26 chambres doubles, toutes d'une propreté impeccable. Cuisines équipées à disposition, laverie. Accès Internet. Ambiance résolument jeune, le gars de l'accueil avait le monde tatoué sur les mollets !

Prix moyens

🛏 **Nelles Ranch :** sur la Highway 23, à 3 km au sud de la Highway 1. ☎ 837-3800 ou 1-888-567-4177. • www.revelstokecc.bc.ca • De 35 à 65 $Ca pour 2, avec petit dej' copieux (21,4 et 39,7 €). Un *B & B* dans un vrai ranch en bordure de forêt, avec un corral plein de chevaux et des montagnes partout aux alentours. Faites abstraction de la déco un peu chargée, ce ranch est une vraie bonne affaire, surtout si vous voyagez en famille (quelques chambres immenses). Il y a des chats, des chiens, des fleurs, tout pour mettre de bonne humeur. On prend le petit dej' en admirant le paysage. Balades à cheval.

🛏 **« R » Motel :** 1500 1ˢᵗ Street W, tout près de la Highway 1. ☎ 837-2164 ou 1-877-837-8337. Fax : 837-6847. ● rmotel@revelstoke.net ● À partir de 55 $Ca la double, 75 $Ca pour des chambres avec 2 grands lits et 1 canapé-lit (33,6 et 45,8 €), 5 $Ca (3,1 €) par personne supplémentaire. Pain grillé, café et jus de fruit gratuits le matin. Un vrai motel à l'américaine, tout simple mais propre et pas cher, idéal pour les familles.

Plus chic

🛏 **MacPherson Lodge B & B :** 2135 Clough Rd. ☎ 837-7041 ou 1-888-875-4924. ● www.bbonline.com/bc/macpherson/ ● Faire 7 km sur la Highway 23 au sud de la Highway 1, tourner à gauche (bien fléché), c'est le premier chalet à gauche. De 95 à 150 $Ca (58 à 91,5 €), petit dej' compris. Un magnifique B & B, perdu en pleine nature. La propriétaire habite le petit chalet, le grand est réservé à ses hôtes. Suites avec kitchenette et chambres superbes à l'étage, spacieuses et tout confort. On se sent vite chez soi dans la salle commune tout en bois, où l'on peut choisir bouquins et vidéos. Sauna et jacuzzi dans le jardin. Une adresse qu'on a du mal à quitter. Réservation conseillée en haute saison, de mai à octobre. Ouvert à l'année.

🛏 **Three Valley Lake Château :** à 19 km à l'ouest de Revelstoke, sur la Highway 1. ☎ 837-2109 ou 1-888-667-2109. Fax : 837-5220. ● www.3valley.com ● Autour de 120 $Ca (73,2 €) pour 2, prix intéressants si l'on est à plusieurs. Chambres bien conçues pour lire et se relaxer, toutes avec petit balcon ou patio, donnent sur le lac. Piscine. Si vous ne pouvez vous offrir l'« honey moon suite » tout en pierre (il faut de toute façon la réserver très à l'avance), vous la visiterez lors du « Gost Town tour », la visite de la ville fantôme reconstituée (7,50 $Ca, soit 4,6 €, tours guidés de 8 h à 17 h toutes les 45 mn). Avec un peu de chance, vous tomberez sur un vrai mariage célébré dans la petite église. Trois restos pour toutes les bourses, de la cafet' au plus chic (attention ! Uncle Ed's, c'est l'arnaque malgré la vue et la gentillesse du service).

🛏 **The Peaks Lodge :** à 5 km à l'ouest de Revelstoke, sur la Highway 1. ☎ 837-2176 ou 1-800-668-0330. Fax : 837-2133. ● www.revelsokecc.bc.ca/peaks ● Autour de 78 $Ca (47,6 €), tarifs très intéressants à partir de 4 personnes. Petit hôtel, mignon de l'extérieur, aux chambres un peu défraîchies. Belle vue, mais un peu proche de la route. En dépannage. Restaurant sur place.

Où manger ?

De bon marché à prix moyens

🍴 **Three Bears Bistro :** 114 MacKenzie Avenue. ☎ 837-9575. Ouvert du lundi au samedi de 8 h 30 à 17 h. Fermé le dimanche. Entre 6 et 9 $Ca (3,7 et 5,5 €) le plat. Salle accueillante et une petite terrasse s'offre aux beaux jours. Une chouette adresse pour un copieux petit dej' ou un lunch rapide. La carte quitte un peu les sentiers battus pour loucher vers une cuisine plus « latine » : salades grecques, fajitas fourrées... Frais et savoureux.

🍴 **Woolsey Creek Café :** 212 MacKenzie Avenue. ☎ 837-5500. Ouvert de 8 h à 22 h. Environ 7 $Ca le petit dej' costaud, autour de 8 $Ca à midi et environ 16 $Ca le soir (4,3, 4,9 et 9,8 €). Deux Québécoises, Sophie et Sylvie qui adorent Revelstoke, tiennent ce café-resto tout bio (même pas de pain blanc !) et proposent une cuisine fine et saine dans un cadre coloré. C'est tout de même la santé dans la joie, avec de la bière pression, des vins, des plats savoureux, et de la musique du monde, parfois live. On y est bien...

|●| *Frontier Restaurant :* à l'angle de la Highway 1 et de la 23 North. ☎ 837-5119. Ouvert tous les jours de 5 h à 22 h. L'incontournable de la ville, au fort accent western jusque dans le menu (accrochez-vous !). Burgers classiques, servis avec salade ou soupe, autour de 8 $Ca (4,9 €), buffet de salade à 8 $Ca (4,9 €) pour les non-viandeux (après 16 h). Vraiment copieux. Et la déco nous plonge au temps des pionniers, lampe à pétrole et abat-jour « Laura Ingalls », à moins que vous ne préfériez la terrasse (chauffée !) face aux *Rockies* enneigées. Une adresse très typique.

|●| *Conversations Coffee :* 205 MacKenzie Avenue. ☎ 837-4772. Ouvert tous les jours de 9 h à 15 h, de 11 h à 16 h le dimanche. Soupes et sandwichs autour de 6 $Ca (3,7 €), desserts à 3,50 $Ca (2,1 €). Grande salle aux murs de brique, d'allure *fifties* chic, ouverte sur un magasin « d'antiquités ». Et si l'envie vous vient de vous attarder un peu, cheminée pour les frileux, et quelques tables dehors pour les jours plus cléments.

|●| *The One-Twelve Restaurant & Lounge :* dans le *Regent Inn,* 1121st Street E. ☎ 837-2107. De 20 $Ca à 30 $Ca (12,2 à 18,3 €) le plat le soir, environ 11 $Ca (6,7 €) le midi. Le restaurant le « plus chic » de la ville. Bonne cuisine des *Rockies.* Musique jazz, parfois live.

Où boire un verre ?

▼ *River City Pub & Patio :* pub du *Regent Hotel,* très chaleureux et impeccablement propre, avec ses murs de brique et de bois. ☎ 837-9091. Ouvert de 11 h 30 à 2 h. Plusieurs alcôves ont été aménagées dans la salle immense pour créer une certaine intimité. Billard, et si vous comprenez les règles, le Keno vous attend aussi ; c'est une loterie dont les tirages toutes les cinq minutes peuvent atteindre 100 000 $Ca...

À voir. À faire

🏃 *Railway Museum :* à Revelstoke, le long de la voie ferrée, c'est-à-dire au 719 Track Street W. ☎ 837-6060. ● www.railwaymuseum.com ● Ouvert de mai à septembre de 9 h à 17 h (jusqu'à 20 h en juillet-août), horaires réduits hors saison. Entrée : 6 $Ca (3,7 €) ; réductions.

Panneaux illustrés de vieilles photos retraçant la construction du chemin de fer à travers les Rocheuses. Magnifique loco de 1948 avec même l'un de ses derniers mécaniciens qui vous expliquera comment elle fonctionnait. Et pour un dollar, vous prendrez les commandes d'une loco à vapeur, simulation de quelques minutes avec les bruits des soupapes et de la sonnette d'alarme plus vrais que nature !

Le parc national du mont Revelstoke et ses environs

Où dormir ?

Campings & chalets

⛺ *KOA :* à 5 km à l'est de Revelstoke sur la Highway 1. ☎ 837-2085. Fax : 837-2075. ● www.revelstoke koa.com ● Compter 21,5 $Ca pour une tente, mais on y va surtout pour les tipis (34 $Ca pour 2 personnes).

À partir de 45 $Ca en bungalow « rustique » (13,1, 20,8 et 27,5 €). Un petit chalet avec kitchenette coûte 80 $Ca (48,8 €). Un camping tout confort (douches chaudes, piscine chauffée, laverie). Il y a un corral et un parc d'amusement pour les enfants. On joue aussi au billard et au tennis de table. On sert des *pancakes* et du café pour 5 $Ca le matin. Un excellent camping, très bien tenu.

⚠ *Canyon Hot Springs :* situé entre le parc du Mont-Revelstoke et le parc des Glaciers, à 35 km de Revelstoke, sur la Highway 1. ☎ 837-2420. Fax : 837-3171. ● www.canyon hotsprings.com ● Ouvert de mai à septembre. Camping à partir de 22 $Ca (13,4 €) pour 2. Cafet' ouverte de 8 h à 15 h et de 18 h à 20 h. Douches et laverie. Dans un beau cadre de forêt, très agréable avec ses 2 piscines d'eau naturellement chaude à 42 °C et 32 °C. On peut aussi y barboter sans camper (mais dans un cas comme dans l'autre, c'est payant, autour de 6,50 $Ca, soit 3,9 €). Possibilité de louer des chalets de 2 à 8 personnes, du plus rudimentaire au tout confort, de 95 à 135 $Ca (58 à 82,4 €, petit dej' et accès aux piscines inclus). L'endroit est sympa et très bien tenu, mais c'est un peu cher.

À voir. À faire

🐾🐾🐾 *Le parc du Mont-Revelstoke :* à la sortie de Revelstoke, vers Golden, prendre à gauche une route en lacet, la Promenade des Prés-dans-le-Ciel *(Meadows in the Sky Parkway).* Elle serpente sur 24 km de superbes panoramas et départs de balades. Du parking, on peut prendre une navette ou monter à pied (6 km pour rejoindre le lac Eva, 9 km pour le lac Jade). Sentiers d'interprétation intéressants pour découvrir la faune et la flore, comme celui des Cèdres géants ou celui du Chou-puant. Du sommet, vue magnifique à 360° sur les montagnes Monashee et Selkirk.

Vers le parc national des Glaciers

Adresse utile

ℹ️ *Rogers Pass Centre :* au milieu du parc des Glaciers, là où l'on passe du fuseau horaire du Pacifique à celui des Rocheuses. ☎ 837-7500. ● www.parkscanada.gc.ca/gla cier ● Bureau secondaire de celui de Parcs Canada à Revelstoke. Ouvert de 9 h à 17 h d'avril à octobre (8 h à 19 h en juillet-août), 7 h à 17 h en hiver (car c'est le centre d'infos sur les avalanches, nombreuses ici l'hiver, qui bloquent parfois la route...). Carte des sentiers et infos sur les campings dans *Le Sommet,* journal gratuit disponible en français. Pour plus de détails sur les randos, une brochure *En liberté dans les monts Columbia* est en vente (2 $Ca, soit 1,2 €). Belle expo sur l'histoire du parc.

Où dormir ?

Campings

⚠ Il existe 2 *campings* à l'intérieur du parc des Glaciers, à Illecillewaet, à 3 km à l'ouest du Rogers Pass, et près du ruisseau Loop, à 2 km du précédent. Ouverts en principe de mi-juin à fin septembre, en fonction de la fonte des neiges. Aucune réservation. Premier arrivé, premier servi. Confort rudimentaire. Pas de douche, mais des w.-c. et l'eau courante.

De prix moyens à plus chic

▣ *Blaeberry Mountain Lodge :* à une dizaine de kilomètres avant Golden en venant du parc national des Glaciers. ☎ et fax : 344-5296. ● www.blaeberrymountainlodge.bc.ca À partir de 75 $Ca la chambre, 125 $Ca dans les petits chalets indépendants (48,8 à 76,3 €). Une mare, des balançoires, des chevaux en liberté dans la prairie, le tout dans un magnifique cirque de montagnes au bout du monde. Renate loue des VTT et son mari Rainer organise des sorties en raft, canot et à cheval. Vraiment idéal pour décompresser...

▣ *Hillside Lodge & Chalets :* à 13 km avant Golden en venant du parc national des Glaciers. ☎ et fax : 344-7281. ● www.mistaya.com/hillside ● Autour de 118 $Ca en *B & B,* 140 $Ca pour les chalets (72 et 85,4 €). Quatre chambres spacieuses avec balcon dans un gros

chalet en pleine nature et 7 petits chalets tout équipés. Le cadre est magnifique, avec un torrent en contrebas et la chaîne des montagnes tout autour. Possibilité de prendre le petit dej' et le dîner. Un endroit vraiment très agréable, à la décoration chaleureuse et à l'accueil sympathique. Chevaux, chèvres et lamas comme animaux de compagnie.

▣ *Best Western Glacier Park Lodge :* juste à côté du Rogers Pass Centre, dans le parc des Glaciers même. ☎ 837-2126 ou 1-800-528-1234. Fax : 837-2130. ● www.glacierparklodge.ca ● De 135 à 150 $Ca (82,4 à 91,5 €) pour 2 en été, presque moitié prix en basse saison. Un hôtel joli de l'extérieur mais sans charme particulier à l'intérieur. On y trouve une petite épicerie et une station-service ouverte jour et nuit. Piscine et sauna. Accès Internet.

LE PARC DES GLACIERS

ⵣⵣⵣ Un parc un peu à l'écart de l'épine dorsale des Rocheuses, mais qui mérite néanmoins un détour si vous avez le temps. Assez peu de possibilités de randos mais les paysages sont superbes.

LE PARC NATIONAL DE YOHO   IND. TÉL. : 250

En continuant sur la route des Rocheuses depuis les 2 parcs précédents (Highway 1 East), on tombe sur Golden, une ville laide et sans intérêt, mais située à proximité de 5 parcs nationaux (Banff, Kootenay, Yoho, Revelstoke et des Glaciers). D'où la prolifération de motels et de *B & B,* à des prix alléchants. Puis on accède à Yoho et Kootenay, 2 parcs nationaux petits par la taille mais grands par l'intérêt.

Au beau milieu du parc Yoho, à 55 km à l'est de Golden, le petit village de Field peut constituer une étape très agréable. Né en 1884 avec l'arrivée du chemin de fer, il a vécu au rythme des mines des mont Stephen et mont Field jusqu'à leur fermeture en 1952. Il compte aujourd'hui 300 habitants, qui travaillent dans le tourisme ou pour le parc national.

« Yoho » signifie « crainte » ou « respect » en langue cree, et c'est vrai qu'il en impose ce parc, avec ses 28 pics de plus de 3 000 m. Attention, si vous arrivez de l'ouest de la Colombie-Britannique, Yoho et Kootenay sont à l'heure des Rocheuses, soit 1 h en avance par rapport au reste de la Colombie-Britannique.

Adresses utiles

🔳 *Chambre de commerce de Golden :* sur la 10th Avenue (Highway 95), entre la Highway 1 et le pont de la rivière Kickinghorse ☎ 344-2420 ou 1-800-622-GOLD. ● www.tourismgolden.com ● Ouvert de 9 h à 17 h en été.

🔳 *Centre d'accueil de Field :* ☎ 343-6783. ● www.parcscanada. gc.ca/yoho ● Ouvert de 8 h à 19 h en été, de 9 h à 17 h le reste de l'année (16 h en hiver).

Où dormir?

À Golden

🛏 *Kicking Horse Canyon B & B :* 644 Lapp Rd. ☎ et fax : 344-6848. ● www.bbcanada.com/3984.html ● À la sortie de Golden, direction est. Prendre à gauche au niveau du *Golden Village Inn,* en haut d'une butte et tout de suite à droite, sur Lafontaine Rd. C'est indiqué un peu plus haut sur la droite, il faut ensuite faire quelques kilomètres en pleine nature avant l'affiche et l'entrée sur la droite. Chambres de 95 à 109 $Ca (58 à 66,5 €) la nuit (sanitaires privés dans les plus chères) avec un copieux petit dej'. Réduction de 10 % si on reste 3 jours ou plus, ce qui est au demeurant une fort bonne idée. Sur les hauteurs de Golden, en pleine forêt, un chalet coquet avec une vue magnifique sur les *Rockies.* Accueil charmant de Jeannie et Jerry. C'est une de nos meilleures adresses des Rocheuses.

🛏 *H.G. Parson B & B :* 815 12th Street S (angle 9th Avenue S). ☎ 344-5001 ou 1-866-333-5001. Fax : 344-2782. ● www.hgparsonhousebb.com ● De 83 à 93 $Ca (50,7 à 56,8 €) avec ou sans salle de bains privée, chambres et sanitaires impeccables. Copieux petit dej' inclus. Très central. La maison en bois a été construite en 1883 et joliment rénovée depuis. Jacuzzi dans le jardin, face aux *Rockies.*

🛏 *Mac Laren Lodge :* à la sortie de Golden sur la route de Yoho, tourner à gauche au sommet de la grande butte, c'est sur la gauche après avoir tourné à droite. ☎ 344-6133 ou 1-800-668-9119. Fax : 344-7650. Ouvert de mi-mai à mi-septembre. De 70 à 80 $Ca (42,7 à 31,7 €) avec petit dej'. Maison de plain-pied en rondins de bois. Chambres fraîchement redécorées, avec salle de bains privée. Accueil très décontracté, possibilité de faire du rafting.

🛏 *Country Comfort B & B :* 1001 10th Avenue S (angle 10th Street S). ☎ 344-6200 ou 1-877-644-6200. Fax : 344-7128. ● countrycomfort bandb.com ● En centre-ville, après le pont. Huit chambres à 75 $Ca (45,8 €), salle de bains commune. Jolie maison couleur brique. Parterre et *chuck-wagon* fleuris par la proprio Sherri. Près des restos et des commerces. Quelques chambres à l'étage, d'autres en sous-sol mais très claires. Accueil super-sympa de toute la maisonnée.

Dans le parc de Yoho et à Field

Campings

⛺ Des campings rudimentaires sont aménagés dans le parc de Yoho. Le seul possédant des douches est celui de *Kicking Horse,* ouvert de mai à septembre. Compter 18 $Ca (11 €) la nuit. Aucune réservation possible.

⛺ Il y a également 30 places de

camping près du lac O'Hara. Réservation indispensable, ouverte 3 mois à l'avance : ☎ 343-6433. Quelques places supplémentaires pour une nuit, très convoitées, sont distribuées chaque jour au centre d'info de Field. Réservation impossible pour celles-ci.

B & B

🛏 En plein milieu du parc, le petit village de Field en compte une vingtaine. Plus souvent des appartements que des chambres, plus chers qu'à Golden, mais intéressants à plusieurs, et dans un cadre autrement plus sympathique. Liste disponible au bureau d'informations, réservation conseillée.

Prix moyens

🛏 *Coyote's Den Guesthouse :* 213 2nd Avenue. ☎ 343-6034. Une des moins chères à 85 $Ca (51,9 €) la nuit, salle de bains commune, petit dej' inclus. Chambres simples dans un joli chalet.

🛏 *Alpenglow Guesthouse :* 306 Kicking Horse Avenue. Compter 95 $Ca (58 €) la nuit avec petit dej'. Quatre chambres avec salle de bains commune dans une très belle maison en bois.

Plus chic

🛏 *Canadian Rockies Inn :* 308 Stephen Avenue. ☎ 343-6046. ● www.bbcanada.com/7896.html ● Chambres à 135 $Ca (82,4 €), un grand lit et un convertible, salle de bains, TV, frigo. Un petit appartement également. Entrée indépendante. Le proprio, Luc, est québécois. Boutique de vêtements et d'artisanat.

🛏 *Kicking Horse Lodge :* le seul hôtel de Field, impossible de passer à côté. ☎ 343-6303 ou 1-800-659-4944. Fax : 343-6355. ● www.kickinghorselodge.net ● Un joli chalet de 14 chambres pas folichonnes, mais moins chères que les *B & B* à l'intersaison (128 $Ca en juillet-août, 102 $ Ca en juin et septembre, soit 78,1 et 62,2 €). Une avec kitchenette et bain tourbillon. Resto.

🛏 Il existe un *lodge* magique, le *Lake O'Hara Lodge.* Mais situé sur l'un des plus beaux lacs des Rocheuses et, donc, des plus préservés, ce *lodge* est impossible d'accès : les réservations se font d'une année sur l'autre. Si vous êtes du genre prévoyant, tentez quand même votre chance au parc de Yoho (☎ 343-6783).

Où manger ?

De bon marché à prix moyens

🍴 *Truffle Pig Café :* à Field, en face du *Kicking Horse Lodge.* ☎ 343-6462. Ouvert de 8 h à 21 h. Autour de 7 $Ca à midi, 14 à 25 $Ca le soir (4,3, 8,5 et 15,3 €). Le café « organic » du coin, tout bio, tout beau. Salades et sandwichs originaux et frais (panini au brie et charcuterie !), fruits, desserts et grand choix de cafés. Cuisine plus élaborée le soir. La bonne humeur de la jeune équipe aux cuisines se communique jusque sur la petite terrasse, ambiance vraiment décontractée.

🍴 *Yoho Bros Trading Post :* en face du Visitor Info, au bord de la Highway 1. ☎ 343-6030. Ouvert de 8 h à 19 h. Sandwichs, soupes et burgers au barbecue autour de 5 $Ca (3,1 €). Cafet' sans prétention, parfaite pour un lunch sur le pouce. Et une fois attablé au bord de la Kicking Horse River, avec une vue sur toute la vallée, on a du mal à repartir...

À voir. À faire

🐾🐾 *Les chutes de Takakkaw :* l'attraction principale du parc de Yoho (si l'on excepte le gisement géologique du *Burgess Shale* pour les amateurs), mais la route n'est ouverte que de fin juin à début octobre. 380 m de bouillonnements et de rebondissements. Prévoyez un pull ou un K-way si vous voulez les voir de près : c'est la saucée ! Point de départs de randonnées.

🐾🐾 *Emerald Lake :* également dans le parc de Yoho, à 11 km de *Field.* Un très beau lac dans un cadre enchanteur, les monts enneigés de Wpata et Carnaron en arrière-plan. On peut en faire le tour à pied (environ 5 km) ou louer un canoë si on préfère faire travailler les bras et reposer les jambes.

🐾 *Natural Bridge :* à 3 km de Field, un pont de pierre formé par l'érosion enjambe la Kicking Horse River. Dommage qu'un pont de béton ait été construit pour mieux l'admirer !

🐾 *O'Hara Lake :* on vous l'a dit, le paysage est grandiose, mais l'accès réglementé. Une navette fait la liaison de juin à septembre, sur réservation exclusivement (☎ 343-6433). Sinon, vous pouvez faire l'aller (11 km) à pattes, et revenir sans frais par la navette de 15 h 30 ou de 18 h 30.

LE PARC NATIONAL DE KOOTENAY IND. TÉL. : 250

Une belle route encaissée traverse le parc de Kootenay, vallée Vermilion, puis la vallée Kootenay. À l'entrée sud du parc, côté Radium Hot Springs, d'imposantes falaises abritent des mouflons d'Amérique, souvent visibles depuis la route. Peu d'adresses dans le parc, le gros village à côté est Radium Hot Springs connu aussi pour ses piscines d'eau chaude naturelle, mais pas de quoi fouetter un chat.

Adresse utile

🛈 *Centre d'accueil du Parc national de Kootenay :* 7556 Main Street E, à Radium Hot Springs. ☎ 347-9505. ● www.parcscanada.gc.ca/kootenay ● Ouvert de 9 h à 19 h en été, de 9 h 30 à 16 h 30 en automne et au printemps. Fermé en hiver. C'est ici aussi que se trouve le centre d'infos de *Parcs Canada,* ouvert au printemps et en été seulement. Aussi infos locales et bureaux de la *Friends of Kootenay National Park Association.* Kiosque d'informations également dans le parc, à *Vermilion Crossing* : ouvert de 11 h à 18 h (19 h en été).

Où dormir ?

Dans le parc

⛺ Il existe 3 *campings* dans le parc de Kootenay. Là encore, premier arrivé, premier servi. Le seul équipé de douches est celui de *Redstreak,* tout près de Radium Hot Springs. Autour de 17 $Ca (10,4 €). Ouvert de mai à septembre environ.

🏠 *Kootenay Park Lodge :* sur la Highway 93, au beau milieu du parc, à Vermilion Crossing. ☎ 762-9196. À Calgary : ☎ (403) 283-7482. ● www.kootenayparklodge.com ● De 89 à 129 $Ca (54,3 à 78,7 €) suivant le confort. Cabanons plutôt rustiques pour les premiers prix, pour jouer aux trappeurs. Équipés de kitchenettes, avec une vue magnifique, et de cheminées pour les plus chères. Restaurant et snack à côté, ainsi qu'un petit point information.

À Radium Hot Springs

De bon marché à plus chic

🛏 **Misty River Lodge :** 5036 Highway 93. ☎ et fax : 347-9912. ● www.radiumhostel.bc.ca ● Entre l'AJ et le petit motel. En dortoir, 18 $Ca pour les membres de *Hostelling International* et les étudiants, 21 $Ca sinon, 55 $Ca pour les chambres doubles avec salle de bains, toutes taxes incluses (11, 12,8 et 33,6 €). Pas le grand luxe, mais vraiment pas cher. Cuisine et barbecue sur la terrasse pour faire connaissance autour d'un burger. Les proprios Geoff et Gaby sont francophiles ; ils font partie de l'association francophone de Colombie-Britannique.

🛏 **Crystal Springs Motel :** plus calme que les autres car un peu en retrait de la route principale, sur une rue parallèle. ☎ 347-9759 ou 1-800-347-9759. Fax : 347-9736. ● www.crystalspringsmotel.ba.ca ● À partir de 72 $Ca en haute saison, 88 $Ca pour 4 avec cuisine et chambres séparées (43,9 et 53,7 €). Toutes sortes de chambres, en fait. Propre et tranquille. Accueil adorable de la propriétaire, d'origine coréenne, dans un anglais encore plus approximatif que le nôtre !

🛏 **Chalet Europe :** 5063 Madsen Rd, à 500 m de la route 93, en montant une côte abrupte. ☎ 347-9305 ou 1-888-428-9998. Fax : 347-9316. ● www.chaleteurope.com ● De 109 à 159 $Ca (66,5 à 97 €), selon la vue. Chambres spacieuses, avec kitchenette et balcon, parfois avec cheminée et AC, pour profiter du soleil couchant. Superbe vue sur toute la vallée.

Où manger ?

Restos et snack à *Vermilion Crossing* et près des sources thermales, sinon, plus de choix à Radium Hot Springs :

I●I **Back Country Jacks :** Main Street W, pratiquement en face du bureau d'information. ☎ 347-0097. Ouvert tous les jours de 11 h à minuit. Autour de 13 $Ca (7,9 €). Tenue décontractée de rigueur. Ici, on vient plus pour l'ambiance western que pour les plats, corrects par ailleurs. Les habitués se connaissent comme s'ils s'étaient réchauffés tout l'hiver au comptoir, et on ne doit pas être loin de la vérité. Attention, le vendredi soir, tout le monde vient pousser la chansonnette, c'est soirée karaoké, fou rire et migraine assurés !

I●I **La Cabina Ristaurante :** restaurant du *Prestige Inn*, sur la rue principale, angle des routes 95 et 93. ☎ 347-2340. Ouvert tous les jours de 7 h à 23 h. Autour de 12 $Ca (7,3 €) le plat. Délicieuses pizzas à partager. « Le » restaurant italien de la ville, très apprécié des locaux, carte élaborée et prix raisonnables. Petite terrasse.

À voir. À faire

🏞 **Les Paint Pots** (ou « Pots de Peinture ») *:* à 20 km de Castle Junction, en allant vers Radium Hot Springs. Petite balade de 30 mn. Des sources minérales saturées en oxydes ferreux sortent de petits bassins et donnent au sol sa couleur rouge ocre. Ces pots de peinture naturels furent longtemps exploités par les Amérindiens des plaines pour leurs peintures de guerre ou la décoration des tipis, puis les pionniers ont pris le relais, à grande échelle, comme toujours. L'exploitation du site a été arrêtée quand Kootenay est passé parc national, en 1920. Des couleurs impressionnantes.

🏃 *Marble Canyon :* un sentier de 15 mn environ suit le lit de la rivière jusqu'aux chutes. Spectacle impressionnant de ce canyon creusé par la jonction de 2 glaciers. Un sentier d'interprétation retrace ce long travail d'érosion, encore en cours. Parois vertigineuses.

🏃 *Sources thermales Radium :* à Radium Hot Springs. ☎ 347-9485. Ouvert de 9 h à 23 h de mi-mai à mi-octobre, de 12 h à 21 h du jeudi au dimanche le reste de l'année. Compter 6,25 $Ca (4 €), réductions. Vous pouvez venir faire trempette dans les piscines d'eau de source, qui fluctuent autour de 30 et 40 °C. Elles sont nettement plus attirantes que celles de Banff.

LA VALLÉE DE L'OKANAGAN
IND. TÉL. : 250

Cette vallée est sans doute la seule de Colombie-Britannique où il n'y a pas de forêts à perte de vue. Avec ses lacs et ses vergers, l'Okanagan est la deuxième région fruitière du Canada. On y trouve des vignobles et, près d'Osoyoos, un désert de poche. Le climat y étant sec et chaud, on se baigne dans les lacs. De juin à octobre, ceux qui cherchent un petit job pourront y faire la cueillette. Si Kelowna en est la capitale, Osoyoos et Penticton sont les 2 villes les plus agréables pour un séjour.

OSOYOOS

À 3 km de la frontière américaine (ouverte 24 h/24), cette petite ville, bien que canadienne, a les allures d'une bourgade du sud-ouest des États-Unis, à cause de son environnement très sec. Beaucoup de motels se sont établis près de son lac mais, allez savoir pourquoi, presque toutes leurs chambres donnent sur les parkings. Sachez enfin qu'on s'y baigne et que vous ne trouverez guère, en Colombie-Britannique, d'eau plus chaude. Alors, profitez-en !

Adresse utile

🔲 *Office de tourisme :* à l'entrée du village (juste avant l'intersection des routes 3 et 97). ☎ 495-5070 ou 1-888-676-9667. ● www.destina tionosoyoos.com ● En saison, ouvert tous les jours de 10 h à 18 h. Fermé le week-end en hiver.

Où dormir ? Où manger ?

🏠 *Sandy Beach :* 6706 Ponderosa Drive, au bord du lac, de l'autre côté du pont en venant du nord. ☎ 495-6931. Fax : 495-3393. ● www.sandy beachmotel.com ● En haute saison, compter 110 à 175 $Ca (67,1 à 106,8 €) pour 2. Tenu par un monsieur sympathique, un des rares motels dont la plupart des bungalows donnent sur la plage. Récemment refaits à neuf, leurs murs de chaux et leur toit rouge leur donnent des airs de petites villas espagnoles. Chambres impeccables et bien arrangées. De plus, Internet, tennis, canoë et kayak gratuits !

LA VALLÉE DE L'OKANAGAN

|○| **Wildfire Grill :** sur Main Street, entre l'office de tourisme et le pont. ☎ 495-2215.Cuisine jusqu'à 21 h. Moins de 10 \$Ca (6,1 €) pour un plat à midi, de 12 à 21 \$Ca (7,3 à 12,8 €) le soir. Endroit réputé, et c'est vrai qu'on y mange bien. Service un peu lent, par contre. Salle de resto avec, à côté, un coin café plus *casual*.

À voir. À faire

🐾 **Le musée :** à côté de Main Street, au bord du lac. Ouvert de mi-mai à mi-octobre de 10 h à 16 h. Certainement l'un des meilleurs de ces petits musées que l'on rencontre dans toutes les villes du Canada. Un véritable capharnaüm avec, pêle-mêle, un missile *Falcon,* une collection de papillons, des poupées, ou encore un patient en train de se faire torturer par son dentiste. Un vrai bonheur !

🐾 **Le désert de poche :** une incongruité ici, mais ce véritable mini désert est un prolongement du désert mexicain. En fait, toute la zone désertique qui entoure la ville fait partie du désert *Sonoran.* Depuis peu, on ne peut plus s'y balader seul, la faune et la flore locale ayant été déclarées en voie de disparition. Deux centres concurrents, ouverts en saison seulement, tentent de préserver cet habitat unique du Canada et d'informer les touristes sur son histoire et son écosystème. Ils proposent tous deux des visites guidées payantes mais, pour tout dire, il n'y a pas grand-chose à voir...

– **Desert Centre :** à 3 km au nord d'Osoyoos, sur la 146th Avenue (qui part de la Highway 97). ☎ 495-2470 ou 1-877-899-0897. Ce centre écologique fait partie de la *Osoyoos Desert Society*. Compter 7 $Ca (4,3 €) pour une visite de 1 h, sur des petites passerelles de bois, afin de ne pas abîmer ce fragile environnement ; réductions.

– Le 2e centre appartient aux Indiens Inkameeps. Cette autre partie de désert est sur leur territoire et ils sont bien décidés à ne pas laisser le monopole touristique à la ville ! Là encore, une promenade aménagée serpente à travers la zone pour vous faire découvrir son passé (maisons d'Indiens reconstituées), sa faune et sa flore. Même droit d'entrée que le précédent. Pour y aller, traverser le pont et prendre, au bout de 1,5 km, 45th Street sur la gauche ; c'est tout au bout.

KELOWNA

En arrivant du nord, la première impression est épouvantable. Sur des kilomètres, les motels succèdent aux centres commerciaux. Ce n'est que lorsqu'on quitte la *highway* que Kelowna apparaît comme une ville plus humaine, voire même charmante, avec des villas au bord du lac. Certains se souviendront peut-être que c'est ici qu'eut lieu un terrible incendie en août 2003, qui ravagea quelque 26 000 ha de terre.

Adresse utile

ℹ *Travel Info :* 544 Harvey Avenue (c'est le prolongement de la *highway*). ☎ 861-1515 ou 1-800-663-4345. Ouvert tous les jours de 8 h à 19 h de mai à septembre, et de 9 h à 17 h en semaine (10 h à 15 h le week-end) le reste de l'année.

Où dormir ? Où manger ?

🛏 *Kelowna International Hostel :* 2343 Pandosy Street. ☎ 763-6024. ● www.kelowna-hostel.bc.ca ● Au sud du centre. Après le grand pont (en venant du sud), prendre la 3e rue à droite (Pandosy Street) et continuer tout droit sur un peu plus de 2 km. Nuitée en dortoir à 18 $Ca (11 €), draps, serviette, café et *pancakes* inclus. Également 2 chambres doubles pour 40 $Ca (24,4 €). Pour les petits budgets, et aussi pour les autres, un endroit sympa où loger. Couloirs ornés de fresques, terrasse surélevée avec barbecue et salon bigarré avec des cartes géographiques aux murs et des guitares à disposition. Très convivial ! De plus, personnel jeune et international. Cuisine, laverie, Internet et collection de K7 vidéo. Une très chouette AJ, pour le dire en un mot, dynamique, vivante, colorée, bien tenue et bien équipée !

🛏 *Willow Inn :* 235 Queensway Avenue. ☎ 762-2122 ou 1-800-268-1055. Fax : 762-2077. Autour de 75 $Ca (45,8 €) pour 2. Piaules de motel, quelconques mais propres et franchement pas chères. La moitié d'entre elles donnent sur le lac et le port. Bon rapport qualité-prix, en plein centre.

🛏 *Prestige Inn :* 1675 Abbott Street. ☎ 860-7900. Fax : 860-7997. ● www.PrestigeInn.com ● Dans le centre, à deux pas du pont flottant. En été, compter environ 180 $Ca (109,8 €) pour une double standard. Petit dej' à 5,50 $Ca (3,4 €) pour les clients. Un bon cran au-dessus du *Willow Inn*. Chambres bien finies et confortables.

🛏 |●| *Eldorado :* 500 Cook Rd, à 10 mn en voiture au sud du centre. ☎ 763-7500. Fax : 861-4779. ● www.eldoradokelowna.com ● À partir de 170 $Ca (103,7 €) pour 2 en été. Si vous devez faire une entorse à votre budget, autant que ce soit ici car les chambres, décorées dans des tons harmonieux et aménagées de mobilier d'époque, sont vraiment jolies. On peut aussi venir y manger, sur le ponton face au lac ; compter alors 10 $Ca (6,1 €) pour un plat à midi et à partir de 15 $Ca (9,2 €) le soir, et 25 $Ca (15,3 €) pour le brunch du dimanche.

|●| *Kelly O'Bryan's :* 262 Bernard Avenue, en plein centre. ☎ 861-1338. Plats autour de 9 $Ca (5,5 €) à midi et de 14 à 30 $Ca (8,5 à 18,3 €) le soir. Grande maison

blanche. À l'intérieur, vaste salle aux murs de brique avec fenêtres cintrées et ventilos au plafond. Personnel en kilt, sympa et dynamique ! On viendra plus pour l'ambiance que pour la bouffe, pas mauvaise mais pas mémorable. Carte des alcools tenant de l'encyclopédie. L'autre carte, celle des plats, est pleine d'humour et de devinettes (demandez les réponses au bar). Repas offert en cas d'anniversaire !

Où acheter du bon vin ?

|●| *Mission Hill :* 1730 Mission Hill Rd. ☎ 768-6441. À *Westbank,* un peu avant d'arriver à Kelowna en venant du sud (fléché depuis la *highway*). Si la vallée tout entière est constellée d'exploitations viticoles *(wineries),* celle-ci possède une aura particulière. Y aller ne serait-ce que pour l'architecture du bâtiment et le

cadre naturel dans lequel il s'insère. L'accès au magasin est libre mais vous pouvez aussi faire la visite guidée (toutes les demi-heures de 10 h à 17 h 30 en saison ; entrée : 5 $Ca), qui vous fera découvrir la grande cave souterraine et vous permettra de goûter à 3 crus.

LE PARC PROVINCIAL DE MANNING IND. TÉL. : 250

Un peu comme le parc de Wells Gray, ce parc n'a pas la beauté spectaculaire de ceux des Rocheuses, mais il se prête merveilleusement à toutes sortes d'activités et, en particulier, à la randonnée. C'est d'ailleurs d'ici que part le *Pacific Crest Trail,* une petite marche de 3 860 km qui relie Manning à... Mexico ! Si jamais l'envie vous en prend, prévoyez 6 mois pour suivre ces anciens chemins des Indiens et des trappeurs qui furent ensuite développés par le service américain des forêts.

Adresses utiles

🛈 *Centre d'information du parc :* au milieu du parc, à 100 m de la Highway 3, non loin du *lodge.* ☎ 840-8870. Ouvert uniquement l'été, tous les jours de 8 h 30 à 16 h 30. Une carte lumineuse y indique toutes les randonnées possibles.

■ *Location de chevaux :* au *Corral Horse,* derrière le *lodge.* ☎ 840-8844.

■ *Location de VTT, de kayaks et de canoës :* au *lodge.*

Où dormir ?

Outre les campings, il n'existe qu'un seul *lodge* dans le parc. Si aucune de ces deux solutions ne vous tente (ou si tout est complet), allez à Hope, à 45 mn en voiture, qui possède une bonne infrastructure « motelière ».

⚐ Le plus agréable des 6 campings situés à l'intérieur du parc est celui qui se trouve près du *lac Lightning.* Compter 22 $Ca (13,4 €) l'emplacement. Réservation possible, moyennant 6 $Ca (3,7 €), au : ☎ 1-800-689-9025.

🛏 *Manning Park Resort :* au milieu du parc. ☎ 840-8822 ou 1-800-330-3321. Fax : 840-8848. ● www.manningpark.com ● À partir de 125 $Ca (76,3 €) en été et 160 $Ca (97,6 €)

pendant les vacances de Noël. Cadre tout en bois et chambres confortables. Il y a aussi des chalets, plus chers bien sûr. Comme d'habitude, une réservation s'impose. Attention, hors saison, le restaurant attenant au *lodge* ferme à 17 h !

À voir. À faire

🍴 Même si vous ne faites que passer par Manning, allez au moins voir le *Lightning Lake,* un superbe lac émeraude où l'on voit sauter les truites, et montez vers *Cascade Lookout* pour la vue.

➤ Les plus belles *randonnées,* au milieu des prairies d'altitude, partent de ce sommet situé à 1 960 m.

– En hiver, possibilité de skier sur les quelques pistes proches du parc. Se renseigner au *lodge.*

HOPE

Cernée de toutes parts de versants abrupts et verdoyants, cette grosse bourgade a de quoi surprendre par son cadre naturel. Ça tombe bien, vous risquez d'y dormir car elle se trouve idéalement placée à l'entrée des gorges de la rivière Fraser, qui est un grand centre de rafting où les hôtels sont rares, et non loin du parc de Manning où il n'existe qu'un hôtel. Tant qu'à faire, ce sera aussi l'occasion de voir les sculptures de bois faites à la tronçonneuse qui égaient un peu les rues de la ville. Et pour les fans de Rambo, de marcher sur les traces du héros, car c'est ici que fut tourné le premier volet de la trilogie...

Adresse utile

ℹ️ *Office de tourisme :* 919 Water Avenue, près de la rivière Fraser. ☎ 604-869-2021. Ouvert tous les

jours de 8 h à 20 h en été. Horaires plus restreints le reste de l'année.

Où dormir ?

🛏 *Windsor Motel :* 7783rd Avenue. ☎ 604-869-9944 ou 1-888-588-9944. Fax : 604-869-9975. Compter 65 $Ca (39,7 €) en saison. Un peu moins cher pendant la semaine. Chambres impeccables et bon marché. Celles du 1er étage donnent sur les montagnes. Un excellent choix.

🛏 *Swiss Chalets Motel :* sur la Highway 1, en bordure de la rivière Fraser, à quelques blocs au nord du centre. ☎ 604-869-9020. Fax : 604-869-7588. ● www.swisschaletsmotel. com ● Autour de 75 $Ca (45,8 €)

pour 2 personnes. Comme le nom l'indique, il s'agit de petits chalets de style suisse, avec poêle et table en bois à l'intérieur. Bien pour les petits groupes.

🛏 *Skagit Motor Inn :* 6553rd Avenue. ☎ 604-869-5220 ou 1-888-869-5228. Fax : 604-869-5856. De 95 à 100 $Ca (58 à 61 €) pour 2 personnes. Les chambres s'articulent autour d'une agréable cour plantée de conifères. Rien à redire sur l'ensemble, impeccablement tenu. Les suites familiales sont gigantesques.

BAGAGES

VÊTEMENTS

CHAUSSURES

www.leroutard.be
www.collectionduroutard.com

routard
A S S I S T A N C E
L'ASSURANCE VOYAGE
INTEGRALE A L'ETRANGER

VOTRE ASSISTANCE « MONDE ENTIER » LA PLUS ETENDUE

RAPATRIEMENT MEDICAL **ILLIMITÉ**
(au besoin par avion sanitaire)
VOS DEPENSES : MEDECINE, CHIRURGIE, (env. 1.960.000 FF) **300.000 €**
   HOPITAL, GARANTIES A 100% SANS FRANCHISE
   HOSPITALISE ! RIEN A PAYER… (ou entièrement remboursé)
BILLET GRATUIT DE RETOUR DANS VOTRE PAYS : **BILLET GRATUIT**
   En cas de décès (ou état de santé alarmant) **(de retour)**
   d'un proche parent, père, mère, conjoint, enfant(s)
*BILLET DE VISITE POUR UNE PERSONNE DE VOTRE CHOIX **BILLET GRATUIT**
   si vous êtes hospitalisé plus de 5 jours **(aller - retour)**

   Rapatriement du corps – Frais réels **Sans limitation**

RESPONSABILITE CIVILE «VIE PRIVEE» A L'ETRANGER

Dommages CORPORELS (garantie à 100%) .... (env. 6.560.000 FF) **1.000.000 €**
Dommages MATERIELS (garantie à 100%) .... (env. 2.900.000 FF) **450.000 €**
(dommages causés aux tiers) (AUCUNE FRANCHISE)
EXCLUSION RESPONSABILITE CIVILE AUTO : ne sont pas assurés les dommages
causés ou subis par votre véhicule à moteur : ils doivent être couverts par un contrat
spécial : ASSURANCE AUTO OU MOTO.
ASSISTANCE JURIDIQUE (Accident) .... (env. 1.960.000 FF) **300.000 €**
CAUTION PENALE .... (env. 49.000 FF) **7500 €**
AVANCE DE FONDS en cas de perte ou de vol d'argent (env. 4.900 FF) **750 €**

VOTRE ASSURANCE PERSONNELLE «ACCIDENTS» A L'ETRANGER

Infirmité totale et définitive (env. 490.000 FF) **75.000 €**
Infirmité partielle – (SANS FRANCHISE) **de 150 €** à **74.000 €**
   (env. 900 FF à 485.000 FF)
Préjudice moral : dommage esthétique (env. 98.000 FF) **15.000 €**
Capital DECES (env. 19.000 FF) **3.000 €**

VOS BAGAGES ET BIENS PERSONNELS A L'ETRANGER

Vêtements, objets personnels pendant toute la durée de votre voyage à l'étranger :
vols, perte, accidents, incendie, (env. 6.500 FF) **1.000 €**
Dont APPAREILS PHOTO et objets de valeurs (env. 1.900 FF) **300 €**

À PARTIR DE 4 PERSONNES
T A R I F S
"Spécial Famille"
Nous consulter Tél : 3260 AVI (0,15€ / minute)

routard
ASSISTANCE
L'ASSURANCE VOYAGE
INTEGRALE A L'ETRANGER

BULLETIN D'INSCRIPTION

NOM : M. Mme Melle |___|___|___|___|___|___|___|___|___|___|___|

PRENOM : |___|___|___|___|___|___|___|___|___|___|___|

DATE DE NAISSANCE : |___|___|___|___|___|___|___|___|

ADRESSE PERSONNELLE : |___|___|___|___|___|___|___|___|___|

|___|___|___|___|___|___|___|___|___|___|___|___|___|

|___|___|___|___|___|___|___|___|___|___|___|___|___|

CODE POSTAL : |___|___|___|___|___| TEL. |___|___|___|___|___|___|___|___|

VILLE : |___|___|___|___|___|___|___|___|___|___|___|___|

DESTINATION PRINCIPALE ....

Calculer exactement votre tarif en SEMAINES selon la durée de votre voyage :
7 JOURS DU CALENDRIER = 1 SEMAINE

Pour un Long Voyage (2 mois...), demandez le **PLAN MARCO POLO**

COTISATION FORFAITAIRE 2004-2005

VOYAGE DU |___|___|___|___|___| AU |___|___|___|___|___| = |___|
SEMAINES

Prix spécial « *JEUNES* » (3 à 40 ans) :   **20 € x** |___| = |___|___|___|€

De 41 à 60 ans (et – 3 ans) :   **30 € x** |___| = |___|___|___|€

De 61 à 65 ans :   **40 € x** |___| = |___|___|___|€

Tarif **"SPECIAL FAMILLES"** 4 personnes et plus : **Nous consulter au 01 44 63 51 00**

Chèque à l'ordre de ROUTARD ASSISTANCE – *A.V.I. International*
28, rue de Mogador – 75009 PARIS – FRANCE - Tél. 3260 AVI (0,15e / minute)
Métro : Trinité – Chaussée d'Antin / RER : Auber – Fax : 01 42 80 41 57

ou Carte bancaire : Visa ☐   Mastercard ☐   Amex ☐

N° de carte : |___|___|___|___|___|___|___|___|___|___|___|___|___|___|___|___|

Date d'expiration : |___|___| |___|___| Signature

*Je déclare être en bonne santé, et savoir que les maladies
ou accidents antérieurs à mon inscription ne sont pas assurés.*

Signature :

Faites des copies de cette page pour assurer vos compagnons de voyage.

INDEX GÉNÉRAL

– A –

– B –

– C –

– D –

– E –

– M –

– N –

– O –

– P –

– Q-R –

OÙ TROUVER LES CARTES ET LES PLANS ?

INDEX GÉNÉRAL

les **Routards** parlent aux **Routards**

Faites-nous part de vos expériences, de vos découvertes, de vos tuyaux.
Indiquez-nous les renseignements périmés. Aidez-nous à remettre l'ouvrage à jour.
Faites profiter les autres de vos adresses nouvelles, combines géniales... On adresse un exemplaire gratuit de la prochaine édition à ceux qui nous envoient les lettres les meilleures, pour la qualité et la pertinence des informations. Quelques conseils cependant :
– Envoyez-nous votre courrier le plus tôt possible afin que l'on puisse insérer vos tuyaux sur la prochaine édition.
– N'oubliez pas de préciser l'ouvrage que vous désirez recevoir.
– Vérifiez que vos remarques concernent l'édition en cours et notez les pages du guide concernées par vos observations.
– Quand vous indiquez des hôtels ou des restaurants, pensez à signaler leur adresse précise et, pour les grandes villes, les moyens de transport pour y aller. Si vous le pouvez, joignez la carte de visite de l'hôtel ou du resto décrit.
– N'écrivez si possible que d'un côté de la lettre (et non recto verso).
– Bien sûr, on s'arrache moins les yeux sur les lettres dactylographiées ou correctement écrites !

Le Guide du routard : 5, rue de l'Arrivée, 92190 Meudon

E-mail : guide@routard.com
Internet : www.routard.com

Les **Trophées** du **Routard**

Parce que le *Guide du routard* défend certaines valeurs : Droits de l'homme, solidarité, respect des autres, des cultures et de l'environnement, les Trophées du Routard soutiennent des actions à but humanitaire, en France ou à l'étranger, montées et réalisées par des équipes de 2 personnes de 18 à 30 ans.
Pour les premiers Trophées du Routard 2004, 6 équipes sont parties, chacune avec une bourse et 2 billets d'avion en poche, pour donner de leur temps et de leur savoir-faire aux 4 coins du monde. Certains vont équiper une école du Ladakh de systèmes solaires, développer un réseau d'exportation de la soie cambodgienne, construire une maternelle dans un village arménien ; d'autres vont convoyer et installer des ordinateurs dans un hôpital d'Oulan-Bator, installer un moulin à mil pour soulager les femmes d'un village sénégalais ou encore mettre en place une pompe à eau manuelle au Burkina Faso.
Ces projets ont pu être menés à bien grâce à l'implication de nos partenaires : le Crédit Coopératif (• www.credit-cooperatif.coop •), la Nef (• www.lanef.com •), l'UNAT (• www.unat.asso.fr •) et l'Agence Nationale pour les Chèques-Vacances (• www.ancv.com •).
Vous voulez aussi monter un projet solidaire en 2005 ? Téléchargez votre dossier de participation sur • www.routard.com • ou demandez-le par courrier à Hachette Tourisme - Les Trophées du Routard 2005, 43, quai de Grenelle, 75015 Paris, **à partir du 15 octobre 2004**.

Routard Assistance *2005*

Routard Assistance, c'est l'Assurance Voyage Intégrale sans franchise que nous avons négociée avec les meilleures compagnies, Assistance complète avec rapatriement médical illimité. Dépenses de santé, frais d'hôpital, pris en charge directement sans franchise jusqu'à 300 000 € + caution + défense pénale + responsabilité civile + tous risques bagages et photos. Assurance personnelle accidents : 75 000 €. Très complet ! Le tarif à la semaine vous donne une grande souplesse. Tableau des garanties et bulletin d'inscription à la fin de chaque *Guide du routard* étranger. Si votre départ est très proche, vous pouvez vous assurer par fax : 01-42-80-41-57, en indiquant le numéro de votre carte bancaire. Pour en savoir plus : ☎ 01-44-63-51-00 ; ou, encore mieux, sur notre site : • www.routard.com •

Photocomposé par Euronumérique
Imprimé en Italie par « La Tipografica Varese S.p.A »
Dépôt légal n° 51238-11/2004
Collection n° 13 - Édition n° 01
24/0161-0
I.S.B.N. 2.01.24.0161-9